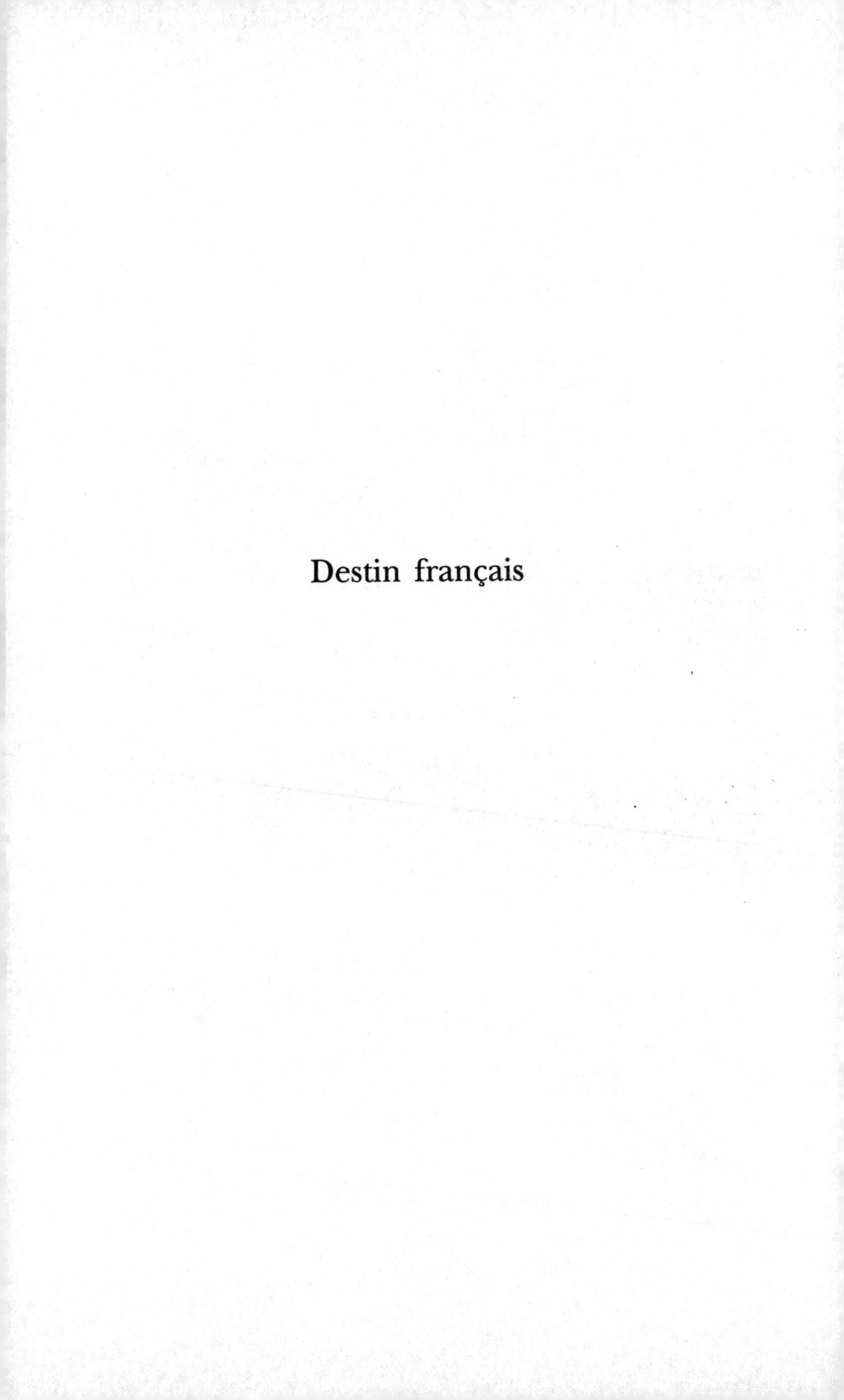

Destin français

Éric Zemmour

Destin français

Albin Michel

À mes parents.

« L'histoire mène à tout, mais à condition d'en sortir. »

Claude LÉVI-STRAUSS, *La Pensée sauvage.*

Introduction

C'était un cours d'eau qui ne payait pas de mine. Il ne méritait guère le nom de « fleuve », à peine celui de « rivière ». Il ne m'apparaissait pas impressionnant, ni admirable, ni dangereux. Il n'avait ni l'élégance majestueuse de la Seine, ni la fureur sauvage de la Loire, ni la puissance boueuse du Danube, ni le charme romantique du Rhin. L'eau s'écoulait lentement sous le soleil de juin et je l'imaginais pourtant saisi par les glaces. Une indolente sérénité régnait sur chacune des rives ; moi, je m'obstinais à voir et à entendre le fracas et le tumulte, les pas sourds des chevaux, les hurlements de détresse des femmes et des enfants qui se noyaient, les coups de feu, les soldats épuisés aux uniformes dépenaillés qui couraient dans le désordre, tirant au hasard, mourant par surprise. Les rares passants aux alentours se demandaient ce que faisait cet étranger soudain immobile et tétanisé, raide et silencieux, tremblant aussi parfois, intimidé, ému, devant ce fleuve qu'eux ne regardaient plus. J'avais conscience de ma stupidité, mais je ne parvenais pas à m'en arracher. Je sentis une larme couler, puis une autre s'enhardit, et une autre encore. Je ne pouvais plus faire semblant : je sanglotais.

À l'époque, mes parents étaient toujours vivants, et au-delà de mes rares larmes d'enfant, qui avaient été le plus souvent des fureurs de gosse impérieux, la seule peine qui m'avait éploré avait été causée par la défaite injuste et brutale de l'équipe de France de football face à l'Allemagne, en 1982, à Séville. J'essuyais mes yeux dans un geste furtif de honte. Mon esprit continuait à vagabonder entre chevaux au galop, soldats trempés, cris d'agonie des noyés. Une immense scène se jouait devant mon regard embué, sur ce fleuve minable et désinvolte qui poursuivait son cours sans se soucier de mes états d'âme ni de la fièvre qui m'étreignait : j'étais devant la Berezina.

Le Figaro m'y avait envoyé pour un reportage consacré aux voyages littéraires. D'autres avaient choisi Chateaubriand à Jérusalem ou Flaubert en Égypte. J'avais demandé Stendhal et la retraite de Russie. Aussitôt après avoir atterri à Moscou, j'avais visité le champ de bataille de Borodino, à quelques dizaines de kilomètres de la capitale. Tout m'évoquait ici Stendhal, son mépris pour les officiers de la Grande Armée, sa description de l'incendie de Moscou, l'emprunt qu'il s'était autorisé d'un livre de Voltaire, dans la demeure abandonnée d'un patricien moscovite. J'avais suivi ensuite les traces enfouies de nos soldats, repassant comme eux par Smolensk. Je me retrouvais comme eux devant cette foutue Berezina. Je voyais les pontonniers du général Éblé se jeter dans l'eau glacée, au sacrifice de leur vie, pour construire le pont qui permettrait aux survivants de la Grande Armée de quitter cette maudite Russie ; j'entendais les rugissements des soldats, mais aussi des femmes qui se précipitaient à l'eau sans savoir nager ; je devinais les cosaques de Koutouzov, furieux d'avoir manqué Napoléon, qui les avait bernés une dernière fois, se ruer sur les traînards, qu'ils massacraient avec fureur et méthode.

Ce spectacle épique était devenu mon histoire personnelle, intime. Je pleurais la débâcle de la Grande Armée comme la mort d'une mère, et la fuite de l'Empereur comme l'humiliation suprême d'un père.

Vieille habitude que j'avais acquise dès l'enfance. À 11 ans, je dévorais le *Napoléon* d'André Castelot, avec sa couverture verte cartonnée, que ma mère m'avait offert pour mon anniversaire ; je le lisais en tous lieux et à tous moments, jusqu'au jour où le responsable d'une colonie de vacances convoqua ma mère pour se plaindre que la lecture de ce gros ouvrage, dans le train et les chambrées, m'empêchait de participer « à la vie du groupe ». Je me rendrais compte au fil des ans que cette passion napoléonienne n'avait rien d'original. D'innombrables gosses, de génération en génération, avaient collectionné les petits soldats de la Grande Armée. À l'instar des enfants du siècle de Musset, eux aussi prenaient leur part à l'épopée impériale, conservaient les images d'Épinal que j'avais remplacées par les films et les feuilletons. Je cavalcadais avec Vidocq, porté par un Claude Brasseur charismatique, complotais avec Schulmeister, espion de l'Empereur à la faconde de Jacques Fabbri. Tour à tour aux ordres de Fouché, narguant le général Mack enfermé dans Ulm, je vivais en et pour 1800... Seuls d'Artagnan, Aramis, Athos et Porthos m'avaient convaincu d'être sujet de Louis XIII et de Richelieu. Vingt ans après, et je connaissais les troubles de la Fronde. Le collier de la reine, et je me liais d'amitié avec le comte de Saint-Germain.

Il n'y avait alors pas de rupture entre l'école et la télévision. Je me plongeais en plein duel entre Robespierre et Danton dans *La caméra explore le temps* de Decaux et Castelot ; chaque semaine, j'embarquais dans la « machine à remonter le temps » que les Américains avaient confectionnée : ils allaient bien sur la Lune, pourquoi ne seraient-ils pas allés dans le passé, autrement plus excitant que la surface sablonneuse entraperçue sous les pieds d'Armstrong, une nuit de l'été 1969 ? Je me révoltais contre la misère avec Jacquou le Croquant. Je séduisais les belles duchesses avec Fanfan la Tulipe, tombais amoureux d'Aurore, touchais la bosse de Jean Marais, et la botte de Nevers n'avait aucun secret pour moi.

Il n'y avait pas de rupture entre l'école, la télévision et la ville. Chaque rue, chaque place, chaque statue de Paris que je découvrais, installé dans la DS que mon père conduisait d'une main nerveuse, voire brutale, évoquait pour moi un moment d'histoire : place de la Concorde, je m'évertuais à deviner l'endroit où Louis XVI avait été guillotiné, et celui où les cosaques avaient célébré une messe orthodoxe en 1814 ; place de la Bastille, je tentais de reconstruire mentalement l'antique prison ; devant l'église Notre-Dame, je cherchais des yeux l'ombre d'Esmeralda et de Quasimodo.

Il n'y avait pas de rupture entre l'école, la télévision, la ville et la littérature : Rastignac à la pension Vauquer ; le nid d'amour où Rubempré rejoignait Esther ; la rue Tronchet, où le héros de *L'Éducation sentimentale* avait donné rendez-vous à Madame Arnoux, qui ne viendrait pas. J'avais hâte d'être assez vieux et riche pour acheter les lots d'immeubles de la Madeleine qui avaient causé la ruine de César Birotteau. Balzac était mon Vautrin, qui m'apprenait à grandir, à connaître les hommes, les femmes, à les craindre et m'en méfier, à ne rien attendre d'eux sinon l'envie et la mesquinerie.

Il n'y avait pas de rupture entre l'école, la télévision, la rue, la littérature et la politique : à la tête de l'État, le grand Charles songeait à s'installer au château de Vincennes comme Saint Louis, réchauffait ses vieux os au soleil d'Austerlitz et parlait à la télévision comme Chateaubriand ; et *Le Canard enchaîné*, que mon père achetait chaque mercredi, le dessinait en Louis XIV emperruqué dans une parodie des Mémoires de Saint-Simon.

Je savais où je voulais vivre, avec qui je voulais vivre, et comment je voulais vivre. À mes yeux médusés d'enfant, le mot France brillait de tous les feux : histoire, littérature, politique, guerre, amour, tout était rassemblé et transfiguré par une même lumière sacrée, un même art de vivre mais aussi de mourir, une même grandeur, même dans les défaites, une même allure, même dans les pires turpitudes.

Dès l'enfance, j'avais compris que la France était ce pays singulier fait de héros et d'écrivains, de héros qui se prétendaient écrivains, et d'écrivains qui se rêvaient en héros. Plus tard, avec Braudel, j'ai appris qu'il y avait aussi des Français qui travaillaient, produisaient, créaient, vendaient, achetaient, participaient à l'« économie-monde ». Le Roy Ladurie et tant d'autres m'ont enseigné qu'il y avait aussi, et surtout, des paysans qui labouraient, nourrissaient, souffraient. Avec Philippe Ariès, j'ai appris qu'il y avait aussi des enfants, choyés ou délaissés. Mais la France était ce pays unique où « l'intendance suivait », du moins dans son imaginaire. La France était ce pays fait à coups d'épée mais aussi de mots, par des cardinaux qui avaient l'épée au côté, et des littérateurs qui avaient la langue effilée comme une rapière.

L'histoire de France coulait dans mes veines, emplissait l'air que je respirais, forgeait mes rêves d'enfant ; je n'imaginais pas être la dernière génération à grandir ainsi. J'ignorais que ma date de naissance serait décisive : je vivais au XXe siècle mais en paix, loin du fracas des deux guerres mondiales, et de la guerre d'Algérie ; je me réchauffais pourtant encore aux ultimes feux de l'école de la IIIe République. J'évoluais entre deux époques, entre deux mondes. Je grandissais dans l'abondance de la société de consommation et pourtant mon esprit vagabondait dans les plaines héroïques d'hier. J'étais abonné au *Journal de Mickey*, mon corps se gavait de fraises Tagada et de rochers Suchard, mais ma tête chargeait avec les cavaliers de Murat dans les plaines enneigées d'Eylau. Je vivais le meilleur des deux mondes. Je ne mesurais pas ma chance.

Nous apprenions tous à lire et à écrire selon la méthode syllabique ; mon orthographe était impeccable (à l'exception d'un désamour inexpliqué pour l'accent circonflexe), ma science de la grammaire intériorisée comme une seconde nature ; et l'Histoire attendrait respectueusement que j'entre au collège, à la rentrée 1969, pour cesser d'être une matière à part entière et se contenter du statut marginal d'« activité d'éveil ». Notre programme avait été instauré par le grand Lavisse lui-même et ne devait rien à la pédagogie active des « sciences de l'éducation » qui commençaient tout juste à sévir. J'avais encore comme ancêtres les Gaulois, et mon père bénissait cette filiation en se précipitant à la librairie pour acquérir chaque nouvel épisode d'*Astérix*, qu'il s'empressait de lire avant de me l'offrir. Dans mon école communale de Drancy, banlieue parisienne où mes parents s'étaient installés, on rencontrait pourtant peu de Gaulois authentiques ; un Martin ou un Minot étaient mêlés à beaucoup de noms finissant en i. Je n'ai cependant jamais entendu ces descendants d'Italiens exciper fièrement de leur ascendance de vainqueurs romains pour mépriser ces minables vaincus gaulois.

Il me fallut abandonner mes camarades de l'école en neuvième. Mon père avait décidé, sur les conseils d'un oncle, de me confier désormais à l'école Lucien-de-Hirsch. Je découvrais en même temps le charme verdoyant des Buttes-Chaumont, que nous transformions dès la sortie des classes en terrain de football, et le rituel des prières matutinales, avant le début des cours. C'était une école privée sous contrat, suivant scrupuleusement les programmes de l'Éducation nationale, auxquels s'ajoutaient deux heures d'instruction religieuse. Je gagnais soudain de nouveaux ancêtres : Abraham, Isaac, Jacob, Moïse, David et Salomon. Mais ils n'effaçaient pas les Gaulois. On apprenait en classe à chanter les premiers couplets de *La Marseillaise*, on récitait par cœur les *Fables* de La Fontaine et on célébrait les hauts faits des héros français, de Bayard à Pasteur. Autant que je me souvienne, il n'y avait pas de compétition ni d'opposition entre ces deux filiations. J'ai su bien plus tard que Bossuet avait donné ces mêmes ancêtres bibliques au fils de Louis XIV, le Grand Dauphin, dont il était le précepteur. Seul Saint Louis faisait l'objet d'un litige, que certains de mes maîtres du matin s'obstinaient à appeler Louis IX, comme si sa sainteté butait sur les persécutions des Juifs qu'il avait ordonnées. La Torah nous était contée et commentée d'abondance. La lecture de Rachi, le grand rabbin de Troyes au XIIIe siècle, et sa langue si particulière, farcie d'innombrables mots français écrits en graphie hébraïque, n'avait guère de secrets pour moi.

C'est paradoxalement à l'école privée que je rencontrais des enfants de milieu très modeste ; des copains venus directement de leur Maroc natal, que l'école instruisait gratuitement ; ils ne racontaient jamais que la plupart des leurs avaient eux aussi quitté le royaume chérifien, mais pour émigrer en Israël ; je ne sus jamais pourquoi leurs parents avaient choisi la France comme terre d'asile ; je ne posais jamais la question ; la réponse me paraissait évidente : comment ne pas venir en France ? La quasi-totalité des Juifs d'Algérie ne s'étaient pas posé non plus la question lorsqu'il leur avait fallu choisir entre « la valise et le cercueil ».

Dans l'enceinte de l'école, nous portions une calotte, que nous ne nommions pas alors « kippa » ; mais le surveillant général de l'établissement nous enjoignait de l'ôter dès notre sortie. Ma mère n'était pas la dernière à me gourmander si j'oubliais cette consigne. Ce n'était, en ce temps-là, pas la peur qui l'animait, mais le respect instinctif d'une conception stricte de la laïcité qui séparait l'espace public du domaine privé. L'école, comme la maison ou la synagogue, relevaient du privé ; la rue ne devait pas souffrir la moindre affirmation d'une identité religieuse. Les mots avaient une importance cardinale : ma mère prenait soin de dire « calotte » et non « kippa », « communion » et non « bar-mitsva », « israélite » et non « juif ». Elle se prénommait Lucette, et ses frères et sœurs Paul, Bernard, Annie, Édith... Du côté de mon père, c'était la même litanie de prénoms « français », comme on disait à l'époque, avec fierté : Robert, Roger, Francette, Jean-Claude... Dans ma classe, parmi mes copains, les Éric (prénom à la mode dans ma génération) côtoyaient les Philippe, Charles, Émile, Pascal, Jean-Luc, Francis, Yves...

Ces prénoms nous venaient du « calendrier », disions-nous, sans même savoir qu'il s'agissait de noms de saints chrétiens. Bien plus tard, je compris que nous respections ainsi une règle édictée par Bonaparte. Décidément, l'Empereur me poursuivait. Mes aïeux n'étaient pas avec Murat au cours de la charge d'Eylau, ni à Rocroi avec le Grand Condé, encore moins avec Godefroi de Bouillon pendant les croisades. Mon père m'apprit que mes deux arrière-grands-pères avaient combattu pendant la Première Guerre mondiale, l'un à Verdun, l'autre aux Dardanelles. Je n'en éprouvais pas de vanité particulière, c'était normal, je ne faisais aucune distinction entre le sang réel et le sang historique ; comme s'ils s'étaient mêlés depuis longtemps dans mes veines.

Un jour, mon grand-père paternel me montra un des timbres qu'il collectionnait. Un combattant à la mine farouche, la tête surmontée d'un turban, brandissait un fusil. Un seul nom barrait l'image : Zemmour. C'était une tribu berbère célèbre, m'expliqua le vieil homme. Une des dernières à se soumettre à la France, bien après la prise de la smala d'Abd el-Kader, que j'avais étudiée à l'école. Mon sort se compliquait : j'avais été colonisé par la France, et j'avais même farouchement résisté à l'envahisseur. Comme Astérix face à Rome. Les Gaulois étaient devenus des Gallo-Romains, après avoir pris goût à la paix et à la civilisation romaine. Mes ancêtres à moi étaient devenus des Berbéro-Français, après avoir pris goût à la paix et à la civilisation française. Les Gallo-Romains avaient adopté les prénoms latins et endossé les toges romaines, appris à parler et à lire le latin ; ils disaient : « À Rome, on fait comme les Romains. » Mes aïeux avaient donné des prénoms français à leurs enfants, lu Victor Hugo et endossé les costumes et les robes de Paris, jusqu'à cette minijupe si « indécente » que ma mère arborait dans les rues de la capitale, à la place des djellabas et burnous arabes que leurs grands-mères avaient pourtant portés. L'histoire se répétait. Je la croyais immuable alors que j'étais là encore la dernière génération à la répéter. Dès la fin des années 1980, je compris que quelque chose ne tournait plus rond en ce beau pays de France : ceux qui nous avaient succédé dans les HLM de Montreuil ou de Drancy s'appelaient Mohamed ou Aïcha et non Marc et Françoise ; des voiles islamiques couvraient la tête de quelques jeunes filles ; leur langue était un sabir qui dédaignait la syntaxe française ; et il commençait à se murmurer que, dans nombre de lycées de banlieue, des adolescents refusaient d'étudier « votre » holocoste, « votre » croisade, mais aussi « votre » Voltaire, « votre » Flaubert, « votre » Révolution française…

J'avais pourtant toujours su qu'être français, c'était précisément ce sentiment qui vous pousse à prendre parti pour votre patrie d'adoption, même si elle avait combattu vos ancêtres. « La patrie, c'est la terre des pères. Il y a les pères selon la chair et les pères selon l'esprit », écrivait André Suarès, autre juif devenu français qui venait, lui, de Livourne, et chez qui je retrouverais, bien des années plus tard, la plupart de mes tourments, de mes analyses et de mes sentiments, rédigés dans une langue d'une pureté cristalline digne de Pascal. Avant même de le lire, j'avais intériorisé sa leçon : être français, quand on n'est pas un fils des pères selon la chair, mais un fils des pères selon l'esprit, c'est prendre parti pour ses pères d'adoption jusques et y compris contre ses pères d'origine. C'est prendre le parti de la raison sur l'instinct, de la culture sur la nature, c'est dire « nous » même quand le nous qu'on est devenu affronte le nous qu'on fut. Suarès ne dit pas autre chose : « Les immigrés, s'ils veulent être tolérés, doivent se rendre tolérables. Si la chair en eux n'est pas naturellement sensible dans le sens des fils véritables, ils doivent donner la preuve qu'ils ont l'esprit de la patrie, et qu'ils ne répugnent pas à vivre selon elle, et selon lui. Il se peut qu'ils soient placés entre l'instinct de leur naissance selon la chair et leur sentiment selon l'esprit. » Et Suarès de préciser : « Ils ont le choix mais il leur faut choisir. Il faut qu'ils se prononcent, avec vérité, avec profondeur, pour les pères selon l'esprit, même s'il leur faut renier les pères selon la chair. Si le choix leur impose un sacrifice, il est d'autant plus nécessaire. On ne mérite rien de beau, de bon, de grand sans sacrifice. »

Dans ma génération, et celles qui m'avaient précédé, ce sentiment était presque banal. Les exemples ne manquaient pas, et des plus illustres. Je ressentais au plus profond de moi ce que je lirai des années plus tard sous la plume de Raymond Aron : « Je suis ce qu'on appelle un Juif assimilé. Enfant, j'ai pleuré aux malheurs de la France à Waterloo ou à Sedan, non en écoutant la destruction du Temple. Aucun autre drapeau que le tricolore, aucun autre hymne que *La Marseillaise* ne mouillera jamais mes yeux. »

De même, le grand professeur Alfred Grosser, lors d'un colloque en 1994, attestera cette transmutation des cœurs et des âmes qui fait que l'on devient français : « Arrivé en France en 1933 à l'âge de 8 ans, je ne savais pas un mot de français. Lorsque, plus tard, je me surpris pour la première fois à dire à mes étudiants : "En 1914, nous avons..." ce "nous" désignant bien entendu les soldats français, alors que mon père avait, pendant quatre ans, servi comme officier-médecin dans l'armée allemande, j'ai pensé, tout en continuant à parler : "Assimilation pleinement réussie. Jeanne d'Arc est mon arrière-grand-mère, Napoléon mon grand-père et Goethe un grand écrivain étranger." »

Dans ma famille, on ne se posait pas tant de questions. Les identités diverses se mêlaient sans qu'on emploie le terme. On était juif à la maison, Français dans la rue. On respectait strictement les lois de la *casherout* à la table familiale, on séparait selon les préceptes bibliques le lait et la viande, mais on aimait aussi les bons restaurants. C'était un dégradé complexe et subtil qui s'avérera là aussi plus fragile que je le pensais enfant, qui permettait pourtant à la fois de respecter les préceptes des aïeux et de partager les plaisirs de la sociabilité à la française ; de préserver et maintenir des rituels sans se cloîtrer dans le ghetto de l'orthopraxie ; de concilier liberté individuelle et traditions familiales. Ma mère avait reçu en héritage de sa belle-mère les plats de « chez nous », entre couscous et boulettes, mais elle avait à cœur d'apprendre les recettes de la « cuisine française », entre sauce hollandaise et crêpe Suzette, qu'elle glanait dans les journaux féminins ou qu'elle demandait aux chefs eux-mêmes : elle avait l'art de leur soutirer leurs secrets, en les charmant de son sourire enfantin d'actrice italienne. On mélangeait les goûts et les saveurs, comme les airs et les ritournelles. Ma mère écoutait Aznavour et entonnait à tue-tête « Ma vie », d'Alain Barrière, tandis que mon père passait de nombreuses soirées, voire ses nuits, autour du violon endiablé de Sylvain, le père d'Enrico Macias, un des plus grands artistes de musique judéo-arabe, ou de la voix entêtante de Lili Boniche.

On se demande aujourd'hui comment tous arrivaient à vivre harmonieusement ces différentes identités, tandis que nos contemporains se cognent sans cesse entre les injonctions contradictoires de la « diversité ». Avec le recul que me donne le temps, il me semble que la réponse est assez simple : il n'y avait pas de conflit parce qu'il ne pouvait pas y en avoir. Il ne devait pas y en avoir. Le privé était le privé et le public, le public. Le sacré était dans le rituel, la loi dans la République. On chantait Aznavour dans la journée et Oum Kalsoum la nuit. Mon père parlait arabe dans les cafés de la Goutte d'or, du 18e arrondissement de Paris, où il se plaisait à boire une anisette en jouant au rami ; mais il tenait la littérature française pour ce qu'il y avait de plus grand au monde, et notait avec soin sur un calepin les phrases de Victor Hugo, ou de Sacha Guitry, qu'il aimait à réciter sentencieusement, à la table familiale.

La France, c'était la vie ; l'Algérie, la nostalgie. La France, la grande nation ; l'Algérie, la petite patrie. L'une s'emboîtait dans l'autre, s'encastrait, se lovait. Je n'ai aucunement grandi dans le culte de l'Algérie de papa. Les familles de mes parents y étaient fort pauvres, voire misérables. Mon père me racontait souvent, avec une colère qu'il ne contenait pas, les propos stupides de ce militant CGT qui l'avait accusé « d'avoir fait suer le burnous aux Arabes ». Ils ne se lamentaient pas sur ce qu'ils avaient laissé là-bas ; ils n'avaient rien laissé. Mon père n'avait pas oublié les bagarres quotidiennes avec les « petits Arabes », comme il disait, dans la cour de récréation, pour un « Sale Juif » qui fusait trop souvent, trop spontanément ; mais il n'avait pas oublié non plus cette convivialité chaleureuse des gens simples, qu'ils soient musulmans, juifs ou chrétiens, qui se rendaient des visites et des services, respectaient les rituels des uns et des autres, et partageaient les valeurs identiques d'hospitalité et de respect des anciens.

Il évoquait aussi le mépris des « fils de colons », qui ne les invitaient pas toujours à leurs surprises-parties, quand les musulmans, eux, y étaient systématiquement repoussés parce qu'ils « refusaient d'amener leurs sœurs ». Ma mère, elle, se souvenait surtout de ces groupes de jeunes Arabes qui l'insultaient dans les rues de Sétif, parce qu'elle était trop belle, qu'elle refusait de leur parler, et de ses cousins arrivant à la rescousse pour faire le coup de poing contre ce qu'on n'appelait pas alors du « harcèlement ». La terre d'Algérie est âpre, cloisonnée en tribus rivales, façonnée au fil des siècles et des conquêtes par des hommes rudes et violents, au contraire de la douce et bonhomme Tunisie, ou du subtil et fier Maroc. Des années plus tard, je demandai à mon père pourquoi sa vision de l'Algérie ne correspondait pas aux récits enchanteurs qu'en faisaient mes camarades juifs venus de Tunisie ou du Maroc. Mon père prit un temps de réflexion, et me rétorqua : « Eux, ils avaient peur des Arabes ; ils faisaient le dos rond ; nous, on n'avait pas peur d'eux ; on était Français. » Je comprendrais, un jour, en lisant les travaux remarquables de l'historien Georges Bensoussan, le sens de ses propos et de ses récits : oser se battre, pour un enfant juif, rendre les insultes et les coups à son éventuel agresseur musulman, était déjà d'une intrépidité folle, que ne se seraient jamais autorisée ses aïeux ; intrépidité que mon père devait tout entière à la présence émancipatrice et protectrice de la France.

On était français depuis que le décret Crémieux, en 1870, avait accordé la nationalité française à tous les Juifs d'Algérie. À l'époque, ceux-ci n'étaient que trente mille et leurs enfants se pressaient déjà depuis plusieurs années dans les écoles françaises. L'épisode vichyste n'était jamais abordé à la table familiale ; l'abolition du décret Crémieux rarement évoquée ; mais le renvoi de l'école publique avait marqué ceux qui l'avaient vécu. Une fois seulement, ma grand-mère maternelle me montra avec une émotion visible une vieille carte d'identité au papier jauni, sur laquelle était écrit : « Juif indigène ». L'indépendance de l'Algérie revenait plus souvent dans les conversations. Les hommes s'échauffaient autour de la personne du général de Gaulle, qui suscitait encore d'intactes passions après qu'il eut quitté le pouvoir ; et même après qu'il fut mort ; passions qui ne s'apaisaient qu'autour d'une partie de jacquet – qu'on n'affublait pas alors d'un snob « backgammon » –, dans la virevolte enjouée des jetons sur le damier et des insultes lancées en langue arabe, pour exprimer avec plus de férocité la joie mauvaise du vainqueur et l'amertume vindicative du perdant.

On se rassemblait les samedis et dimanches, et les soirs des principales fêtes juives. Ma parentèle avait la nostalgie de la vie chaleureuse et solidaire, qu'ils avaient connue dans leurs bourgades d'Algérie, loin de l'individualisme distant et froid qu'ils reprochaient aux Parisiens. On se retrouvait alternativement dans la famille de mon père ou celle de ma mère. Mes grands-parents paternels résidaient dans une HLM de Montreuil, tandis que mes grands-parents maternels s'étaient installés dans une HLM de Stains. Mon grand-père paternel, Justin, était aussi râblé et volubile que Léon, le père de ma mère, était long et taiseux ; sa femme, Rachel, était aussi massive et bonne cuisinière que Claire, l'épouse de Léon, était menue et discrète. Là-bas, à Montreuil, je jouais au foot avec les gars du voisinage, tandis que j'enfourchais mon vélo pour me balader dans les rues de Stains ou de Pierrefitte, la ville mitoyenne. Pépé Léon ne tarissait pas d'éloges sur le chauffage central, jusque-là inconnu ; et pépé Justin occupait sa retraite à découvrir les mystères techniques des fils encastrés dans la télévision en noir et blanc, tandis que sa femme interdisait à ses filles de se déshabiller devant l'écran allumé de « peur qu'on les voie nues ».

J'aimais par-dessus tout les empoignades politico-historiques qui éclataient à tout moment, pour un mot, une allusion parfois, à la table familiale. C'était un spectacle permanent et fascinant. Les voix tonitruaient, les verres tremblaient, les mains et les bras s'agitaient comme des sémaphores, les insultes fusaient. On évoquait avec grandiloquence les héros du passé ; l'histoire du XXe siècle défilait dans un désordre confus, avec son flot de guerres, de persécutions, d'exils ; elle avait laissé sur chacun une morsure indélébile et cruelle, mais qu'ils faisaient mine d'ignorer. Justin ne manquait jamais de rappeler avec une condescendance truculente qu'il avait vu juste avant tout le monde, lorsqu'il avait décidé de quitter l'Algérie des années avant l'indépendance : « Deux fenêtres ouvertes dans un appartement, avait-il dit alors à sa femme et à ses enfants [il évoquait la Tunisie et le Maroc, qui s'étaient émancipés], ça fait courant d'air ! » ; il concluait toujours ses péroraisons d'un sentencieux : « La France, elle est morte en 14. Le Français de 14, il n'y en a plus. »

Cette indépendance de l'Algérie n'avait pas empêché mon père de voter en faveur du Général à l'élection présidentielle de 1965. Il admirait sa quête de la grandeur, sa majesté de monarque, son amour de la France, mais il goûtait par-dessus tout son maniement de la langue française, dont il ne se lassait pas de répéter les formules les plus incisives. C'est dans la bouche de mon père, et bien avant que je ne le lise dans le livre d'Alain Peyrefitte, que j'entendis pour la première fois que de Gaulle « avait donné l'Algérie pour que son village ne s'appelle pas Colombey-les-Deux-Mosquées ». Ce gaullisme paternel suscitait l'ironie de mon grand-père et l'ire de son frère aîné. Celui-ci, agent d'EDF et militant syndical, votait à gauche. Il estimait, en bon marxiste, que mon père était incapable d'évaluer à sa juste mesure le sens de l'Histoire, depuis qu'ayant abandonné son poste de préparateur en pharmacie pour devenir un patron d'ambulances privées, il était devenu un de ces petits-bourgeois, traîtres à leur classe. Justin, lui, avouait une méfiance instinctive envers de Gaulle, qui datait, disait-il, de son arrivée à Alger, en 1943, dans la foulée des Américains.

Curieusement, Justin ne savait pas gré au Général d'avoir alors annulé l'abolition du décret Crémieux, et rétabli les juifs d'Algérie dans tous leurs droits de citoyens français, tandis qu'il ne lui pardonnait pas ses propos fameux sur le « peuple juif, peuple d'élite, sûr de lui et dominateur ».

Mon père faisait face avec cran. Il répétait que la phrase tant honnie du Général était en fait un éloge ; que de Gaulle aurait voulu que le peuple français fût lui aussi, un peuple d'élite, sûr de lui et dominateur. Qu'il l'avait été naguère et qu'il devait, selon le Général, le redevenir.

Il n'empêche. La guerre des Six Jours avait ébranlé mon père. À la peur d'un nouveau génocide avaient succédé le soulagement et l'enthousiasme. À la crainte d'un écrasement par les armées arabes, l'admiration pour Tsahal. À l'admiration, la fierté. Mon père n'avait jamais été un sioniste militant, mais il se précipita dès la fin juin dans Jérusalem « libérée ». Il en revint énamouré, tandis que ma mère se contentait de trouver les Israéliens « mal élevés ». Jusqu'à sa mort, mon père me répéterait que la gloire militaire d'Israël avait restauré la dignité du peuple juif et contenu définitivement l'antisémitisme !

La gloire militaire est souvent mauvaise conseillère : l'*hubris* succéderait très vite à la fierté. Plus rien ne serait jamais comme avant. À partir de la guerre des Six Jours, en 1967, un double phénomène se produisit, au sein de l'école, et plus largement au sein de ce qu'on commençait d'appeler la « communauté juive » : la montée en puissance conjointe et souvent complice de l'orthodoxie religieuse et du sionisme. Les écoles juives rangeaient peu à peu au placard leur patriotisme français pour devenir les relais du militantisme sioniste en France. Le bleu et blanc supplantait le tricolore. Au fil des années, ma famille, comme beaucoup de familles juives, se divisa entre ceux qui, revenant à une application rigoriste des préceptes de la Torah, avaient la tête à Jérusalem ou Tel-Aviv, et ceux qui restaient les deux pieds à Paris et sur la terre de France. Si l'on en croit Raymond Aron, c'est parce qu'il avait deviné ce bouleversement que le général de Gaulle avait prononcé sa fameuse phrase : « De Gaulle n'était pas antisémite, j'en suis convaincu... Il a été heurté par la réaction des juifs français, en 1967, c'est-à-dire par leur enthousiasme pour la victoire des Israéliens. Il avait conseillé aux Israéliens de ne pas faire la guerre. Il s'est dit alors : "Ces juifs français sont des juifs, ce ne sont pas des Français comme les autres." Telle fut, je pense, l'origine de cette conférence de presse[1]. »

Dans la foulée, Aron ajoutait : « Les juifs ont la liberté de se choisir juifs dans la diaspora. Ils peuvent se choisir juifs

1. Raymond Aron, *Le Spectateur engagé*, Julliard, 1981.

en Israël. Mais s'ils se choisissent juifs en France et citoyens français, alors ils doivent respecter que leur patrie soit la France et non pas Israël. »

Cette position est demeurée évidente pour moi. Pas pour tout le monde, loin de là. J'ai déjà analysé dans mon précédent livre, *Le Suicide français* cette évolution des Français juifs et au-delà de tout le pays, comme si la « communauté juive » avait été le laboratoire où avait été expérimentée la société multiculturelle et sa conflictualité identitaire que nous connaissons et subissons aujourd'hui.

La question de la « double allégeance », à la France et à Israël, qui taraudait déjà Aron et de Gaulle – et une partie de ses soutiens qui virent dans Mai 68 un « coup des services secrets israéliens » –, s'est depuis lors retournée. Les juifs furent longtemps sommés d'y renoncer sous peine d'être traités de mauvais Français ; désormais, ils sont sommés d'y souscrire, sous peine d'être traités de mauvais juifs, de renégats, de « juifs antisémites ».

Le philosophe Rémi Brague, spécialiste des religions, explique qu'à l'exception du christianisme, qui est selon le mot de Hegel la « religion absolue », toutes les religions sont à la fois des religions et quelque chose d'autre : le judaïsme est à la fois une religion et un peuple, le bouddhisme, une religion et une sagesse ; l'islam, une religion et un système juridico-politique.

Les juifs vivant en France, et en Occident en général, seront de plus en plus contraints de choisir entre la religion juive et le peuple juif. On comprend qu'ils s'y refusent, le choix est douloureux. Certains réunifient les deux tendances sous la houlette d'une orthopraxie rigoureuse et d'une vie au plus près de ce qui reste du temple de Jérusalem. D'autres, souvent les plus modestes, se sont retrouvés dans une nasse, contraints d'abandonner ces banlieues où j'avais grandi, sous la pression des caïds, la « halalisation » de leur quartier et une violence antijuive qui s'en prend à leurs enfants.

Comme il paraît loin, ce temps des années 1980 où les élites intellectuelles et politiques juives de gauche, les BHL, Marek Halter et autres Julien Dray, paradaient dans les rues et sur les plateaux de télévision, aux cris de « Qui touche un Arabe touche un Juif ». Les élites juives, communautaires et intellectuelles, pour la plupart de gauche, ont enfermé leurs coreligionnaires dans un double piège, identitaire et mondialiste, tribal et cosmopolite, qui les a séparés de leurs concitoyens français, et a fait d'eux les victimes privilégiées des vagues migratoires islamiques qui ont déferlé, toujours plus hautes et cinglantes.

La coupure entre juifs des classes bourgeoises et ceux des classes populaires a pris un tour identique à celui qu'il connaît partout en France, en Europe et aux États-Unis. La terre d'Israël est devenue au fil des années la « France périphérique » des juifs de condition modeste ; ils s'installent dans des villes remplies d'anciens compatriotes, continuent à parler leur langue maternelle entre eux et regardent la télévision française, tout en se lamentant sur le cher et vieux pays, qu'ils ont jadis tant aimé.

Je ne reconnais pas, moi non plus, les quartiers où j'ai passé mon enfance et ma jeunesse. Pourtant, les immeubles sont restés les mêmes, pour la plupart d'une laideur tranquille. Partout, que ce soit à Drancy ou à Montreuil, à Stains, ou encore dans le 18e arrondissement, le décor est demeuré identique. Ce sont les acteurs qui ont changé. En une génération, et à quelques encablures du centre de Paris, voire dans certains secteurs de l'Est parisien, on passe dans un autre continent, une autre civilisation, un autre pays. Malraux disait : « Une civilisation, c'est tout ce qui s'agrège autour d'une religion. » Quand on change de religion dominante, on change de civilisation. Et donc de pays. À Montreuil, on a l'impression que la ville vit sous permanente transfusion malienne. Les commerces traditionnels ont fermé les uns après les autres, les boutiques halal fleurissent, les rares pâtisseries survivantes s'interdisent les babas au rhum. À Stains, j'ai cru comprendre que la paisible cité de mes grands-parents avait connu une importante promotion en devenant un centre européen du trafic de drogue. À la Goutte d'or, les mosquées côtoient les coiffeurs africains, les caïds en casquette, les pèlerins en djellaba.

J'ai eu la chance insigne de connaître la banlieue avec l'école de la IIIe République, et avant la mise en œuvre des procédures du regroupement familial. Cette banlieue était déjà enlaidie par les immeubles poussés à la va-vite au cours des années 1960 ; mais la vie y était tranquille, joyeuse et sereine. Les « blousons noirs » des années 1950, avec leurs chaînes à vélo, que mes plus jeunes oncles avaient affrontés à mains nues, avaient vieilli et s'étaient rangés des voitures ; et l'heure n'était pas encore venue des trafiquants de drogue. Même sous la torture, je continuerai d'affirmer que oui, décidément, c'était mieux avant.

Peu de temps avant sa mort, mon père, visiblement courroucé, me dit : « J'en ai assez d'entendre à la télévision "Les Juifs de France". Je ne suis pas un Juif de France, je suis un Français juif. Je ne suis pas un étranger ni un immigré. »

Un Français de rituel juif et de culture catholique. C'est tout le paradoxe et toute la complexité de ce qu'on appelait naguère une « assimilation réussie ». Toute la subtile richesse aussi. Comme disait André Suarès : « Un peuple comme la France peut n'aller jamais à l'Église : il est chrétien dans ses moelles. Ses erreurs mêmes sont chrétiennes et ses excès quand il veut introduire la politique dans l'ordre du sentiment. Nation très chrétienne : elle a l'Évangile dans le sang. »

Je ne crois pas en la résurrection du Christ ni dans le dogme de l'Immaculée Conception, mais je suis convaincu qu'on ne peut être français sans être profondément imprégné du catholicisme, son culte des images, de la pompe, l'ordre instauré par l'Église, ce mélange subtil de Morale juive, de Raison grecque, et de Loi romaine, mais aussi de l'humilité de ses serviteurs, même forcée, de leur sensibilité aux pauvres, ou encore de ce que René Girard nous a enseigné sur la manière dont Jésus, en se sacrifiant, a dévoilé et délégitimé l'ancestrale malédiction du « bouc émissaire ». Dans son texte fameux sur l'« enracinement », Simone Weil distingue entre catholicisme et christianisme. Le catholicisme, c'est la Loi (juive) et l'ordre (romain). Le christianisme, c'est le message du Christ, c'est « aimez-vous les uns les autres », c'est « il n'y a plus de Grecs ni juifs, ni hommes ni femmes ». La loi et l'ordre subvertis par l'Amour. Bien que née juive, Simone Weil se sent chrétienne, mais voue aux gémonies le catholicisme. Je suis aux antipodes de notre noble philosophe. Je fais mien le catholicisme, qui bien qu'universel (en grec, *katholicos*) se marie – se mariait – avec le patriotisme français. Catholique au sens où l'entendait Bossuet : « Si l'on est obligé d'aimer tous les hommes, et qu'à vrai dire il n'y ait point d'étranger pour le chrétien, à plus forte raison doit-il aimer ses concitoyens [...]. Tout l'amour qu'on a pour soi-même, pour sa famille, et pour ses amis se réunit dans l'amour qu'on a pour sa patrie, où notre bonheur et celui de nos familles est renfermé[1]. »

En revanche, je mets à distance ce christianisme devenu au cours de ces dernières décennies, dans la lignée de Vatican II, une folle machine à aimer l'Autre, quel qu'il soit et quelles que soient ses intentions. Le message d'amour universel du Christ est déconnecté de la loi divine et de l'enseignement de l'Église. Il est paradoxalement instrumentalisé au service d'une destruction des nations et de la civilisation chrétiennes en Europe.

En France, l'émancipation des juifs, proclamée par la Révolution (et le roi Louis XVI !) a été encadrée par Napoléon à l'issue de la célèbre réunion du Sanhédrin en 1807. Au-delà des diverses questions posées par l'Empereur, à propos de l'interdit sur les mariages mixtes ou les prescriptions alimentaires dans la Grande Armée, il exhortait avant tout les juifs à considérer les autres Français comme des « frères » et Paris, comme leur nouvelle Jérusalem. Je suis simplement resté fidèle à cette injonction impériale.

1. *Politique tirée de l'Écriture sainte*; article « Amour de la patrie », 1709.

Je vis toujours en 1800, même après avoir quitté les rives de l'enfance. Je me balade plus que jamais dans les rues de Paris pour retrouver mes fantômes de l'histoire ou des romans. Je crois toujours qu'on devient français par l'histoire et la littérature, si on n'a pas eu la chance de l'être par le sang et la terre. C'est notre génie national. Je crois toujours, comme le disait le général de Gaulle au journaliste André Passeron, le 6 mai 1966 : « Nous avons jadis été un pays énorme. Nous sommes faits pour être un pays énorme. C'est ce qu'il faut que nous cherchions à réaliser. »

Je crois plus que jamais que la France n'est pas en Europe, mais est l'Europe. Elle est espagnole par les Pyrénées, italienne par Nice et la Provence, allemande par Strasbourg et le Rhin, anglaise par la Bretagne : « L'originalité de la civilisation française fut de fondre et d'amalgamer des éléments méditerranéens et des éléments barbares… La France fut, par sa côte méditerranéenne, en contact intime avec les mondes grec, romain, byzantin ; par sa côte atlantique, avec les Vikings scandinaves ; par sa frontière pyrénéenne, avec l'islam ; par le Rhin, avec les Barbares. Ce mélange la sauva de l'éternel provincialisme de l'Europe centrale[1]. »

En 1810, la France incorporait en son sein les provinces belges, rhénanes, italiennes. J'amuse beaucoup mes amis, surtout ceux venant de ces contrées-là, en leur disant qu'à mes yeux, ils sont toujours français. Ils ne se doutent pas à quel point je suis sérieux. Il n'y a aucune différence, selon moi, entre Nice et Turin, Strasbourg et Cologne, Lille et Bruxelles ou Anvers. La France n'est pas une race ; elle est l'héritière de l'Empire romain ; le destin historique de cette nation, comme le disaient Jacques Bainville ou Maurice Barrès, est de poursuivre la tâche de « civilisation » commencée sous les auspices du légionnaire romain au-delà du Rhin.

Écrire l'Histoire de la France, c'est pour moi monter et descendre inlassablement le même escalier : comment

1. André Maurois, *Histoire de la France*, 1947.

l'Église a fait un roi ; comment le roi a fait la nation ; comment la nation a fait la République ; comment la République a fait la grande nation ; comment la grande nation est devenue puissance moyenne ; comment la puissance moyenne est en danger de mort. L'historien Pierre Nora résume cet escalier par une formule cruelle et magnifique : « Je pense que le passé de la France est plus intéressant que son avenir. La France sait qu'elle a un futur, mais elle ne se voit pas d'avenir. »

La France a été le cœur battant de l'Histoire de l'Europe, et donc du monde, pendant mille ans : la féodalité, les croisades, la monarchie absolue, les Lumières, la Révolution, la démocratie, la colonisation, le socialisme. En revanche, l'histoire du XXe siècle s'est faite autour d'elle, à ses marges ; elle n'a rien maîtrisé, seulement subi : communisme, fascisme, nazisme, libéralisme, crise de 1929. La France, de sujet, est devenue un objet. D'actrice, spectatrice. Elle s'est retirée doucement de l'Histoire.

Si on remonte le fil du temps, on peut sans doute situer le point d'inflexion de son destin tragique en 1763, date du sinistre traité de Paris. La défaite des armées françaises en Europe, face à la Prusse de Frédéric II et au Canada, face aux habits rouges britanniques, sans oublier le lâchage de Dupleix en Inde, par une cour royale médiocre et stupide, sonne le glas de l'ambition mondiale de la France. Le monde ne parlera pas français et donc ne pensera pas en français, mais en anglais.

Tous les efforts patients de nos rois pour succéder à l'Empire espagnol sont alors mis à bas. Toute la suite de l'histoire s'explique par la tentative toujours vaine de rattraper cette perte irréparable. C'est pour venger la défaite de son grand-père Louis XV que Louis XVI engage la Marine française aux côtés des insurgés américains. C'est parce que cette guerre provoque un endettement inouï que Louis XVI est renversé ; parce que la Révolution déclare la guerre à l'Europe que Napoléon tente de revenir dans le grand jeu mondial, en imposant l'hégémonie française sur le continent. Parce qu'on est inconsolable de la chute de l'Empire napoléonien (« La halte dans la boue », dit-on à l'époque) qu'on bâtit un empire de substitution en Afrique et en Indochine. Parce que nos soldats ont pris la déplorable habitude de se battre contre des tribus africaines mal armées qu'on se fait écraser par la puissante armée prussienne en 1870 ; parce qu'on perd l'Alsace-Lorraine qu'on prépare la revanche ; parce qu'on gagne en 1918 qu'on perd en 1940. Parce qu'on est écrasé en 1940 qu'on doit abandonner nos colonies qui n'ont plus peur du soldat français qui a cessé d'être invincible.

Funeste enchaînement, funeste destin. Chacune de nos défaites creuse le tombeau de la puissance française ; chacun de nos retours marque la résurrection d'une France-Christ. La France perd la main en 1815, manque l'occasion de la ressaisir en 1918, la perd à jamais en 1940. Et fait semblant de l'avoir retrouvée, sans y croire, en 1945.

La France a usé la mansuétude divine. Ses plaies marquent tout son corps mutilé. Selon une légende populaire bien connue, un homme, sur le point de mourir, voit passer devant ses yeux les événements marquants de son existence. La France vit aujourd'hui un phénomène identique. Elle semble repasser par toutes les étapes de son existence millénaire. Un affaiblissement de l'État central, au bénéfice des « territoires », des grands groupes mondiaux et des réseaux mafieux, de tous ces féodaux qui semblent sortis d'un Moyen Âge technologique ; les grandes invasions, la conquête arabe du VIIe siècle jusqu'à Poitiers, avec les vagues migratoires ; lors du premier choc pétrolier, en 1973, on entendait dans le monde arabe : « C'est la revanche de Poitiers ! » Quelques décennies plus tard, les djihadistes qui frappent la France célèbrent la « razzia bénie » du gouverneur andalou Abd al-Rahman. On peut aisément poursuivre cette remontée dans le temps : les projets de paix perpétuelle ont vu leur consécration dans l'Union européenne ; l'hégémonie de l'empire des Habsbourg n'est rien à côté de celle de l'empire américain ; la soumission craintive de notre diplomatie aux desiderata allemands rappelle le temps de Bismarck ; le cosmopolitisme des élites intellectuelles et économiques évoque les Lumières ; la « libération sexuelle » et les crises de spéculation financière nous ramènent à la Régence ; le pouvoir des juges a bien des points communs avec les parlements d'Ancien Régime ; la montée en puissance médiatique des femmes d'aujourd'hui fait souvent référence au rôle décisif de ces dernières dans les salons du XVIIe et du XVIIIe siècle ; notre humble fascination pour la culture et langue anglo-saxonne est née au temps de l'« anglomanie » du XVIIIe et du XIXe siècles, etc.

Bien sûr, rien n'est exactement homothétique ; mais tout évoque, rappelle, inspire. Tout se répète, mais différemment. On connaît la célèbre formule de Tocqueville : « L'Histoire est une galerie de portraits où il y a peu d'originaux et beaucoup de copies. » On connaît moins l'intervention de Victor Duruy, en 1862, devant un parterre de polytechniciens, peu avant qu'il ne devienne le ministre de l'Instruction publique de Napoléon III : « L'Histoire est le trésor de l'expérience universelle. Je sais bien que l'humanité ne repasse jamais par les mêmes voies, et que le chemin qu'elle suit est un pont qui s'écroule derrière elle. Mais les ruines mêmes qu'elle fait lui servent de matériaux pour ses constructions nouvelles. Dans le présent, ce qu'il y a de plus, c'est toujours du passé et parfois du passé le plus lointain. Chacun de nous porte en soi l'humanité tout entière. Écoutez bien, et vous entendrez au fond de votre âme, dans vos opinions et vos croyances, le sourd retentissement des siècles. »

Écrire l'Histoire de la France est la seule solution pour comprendre ce qui lui arrive. Cette nation, qui n'est ni une race, ni une ethnie, ni même une géographie, est une construction tout artificielle, toute politique, qui doit tout aux hommes et rien aux éléments. Elle aurait pu ne pas exister, et ses populations et ses terres auraient sans dommage été réparties entre les Empires qui se partageaient l'Europe. Ce qui manqua d'arriver à plusieurs reprises. Inventée par l'Histoire, la France ne peut vivre que par l'Histoire, ou mourir par l'Histoire. La France se définit par son histoire, quand l'Allemagne l'est par sa langue ou l'Angleterre par sa société. On recense plus de six cents *Histoire de France* depuis le XVIe siècle.

La France est un des rares pays à avoir deux mythes d'origine : les Gaulois et les Francs. Les Francs pour l'histoire aristocratique, catholique, monarchique, qui part du baptême de Clovis. Les Gaulois, pour l'histoire anticléricale, républicaine, laïque. La monarchie française s'est prétendue descendante des Troyens, puis de l'imperium romain. Chaque régime s'est successivement constitué sa forme d'identité avec sa propre histoire. Il y a eu une Histoire royale avec les *Chroniques de Saint-Denis*, le discours sur l'Histoire universelle de Bossuet, puis une Histoire de type révolutionnaire, divisée entre Girondins et Montagnards, libéraux et marxistes. Fustel de Coulanges a dit : « L'Histoire, telle qu'on l'écrit en France, est une guerre civile permanente. » Notre Histoire est une succession de guerres civiles : la lutte contre les Albigeois, les guerres de Religion entre protestants et catholiques, les persécutions des jansénistes par la monarchie, puis la lutte des jansénistes contre la monarchie, les révolutionnaires contre les partisans de l'Ancien Régime, les Bleus contre les Vendéens, les Jacobins contre les Girondins, la Terreur bleue, la Terreur blanche, les journées de juin 1848, les Versaillais contre les communards, les dreyfusards contre les antidreyfusards, les fascistes contre les communistes, les pétainistes contre les gaullistes, les partisans de l'Algérie française contre les gaullistes...

Si la France est l'histoire de nos guerres civiles, nos guerres civiles sont d'abord des guerres de l'Histoire. Des guerres de mémoires, dirait-on aujourd'hui. Des guerres des origines. Des guerres d'identité, puisqu'en France, l'identité passe par l'histoire.

On a d'abord connu la lutte des germanistes contre les romanistes. Les germanistes, comme Boulainvilliers, voyaient dans les nobles les héritiers des guerriers francs, et dans le tiers état, les descendants du petit peuple gallo-romain, conquis et soumis. Les historiens du roi, soucieux de sauvegarder l'unité du royaume, rétorquèrent que la monarchie française était la fidèle gardienne de l'imperium romain. Plus expéditif, le révolutionnaire Sieyès renvoya les nobles « dans leurs forêts de Franconie », tandis que les sans-culottes saccageaient les tombeaux des rois à Saint-Denis, pour mettre en œuvre avec une brutalité de Vandales la célèbre formule de Rabaut Saint-Étienne : « L'Histoire n'est pas notre code. »

Une Histoire en remplace une autre. Une querelle d'historiens succède à une autre. Tout le XIXe siècle vit s'affronter l'Histoire des monarchistes à celle des républicains. Le baptême de Clovis contre le 14 juillet 1789. Lavisse parviendra à synthétiser les deux récits en commençant par les Gaulois de Vercingétorix, mais en accueillant Clovis comme marqueur majeur. En intégrant 1789 dans l'histoire millénaire des rois. En mêlant les racines chrétiennes et la laïcité. En glorifiant les croisés et les soldats de l'an II. C'est le fameux « roman national » qui connut son apothéose le 11 novembre 1918, par la victoire finale à l'issue d'une guerre terrible qui avait vu se réconcilier dans les tranchées ceux qui croyaient au Ciel et ceux qui n'y croyaient pas, ceux qui vibraient au souvenir du sacre à Reims et ceux qui étaient sensibles à la fête de la Fédération, selon le mot cité jusqu'à plus soif de Marc Bloch.

Mais pas plus qu'il n'existe de fin de l'Histoire, il n'existe, en France, de fin des guerres de l'Histoire.

Si au XIXe siècle l'enjeu fut la Révolution française, et au XXe siècle sa lecture communiste, au XXIe siècle, la lutte se focalise autour de l'immigration. Les lieux de l'affrontement ne sont plus les forêts de Franconie contre le Colisée de la Rome antique, pas plus que la cathédrale de Reims contre l'esplanade du Champ-de-Mars. Tous ces lieux, tous ces symboles, tous ces marqueurs idéologiques et historiques ne disent plus rien à grand monde. La tâche de déconstruction de générations d'intellectuels, de sociologues, d'idéologues et d'historiens a fait son œuvre : notre Histoire de France est vue désormais comme un catalogue d'inventions forgées par d'horribles hommes blancs, hétérosexuels et catholiques pour persécuter les pauvres, les femmes, les homosexuels, les peuples colonisés, les musulmans. Le « roman national » qui avait permis à la République d'incorporer sa geste dans l'Histoire de France, pour rassembler les Français et façonner une identité nationale face à l'Allemagne, est devenu synonyme de « mythe », de « foutaise » ou, pire, d'émanation « de la fachosphère ».

L'Histoire ne doit plus être un outil qui permet de donner un sens, un ordre à une collectivité, mais au contraire le moyen de rendre impossible toute communauté qui serait par trop contraignante et pas assez « inclusive ». Comment raconter une Histoire de France à nos contemporains qui ne reconnaîtrait aux femmes la place que nos mentalités d'aujourd'hui estiment qu'elles méritent ? Comment raconter une Histoire de France qui montrerait à l'envi que la civilisation islamique n'est pas à l'origine de la redécouverte de la philosophie grecque, et moins encore de la Révolution française, et qu'elle compte même parmi nos plus anciens et farouches ennemis ? Bref, comment raconter une Histoire de France qui serait une Histoire de France sans contrevenir à tous nos totems et tabous ? Alors, se disent nos bons esprits, avides de paix et d'amour, plutôt que de contraindre de manière cruelle des gens venus d'ailleurs, avec une autre civilisation, un autre rapport au temps, une autre conception de l'émancipation, à faire leur une Histoire et une grammaire civilisationnelle qui auraient jadis martyrisé leurs ancêtres, autant s'en débarrasser. Autant considérer qu'il n'y a rien, de peur qu'il n'y ait pas tout.

Il n'est plus temps d'opposer Clovis à Vercingétorix, puisque Clovis est un prince barbare, plus allemand que français, dont la date de baptême n'est pas sûre, et que Vercingétorix, autrefois brandi par les progressistes anticléricaux pour détacher la naissance de la France de sa matrice chrétienne, est désormais rangé au placard nauséabond des icônes identitaires.

Il n'y a pas d'origine de la France, puisque la France n'existe pas, puisqu'il n'y a plus d'origine à rien. La France est née nulle part, sauf dans la grotte de Chauvet il y a plus de trente mille ans, « prémisse d'une humanité métissée et migrante », comme l'exalte l'*Histoire mondiale de la France*[1]. Alors, il n'y avait pas de frontières ni d'État ni de religion, et les hommes étaient tous des nomades, qui avaient la surface de la terre comme domaine. Les nations n'existent pas, les frontières n'existent pas nous dit-on, ce sont des créations artificielles et falsifiées ; les grands hommes n'existent pas non plus, ils ne sont que des usurpateurs qui tyrannisent des masses sociales en action. La chronologie, elle aussi, est un concept suranné ; les dates ne veulent rien dire ou alors n'importe quoi. L'historien d'aujourd'hui aspire à se défaire de son rôle d'historien ; il voit en l'Histoire une illusion à déconstruire ; il se rêve anthropologue ou sociologue. Ces historiens-là tiennent le haut du pavé. Ils ont titres et postes. Amis et soutiens. Selon la logique mafieuse, ils ont intégré les lieux du pouvoir et tiennent les manettes de l'État. Ils appliquent à la lettre le précepte de George Orwell dans *1984* : « Qui contrôle le passé contrôle l'avenir. Qui contrôle le présent contrôle le passé. » Dans une nation fabriquée par l'État, et où l'État détermine les programmes scolaires, ils ont droit de vie et de mort sur la nation elle-même. Ave César(s), ceux qui vont mourir te saluent.

Il ne sert à rien d'adoucir le roman national par le récit national, afin de le rendre plus crédible et plus « scientifique » ; on n'apaisera jamais le courroux de nos censeurs. Dans « roman national », ce qui leur déplaît n'est pas le terme « roman », mais l'adjectif « national ». Tout ce qui est national est devenu honteux. Dangereux. C'est la nation qu'ils voulaient désagréger. Ils ont réussi. Avec un récit historique en miettes, ils ont façonné une nation en miettes.

1. Le Seuil, 2017.

Avec des histoires diversitaires, pour rendre hommage aux différentes mémoires, ils fabriquent une histoire des Français et non plus une Histoire de France. Ils ont fait délibérément de l'Histoire de France, et donc de son identité, le produit du rapport de force démographique. Chacun cuit sa petite histoire sur son petit feu identitaire.

Il ne faut pas se leurrer. Ce travail de déconstruction n'a laissé que des ruines. On ne pourra pas reconstruire ce qui a été saccagé. Le « roman national » du père Lavisse, celui qui a enchanté et nourri mon enfance, est devenu, selon le mot de Pierre Nora, une « romance ». À lire aujourd'hui les *Histoire[s] de France* de Michelet et Bainville, on y voit davantage les ressemblances que les points de divergence. Le maître lyrique de l'Histoire républicaine et le chantre inspiré des quarante rois qui ont fait la France nous semblent aujourd'hui proches l'un de l'autre. C'est dû bien sûr à leur génie qui emporte les enthousiasmes, au-delà des partis pris idéologiques ; mais cela atteste que l'enjeu n'est plus là. Ceux qui vibrent encore au sacre royal de Reims ne sont plus qu'une poignée d'irréductibles, et tout le monde a compris qu'après la fête de la Fédération, il y avait eu la Terreur.

Pour mieux apprécier leur différend, il faut prolonger les courbes. Comme la critique par Marx du capitalisme mondialisé qui détruit toutes les structures traditionnelles pour imposer le règne planétaire du marché est beaucoup plus pertinente aujourd'hui qu'à son époque, on peut dire que les contempteurs de la République avaient cent ans d'avance.

La quête universelle française, transmise par la chrétienté à la République, est devenue une machine à torturer les Français. L'universalisme des élites françaises a permis à notre pays de répandre ses soldats et ses idées, lorsque nous étions la « Chine de l'Europe ». Cet universalisme se retourne contre les Français et la France lorsque celle-ci ne représente plus que 1 % de la population mondiale. Dans le film superbe de Denys Arcand sorti en 1986, *Le Déclin de l'empire américain,* un professeur d'histoire, joué par Rémy Girard, donne sa leçon inaugurale à ses étudiants : « Il y a trois choses importantes en Histoire. Premièrement, le nombre. Deuxièmement, le nombre. Troisièmement, le nombre. »

Dans le monde de 1900, où la population européenne représentait quatre fois celle de l'Afrique, l'universalisme se fit conquête et colonisation de l'Afrique par l'Europe au nom de la civilisation. Dans le monde de 2100 où la population de l'Afrique représentera quatre fois celle de l'Europe, l'universalisme se fera (se fait déjà) conquête et colonisation de l'Europe par l'Afrique au nom des droits de l'homme.

Dans ces conditions historico-démographiques, la fin est au bout du chemin universaliste. La stratégie des universalistes est simple : on exalte la République pour mieux se délester de la France. On se drape dans les oripeaux de l'État de droit pour s'interdire toute politique qui ne soit pas soumise au juge et aux normes qu'il a tirées de la Déclaration des droits de l'homme. La République sera d'autant plus universelle qu'elle ne sera plus française. La France devra donc choisir si elle veut rester la France ou un État de droit parmi d'autres.

Dans une lettre à son ambassadeur à Paris, le chancelier allemand Bismarck écrivait déjà en 1871 : « Alors on songe aux grandes villes disparues de la scène du monde : Tyr et Babylone, Thèbes et Sparte, Carthage et Troie. Et cela parce que la France, reniant son passé glorieux, livrée aux avocats et aux casse-cou, aura cessé d'être française pour devenir républicaine. »

Ce débat-là est plus que jamais de notre temps. Dès la fin de Mai 68, François Mauriac, dans son bloc-notes, avait tout deviné avec une prescience étonnante : « Entre les Français qui pensent d'abord au destin de la France et ceux qui s'en moquent, et qui veulent changer celui de l'homme, la conversation est en fait impossible. »

Le fameux parti de l'étranger, dont parle encore Mauriac dans un de ces derniers blocs-notes avant sa mort (« Le parti de l'étranger, c'est une accusation dont on a usé et abusé en France pour disqualifier l'adversaire. Il n'empêche que ce parti a toujours existé chez nous. ») est, que cela plaise ou non, un des fils rouges de notre Histoire. Au reste de l'esprit féodal, il faut ajouter l'Église et l'Université, voire les reines étrangères et leurs entourages. Dès le Moyen Âge, les éléments du drame français sont posés. Les instruments privilégiés de l'édification de la France, et de son rayonnement en Europe, peuvent aussi se retourner à tout moment contre l'unité du pays, au nom de concepts trop grands pour lui : la chrétienté, l'empire, l'humanité, la paix universelle, le monde.

L'organisation centralisée de la France, la concentration extrême des intelligences dans quelques rues de Paris coupent systématiquement les élites françaises du peuple et leur donnent l'impression à tout moment qu'elles peuvent et doivent se passer de celui-ci, suscitant en retour désaffections, révoltes, rébellions, haines. Cette dialectique dangereuse explique que notre pays ait passé son Histoire millénaire au bord du gouffre. Toujours entre la grandeur et l'abîme. La grandeur de parler et d'agir au-dessus de soi ; l'abîme de se dissoudre dans un grand tout plus vaste que soi. Toujours à se plaindre, à juste titre, de la centralisation excessive des rois, de l'Empire ou de la République. Et toujours à craindre la « polonisation » de la France, c'est-à-dire la dislocation d'une nation gouvernée par des élites aristocratiques valeureuses mais dénuées de tout sens de l'État.

« Pro-allemands parce qu'antifrançais, antifrançais par haine de soi, de tous les abandons, de toutes les compromissions, de tous les manquements qu'ils se reprochaient, ne se pardonnaient pas à eux-mêmes, ils devenaient autant de petits Saint-Just qui auraient magnifié non pas Fleurus mais Waterloo – et non pas leurs compatriotes mais les ennemis de leur Patrie », écrivait Emmanuel Berl dans son ouvrage *La Fin de la IIIe République* (1968) pour décrire l'état d'esprit qui avait fini par gagner les milieux les plus collaborationnistes de la Seconde Guerre mondiale.

Cette mentalité s'est répandue parmi nos élites et a touché les meilleurs de nos esprits. La « grande nation », jadis objet de respect et de crainte, est désormais objet de sarcasmes et de mépris.

Tout se passe en vérité comme si la fonction suprême que se sont donnée nombre de nos historiens contemporains (en dépit de la résistance valeureuse d'une poignée d'historiens à contre-courant) est d'utiliser l'Histoire pour en finir avec la France. Faire mourir par l'Histoire ce qui est né, a grandi par l'Histoire : la France.

Pendant des siècles, une main de fer, qu'elle soit monarchique, impériale ou républicaine, avait tenu ensemble ces éléments disparates de notre géographie comme de notre histoire ; les mêmes qui, unifiant le pays sous la botte de leurs soldats et de leurs administrateurs, prenaient soin de rassembler le passé de la nation sous un unique manteau d'apparat. Ce n'était pas gagné : Pascal avait du mal à s'accorder avec Voltaire ; le Jacobin Saint-Just n'était pas moins fanatique que le janséniste Saint-Veyran. Mais l'équipage français devait tout embarquer sous peine de chavirer. On connaît le mot célèbre de Bonaparte : « De Clovis au Comité de salut public, j'assume tout. » On devrait le prolonger jusqu'à aujourd'hui : « De Clovis à Pétain et à Bugeaud, j'assume tout. » Montaigne disait qu'il aimait Paris « jusque dans ses verrues et ses taches ».

Désormais, c'est l'inverse : la grande machinerie universitaire historiographique euthanasie la France. On lui rappelle que la France n'a que des taches et des verrues, et on passe son temps à les exhiber ; on nous explique qu'elle n'a jamais vraiment existé, pour mieux faire admettre qu'elle n'existe plus. On lui dénie ses racines chrétiennes, pour mieux implanter sur son sol et dans son âme la greffe islamique. Ce qui se joue aujourd'hui, sur le sol français, c'est la confrontation idéologique de deux systèmes civilisationnels différents et traditionnellement rivaux. C'est la réalisation de la prophétie de Bernanos dans *Les grands cimetières sous la lune* (1938) : « La chrétienté a fait l'Europe. La chrétienté est morte. L'Europe va crever quoi de plus naturel. » On dit à la France que ses ancêtres sont imaginaires pour mieux lui en inventer d'autres. Dans un livre publié en 2014, Dominique Borne commençait l'Histoire de France avec l'arrivée des Grecs à Massalia, au Vᵉ siècle, pour trancher entre Clovis et Vercingétorix ; et permettre aux enfants d'immigrés de se retrouver dans la nouvelle image d'Épinal d'une France métissée dès ses origines !

On répète que l'Histoire ne sert à rien pour que la France n'ait plus la tentation, comme elle le fit aux siècles passés, de rechercher les si nombreux exemples de son Histoire glorieuse pour retrouver une énergie vitale qui lui permettrait de ne pas mourir.

Tocqueville nous avait prévenus : « Quand le passé n'éclaire plus l'avenir, l'esprit marche dans les ténèbres. » Les ténèbres, c'est leur truc. Selon le grand historien néerlandais Johan Huizinga, l'Histoire représente la manière dont une civilisation prend conscience d'elle-même et rend compte de son passé. Il faut donc abolir l'Histoire pour interdire désormais à notre civilisation de prendre conscience d'elle-même.

Pourtant, dans les ténèbres, marchant à tâtons, les hommes continuent d'avancer. Le XXIᵉ siècle sera – est déjà – le théâtre d'affrontements multiples, de destructions, de ruptures, d'effondrements, qui provoqueront des reconstitutions identitaires de nouveaux « nous », de nouvelles formes de sentiment d'appartenance qui reprendront des éléments du passé (que l'on songe aux réseaux de monastères après la chute de l'Empire romain). L'ampleur des mouvements est telle (bouleversement climatique, vagues migratoires, nouvelles technologies) qu'ils échappent largement à la maîtrise humaine et s'apparentent à une antique malédiction des dieux. Nous approchons à grands pas aveugles ce que Drieu la Rochelle annonçait dans son roman *Le Feu follet* : « Il était l'heure des conséquences et de l'irréparable. »

Paradoxe ironique d'une modernité qui prétendait affranchir les hommes de l'antique *fatum* au nom de l'efficacité de la raison technicienne et qui redonne au contraire toute sa force à la fatalité. Dans *Vies des hommes illustres et des grands capitaines étrangers et français*, qui raconte les guerres de Religion, Brantôme écrit : « Quand le Français dort, le diable berce la France. » À force d'être méprisée, rejetée, niée, néantisée, l'Histoire se venge.

Première partie

LE TEMPS DES FONDATIONS

Clovis

Tare nationale

Tous nos grands hommes mettaient leurs pas dans les siens. Il était le modèle, il était l'origine, il était la référence. Bien sûr, il a toujours eu des rivaux : la République lui préféra Vercingétorix et « nos ancêtres les Gaulois », moins cléricaux. Clovis était concurrencé mais jamais ignoré, jamais oublié, jamais désacralisé. Jamais marginalisé. Ce qu'il est désormais.

Nos historiens contestent tout, sauf son existence : la date de son baptême ; la scène du vase de Soissons ; l'importance politique de son épouse Clotilde ; son poids dans l'Empire romain déliquescent ; son rôle fondateur dans l'édification de la France. Ivres de leur découverte « scientifique » toute neuve, ils ne laissent rien debout.

Tout Clovis n'est que ruines. Clovis arrive trop tard – après les Gaulois, voire après les premiers peuplements avant l'Empire romain ; ou trop tôt – avant 987 (sacre d'Hugues Capet) ou 1789. Clovis est trop allemand, trop romain, trop catholique, trop blanc, trop violent, trop sanguinaire. Tout ce qui passait naguère pour des vertus fondatrices est désormais considéré comme des défauts dirimants.

Toutes les subtiles contradictions de son personnage, qui en faisaient l'incarnation des subtiles contradictions françaises, sont regardées comme des tares nationales que l'on veut effacer, comme de vieilles peaux que l'on veut s'arracher.

Clovis est germain mais se rêve romain. Il est roi barbare mais se rêve empereur. Roi des Francs mais fonctionnaire romain. Il souhaite qu'on l'appelle Auguste mais n'a pas compris que le temps de Rome s'achève.

ROME N'EST PLUS DANS ROME

On n'est pas raisonnable quand on a 15 ans. Ce n'est pas raisonnable de rester loyal et fidèle à cette vieille catin, dévergondée et avachie. Rome n'est plus dans Rome. Les Francs sont les bons Barbares, ceux qui incarnent l'espoir d'une cohabitation pacifique et harmonieuse après les pillages, raffermissant l'optimisme des élites romaines qui avaient expliqué à tous les oiseaux de mauvais augure que l'intégration de ces « immigrés » était possible, sans danger, et même enrichissante ; que les Barbares seront les paysans et les soldats dont Rome manquait ; qu'ils deviendront des Romains comme les autres. Mais les Barbares peuvent aussi se révéler cruels.

Ce n'est pas raisonnable de s'allier à ces populations gallo-romaines, tellement habituées à la paix qu'elles ont perdu le goût et l'art de se battre. Ces petits hommes bruns, râblés et courtauds de type méditerranéen voient, avec une frayeur mâtinée d'admiration, ces hommes à la virilité ostentatoire de demi-dieux déferler sur leurs terres, ces géants blonds aux cheveux longs qui tombent, raides, sur leurs roides épaules.

Ce n'est pas raisonnable de s'appuyer sur deux femmes et un évêque. Pas raisonnable pour sainte Geneviève de s'acoquiner avec le moins fort des Germains et pour une haute princesse burgonde, Clotilde, d'épouser un petit roi franc. Pas raisonnable de la part de l'évêque Remi de soutenir un roi barbare encore païen. De comparer le roitelet franc au grand empereur Constantin. De faire comme si l'Empire n'était pas tombé. De vouloir tout rétablir comme avant.

Pas raisonnable de n'épouser qu'une seule femme. D'avoir une femme qui refuse de sacrifier les enfants et de pratiquer la sorcellerie.

Pas raisonnable de choisir une petite ville comme Paris pour capitale de son royaume.

Pas raisonnables, toutes ces robes autour de ce roi des femmes et des moines.

Pas raisonnable d'affronter le roi des Goths, Théodoric. Les Goths sont la grande puissance du monde postromain. Théodoric se fait romain pour mieux subvertir et asservir l'Empire, tandis que Clovis se fait romain parce qu'il veut devenir romain. Plus romain que les Romains. Théodoric a donné aux populations ce qu'elles attendaient de Rome : du pain et des jeux. Il est devenu chrétien, mais tendance arienne. L'arianisme reconnaît le Dieu unique, mais pas son fils Jésus comme son égal. L'arianisme est plus raisonnable que ce christianisme qui s'obstine à croire en un homme-Dieu assez faible pour se faire tuer sur la Croix : « Si j'avais été là avec mes Francs, aurait dit Clovis à Clotilde, j'aurais vengé cette injure. » Un dieu doit vaincre ou mourir.

Clovis a longuement hésité. Tergiversé, argumenté, mais aussi dissimulé. S'il avoue ses intentions à ses soldats rétifs, il peut être contesté, renversé, assassiné. C'est la tradition dans les forêts de Germanie. Clotilde brocarde ces dieux qui ont des yeux mais ne voient pas, qui ont des oreilles mais n'entendent pas. Clovis ne se laisse pas impressionner par les arguties théologiques de sa femme. Alors qu'elle perd en bas âge ses deux premiers enfants, il lui fait aigrement remarquer que ses dieux à lui auraient sauvegardé leur vie.

Mais chaque fois qu'il retourne à ses dieux, l'évêque Remi le ramène à Rome. Sa seule chance est de s'appuyer sur cette Église chrétienne qui, au fil des siècles, est devenue la dernière institution romaine encore solide, capable de protéger les populations gallo-romaines ; la dernière administration romaine à même d'imposer le droit romain à des guerriers francs turbulents et toujours menaçants. C'est le pari fait par Clovis et il ne peut le renier sans se renier et renoncer à son rêve.

Telle est l'origine de la fameuse affaire du vase de Soissons – pris à Reims ! Clovis est roi depuis quelques années seulement (481). Il affronte Syagrius, un Gallo-Romain qui se proclame « roi des Romains ». Entre les deux champions, entre les deux héritiers du défunt Empire, c'est une question de préséance : qui sera le plus romain ? Clovis est vainqueur. Dans le lot des richesses pillées se trouve ce fameux vase que Remi, l'évêque de Reims, réclame, mais qui échoit, lors d'un partage conforme aux règles franques, à un des soldats vainqueurs. Ce dernier refuse de rendre ce vase et plutôt que de l'offrir à son chef, quand Clovis le lui réclame, il préfère le fendre d'un grand coup de hache. Contrairement à la légende, le vase d'argent ne se brise point, mais quelque temps plus tard, le cou de l'insolent soldat n'aura pas la même chance.

Remi récupère son cher vase sans verser des larmes de crocodile sur le soldat. La charité chrétienne a des limites. L'Église ne cille pas non plus lorsque, quelques années plus tard, Clovis extermine tous les hommes de sa parentèle à grands coups de hache. Une habitude. Pourtant, le païen Clovis s'est entre-temps converti. Clovis impose, par le fer et par le sang, la loi du père séparant les enfants de la mère et de sa famille. Il engage ainsi le combat séculaire pour la famille nucléaire qui ne s'imposera vraiment qu'en l'an mil. L'Église ne peut être qu'à ses côtés. Depuis le Ier siècle de l'ère chrétienne, l'Église a d'abord mené un combat contre la société romaine et son dédain pour le mariage, sa préférence pour le concubinage et le divorce ; elle a interdit les infanticides, les avortements et « ces enfants qu'on exposait sur des tas d'ordures pour être dévorés par les chiens et les chacals[1] ». La crise démographique dans l'Empire romain a été une des causes majeures de l'invasion barbare, mais aussi de la crainte démesurée que suscitent ces vagues migratoires qui ne dépassent pourtant jamais quelques centaines de milliers de personnes.

Dans ce terrible Ve siècle, alors que la Rome impériale n'est plus qu'un souvenir magnifié, l'Église a changé d'adversaire et lutte désormais pour imposer la loi du père aux

1. Michel Rouche, *Clovis*, Fayard, 1996.

Germains prolifiques, mais encore régis par un reste de système matriarcal violent, qui autorise les mariages incestueux et ne connaît que les lois de la vengeance entre clans : les faides.

Le va-tout

En instaurant la loi du père dans les familles, Clovis pourra restaurer dans la société le règne du droit. Droit salique et droit romain seront les bases de son royaume. Tout se tient. La loi du père dans la famille, la loi romaine dans la société, la Loi de l'Église dans le domaine spirituel. La restauration du règne du droit cher aux Romains. En 491, après dix ans de règne, Clovis n'est toujours qu'un roitelet du nord de la Gaule. Et encore ne tient-il pas toute la Gaule du Nord ! La guerre civile fait rage. Les Germains s'affrontent et les élites gallo-romaines cherchent un protecteur. À la bataille de Tolbiac, en 496, l'armée franque est sur le point d'être exterminée par les soldats alamans. Clovis joue son va-tout. Il invoque le Dieu de Clotilde : « Si Dieu et son fils Jésus-Christ me donnent la victoire, je croirai en toi et me ferai baptiser en ton nom. » Il récite la leçon de sa femme mais pense en Germain, offrant sa foi au Dieu qui lui donnera la victoire.

La mort du roi des Alamans lui offre un succès inattendu. Il tiendra parole ; se convertira ; donnera sa foi au Dieu de Clotilde. Clovis est baptisé un 25 décembre vers 498, à Reims[1]. Remi lui lance l'apostrophe célèbre : « Dépose humblement tes colliers, fier Sicambre, adore ce que tu as brûlé, brûle ce que tu as adoré. » En ce jour de Noël, trois mille soldats francs sont baptisés en même temps que leur roi.

Clovis ne sera jamais empereur, jamais empereur romain, mais Anastase, l'empereur d'Orient, lui a envoyé la dignité et les insignes consulaires : le diadème d'argent orné de pierres précieuses qui consacre le « patriciat du roi Clovis ». Il est une sorte de vice-empereur, à égalité avec Théodo-

1. Les histoires hésitent entre 496, 498 et 499.

ric. Il s'installe à Paris ; il est acclamé consul et auguste. Il touche presque au but. Les Francs le hissent sur le pavois et les Gallo-Romains se terrent sous son aile protectrice. Il a cru avoir gagné son pari, celui de l'unification des deux peuples, des deux civilisations, la restauration de l'Empire romain par la force des soldats francs. Il n'y a ni vainqueur ni vaincu ; dans le droit édicté par Clovis, nous apprend Michel Rouche, les meurtres d'un Gallo-Romain et d'un Franc sont punis d'une amende identique de 200 sous. Les Barbares francs se sont fondus dans la civilisation romaine ; et le christianisme unifie spirituellement toutes les populations.

Avant que Clovis ne meure, le 27 novembre 511, il croit, avec son compère Remi, avoir accompli leur projet historique : restaurer ce qui n'aurait jamais dû être détruit. Faire comme si rien n'avait été détruit. Remettre Rome dans Rome, prolonger et pérenniser la Rome éternelle. Lorsqu'il l'a converti, saint Remi a prêché à Clovis : « Apprenez mon fils que le royaume franc est prédestiné par Dieu à la défense de l'Église romaine, qui est la seule véritable Église du Christ. Ce royaume sera un jour grand entre tous les royaumes. Et il embrassera les limites de l'Empire romain. Et il soumettra tous les peuples à son sceptre. Il durera jusqu'à la fin des temps ! »

Toute l'Histoire de France peut se résumer en la tentative obstinée, persévérante, et jamais aboutie, des générations et des générations, de se conformer à l'injonction de saint Remi.

« Reims, ces lieux où Clovis a été baptisé, où l'on peut dire que la France aussi a été baptisée », racontait de Gaulle à Peyreffite. La victoire finale est allée non au plus fort – c'était Théodoric –, mais au plus « astucieux ». Clovis est le petit qui n'a pas peur des gros, comme disait de Gaulle en se comparant à Tintin. C'est Astérix, autre héros de bande dessinée tellement français. Ce sera le fil rouge de la monarchie française pendant mille ans, qui joua habilement sa partition, en dépit de ses faiblesses, entre les géants menaçants, Saint Empire, empire des Habsbourg ou Empire ottoman ou même Angleterre, tous plus gros, plus puissants qu'elle. Et puis, au bout du long chemin millénaire, quand à son tour elle devient mastodonte, ce « gros animal », dont de Gaulle avait conservé l'inconsolable nostalgie, géant démographique, militaire, politique, à partir du traité de Westphalie, en 1648, sous le siècle de Louis XIV jusqu'à Napoléon, la France passe à la deuxième étape du programme de Clovis : devenir à son tour Empire romain. « De Clovis au Comité de salut public, j'assume tout », dit Bonaparte au soir du coup d'État des 18 et 19 brumaire 1799. Pour lui aussi, tout commence avec Clovis. Bonaparte retrouve les abeilles sur le manteau de Childéric, le père de Clovis, et les adopte comme symbole de son règne. Quelques années plus tard, enhardi par ses succès militaires, il s'affirme l'héritier lointain de Charlemagne pour fonder sa restauration – éphémère – de l'empire d'Occident. Charlemagne, qui avait été le premier à donner forme au rêve de Clovis et de Remi.

Unis par la religion chrétienne

La synthèse victorieuse de Clovis reposait sur l'unité religieuse autour du christianisme et le rapprochement entre Francs et Gallo-Romains. Les Francs étaient les conquérants, mais ils reconnaissaient la supériorité de la culture, du droit, et du Dieu des Romains. Comme le dit Lucien Febvre, Clovis a laissé à ses fils et ses petits-fils un ramassis hétéroclite de Francs, de Saliens mais aussi de Ripuaires, de Hessois, de Gallo-Romains, de Burgondes, d'Alamans, de Provençaux. Il n'y avait pas de Latins et pourtant tous devinrent des enfants de Rome. Ce *populus francorum* était avant tout uni par la religion chrétienne. Clovis était le seul roi catholique d'Occident, tous les autres étant païens ou ariens. Sa faiblesse originelle devint sa plus grande force. Alors, les Francs rompirent avec leur francisme d'origine ; ils rompirent culturellement, ethniquement, religieusement et même géographiquement. La Francia ne fut plus seulement la terre de la rive gauche du Rhin d'où étaient partis les Francs, mais Paris et ses alentours, l'Île-de-France, où ils s'étaient installés.

Clovis fut inhumé à Paris à côté de sa grande amie sainte Geneviève. Clotilde et Remi lui survécurent de nombreuses années. Mais ni l'un ni l'autre ne purent rien contre les enfants de Clovis qui revinrent à la conception patrimoniale de la Couronne, ainsi qu'aux faides entre lignages rivaux ; rien contre le retour des guerres civiles. Ses fils profitèrent de la mort de Théodoric, en 526, pour étendre leurs armes là où leur père n'était jamais allé, au-delà du Rhin et sur les rives de la Méditerranée. La France ressemblait de plus en plus à la France et devint la proie de terribles affrontements entre les héritiers de Clovis. Tout fut à recommencer.

Il n'était pas alors raisonnable d'imaginer que ce petit peuple franc deviendrait le plus puissant d'Occident. Comme Christophe Colomb découvrira l'Amérique en pensant trouver une nouvelle route vers les Indes, Clovis avait rêvé de restaurer l'Empire romain, mais avait édifié sans le savoir les premières marches d'un État-nation à venir : la France. C'est pour cette raison qu'il a incarné l'origine de notre nation tant que celle-ci assumait ce qu'elle était sans rougir : catholique et romaine. C'est pour la même raison que Clovis est désormais jeté dans les poubelles de l'Histoire.

Comme un témoin gênant.

Roland

Sincères condoléances

C'est notre western à nous : un western médiéval où Roland est le cow-boy solitaire et courageux, Ganelon le méchant à la gâchette facile, les Sarrasins les Indiens tapis dans les montagnes, Charlemagne le shérif, et l'armée des Francs la cavalerie qui arrive toujours à temps. Mais dans notre sublime poème épique, elle arrive trop tard et les bons meurent à la fin. Souvenirs lointains, souvenirs enfantins, quand l'école nous apprenait à aimer la France d'un amour charnel et frémissant : une épée qui porte le doux nom de Durandal ; de longs cheveux blonds, une barbe fleurie, un traître à la triste figure, de sinistres Sarrasins ; une embuscade, un corridor, des Pyrénées ; une allitération qui résonne sans fin : le cor de Roland à Roncevaux.

C'est Jules Ferry qui introduisit, dans les programmes scolaires de 1880, l'étude de *La Chanson de Roland* ; il y accola le texte de Joinville sur Saint Louis. La République des Jules avait une cohérence de fer : républicaine mais patriote ; libérale mais étatique ; anticléricale mais de culture chrétienne ; démocratique mais exaltant les valeurs aristocratiques. *La Chanson de Roland* est le premier poème en langue française ; c'est notre *Iliade*, notre *Odyssée*, notre *Énéide*. Les obscurs moinillons qui se cachaient derrière le pseudonyme de Thurold écrivirent au XIIe siècle une histoire se déroulant au VIIIe siècle, dont le texte, exhumé au XIXe siècle, sera enseigné à tous les petits Français au XXe siècle, puis publié clandestinement sous l'Occupation, avant d'être expulsé de la « mémoire nationale » par les apôtres de la déconstruction du XXIe siècle. *La Chanson de Roland* est un résumé de mille ans d'Histoire de France. Le début et la fin d'une nation qui s'appelait la France.

La France faite homme

Ce n'est qu'après la défaite de 1870 que *La Chanson de Roland* sortit des cabinets poussiéreux des érudits pour toucher le grand public. Victor Hugo l'exalte dans *La Légende des siècles* : « L'un s'appelle Olivier et l'autre a nom Roland [...]/L'ombre autour d'eux s'emplit de sinistres clartés[1]. » Le texte de *La Chanson* s'arrache. On se pâme devant ses fragiles beautés littéraires, cette langue naissante déjà si élégante ; Sarah Bernhardt joue un de ses premiers grands rôles dans une pièce adaptée du poème épique.

« La bataille est merveilleuse et pénible.
Olivier et Roland frappent à tour de bras
L'archevêque rend plus de mille coups,
Les douze pairs ne perdent pas leur temps
Et les Français frappent tous ensemble.
Les païens meurent par centaines et milliers
Qui ne fuit pas contre la mort n'a pas de recours ;
Bon gré mal gré il y laisse sa vie
Les Français perdent leurs meilleurs défenseurs ;
Ils ne reverront pas leurs pères ni leurs parents,
Ni Charlemagne qui aux cols les attend. »

« Roland, c'est la France faite homme », écrit l'historien Léon Gautier dans son introduction à la publication du texte en 1872. Notre brave patriote ne se doute pas à quel point il voit juste. Lui songe à Roland le preux, loyal, courageux, valeureux, audacieux, débonnaire, franc, toutes qualités guerrières éprouvées qu'il tient de ses lointains ancêtres, les Francs de Clovis. Mais Roland, c'est la future France faite homme pour le meilleur et pour le pire, ses grandeurs et ses

---

1. Victor Hugo, « Le mariage de Roland », *La Légende des siècles*, 1859.

médiocrités. Ses filouteries et son orgueil incommensurable. Ses fausses habiletés et ses vraies inconséquences.

Ganelon est coupable de félonie ; Roland d'impéritie. Les deux seigneurs font la paire ; la paire féodale ! C'est la morale secrète de l'épopée. La morale des auteurs à défaut de la loi du temps. En ce XIIe siècle, la féodalité est à son firmament. La chanson s'avère un texte de propagande, une arme de la monarchie capétienne contre les féodaux.

Nos habiles auteurs ne pouvaient pas trouver plus illustre étendard de leur petit monarque capétien que le glorieux empereur Charlemagne. Clovis, le Mérovingien, avait fait du peuple franc le plus puissant d'Occident. Son lointain successeur, Charlemagne, héritier de la nouvelle dynastie des Carolingiens, avait combattu victorieusement les Sarrasins, les ennemis mahométans. Lorsque *La Chanson de Roland* est rédigée, l'Europe tremble solidairement avec ceux qui s'efforcent de s'émanciper de la domination islamique dans la péninsule ibérique.

Peu importe que l'escarmouche qui coûta la vie à Roland à Roncevaux fût peut-être causée par des combattants basques ; et que les Sarrasins ne fussent pas tous arabes. Henri Pirenne nous a appris, dans son livre majeur, *Mahomet et Charlemagne*, que la conquête islamique avait achevé la destruction de l'Empire romain, englouti une grande partie de l'empire d'Orient sous l'Islam, coupé l'Occident de ses ouvertures méditerranéennes, et donné à l'Europe occidentale la conscience de son irréductible unité continentale et chrétienne. « Sans l'Islam, l'Empire franc n'aurait sans doute jamais existé, et Charlemagne sans Mahomet serait inconcevable. » C'est dans la chronique relatant la victoire de Charles Martel à Poitiers en 732 contre les Arabes que le mot Europe fut inscrit pour la première fois dans un texte. L'Europe médiévale comprend qu'elle est avant tout chrétienne parce qu'elle refuse de devenir musulmane. Les Francs, de Charles Martel à son petit-fils Charlemagne, tirent leur gloire et leur domination sur l'Occident de ce qu'ils prirent victorieusement la tête du combat contre l'Islam.

Un Dieu, une loi, une langue

Francs et Arabes se comprennent sans se parler parce qu'ils se ressemblent : ils sont tous deux des envahisseurs, des conquérants ; des tribus militarisées qui ont la guerre comme métier et le pillage comme instrument. Ils sont des briseurs de mythes ; ils ont détruit la Rome éternelle ; l'empire d'Occident pour les uns, l'empire d'Orient pour les autres. Mais là s'arrêtent leurs similitudes. Comme l'explique l'historien britannique Bryan Ward-Perkins, la conquête arabe fut si rapide et efficace que l'essentiel des structures économiques des terres conquises resta intact ; les incursions des Barbares venus de Germanie furent moins décisives, les Romains résistèrent plus longtemps ; l'économie de l'empire d'Occident s'effondra. Mais la différence ne s'arrête pas là. Les Arabes avaient dans leurs bagages les biens qu'ils jugeaient les plus précieux : un Dieu – Allah –, une loi – le Coran –, une langue – l'arabe. Leur Dieu leur avait donné la victoire ; et ils imposèrent leur loi et leur langue aux populations conquises, qui finirent par se vouloir héritières des peuples qui les avaient soumises. Une assimilation parfaite. L'empire d'Orient fut culturellement recouvert par l'Islam, comme l'avait été avant lui l'Égypte ancienne. En Occident, en revanche, Francs et Germains n'avaient ni religion ni langues communes, ni droits puissants. Ils se convertirent au christianisme, même si certains s'entichèrent d'une version hérétique – et adoptèrent le latin pour la culture et l'administration.

Les Sarrasins firent traduire les textes grecs et romains en langue arabe, tandis qu'une partie des Francs, à la cour de Charlemagne, parlaient latin et redécouvraient avec délectation les textes anciens. Les rois germains s'inscrivaient dans la « continuité » avec Rome, alors que les conquérants arabes suivaient une stratégie de rupture. Henri Pirenne avait tout dit et tout compris : « Tandis que les Germains n'ont rien à opposer au christianisme de l'Empire, les Arabes sont exaltés par une foi nouvelle. C'est cela et cela seul qui les rend inassimilables [...]. Islam signifie résignation ou soumission à Dieu et musulman veut dire soumis. Allah est un et il est logique que tous ses serviteurs aient pour devoir de l'imposer aux incroyants, aux infidèles. Ce qu'ils proposent, ce n'est pas comme on l'a dit, leur conversion, mais leur sujétion. C'est cela qu'ils apportent avec eux. Ils ne demandent pas mieux, après la conquête, que de prendre comme un butin la science et l'art des infidèles ; ils les cultiveront en l'honneur d'Allah. Ils leur prendront même leurs institutions dans la mesure où elles leur sont utiles. Ils y sont poussés d'ailleurs par leurs propres conquêtes. Pour gouverner l'empire qu'ils ont fondé, ils ne peuvent plus s'appuyer sur leurs institutions tribales ; de même les Germains n'ont pu imposer les leurs à l'Empire romain. La différence est que partout où ils sont, ils dominent. Les vaincus sont leurs sujets, payent seuls l'impôt, sont hors de la communauté des croyants. La barrière est infranchissable ; une fusion ne peut se faire entre les populations conquises et les musulmans[1]. »

Là où les Arabes arabisent, les Germains se romanisent. Là où les Arabes islamisent, les Germains se convertissent. Chacun se fait une conception différente de sa victoire, de sa conquête, de sa mission, faisant de son aire respective une terre étrangère et hostile à l'Autre : « Chez les Germains, le vainqueur ira au vaincu spontanément. Chez les Arabes, c'est le vaincu qui ira au vainqueur et il ne pourra y aller qu'en servant comme lui Allah, en lisant comme lui le Coran, donc en apprenant la langue qui est la langue sainte en même temps que la langue maîtresse [...]. Le Germain se romanise dès qu'il entre dans la Romania. Le Romain au contraire s'arabise dès qu'il est conquis par l'Islam [...]. En se christianisant, l'Empire avait changé d'âme, si l'on peut dire ; en s'islamisant, il change à la fois d'âme et de corps. La société civile est aussi transformée que la société religieuse. Avec l'Islam, c'est un nouveau monde qui s'intro-

1. Henri Pirenne, *Mahomet et Charlemagne*, PUF, 1937.

duit sur les rivages méditerranéens où Rome avait répandu le syncrétisme de sa civilisation. Une déchirure se fait jusqu'à nos jours. Aux bords du *Mare nostrum* s'étendent désormais deux civilisations différentes et hostiles. [...] La mer qui avait été jusque-là le centre de la chrétienté en devient la frontière. L'unité méditerranéenne est brisée. » (H. Pirenne)

Deux conceptions de la guerre

La romanisation des Francs sera leur salut. Tant que les Arabes avaient affronté des adversaires à leur image, anciens nomades comme les Wisigoths ou Vandales, qui avaient eux-mêmes migré en Afrique du Nord et en Espagne, ils avaient toujours eu le dessus. C'est ainsi qu'ils avaient conquis l'Espagne, percé dans le sud de la France, pris Narbonne, comme ils avaient auparavant balayé les Perses et les Byzantins. Les troupes d'Abd al-Rahman avaient dépassé Poitiers et menaçaient Tours lorsqu'elles furent arrêtées par Charles Martel. Les Sarrasins ne comprirent pas tout de suite que les paysans qu'ils avaient en face d'eux n'étaient pas de la même espèce que leurs adversaires habituels. Le roi mérovingien avait imposé à chaque famille d'hommes libres de fournir un guerrier adulte à l'armée royale. Ceux-ci avaient hâte d'en finir pour retourner à leurs travaux des champs. Ils n'avaient pas soif de butin, mais voulaient défendre leur sol et leurs familles des razzias arabes. Ces troupes « franques » étaient pour l'essentiel composées de fantassins lourdement harnachés : gros boucliers de bois, pourpoints de cuir, cottes de mailles, casques métalliques coniques, sabres et lances, javelines et haches.

Le choc entre le bloc compact de fantassins organisé à la romaine et la fantasia brillante des cavaliers arabes tourna à la déconfiture de ceux-ci. De nombreux historiens contemporains exhortent à ne pas donner à cette « bataille de Poitiers » de 732 une importance démesurée. Ce n'était qu'un raid, une razzia, une escarmouche, une de plus et rien de plus. Sur la route de Poitiers, chaque église ou monastère avait été pillé ; les cavaliers arabes étaient surchargés de butin, qu'ils durent abandonner pour protéger leur fuite. Ces historiens n'ont pas tort. Mais ils font mine d'oublier que les guerriers arabes n'ont jamais mené d'autres opérations ; qu'ils n'ont jamais su ou voulu faire la guerre autrement ; que c'est en lançant d'incessants raids, en ruinant les pays conquis par d'innombrables razzias et en détruisant les troupes ennemies par des escarmouches qu'ils avaient vaincu tous leurs adversaires.

« La composition des armées islamiques était très différente de celles de l'Occident. Il y avait prédominance de cavaliers de toutes sortes, tandis que l'infanterie jouait un rôle limité [...]. Elles faisaient grand cas des embuscades, en partie parce que c'est une tactique qui va de soi pour la cavalerie légère. Mais le contraste le plus marqué entre Orient et Occident était dans l'approche de la bataille. Partout la confrontation rapprochée était décisive et la tradition occidentale était de produire une situation de cette espèce le plus vite possible. En Orient, la cavalerie légère pouvait déborder et bousculer des formations par des mouvements rapides[1]. »

À Poitiers, Charles gagna son surnom de « Martel » tant ses troupes frappèrent les cavaliers arabes avec la force du marteau. Ce sont donc non seulement deux armées qui s'affrontèrent, mais deux conceptions de la guerre, deux cultures militaires. Une infanterie contre une cavalerie. Un peuple de paysans contre un peuple de pasteurs, des sédentaires contre des Bédouins nomades. Victor D. Hanson, dans son livre *Carnage et culture*, révèle que cette manière de faire la guerre était la caractéristique de l'Occident depuis les hoplites grecs. Et l'assurance de sa supériorité militaire sur le reste du monde. Charles Martel ne tarda pas à tirer profit de ce coup d'arrêt de Poitiers pour refouler les Arabes toujours plus au sud, battant les Sarrasins à Avignon et dans les Corbières. Les Arabes continueront leurs raids et leurs razzias

1. John France, *Western Warfare in the Age of Crusades. 1000-1300*, Cornell University Press, 1998.

pendant plusieurs siècles dans le Sud, mais ne remonteront jamais jusqu'à Poitiers. Charlemagne les poursuivra jusqu'en Espagne pour tenter de libérer le continent européen. Mais voilà, Roncevaux fut l'anti-Poitiers. À Poitiers, les « Francs » s'étaient battus comme des Romains ; à Roncevaux, Roland était tombé dans une escarmouche sarrasine. Il avait refusé d'appeler Charlemagne au secours, au nom d'une conception excessive de l'honneur. Quand il s'était résigné à souffler enfin dans son fameux olifant pour demander de l'aide, il était trop tard. D'où la fureur légitime de son ami et compagnon d'armes Olivier.

« Roland lui dit : “Pourquoi vous emporter contre moi ?”
Olivier de répondre : “Compagnon, vous l'avez mérité,
Car vaillance sensée n'est pas folie.
Mieux vaut mesure que témérité
Les Francs sont morts par votre légèreté.
Jamais plus nous ne servirons Charles.
Si vous m'aviez cru, mon seigneur serait revenu,
Et cette bataille, nous l'aurions remportée.
Vous allez mourir, et la France en sera déshonorée.
Aujourd'hui s'achève notre loyale amitié :
Avant ce soir avec douleur nous nous séparerons.” »

Dans sa célèbre *Histoire du déclin et de la chute de l'Empire romain* (1776), Edward Gibbon imagine en riant sa chère université d'Oxford transformée en centre d'études coraniques si Charles Martel n'avait pas arrêté l'avancée des mahométans vers le nord : « Les écoles d'Oxford expliqueraient peut-être aujourd'hui le Coran, et du haut de ses chaires on démontrerait à un peuple circoncis la sainteté et la vérité de la révélation de Mahomet. »

Cette même université d'Oxford où les fragments de *La Chanson de Roland* furent retrouvés par un obscur médiéviste, missionné en Grande-Bretagne par la monarchie de Juillet. Cette monarchie de Juillet qui, dans le même temps, ordonnait au général Bugeaud de poursuivre la colonisation de l'Algérie, conquête que notre paysan-soldat engageait sans enthousiasme. Incroyable tête-à-queue de siècles, continuum de guerres et de haines inexpiables, entrecoupé d'oasis de paix et de raffinements dans un désert de violences et de crimes.

Le conquérant d'hier est le conquis d'aujourd'hui et sera le conquérant de demain dans l'incessant flux et reflux de deux civilisations irréductiblement antagonistes.

Urbain II

Retour vers le djihad

Il est le vilain petit canard. Celui qu'on cache, qu'on oublie, qu'on renie. Un passé qu'on veut effacer, un passé qui ne passe pas. On ne dit plus aux catholiques qu'il fut sanctifié ; on n'apprend plus aux écoliers qu'il fut le premier à appeler à la croisade ; on n'ose plus rappeler aux enfants qu'il était français. Son lointain successeur, le pape François, s'affiche comme son antithèse absolue, ouvrant les bras quand son prédécesseur levait le glaive, accueillant des familles musulmanes sur le sol européen quand lui appelait à repousser l'invasion des infidèles.

Urbain II n'est pas à la mode. Il aurait pu être un pape parmi d'autres, enfoui sous la poussière des siècles. Ce Champenois, formé à l'abbaye de Cluny, n'avait pas pour entrer dans la postérité les vices et les crimes des Borgia, ou la raideur dogmatique des papes du XIXe siècle, qui s'élevèrent contre la démocratie, le libéralisme, les droits de l'homme, le socialisme, comme s'ils avaient pressenti que ces religions nouvelles allaient remplacer dans le cœur des Européens la vieille foi chrétienne. On ne détruit que ce qu'on remplace.

Urbain II est seul dans la tourmente. Il est, aux yeux de notre modernité, pire que Pie XII – et ses silences sur le génocide des Juifs qu'on lui reproche tant –, pire que les papes réactionnaires du XIXe siècle, pire que les Borgia.

Urbain II a commis le crime des crimes : il a lancé la première croisade.

La paix de Dieu

Les chrétiens d'Europe n'avaient pas attendu l'appel du pape pour cheminer vers la Ville sainte. Dans la foule des pèlerins, le sublime se mêle au grotesque et au cruel, la ferveur du mystique à la férocité du pillard. On moleste, vole et torture les juifs qu'on rencontre au hasard des routes de Lorraine et de Rhénanie, jusqu'en Bohème, en dépit des protestations vaines des ecclésiastiques. Tenaillées par la faim et le froid, ces hordes sont repoussées et chassées de Grèce ou de Hongrie, avant d'être massacrées par les troupes turques. Les survivants sont vendus sur le marché aux esclaves.

Quelque temps avant ce concile de novembre 1095, où il lança son célèbre « appel de Clermont », le pape Urbain II avait reçu la visite d'un Picard qu'on nommait Coucou Piètre, ou Pierre l'Hermite. Il revenait de Jérusalem. Le récit apocalyptique qu'il lui fit de la situation décida le pape. L'appel à la croisade devait dépasser les pauvres hères qui s'y précipitent ; et les chevaliers s'engager, les grands féodaux abandonner châteaux, terres, femmes, duels et ribaudes, les rois chrétiens cesser leurs querelles.

Depuis des siècles, l'Église s'est pourtant attachée à contenir les pulsions belliqueuses des seigneurs qui tournaient souvent brigands de grand chemin, multipliant les « paix de Dieu », pour proscrire les pillages des biens d'église et les vols des pauvres, et autres « trêves de Dieu » (jours saints, en particulier le dimanche) où tout combat est interdit. Au XIIe siècle encore, les docteurs de l'Église menaceront de priver d'obsèques chrétiennes tout chevalier mort dans une joute ou lors d'un tournoi. Et le concile de Latran interdira, en 1139, l'arbalète, première arme vraiment meurtrière de l'Histoire, capable de donner la mort à plus de deux cents pas.

Alors, la papauté biaise et ruse. L'arbalète ne devra pas tuer des chrétiens mais pourra abattre des infidèles. On redécouvre les exhortations vengeresses des armées bibliques de Josué ou de Salomon, et on occulte les tendres exordes de Jésus de Nazareth ou les aphorismes pacifistes des premiers pères de l'Église, Tertullien, Origène ou Lactance. Certains osent même accuser ce pacifisme chrétien d'avoir désarmé les esprits romains et causé la ruine de l'Empire face aux invasions barbares. C'est que le pape ne dispose pas de concept aussi mobilisateur que le « djihad », dont le terme apparaît trente-cinq fois dans le Coran. Aucun penseur musulman du Moyen Âge, même parmi les plus tolérants, n'a jamais remis en cause la nécessité et la légitimité de cette « guerre sainte ». Mahomet, « homme parfait » selon le Coran, modèle insurpassable de tous les musulmans, à la fois prophète et chef de guerre, s'oppose trait pour trait à la figure christique et sacrificielle de Jésus mort sur la Croix.

La « croisade » n'exige aucune conversion forcée des ennemis mahométans et ne sanctifie pas la mort des infidèles, mais exalte la libération des lieux saints. La « guerre juste » n'est pas la version chrétienne du « djihad ». Si le pape parle de conversion, c'est avant tout celle de ses propres troupes, seigneurs chrétiens souvent grands méchants hommes qui trouveront dans la lutte et les souffrances, voire la mort, une purification rédemptrice.

Il ne parle guère de « croisés », mais d'« hommes qui ont pris la croix », ou tout simplement de « pèlerins » : « Quiconque veut venir à moi, qu'il renonce à lui-même et prenne sa croix », avait-il lancé à l'assemblée de Clermont, qui avait répondu : « Dieu le veut. »

Le tombeau du Christ, à Jérusalem, n'est pas le seul sujet de préoccupation du souverain pontife. La foi est le moteur du mouvement, l'inspiration initiale, mais l'enjeu est aussi prosaïque, géostratégique : il en va de la survie de l'héritage de l'Empire romain et de l'intelligence grecque, rassemblés et sublimés dans leur synthèse chrétienne. Il en va du destin de l'Europe.

Urbain II l'a compris.

TERRE D'ISLAM

Le temps presse. La vague islamique déferle. Depuis le milieu du XIe siècle, les Turcs seldjoukides ont supplanté les Arabes à la tête du monde musulman et se sont jetés aussitôt sur l'Empire byzantin ; l'alliance de la foi fanatique arabe et de la force organisée des soldats des steppes s'avère redoutable. Les Turcs, maîtres de Bagdad, se sont emparés de Jérusalem et y ont massacré les chrétiens. En 1064, ils ont pris l'Arménie. En 1071, ils ont fait prisonnier l'empereur romain Diogène, à la bataille de Manzikert. Cette victoire leur ouvre la route de Constantinople. Urbain II sait la suite, car il connaît le passé des invasions musulmanes. Trois siècles plus tôt, la première vague des conquérants arabes avait pris Bagdad, Alexandrie, et même une partie de l'Espagne. Urbain encourage les efforts de Reconquista en Espagne, mais le pays mettra encore quatre siècles à s'émanciper du joug musulman. Alexandrie, qui fut le phare de la pensée grecque, est devenue terre d'Islam. L'Anatolie, conquise par les troupes turques, s'apprête à connaître le même sort. Peu à peu, le paysan turc remplace le paysan grec, jusqu'à ce que le souvenir de ce dernier s'efface.

La culture grecque, c'est l'Europe ; et pendant des siècles, son meilleur défenseur fut le légionnaire romain. L'Asie n'a pas attendu l'Islam pour combattre la civilisation hellénique. Mais avec l'Islam, Mahomet donne une foi et un drapeau à ce combat. L'Islam est d'abord un arabisme, mais sa victoire fait de lui l'étendard de la revanche de l'Orient sur « Iskander le roumi » (Alexandre le Grand) et mille ans de domination grecque. Depuis la conversion de l'empereur Constantin, cet hellénisme christianisé était devenu une foi, un Dieu et un credo ; avec le Coran, l'Asie répondait par une foi, un Dieu et le djihad.

Pour sauver la cathédrale Sainte-Sophie, devenue l'objectif

des troupes turques, le pape Urbain travaille à l'unité de l'Europe face à l'Asie. Dix mille chevaliers, soixante-dix mille hommes de pied : son œuvre a fière allure. Sa chance historique sera qu'à l'unité de la chrétienté répondra la division de l'Islam.

Les alliés européens démontrent une remarquable capacité logistique à déplacer et à nourrir des armées sur terre et sur mer. La croisade est une immense victoire. Une victoire française. Le salut de l'Europe chrétienne est venu de France : *Gesta Dei per Francos.* Godefroi de Bouillon ouvre les croisades ; Saint Louis les fermera. « Il appartenait à la France de contribuer plus que tous les autres au grand événement qui fit de l'Europe une nation [...], s'enthousiasmera Michelet. La Judée était devenue une France [...] Le nom de Francs devint le nom commun des Occidentaux. »

Mais les Français ont les défauts de leurs qualités. La démobilisation et la division gagnent les rangs des croisés. Tout commence en mystique et tout finit en politique, selon la célèbre formule de Péguy ; tout commence en politique et tout finit en commerce. Le pèlerin deviendra conquistador ; le conquistador, colon ; le colon, marchand. La ferveur spirituelle des origines s'est vite transmuée en un colonialisme ; et le colonialisme en un « impérialisme », selon le mot du grand historien René Grousset, spécialiste reconnu des croisades : impérialisme politique et terrien des féodaux Capétiens français, impérialisme économique et maritime des marchands vénitiens. Les colons français s'imprègnent des mentalités levantines, voire des mœurs musulmanes. Les ports de Tripoli, de Tyr et d'Acre sont devenus les entrepôts de tout le Levant. Les caravanes y apportent les produits de l'océan Indien. Le commerce des épices peu à peu remplace la foi rédemptrice.

La croisade aura duré moins de deux siècles. L'Histoire reprend alors son cours interrompu à Clermont en 1095 par Urbain II. Ce qui devait arriver arriva.

Aucune catastrophe ne fut davantage prévue que la chute

de Constantinople. Aucune catastrophe ne fut davantage acceptée avant même qu'elle ait lieu. On ne peut juger du bien-fondé des croisades qu'à la lueur de la chute de Constantinople devant les troupes turques en 1453.

C'est la route de l'Europe chrétienne qui s'ouvrira alors sous le galop des chevaux des Ottomans. La bataille de Mohacs, en 1526, leur donnera la Hongrie. Puis, ce sera la conquête d'Alger, le siège de Malte, et les Barbaresques qui écumeront les côtes de Provence. Même la défaite navale à Lépante des Turcs en 1571, face à une coalition européenne conduite par Don Juan d'Autriche, le fils bâtard de Charles Quint, ne changera pas le rapport de force en leur faveur. Les Turcs auront encore la force d'assiéger Vienne en 1683 !

La postérité a vanté le réalisme de Philippe le Bel, qui, au contraire de son grand-père Saint Louis, a abandonné toute tentation de relancer une nouvelle croisade. Mais en se résignant à l'échec des croisades, Philippe le Bel renonçait à toute colonisation de l'Asie musulmane. Moins de cinquante ans après le départ du dernier croisé de Terre sainte, c'est l'Asie musulmane qui envahissait la chrétienté en attaquant par l'Empire byzantin. Qui n'avance pas recule, dit la sagesse populaire. Entre la chrétienté et l'Islam, c'est une histoire millénaire. Qui ne s'unit pas se divise ; qui n'attaque pas recule ; qui ne recule plus conquiert. Qui ne conquiert plus est conquis.

Instinct de conservation

René Grousset en a tiré une leçon sur l'importance de la croisade d'Urbain II, qui s'oppose à notre doxa contemporaine. Selon lui, le pape a permis à l'Europe de retarder de près de quatre siècles l'avancée de l'Islam et de préparer la lente émergence d'une Renaissance qui n'aurait jamais eu lieu sous le joug islamique : « La catastrophe de 1453 qui était à la veille de survenir dès 1090 sera reculée de trois siècles et demi… Les croisades constituèrent une inestimable diversion qui retarda de trois cent cinquante ans l'invasion de l'Europe. Pendant ce temps, la civilisation occidentale acheva de se constituer et devint capable de recevoir l'héritage de l'hellénisme expirant... La croisade ne fut pas autre chose que l'instinct de conservation de la société occidentale en présence du plus redoutable péril qu'elle ait jamais couru. On le vit bien quand l'Occident renonça à cet effort[1]. »

Si les Turcs avaient conquis Constantinople dès 1090, c'était la capitale intellectuelle de l'Europe qu'ils auraient mise sous leur éteignoir. En 1453, c'est trop tard pour eux : le génie intellectuel européen, imprégné de la pensée grecque transmise par l'empire d'Orient à l'Occident, s'est épanoui en Italie, en France ou en Angleterre.

L'affaiblissement de l'esprit de croisade ne fut pas une marque de progrès moral mais une preuve de décadence. Il était dû avant tout à l'effacement de la France empêtrée dans la guerre de Cent Ans.

Une partie de l'Europe le paya d'un esclavage de quatre siècles, nous rappelle René Grousset en évoquant la conquête des musulmans : « Dans les pays chrétiens où leur régime s'imposa, toute pensée libre, tout progrès scientifique et intellectuel furent pour longtemps arrêtés. Aucun affranchissement des consciences ou des sociétés ne devint possible. Les institutions politiques ne purent s'élever au-dessus du plus primitif despotisme. Une partie de la population européenne se trouva retranchée de l'Europe. »

L'Europe de l'Ouest avait abandonné à l'Islam l'Europe orientale, comme elle la livrera au communisme après la Seconde Guerre mondiale. Avec la même légèreté, le même manque de compassion et le même lâche soulagement. On comprend mieux alors le refus véhément en 2015 des dirigeants hongrois, polonais, ou même slovaques, d'accueillir des « migrants », venant pour la plupart de pays musulmans, en dépit des objurgations de l'Allemagne, des leçons de morale de la France et des menaces de la Commission

1. René Grousset, *Bilan de l'histoire*, Desclée de Brouwer, 1992 (1946).

de Bruxelles. Quand on a subi pendant des siècles l'asservissement islamique, on ne peut oublier que, contrairement à l'imagerie mythologique du cavalier arabe dévastant tout sur son destrier, la conquête arabe des terres chrétiennes d'Afrique du Nord ou de l'Empire byzantin a toujours commencé de manière pacifique, par une fraternisation des populations, des alliances même entre musulmans et chrétiens, unis par le monothéisme et la solidarité séduisante mais factice des « religions du Livre », contre un pouvoir despotique ou oppresseur. Ce n'est qu'après, bien après, lorsque le rapport de force démographique le permit, que les armées arabes imposèrent le pouvoir sans partage de l'Islam.

Pour fonder et justifier leurs attaques meurtrières sur le sol français en 2015, les propagandistes du Califat islamique (Daech) sonnèrent l'heure de la revanche contre les « croisés ». Cette appellation fit sourire nos esprits laïcisés et incrédules. Nous avions tort. Cette histoire longue est encore très vivante en terre d'Islam, alors que notre présentisme consumériste et culpabilisateur a tout effacé de nos mémoires. Nous avons oublié qu'Urbain II était français, que Pierre l'Hermite était français, que Godefroi de Bouillon était (pratiquement) français, que Saint Louis était français. Nous avons oublié que, grâce à eux, nous avons échappé à la colonisation islamique et que l'Europe, enracinée solidement dans la raison grecque, la loi romaine, et l'humanisme chrétien, a pu alors s'élever vers le destin inouï et glorieux qui fut le sien.

Si nous l'avons oublié, eux ne l'ont pas oublié.

Frère Guérin

La France en Marche !

La postérité n'a pas retenu son nom. Il n'a pas attiré l'attention des fabricants de gloire scolaire de la IIIe République. Il est demeuré à jamais une note de bas de page. À quoi tient la gloire posthume ? On aurait pourtant pu le présenter comme un autre Suger, le conseiller du roi Louis VI le Gros ; le peindre tel un petit Richelieu. Il a fait plus que sauver la France, il l'a rendue possible. Il a évité qu'elle ne se défasse avant même qu'elle ne fût faite. Il fut à Bouvines comme d'autres seront à Valmy ou à Verdun. La vie est injuste ; la postérité aussi. L'Histoire est un cimetière de géants oubliés.

On l'appelle « frère Guérin ». De son vrai nom Guérin de Montaigu. Il a servi la monarchie capétienne pendant près de trente ans. Il est membre de l'ordre des Hospitaliers, chevalier de Saint-Jean-de-Jérusalem, guerroyant sans relâche. Quand il rentre de croisade, le roi Philippe II, qu'on surnommera bientôt Philippe Auguste, lui confie la rédaction des actes officiels à la chancellerie. Il devient un conseiller spécial, un homme à tout faire, un ministre, le plus sûr, le plus sage, le plus déterminé, le garde des Sceaux, capable tout à la fois de mener une enquête sur des cas d'hérésie, de présider des tribunaux, d'arranger des arrêts en faveur du roi, mais aussi d'acheter des complicités.

À la mort du monarque, frère Guérin sera l'un de ses exécuteurs testamentaires. Tout au long de son règne, Philippe II le comble de présents, de propriétés dans l'Orléanais et tout l'Ouest, d'or, de bijoux et de pierres précieuses pris dans le trésor royal. Il fut de ces hommes innombrables de grand talent mais de petite extraction, que pendant des siècles l'Église tira du néant. Michelet écrira : « L'Église était presque la seule voie par où les races méprisées pussent reprendre quelque ascendant... les libertés de l'Église étaient alors celles du monde. »

Frère Guérin rentre dans ce petit cercle des grands du royaume. Ceux-ci le considéreront toujours avec le mépris que les féodaux vouent à un roturier. Mais le roi n'en a cure ; il s'est entouré et entiché d'une équipe d'hommes « tirés de la poussière », dont il goûte le talent, le bagout, l'audace, la discrétion et la fidélité à toute épreuve. Ils s'appellent Barthélémy de Roye, Gautier le Jeune ou Henri Clément. Et frère Guérin. Ils sont haïs des grands, de ceux qu'ils ont supplantés, comte de Flandre et autres archevêques de Reims ; mais ils ont la confiance du roi. Leur spécialité est de ne pas en avoir ; ils se mêlent des affaires financières, judiciaires, religieuses. La chose militaire même ne leur est pas étrangère.

Frère Guérin ne craint personne. Il a observé ses compagnons chevaliers à la croisade. Il ne méconnaît pas leur valeur, leur courage, leur intrépidité ; il n'ignore rien non plus de leur rusticité, leur ignorance, leur malléabilité. Les leçons de vertu les laissent de marbre ou les rendent méchants. Ils sont bien décidés à ne pas s'en laisser conter par ces moinillons qu'ils méprisent, et brutalisent parfois.

Les clercs, comme Guérin, sont alors les seuls à lire les pères de l'Église et même parfois les illustres païens, à rédiger en latin et à déchiffrer le grec. Dans le chaos provoqué par la désagrégation de l'Empire romain, au milieu des ruines matérielles, mais aussi spirituelles, ils ont conservé une certaine idée de l'homme, une certaine idée de Dieu, une certaine idée de la morale publique. De la *Res publica* ! Depuis que le temps de la féodalité a commencé, l'Église a été la seule à maintenir cet esprit d'unité universaliste que lui a légué Rome.

À LA FOIS PRÊTRE ET GUIDE

L'Église soutient le roi, et le roi soutient l'Église. Le roi a deux protecteurs, la Vierge et saint Denis ; il parsème sa bannière de fleurs de lys et se bat au cri de « Montjoie Saint-Denis ! » tandis que les prêtres lui fournissent les hommes et les subsides dont il a besoin. La croisade a donné à Philippe le goût du grandiose et de l'épique. Il n'est pas seulement le roi réaliste et cynique que les historiens nous ont décrit à satiété.

Philippe II est le septième roi de la lignée capétienne. Il se sent à l'étroit dans le royaume légué par ses pères. À l'ouest, il se cogne aux domaines immenses et plantureux du roi d'Angleterre ; au nord, il bute sur le comte de Flandre ; à l'est, sur l'empereur d'Allemagne. Au sud, sur le comté de Toulouse. Il étouffe. Parti à la croisade, il en est vite revenu, laissant à son compagnon de bataille et de plaisir, Richard Cœur de Lion, l'honneur de se couvrir seul de gloire et de perdre successivement sa liberté, son royaume et sa vie. Philippe profite de l'anarchie qui régnera alors à Londres pour fondre sur les possessions de son vassal anglais.

Frère Guérin et ses fidèles achètent les complicités et les consciences, subornent les tribunaux et arrangent les jugements, désarment les esprits et préviennent les hostilités. Par le droit ou par la force, Philippe s'empare de la Normandie, du Poitou, du Maine, de la Touraine et de l'Anjou. Il triple en quelques années son domaine. Multiplie ses vassaux et ses contribuables ; il allonge « ses longues mains ». À la veille de Bouvines, il est à la tête du royaume le plus puissant d'Europe. Les « terres d'obéissance le roy » s'ouvrent vers la Méditerranée.

On dirait le Sud

Philippe ne le sait pas encore, mais le destin de son royaume va se jouer en quelques mois, en quelques batailles, en quelques coups de dés. Il y aura le jeudi du Muret et le dimanche de Bouvines. Muret au sud et Bouvines au nord. Muret en 1213 et Bouvines en 1214. Muret, où frère Guérin ne sera nulle part ; Bouvines, où il sera partout. Muret, où l'Église combat en son nom propre ; Bouvines, où le roi de France est son bras armé. Muret, où les féodaux du Sud jettent leurs derniers feux ; Bouvines, où les féodaux du Nord sont si sûrs de vaincre.

La menace se profile d'abord en Languedoc. Chez les Albigeois, comme on disait alors. Frère Guérin profite de ses relations ecclésiastiques pour donner à Philippe II des informations de première main. Le roi français du Nord ne maîtrise rien, mais observe tout ; prêt à saisir toutes les occasions, toutes les proies. Dans ce Sud échauffé comme jamais, Simon de Montfort a fini par écraser l'« hérésie cathare » au fameux cri (dont on n'est pas sûr qu'il l'ait vraiment prononcé !) lancé par l'abbé de Cîteaux en entrant dans Béziers : « Tuez-les tous, Dieu reconnaîtra les siens. »

Le Toulousain Raimond comprend alors qu'il est le dernier sur la liste des maudits de Sodome et Gomorrhe. Il sollicite l'aide du roi d'Aragon et la complicité d'autres féodaux comme le comte de Foix. La bataille aura lieu à Muret, près de Toulouse, en 1213. Si la bataille de Muret avait tourné à l'avantage du roi d'Aragon, un royaume de toutes les Espagnes, y compris le Languedoc et le Toulousain, aurait empêché à jamais la France d'atteindre les rives de la Méditerranée. Mais après avoir fait mine de refuser le combat, Simon abat sa lourde cavalerie sur l'Aragonais et l'écrase.

Reste le nord. Le roi de France est en première ligne. L'empereur d'Allemagne a décidé d'en finir avec les prétentions de ce roitelet français, qu'il surnomme avec mépris *regulus* (« petit roi ») et invite sans autre forme de procès à réintégrer ses terres dans l'Empire. Il le menace, le défie. Les autres princes chrétiens en profitent pour se liguer contre Philippe. Selon sa bonne habitude, frère Guérin distribue à pleines mains les livres tournois pour s'assurer complicités et neutralités en terre d'Empire. Ce qui n'empêche pas le plus fier et valeureux vassal de Philippe, Renaud de Dammartin, comte de Boulogne, de rallier les ennemis du roi, tandis que le comte Ferrand de Flandre se rebelle lui aussi contre son suzerain français.

L'Europe contre la France

Ce n'est pas une alliance, mais une coalition. Ce n'est pas une coalition, mais l'histoire de l'Europe et de la France, de l'Europe contre la France, pour le millénaire qui s'ouvre. C'est l'histoire des guerres de la monarchie, de l'Empire et de la République. Toujours les mêmes enjeux, les mêmes adversaires, les mêmes batailles, quasiment toujours au même endroit. La France n'est pas un fief, puisque le roi de France n'est pas le plus puissant des suzerains. Elle n'est pas une race non plus, ni une tribu, ni une langue, puisqu'elle marie dès l'origine les Gaulois, les Romains et les Germains, sans compter les diverses alluvions venues au fil des temps. La France est un roi, une foi et une loi. Ce double universalisme, celui du droit romain et de la religion chrétienne, est à la fois sa force et sa faiblesse. Sa force, parce que partout où elle impose son imperium, la France étend son territoire, sans se soucier des différences de races et d'ethnies et de tribus ; sa faiblesse, parce que seule une main de fer peut contenir ses querelles et divisions incessantes. Chaque fois que le roi de France avance ses pions, chaque fois qu'il impose sa loi, chaque fois que l'Église domine les âmes, la France gagne des terres et des hommes. Chaque fois que l'Europe estime que la France exagère, qu'elle s'agrandit trop, elle se ligue contre elle, au mieux pour la contenir, au pire pour la disloquer. Tant que les armes de la France l'emportent, l'Europe se soumet. Mais dès qu'elles s'affaiblissent, l'Europe regimbe et la prend au collet.

En 1214, si l'Empereur l'emporte à Bouvines, la France est morte avant que d'être née. Démembrée avant que d'être rassemblée. Partagée en fiefs avant que de naître à sa conscience nationale.

Les hostilités commencent en fanfare. Otton promet la défaite à Philippe et la ruine au pape. En rétorsion, le souverain pontife offre la couronne impériale au rival d'Otton, Frédéric de Hohenstaufen, et se met sous la protection de Philippe, qui le protège d'Otton l'excommunié. Otton martèle que les prêtres seront massacrés, leurs domaines confisqués et qu'ils devront se contenter du produit des aumônes. L'Empereur annonce aussi à Philippe que sa défaite inéluctable entraînera le partage de son royaume, qu'il dépècera au profit de ses alliés et vassaux. Ferrand aura Paris.

Mais l'Allemand perd vite ses arrogantes certitudes. Son allié anglais, Jean sans Terre, ne pourra pas le rejoindre : son armée a été vaincue à la Roche-aux-Moines, le 2 juillet 1214. C'est le fils de Philippe, futur Louis VIII, qui a écrasé les Anglais. Ce Louis ne pouvait fêter plus glorieusement la naissance de son héritier, futur Saint Louis, quelques mois plus tôt. Philippe est rasséréné. Si Jean sans Terre l'avait emporté, ses troupes, remontant l'Aquitaine par l'Anjou, l'auraient pris à revers. Il peut se concentrer sur la bataille contre le comte de Flandre et les armées de l'Empereur.

Ce mois de juillet 1214 sera décisif. Frère Guérin l'a pressenti et s'affaire. La coalition rassemble entre huit et dix mille hommes ; les soldats français sont, selon la légende royale, bien moins nombreux. On se battra à un contre trois. Otton peut compter sur une énorme infanterie – les bourgeois flamands n'ont pas lésiné –, sur les troupes anglaises de Salisbury, et sur une cavalerie de mille cinq cents hommes qui ne seront pas de trop contre les cinq cents chevaliers français réputés pour leur audace, leur bravoure, voire leur férocité. Philippe les flatte : « Que les Teutons combattent à pied, vous, enfants de la Gaule, combattez toujours à cheval. » Philippe presse ses troupes dans le Nord vers Tournai. La bataille aura lieu sur le plateau de Bouvines en ce dimanche du 27 juillet 1214.

Avantage aux Français

Le soleil resplendit et les troupes d'Otton l'ont dans l'œil, les Français dans le dos. Avantage aux Français. Philippe entre dans l'église Saint-Pierre de Bouvines, prie, ressort et exhorte ses hommes en invoquant le Tout-Puissant : « En Dieu est tout notre espoir, toute notre confiance. Le roi Otton et son armée ont été excommuniés par le pape, car ils sont les ennemis, les persécuteurs de la sainte Église... Nous, nous sommes chrétiens, en paix et en communion avec la sainte Église. Tout pécheurs que nous soyons, nous sommes en bon accord avec les serviteurs de Dieu et défendons, dans la mesure de nos forces, les libertés des clercs. Nous pouvons donc compter sur la miséricorde divine. Dieu nous donnera le moyen de triompher de nos ennemis, qui sont les siens. » À ces mots, ses barons demandent à Philippe de les bénir et Philippe, élevant ses mains, implore la protection divine.

De l'autre côté, chez les impériaux, c'est un tout autre spectacle. On harangue, on menace, on s'encourage. On se veut paillard. Un cri rallie les cœurs : « Et maintenant, pensons à nos mies ! » Foin d'invocation divine.

Et soudain, le silence s'impose à tous. Les troupes ennemies se font face. La bannière rouge, semée de fleurs de lys, du roi de France répond à l'oriflamme de l'Empire et son énorme dragon surmonté d'un aigle d'or.

Frère Guérin porte la tunique rouge et la croix noire de l'ordre des Hospitaliers. C'est lui qui a mis au point le plan de bataille : l'aile droite attaquera d'abord et se jettera sur la cavalerie flamande dirigée par Ferrand, pour mieux enfoncer le centre, où se tient le roi. À l'aile gauche, les Français devront résister le plus longtemps possible aux assauts des troupes anglaises de Salisbury et du comte de Bourgogne. À droite, tout se passe comme l'avait prévu frère Guérin. Les cavaliers se jettent les uns sur les autres à la pointe de leurs épées ; les fantassins n'ont pas d'autonomie stratégique ; leur rôle est avant tout de faire chuter les cavaliers adverses et de les tuer à coups de masse ou de les égorger. L'infanterie flamande se débande dans un grand désordre.

Au centre, le combat a commencé plus tard. Le roi a attendu longtemps les troupes rassemblées par les « communes de France ». La roture se fait l'alliée historique des rois de France. Ces bourgeois arrivent essoufflés, l'oriflamme de Saint-Denis en tête, au moment où Otton déclenche l'attaque. Le camp français s'affole ; Philippe a été renversé de son cheval ; à terre, son bras fait des moulinets pour se protéger de l'ardeur des fantassins flamands, allemands ou lorrains qui tentent de le harponner comme un brochet. Philippe remonte sur son cheval. Il cherche Otton pour le défier en combat singulier. Le cheval de l'Empereur est blessé à l'œil et s'abat ; Otton, frappé, tombe et remonte sur un autre cheval. Mais Guillaume des Barres l'empoigne et le serre à l'étouffer ; les cavaliers allemands éventrent le cheval de Guillaume, qui se retrouve à terre, pendant qu'Otton, effrayé, prend la fuite. S'étant débarrassé de ses insignes royaux, il ira d'un trait à Valenciennes. Philippe en rit : « Nous ne verrons plus sa figure d'aujourd'hui. » Cette fuite est un coup terrible porté au moral des impériaux qui n'en continuent pas moins une lutte acharnée. La mêlée est effroyable, les morts s'entassent pêle-mêle avec les chevaux éventrés.

Au soir de cette glorieuse journée, la victoire est totale. L'aigle d'or, le dragon impérial et le char qui les portaient ont été démolis, brisés en morceaux et jetés aux pieds de Philippe. C'est une immense victoire pour la France. Le royaume est sauvé.

Un accueil enthousiaste est partout réservé au roi sur le chemin de Paris. Les villes sont tendues de courtines de soie ; des fleurs et des branches vertes pavent les sabots de ses chevaux ; la foule l'acclame. Les paysans, la faux sur l'épaule, crient : « Noël ! » Le petit peuple narquois se gausse des prisonniers célèbres qu'on exhibe comme les chefs vaincus dans les anciens triomphes romains. « Il est ferré, le

Ferrand », crie la foule, hilare, en découvrant le comte de Flandre parmi eux. Philippe écrit à la toute récente université de Paris : « Louez Dieu, mes très chers amis, car nous venons d'échapper au plus grave danger qui nous pût menacer ! » Les écoliers bambochent, festoient et dansent sept nuits durant, éclairés par des flambeaux. C'est la France des villes et la France des cloîtres, la France des baptistères et la France des amphithéâtres, qui cherche confusément à s'émanciper de la férule de ces seigneurs auxquels la masse paysanne, trop proche et trop dépendante, se soumet encore sans mot dire. Le roi est leur épée, leur espoir, leur rassembleur. Il est trop faible pour les menacer, et assez fort pour les protéger. Il est le plus petit des grands et le plus grand des petits.

Naissance de la monarchie française

La monarchie française a trouvé son destin historique. Elle ferrera tous les Ferrand, enfermera tous les Boulogne, chassera tous les Otton et jettera à la mer tous les Anglais. Philippe est l'homme des bourgeois et des vilains, qu'on n'appelle pas encore le « tiers état ». Le roi incarne cette vague idée de la France. Il fera de sa faiblesse une force. Philippe est devenu Auguste. Ses adversaires connaissent le sort qu'ils lui avaient promis.

À Londres, Jean sans Terre voit son trône vaciller. Les grands du royaume, les barons en armes, rejettent sa tutelle sans partage. Ils lui imposent la Grande Charte, la *Magna Carta,* dans laquelle le roi s'engage à respecter les libertés de chacun.

Bouvines a renversé les rôles entre le roi d'Angleterre et le roi de France. Le fort est devenu faible ; le faible est devenu fort. Le roi d'Angleterre a rassemblé tout le monde contre lui – nobles et bourgeois et Église – ; le roi de France a rassemblé derrière lui – Église et bourgeois, et quelques nobles ralliés à son panache fleurdelisé – contre les grands féodaux. La monarchie absolue est en germe à Paris ; la monarchie parlementaire est dans les limbes à Londres. L'égalité d'un côté, la liberté de l'autre.

Entre les frères ennemis anglais et français, la lutte pour la domination de l'Europe ne fait que commencer.

Saint Louis

Le roi juif

Rabbi Yehiel éponge de grosses gouttes de son vaste front, mais ce n'est pas seulement à cause de la chaleur d'été. En ces derniers jours de juin 1240, il a de bonnes raisons de transpirer. Le roi l'a convoqué pour une solennelle disputation entre talmudistes et théologiens catholiques. Le dessein de Louis IX est de dénoncer avec éclat les perfidies et les erreurs contenues dans le Livre saint des Juifs pour la plus grande gloire de la foi chrétienne.

Rabbi Yehiel a sollicité l'assistance des plus grands talmudistes, accourus des quatre coins du royaume : Moïse de Coucy, Juda Ben David de Melun et Manuel de Salomon. Il a prié Dieu pour qu'il l'inspire de ses lumières.

Il a découvert en entrant que la séance serait présidée par Blanche de Castille ; de nombreux grands du royaume l'assistent ; il en a été flatté mais effrayé. Il connaît la foi chrétienne exaltée de la mère du roi, sa raideur dogmatique tout espagnole. Il sait d'instinct qu'il lui sera interdit de gagner ; il doit seulement s'efforcer de ne pas perdre. Son adversaire est une vieille connaissance. Nicolas Donin de la Rochelle est né juif, mais il affiche, depuis sa conversion au catholicisme, un zèle vindicatif pour ses anciens coreligionnaires. Sa connaissance intime de la Loi mosaïque, sa science de la Torah et du Talmud donnent à ses accusations une force que rabbi Yehiel ne peut s'empêcher d'admirer, comme il ne peut s'empêcher d'admirer ces noms de villes ou de métiers que les « Gentils » ont pris l'habitude de s'attribuer comme patronymes, tandis que les juifs ont maintenu l'ancestrale coutume de désigner les gens par la seule qualité de fils de leur père.

Mais rabbi Yehiel n'a guère le temps de s'appesantir sur la beauté des noms des « Gentils » ou sur l'élégance chamarrée des tenues vestimentaires des grands du royaume qui le fixent avec une sévérité courtisane. Son adversaire a commencé son réquisitoire et les griefs pleuvent sur le Talmud comme un soudain orage d'été. Le rabbi ne peut dissimuler dans sa barbe fournie un rictus d'exaspération. Les coups de l'apostat tombent dru et juste. Il dénonce avec pertinence le poids excessif qu'ont pris les rabbins dans la vie juive ou les critiques et sarcasmes contre Jésus et Marie. Rabbi Yehiel connaît aussi les citations exhumées par Donin de la Rochelle, les invectives contre les « Gentils », leur mise à l'écart par la Loi juive.

Rabbi Yehiel fait ce qu'il a toujours fait et ce qu'il fait le mieux depuis son enfance : il discute, dispute, ergote, pinaille. Depuis la destruction du temple de Jérusalem, en 70, les juifs ont modifié leur culte, troquant leurs anciens rites sacrificiels pour l'étude et le commentaire de la Torah. Chaque juif a appris à lire pour connaître le texte sacré. Ils sont instruits quand les autres ne le sont pas. Ils sont les seuls à pouvoir rivaliser avec la science livresque des clercs qui impressionne tant leurs ouailles. À oser discuter une parole divine que les chrétiens reçoivent de la hiérarchie ecclésiale sans pouvoir la contester. Si on en croit le travail remarquable de l'historienne italienne Maristella Botticini et de l'économiste israélien Zvi Eckstein, dans leur livre *The Chosen Few* (« Les quelques élus »), cet atout majeur a changé le destin des minorités juives en Europe : beaucoup d'entre eux ont abandonné le travail des champs pour le commerce, la médecine ou la finance. Ils ont voyagé et se sont organisés en réseaux. Ils en ont tiré une rémunération bien supérieure, mais ont suscité la haine inexpiable de leurs créanciers.

La France est « pure »

Face à la force et à la précision des arguments de Donin de la Rochelle, rabbi Yehiel ne nie rien. Il complète, recadre, nuance. Il conteste avec un brin de mauvaise foi, brocarde. Il compense les critiques contre les « Gentils » par les éloges innombrables, sortis du même Texte. Il rappelle que la France en hébreu se dit *Tsarfat*, qui signifie « purifier » : la France est « pure », car ceux qui l'ont fondée étaient motivés par la pureté de leurs sentiments. Il précise que les dénonciations que les chrétiens leur croient destinées visent le plus souvent les idolâtres. Atténue l'insolence à l'égard du Très-Haut, par cette formule d'humilité : « L'homme pense et Dieu rit. » Expose en hommage à la mère du roi la règle d'or énoncée par le Talmud, « *Dina de Malkhouta Dina* » : « La loi du pays est la loi. » Donne en exemple le grand Rachi, qui a intimé l'ordre aux juifs d'Europe d'abandonner la polygamie des patriarches pour la monogamie des chrétiens. Les critiques acerbes contre Jésus et Marie ? « C'était un autre Yeoushoua et une autre Marie. Tous les Louis ne sont pas égaux et certains ne sont pas rois de France. » La salle s'esclaffe. Même les grands pouffent sous l'œil sévère de la reine mère. Rabbi Yehiel a déjà noté que ces « Gentils » de France ont un penchant pour ceux qui mettent les rieurs de leur côté. Il peut alors hisser les couleurs, pour bien montrer à ce grand roi, si humble et juste, qu'il est vain de les persécuter : « Notre corps se trouve entre vos mains, mais non pas notre âme. »

Rabbi Yehiel a réponse à tout. Il agace Blanche de Castille. On l'écarte des débats. Mais ses acolytes restés en lice appliquent ses méthodes éprouvées. Le 27 juin 1240, au bout de trois jours de controverses, le roi, sur les conseils de sa mère, lève la séance. Louis IX a compris la leçon de rabbi Yehiel ; il interdira désormais toute disputation avec les talmudistes. Il ne viendra plus s'aventurer sur leur terrain.

Chaque camp crie victoire. Mais deux ans plus tard, vingt-quatre charrettes chargées d'exemplaires du Talmud seront brûlées place de Grève. En 1247, le roi ordonne la censure des passages offensants du Talmud pour la chrétienté. Les juifs seront dépouillés de leurs biens pour financer les croisades.

Depuis le concile de Latran, en 1215, les juifs devaient s'affubler d'un signe particulier d'infamie sur leurs vêtements, une rouelle, que les musulmans imposaient depuis longtemps déjà à tous leurs « dhimmis », chrétiens et juifs. Le pape avait alors écrit à l'évêque de Paris : « Il convient de restreindre les excès des juifs afin qu'ils ne lèvent pas la tête sur laquelle pèse le joug de l'esclavage perpétuel... Ils doivent se reconnaître comme les esclaves de ceux que la mort du Christ a libérés, alors qu'elle a asservi les juifs. »

Après cette passe d'armes théologique, Louis IX intime aux juifs l'ordre de vivre du travail de leurs mains et non plus du commerce de l'argent. En 1288, treize juifs monteront sur le bûcher.

Le 22 juillet 1306, tous les juifs du royaume seront arrêtés. Cent mille quitteront le royaume pour les régions voisines.

L'avis d'expulsion de 1306 sera annulé en 1315. Repris en 1323, annulé derechef en 1360. Mais Charles VI le Fou expulsera une nouvelle fois les juifs en 1394, mettant fin à près de mille ans de présence juive. La plupart se replieront dans les communautés protégées d'Avignon ou de Bordeaux ; d'autres iront en Alsace, qui ne fait pas alors partie du royaume de France. Quelques juifs parisiens avaient même émigré vers la « Palestine ». Conduits par rabbi Yehiel...

Les Francs sont le nouveau peuple d'Israël

Les Francs ont toujours revendiqué le titre de « meilleur élève de la chrétienté », protecteur de Rome. La France est la fille aînée de l'Église depuis Pépin le Bref. À partir de l'empereur Justin, le christianisme s'est désigné successeur d'Israël, *verus Israël*, le « vrai Israël ». Les Francs ont adopté la même logique de substitution. Les Francs sont le nouveau peuple d'Israël. Dès l'époque carolingienne, le peuple franc

« est considéré comme le nouveau peuple élu ». La France est la « nation préférée de Dieu ». La France est le royaume de la nouvelle Alliance. On pioche dans l'Ancien Testament tous les signes, tous les symboles, tous les modèles. On prend le sacre, l'huile sainte, les oriflammes bleu et or, la fleur de lys, jusqu'aux pouvoirs de guérison. Le sacre des rois francs est inspiré de Samuel, qui, avec sa corne d'huile, procède à l'onction du roi David. Par le sacre, le roi des Francs, héritier des rois d'Israël, est l'élu de Dieu. Une terre sacrée est de même promise à ce peuple élu de Dieu : la France.

Ainsi, la France tire de la Bible l'armure doctrinale de son édification : roi sacré et peuple élu. On cherche et trouve une promesse comparable à celle que fit Dieu à Moïse dans la *Vita sancti Remigii*, écrite par Hincmar vers 878 ; mais la bénédiction de saint Remi lors du baptême de Clovis est aussi souvent évoquée. Le roi de France descend du roi David ; le peuple français descend du peuple d'Israël ; la langue française même, au-delà de ses origines latines ou grecques, tire sa source de l'hébreu. Rien n'arrêtera les historiographes des monarques capétiens dans la quête de leurs racines juives. Quand le peuple d'Israël obéit à Dieu, il est glorieux ; quand il abandonne les commandements divins, il est malheureux et vaincu. De même, les victoires de la France sont la récompense de Dieu pour son peuple chéri ; ses défaites et ses malheurs sont dus à l'ingratitude du peuple qui a rompu l'alliance avec Dieu. Le peuple franc est « especial peuple pour l'exécution des commandements de Dieu ». Lorsque Louis IX devient Saint Louis, sous le règne de son petit-fils Philippe le Bel, cette surchristianisation royale nourrit le sentiment de supériorité de la nation.

Comme la fidélité des rois d'Israël à leur Dieu a fait la gloire du peuple élu, la christianisation sans tache des rois de France assure le destin glorieux de leur nation. À la fin des temps, le roi de France rentrera en Terre promise et sonnera le temps de la paix universelle. La France fait sien le destin messianique d'Israël. Elle se l'approprie.

Tout en s'inspirant du farouche nationalisme du peuple

d'Israël, la monarchie française porte fièrement le drapeau d'une religion catholique qui se veut universelle. Cette contradiction aurait pu être fatale et empêcher l'émergence du sentiment national français. Les paysans français qui se rebelleront contre l'occupant anglais après le traité de Troyes (1420) auront peur de retrouver au paradis les soldats anglais qu'ils trucidaient.

Désir mimétique

Mais la grandeur de la monarchie française est de concilier l'inconciliable, de tenir les deux bouts de l'échelle, de corriger la tentation de l'enfermement nationaliste juif par l'ouverture au monde du catholicisme, de contenir le potentiel dissolvant du pacifisme du Christ par l'égoïsme sacré du nationalisme juif.

La royauté française est juive « spirituellement », comme le note Colette Beaune dans son ouvrage fécond sur la *Naissance de la nation France*[1]. Mais plus on admire les Juifs de la Bible, plus on persécute les Juifs réels, selon un modèle que nous connaissons aujourd'hui grâce à René Girard et sa fameuse analyse sur le désir mimétique. Nous voulons être ce que nous admirons, mais nous le détestons d'être ce qu'il est, car nous souhaitons le remplacer. C'est tout le sens de la disputation provoquée par Saint Louis et des condamnations et persécutions qui s'ensuivent. Voltaire ironisera sur ces juifs brûlés au son des cantiques juifs. Les juifs avaient exterminé Amalek sur ordre divin ; les juifs prenaient la place maudite d'Amalek dans la liturgie du nouvel Israël chrétien.

Les rois de France et leurs thuriféraires ne furent pas les seuls à s'inspirer du modèle biblique. Au XVIe siècle, Jean Bodin s'est appuyé sur l'Ancien Testament pour construire sa théorie de la souveraineté. Hobbes affirme que l'État des Hébreux constitue le prototype de l'État souverain. Quand Bossuet rédige une histoire universelle

1. Gallimard, 1985.

à l'intention de son élève royal, le Dauphin, fils de Louis XIV, il se contente d'évoquer et de commenter sans se lasser l'Histoire sainte tirée de l'Ancien Testament. Le peuple d'Israël est le miroir flatteur dans lequel se mire l'ancienne France.

« Hier soldat de Dieu, aujourd'hui soldat du droit, la France sera toujours le soldat de l'idéal. » Georges Clemenceau n'a nulle tendresse pour la foi catholique. Son athéisme militant en fera toute sa vie un ennemi de la « prêtraille ». Mais Clemenceau connaît ses classiques. Alors que le pays est engagé depuis 1914 dans la plus terrible guerre de son Histoire, confinant à une sorte d'ordalie, il n'hésite pas à sonner la mobilisation générale, rassemblant derrière son oriflamme belliqueuse la France des croisades et la France de la Révolution. La France qui délivre le tombeau du Christ et la France qui libère les peuples de leurs tyrans. La France qui combat pour Dieu et celle qui combat pour le droit. La France qui apporte la révélation, la bonne parole. La France qui convertit. La France qui répand les Saintes Écritures et celle qui répand le Code civil. La France qui repousse les hérétiques musulmans hier et les Barbares teutons aujourd'hui. La France catholique et la France républicaine unies dans un même combat pour la grandeur éternelle d'une France messianique et civilisatrice. Ces Frances sont en vérité une seule et même France, celle qui s'était parée avec Saint Louis des atours du peuple élu.

Les nations romantiques

Cette histoire française ne s'est pas arrêtée avec les Rois Très Chrétiens. La Révolution française éclate en 1789 au cri de « Vive la nation ! ». La nation des patriotes contre les aristocrates, les rois, les tyrans. Toute l'Europe imite peu à peu le modèle français : les nations italienne, allemande, polonaise, hongroise, irlandaise, etc. naissent dans la douleur et l'exaltation, dans l'amour ou la haine de leur modèle français. Le sionisme est un des derniers mouvements de nationalités du XIXe siècle inspiré par la « grande nation ».

Israël a été pendant des siècles le modèle de la France. La France devient à son tour le modèle d'Israël. Mais leurs temporalités se désaccordent. Israël est aujourd'hui la nation que la France s'interdit d'être. La nation farouche, sûre d'elle-même et dominatrice, pour qui la guerre est la continuation naturelle de la politique, pour qui la gloire des armes est une forme suprême d'art. Tsahal renoue avec l'enthousiasme des soldats de l'an II et l'audace de ses jeunes officiers rappelle celle des généraux des armées du Rhin ou d'Italie. Les deux pays ont connu la logique sans tendresse des États-nations condamnés à n'avoir que des alliés et jamais d'amis. Israël est une nation du XIXe siècle pour laquelle la souveraineté nationale est un bien aussi inespéré que sacré, tandis que la France a troqué cette souveraineté qu'elle avait inventée, qui l'avait fondée et préservée à travers les âges, pour les chimères pacifistes d'une fédération européenne impuissante et ingrate.

Les deux nations sont condamnées sous peine de mort à retrouver leur intimité ancestrale. Sans l'universalisme chrétien, Israël s'enferme dans un nationalisme ethnique et ségrégationniste qui trouve sa légitimité rationnelle dans le déséquilibre démographique. Sans le nationalisme juif, la France s'abîme dans la sortie de l'Histoire d'une nation millénaire dépossédée de son État, de son passé, de ses racines, de son territoire même, au nom de la religion abstraite et aveugle des droits de l'homme.

Ce n'est pas un hasard si Israël est haï depuis des décennies par une gauche française postchrétienne et postnationale qui, après avoir vénéré l'Union soviétique de Staline et la Chine de Mao (certains de leurs aînés n'avaient pas hésité à collaborer avec l'Allemagne de Hitler), s'est soumise à l'Islam comme ultime bannière impériale pour abattre les nations. C'est la France qu'ils vomissent en Israël. La France d'antan et la France éternelle. La France, son État-nation, son histoire millénaire et sa terre sacrée. Israël est le miroir d'une France qu'ils haïssent tant qu'ils veulent en effacer jusqu'à son reflet.

Le miroir flatteur est devenu miroir brisé.

Nogaret

La claque du siècle

C'est la claque la plus célèbre de l'Histoire. Une claque qui a fait la France davantage que nombre de coups d'épée ou de grandes phrases. Une claque ou plutôt un soufflet, disent les littéraires ; un gantelet de fer, précisent les historiens. Un gant jeté aux hommes et à Dieu. Un gantelet, un soufflet, une claque, qui n'a peut-être jamais été donné. Jamais reçu. Une claque, un soufflet, un gantelet, dont on ignore encore si l'auteur putatif fut Guillaume de Nogaret ou Giacomo Colonna dit Sciarra. Un Français ou un Italien.

Celui-ci, issu d'une grande famille romaine, est un de ces condottieres dont la Renaissance immortaliserait bientôt la hautaine et rugueuse figure. Nogaret est de ces brillants juristes venus du Sud, les Plaisians, Flote, Marigny, tous ces « chevaliers en droit » qui, depuis le XIIe siècle, utilisent leur science de l'« imperium » romain pour briser les droits féodaux et ecclésiastiques qui limitent la souveraineté des rois capétiens. Michelet les appelle les « tyrans de la France », mais reconnaît que ces « démolisseurs du Moyen Âge » ont fondé le « droit civil moderne ». Ce sont eux qui vont édifier la Monarchie absolue.

Les Nogaret viennent du Languedoc ; on dit que le grand-père de Guillaume était cathare. Les méchantes langues d'église prétendent que son acharnement à briser les privilèges ecclésiastiques ressort d'une vengeance familiale. Il a été nommé juge-mage, une sorte de tribunal à lui tout seul, pour la sénéchaussée de Beaucaire, près de Nîmes. Il a aussi négocié le passage de la ville de Montpellier sous la souveraineté du roi de France. Quelques mois avant cette claque historique, il est devenu le principal collaborateur de Philippe le Bel. Nogaret est devenu chancelier de fait, même s'il n'en a pas le titre officiel.

En ce samedi 7 septembre 1303, il fait beau et chaud à Anagni, une ville importante peuplée de trente mille âmes. Rome n'en a alors pas davantage, et ses deux cent mille habitants font de Paris la ville la plus peuplée d'Europe. À cinquante kilomètres de Rome, c'est le lieu de villégiature préféré du pape Boniface VIII et de sa famille, la puissante dynastie des Caetani. Derrière de hautes murailles, la cité domine l'antique Via Latina qui relie Naples à Rome. Nogaret est en Italie depuis de longs mois, mais le temps presse. Ses négociations avec la papauté ont échoué. Il a appris depuis quelques jours que le pape Boniface VIII prépare l'« excommunication » du roi de France. La bulle, dont la publication est prévue le 8 septembre, peut entraîner la déposition pure et simple de Philippe le Bel. Les historiens se demandent encore si le roi de France a ordonné d'« appréhender au corps » le pape ou s'il a laissé faire. Ou s'il ignorait les menées de Nogaret.

Dès l'aube, une cohorte imposante de cinq cents cavaliers et un millier de fantassins se presse devant les fortifications de la cité. Les reîtres ne parlent pas français. Ils viennent de la Toscane et de la Campanie, voisines. Les plus grandes familles aristocratiques de la région, les Supino, les Ceccano, les Di Mattia, se sont liguées avec les Colonna ; tous rêvent de se venger du clan des Caetani, qui a exploité l'accès de l'un des leurs au Saint-Siège pour accumuler prébendes et privilèges. Nogaret les a couverts d'or ; Sciarra les commande. Ils n'ont pas de mal à pénétrer dans l'enceinte de la ville. L'or du roi de France a su convaincre.

LA CLAQUE

La foule, enthousiaste, crie : « Vive le roi de France, que le pape meure ! » Nogaret prend le temps de haranguer les badauds nombreux, de se justifier, de plaider sa cause. Les soldats s'enhardissent. Donnent l'assaut au palais où Benedetto Caetani s'est retiré. Même la cathédrale est occupée. À 18 heures, tout est fini. Nogaret fait hisser la bannière aux fleurs de lys sur la maison du pape. Celui-ci fait face avec une dignité ostentatoire. Il reçoit les intrus en armes sur son lit, vêtu du manteau pontifical rouge, la tiare sur la tête, et serrant dans ses mains les clés de saint Pierre et un crucifix taillé dans le bois du Golgotha. Quand il se penche avec fausse humilité en murmurant « Voici le col, voici la tête », la légende prétend que Nogaret a retenu le bras de Colonna et son gantelet de fer. La fameuse claque !

Nogaret ne perd pas de temps. Il somme le pape de convoquer un concile général pour y répondre des crimes d'hérésie, de simonie, de blasphème et d'usurpation. L'autre refuse avec hauteur. Nogaret n'en a cure ; il a gagné sa course de vitesse ; et lancé la procédure d'hérésie avant que le pape ne tire son arme suprême d'excommunication.

Pendant ce temps, Sciarra a lâché la bride à ses reîtres, qui bousculent et brutalisent, saccagent et pillent sans scrupule l'auguste demeure. La foule des habitants se mêle à eux dans un désordre frénétique. Benedetto Caetani a une réputation justifiée de cupidité et de ladrerie à la fois ; il a accumulé toute sa vie d'innombrables prébendes et son goût du lucre n'a pas faibli en devenant le successeur de saint Pierre. Nogaret accusera même les neveux du pape d'avoir dévalisé leur oncle.

Nogaret ne va pas savourer longtemps sa victoire. Le 9 septembre, les habitants envahissent de nouveau le palais du pape, aux cris de « Vive le pape ! Mort aux étrangers ! » La versatilité des foules ne date pas d'hier. Pris sans doute d'un sentiment de culpabilité, ils lui rendront l'essentiel du produit de leur pillage, sous la pression de leurs femmes et contre la promesse d'une « indulgence papale »... Nogaret est blessé dans l'assaut. Il s'enfuit de la ville et gagne les remparts de Ferentino, où il attendra sa revanche sous la protection de Rinaldo Da Supino. Il y restera jusqu'à l'élection de Benoît XI, le 22 octobre 1303.

Boniface VIII n'a plus que quelques semaines à vivre. À 70 ans, le choc a été trop rude. Il ne s'en remettra pas. Il distribue des pardons à foison, même à Nogaret ! Il se réconcilie avec tout le monde, même avec le roi de France. L'impérieux Saint-Père est devenu tendre pasteur. L'intraitable combattant, humble pénitent. Retourné au Vatican, il y meurt dans la nuit du 11 au 12 octobre 1307.

De sa retraite, Nogaret, lui, ne désarme pas. Ses fidèles répandent un tercet sarcastique sur leur défunt adversaire :
« Il entra comme un renard
Il régna comme un lion
Il mourut comme un chien. »

L'émotion est immense dans toute la chrétienté. Dante l'immortalisera dans ses vers célèbres du *Purgatoire* : « Je le vois, il entre dans Anagni, le fleurdelisé. Je vois le Christ captif en son vicaire ; je le vis moqué une seconde fois ; il est de nouveau abreuvé de fiel et de vinaigre ; il est mis à mort entre des brigands. »

Le roi de France lui-même paraît affecté par le scandale. Quelques jours avant Noël, à Toulouse, Philippe le Bel réservera un accueil glacial à Nogaret. Mais quelques mois plus tard, il le couvrira de présents. Entre-temps, Nogaret a plaidé sa cause auprès du roi. Le roi jouait-il double jeu ? Donnait-il le change ? Philippe le Bel, comme tous les Capétiens, est un chrétien sincère ; sa foi, scrupuleuse et authentique. Sa personne privée se soumet sans barguigner à l'autorité suprême du pontife ; mais le roi, lui, ne peut pas s'incliner devant l'autorité pontificale. Cette séparation du spirituel et du temporel, Philippe le Bel la pratique d'instinct. Il ne peut céder.

Ce serait renoncer à des siècles de lente édification royale. Les arguments de Nogaret sont implacables. Incontestables. Le récit des événements plaide pour lui.

La mule du pape

Le pape est allé trop loin ; le roi de France aussi. Les deux hommes sont aussi intrépides, aussi impérieux, aussi orgueilleux, aussi imbus de leurs prérogatives l'un que l'autre. Philippe est plus jeune que Boniface ; il en impose physiquement ; il n'est pas surnommé « le Bel » par hasard. Le pape est vieux, mais la vivacité de son esprit est intacte. Il a été de ces jeunes esprits brillants et iconoclastes qui n'hésitent pas à jongler avec les Saintes Écritures, allant jusqu'à mettre en cause la virginité de Marie ou la réalité de la Trinité. Pour la seule joie de la joute, pour le seul plaisir de susciter l'effroi sur les visages de ses vieux maîtres. Il ne se doutait pas qu'un jour, un roué légiste du nom de Nogaret retournerait ses provocations de garnement contre le pape chenu qu'il est devenu, l'accusant de tous les maux de la terre, hérésie, simonie, blasphème, et même sodomie.

Philippe le Bel est « empereur en son royaume ». Le pape est souverain pontife, *pontifex maximus*, ce qui désignait jadis l'empereur de Rome. La tiare qu'il porte sur sa tête rappelle son auguste héritage. Des esprits habiles ont même rédigé une « donation de Constantin », par laquelle le glorieux empereur Constantin, au moment de sa conversion au christianisme, aurait légué son empire d'Occident aux papes. Le texte est un faux, mais, à l'époque, tout le monde veut y croire.

Le pape joue sur les deux tableaux, le sacré et le temporel. On embrasse sa mule. Le pape est vicaire du Christ et plus seulement vicaire de Pierre. À leur couronnement, on murmure aux souverains pontifes : « Sachez que vous êtes le père des princes et des rois, recteur de l'univers et sur terre vicaire de Jésus-Christ notre sauveur. »

Boniface VIII a pris cela très au sérieux. Il a attendu longtemps avant de réaliser son rêve. Il a dû supporter bien des échecs et des humiliations. Il s'est toujours senti au-dessus des autres, au-dessus de ses collègues et rivaux, destiné de toute éternité au rôle suprême. Depuis qu'il est sur le trône de Pierre, Benedetto Caetani ne se contient plus. Recevant les ambassadeurs d'Albert de Habsbourg, en 1301, il coiffe la couronne impériale et brandit une épée : « Ne puis-je veiller sur les droits de l'Empire ? Je suis l'Empereur. » Il se fait ériger de son vivant un superbe monument funéraire, suscitant dans toute la chrétienté un énorme scandale pour ces manières païennes d'empereur romain divinisé.

Longtemps, le roi de France a laissé faire. Au contraire de l'Empereur, il ne revendique pas une souveraineté temporelle sur l'ensemble du monde chrétien. Se soumet au pape, dans l'ordre spirituel. L'alliance du roi de France et du souverain pontife a contenu avec une rare efficacité les prétentions de l'empereur d'Allemagne, qui se voulait lui aussi – lui d'abord – le successeur légitime des empereurs romains. Le roi de France donnait ses armées au pape ; le pape donnait sa bénédiction au roi de France. Les empereurs germaniques ne parvinrent jamais à briser cette alliance de fer et de grâce. À Rome, on a fêté la victoire des armées françaises à Bouvines presque autant qu'à Paris. Et chacun se souvient de l'humiliation de Canossa, en 1077, quand l'empereur Henri IV de Germanie dut solliciter une audience du pape Grégoire VII, attendant devant la forteresse trois jours durant pieds nus ou à genoux dans la neige. Boniface VIII ne pouvait imaginer qu'un jour Philippe le Bel lui rejouerait Canossa, mais à l'envers. La belle alliance entre le roi chrétien et le souverain pontife se délite...

Les liens sacrés de l'argent

Le roi de France a besoin d'argent. Un énorme, un permanent, un obsessionnel besoin d'argent. L'édification de l'État-nation, loin des services réciproques de la féodalité, coûte toujours plus cher. Les banquiers et les négociants sont ses premières victimes. Philippe le Bel spolie et expulse les Lombards ; spolie et expulse les Juifs. Mais ce n'est pas assez ; ce n'est jamais assez. Les légistes du roi de France se font aussi apprentis financiers ; ils jouent sur la teneur en or ou en argent de la monnaie royale, inventant sans le savoir les futures dévaluations monétaires dont nos Républiques ne seront pas avares ; mais à l'époque, il y a un lien étroit entre Dieu et l'argent, entre la *Res publica* et la monnaie : Philippe le Bel est accusé d'être un « faux-monnayeur ». Il n'en a cure. Il crée le premier impôt indirect : la « maltôte ». Ce surnom, trouvé par le peuple, est repris par le roi, bravache.

Reste l'Église. Le clergé possède de grands biens depuis des temps immémoriaux. Philippe le Bel lève des décimes. Le pape se récrie. Le droit féodal et les privilèges ecclésiastiques protègent le clergé, qui ne peut être ni jugé par la justice royale ni imposé par le trésor royal. Philippe le Bel fait la sourde oreille. Les conflits se multiplient, les tempéraments s'échauffent, les esprits s'aiguisent. Le pape institue un évêché autonome à Pamiers ; le roi interdit tout transfert d'argent hors du royaume. Le pape envoie un légat pour protester auprès du roi ; le légat est emprisonné. Le pape publie une bulle de condamnation ; la bulle est brûlée. Le pape fait pression sur les évêques français ; le roi, appuyé par l'université de Paris, tient contre le pape une assemblée générale où les députés des villes rejoignent les barons et les évêques, le 10 avril 1302. Les états généraux sont nés. Nogaret, procureur du roi, tonne contre le pape. Obtient la condamnation presque unanime de tous les représentants de la « nation ». Aucun évêque n'a osé se séparer du sort royal. L'Église de France est consacrée. Le gallicanisme est né.

Les évêques français supplient les envoyés du Vatican de les laisser payer les impôts réclamés par le roi. Le pape « préfère être plutôt chien que français » et annonce qu'il détruira la « superbe gallicane ».

Nogaret suggère alors au roi de lancer le procès du pape pour hérésie. Le roi hésite, sincèrement atteint par les « preuves » que lui apporte Nogaret ; il est de son devoir de chrétien d'empêcher ce scandale d'un hérétique à la tête de l'Église, mais ordonne d'abord à Nogaret de trouver un compromis. De négocier. D'où son voyage en Italie en ce début de l'année 1303.

Le compromis est impossible à trouver. Le pape ne le veut pas. Le pape veut corriger « son très cher fils Philippe ». Le pape veut dicter sa loi. Boniface tente encore de séparer le bon grain de l'ivraie : « Sans aucun doute, je tiens personnellement le roi pour un prince bon et catholique, mais je crains qu'il n'ait des conseillers qui ne sont pas très utiles. » Et de comparer ces mauvais génies de Philippe le Bel à Achitopel, conseiller d'Absalon, fils du roi David qui voulut usurper le trône de celui-ci et finit tragiquement. Dans le Livre des Rois de l'Ancien Testament, Achitopel veut dire « ruine de mon frère ». Nogaret est Achitopel. L'insulte n'est pas légère.

Le pape ne tardera pas à comprendre qu'on est bien au-delà d'une simple histoire d'Achitopel. C'est sa conception théologico-politique qui est en cause.

Boniface VIII a publié une bulle que le roi de France ne pouvait laisser passer sans réagir : « Deux glaives sont au pouvoir de l'Église, le spirituel et le matériel. Mais celui-ci doit être manié pour l'Église, celui-là par l'Église. Le premier par les prêtres, le second par les rois et les soldats, mais à la demande du prêtre. Il convient, en effet, qu'un glaive soit soumis à l'autre et que la puissance temporelle soit soumise à la spirituelle. »

Philippe le Bel ne peut tolérer pareille transgression. Comme ses ancêtres, le Capétien considère qu'il tient son pouvoir de Dieu seul. Il n'y a pas d'intermédiaire entre lui et Dieu, même le pape. Sa légitimité ne peut subir d'intermédiation humaine. Point de tutelle ni de censeur. Pas de père corrigeant son fils.

L'audace de Nogaret a arrêté une possible et dangereuse évolution théocratique de l'Église romaine. Certains, au Vatican, à partir de son successeur même, le comprirent et corrigèrent le tir. Comme l'a finement noté Ernest Renan, des siècles plus tard, la pire gifle reçue par Boniface VIII n'est pas tant celle de Nogaret ou de Sciarra que celle donnée par son successeur Clément V, qui reprit tous les arguments de Nogaret pour justifier Philippe le Bel et accabler son prédécesseur.

La scène occidentale était définitivement nettoyée de ses miasmes orientaux. Le pape meurt de chagrin, son rêve brisé : le rêve d'unité de la chrétienté – *Res publica christiana* – sous la domination du pape, qui, unissant dans ses mains les deux glaives, pouvait déposer les rois sans que ses sujets se révoltent.

Dès qu'il apprend l'élection du nouveau pape, Benoît XI, Nogaret se précipite à Rome. Rencontre Pierre de la Chapelle, archevêque de Toulouse. Pendant ses semaines d'inaction forcée, il a compris que la seule justification de l'attentat d'Anagni – et pour éviter son excommunication et la colère du roi – réside dans la poursuite de la procédure contre le pape hérétique. Même après la mort de Boniface VIII.

Le 7 juin 1304, le nouveau souverain pontife absout Philippe le Bel mais excommunie quatorze personnes, dont Nogaret. Celui-ci verra sa peine commuée en pénitence : il devra accomplir plusieurs pèlerinages, et a l'obligation de se rendre en Terre sainte pour n'en plus revenir. Nogaret mourra avant d'avoir pu effectuer ce périple dangereux dans une région de nouveau sous contrôle de l'Islam après la fin du royaume franc de Jérusalem. Mais un mois plus tard, à Pérouse, Benoît XI meurt à son tour. La procédure est suspendue. L'Église n'en a pas fini avec ce diable de Nogaret. Le 13 octobre 1307, le roi se saisit de tous les biens des Templiers présents sur le territoire du royaume.

C'est toujours la même histoire, la même rapacité, la même confiscation : après les Juifs et les Lombards, les Templiers. L'ordre, revenu de la croisade, est trop riche et trop puissant. Philippe le Bel a décidé de l'abattre. Le procureur Nogaret reprend du service. Avec toujours les mêmes méthodes, les mêmes accusations : hérésie, simonie, idolâtrie, sodomie. La routine. Les Templiers ont aussi aggravé leur cas en adoptant les mœurs sauvages des sectes musulmanes des « Assassins » de Syrie. Mais les Templiers sont des religieux et ne dépendent donc pas de la justice royale. Encore la routine. Nogaret reste inflexible. Il rappelle au roi que la procédure pour hérésie contre le pape Boniface VIII n'est pas close. Et que cela pourrait faire réfléchir son successeur. Nogaret a vu juste. Le 22 mars 1312, le pape, Clément V, accepte de dissoudre l'ordre des Templiers et de condamner ses principaux dirigeants pour hérésie, sodomie, idolâtrie. Le roi laisse au souverain pontife le soin de finir la procédure contre le pape Caetani. Et de l'innocenter.

Des juristes qui décapitent un juriste

Après avoir déchiré la robe sans couture de l'Église, Nogaret a brûlé tout à la fois la croisade et la chevalerie. Avec son roi Philippe le Bel, il donne naissance à ces monstres froids que sont les États-nations. Aucun successeur de Philippe le Bel ne revint sur son legs. Louis XIV s'avérera un gallican vétilleux, Napoléon rejouera l'attentat d'Anagni contre le lointain successeur de Boniface VIII. En 1905, la République divorcera de l'Église. Et c'est une Église en médiocre état, dans une Europe déchristianisée du XXe siècle, qui prendra une discrète et tardive revanche sur ses bourreaux d'États-nations en offrant le drapeau bleu étoilé de la Vierge Marie à Jean Monnet et à son rêve d'États-Unis d'Europe. La messe n'est pas encore dite.

Au nom de l'Union européenne, la Commission, la Banque centrale et la Cour de justice enserrent la souveraineté des nations qui la composent dans un corset de règles de plus en plus serré. Rome est désormais à Bruxelles, Francfort et Luxembourg. La religion catholique a seulement été remplacée par celles du marché et des droits de l'homme. Il y a des claques qui se perdent.

La claque de Nogaret restera quoi qu'il arrive une date mémorable dans notre Histoire, une borne. Au XVIIIe siècle, Voltaire moquera ce vaincu de Boniface VIII. Un siècle plus tard, la réaction ultramontaine couvrira d'opprobre Nogaret et, reprenant les antiques malédictions de Jacques de Molay contre la dynastie capétienne, expliquera que seul le sacrifice de Jeanne d'Arc racheta les héritiers de Philippe le Bel aux yeux de la Providence. Il est vrai que, conformément aux imprécations du maître des Templiers, le roi et le pape moururent dans l'année qui suivit (1314). Toute la descendance du grand roi sembla marquée du sceau d'infamie, entre les enfants mort-nés et le scandale de la tour de Nesle, avec ses deux femmes de princes héritiers accusées d'adultère, condamnées, tondues, enfermées à vie, tandis que les joyeux drilles qui leur servaient d'amants, les frères Philippe et Gautier d'Aunay, étaient dépecés vivants, leurs sexes coupés et livrés aux chiens, avant d'être décapités, leurs corps traînés puis pendus par les aisselles. Philippe le Bel n'eut pas de descendance qui régna au-delà de ses trois fils. Peut-on imaginer plus grande malédiction pour une dynastie si fière de ce « miracle capétien » qui vit cette lignée se reproduire sans discontinuer au fil des siècles ?

Avant qu'un autre sacrilège ne souillât, aux yeux des dévots, l'impie nation française : la mort de Louis XVI. Un sacrilège relié à l'autre par un fil invisible, comme le véritable fil rouge de la monarchie française et de l'histoire millénaire de notre nation, et que mit au jour dans une sublime fulgurance Charles Péguy dans sa *Note conjointe sur M. Descartes et la philosophie cartésienne* : « Quand la Révolution française décapita la royauté, elle ne décapita pas la royauté. Elle ne décapita plus que du moderne… Ce n'étaient pas des fils de roturiers qui décapitaient un fils de Saint Louis [...]. C'étaient les fils de Philippe le Bel qui décapitaient un fils de Philippe le Bel. C'étaient des juristes qui décapitaient un juriste. C'est des légistes qui décapitaient un légiste. »

La claque de Nogaret a changé le cours de l'histoire de notre pays. La France sera désormais ce petit bout de terre unique au monde qui ne soumet pas la loi de l'État à la loi de Dieu. Nul sacré ne trouve grâce à ses yeux. Nogaret est l'incarnation à jamais de cette France aussi profondément chrétienne qu'anticléricale. La défaite de Boniface VIII mettait le dernier clou sur le cercueil de la chrétienté universelle, ultime nostalgie de l'Empire romain. C'était la seconde chute de Rome. Et du mythe unitaire de l'humanité menacée par la malédiction de la tour de Babel et de la « confusion des langues ». L'heure des États-nations avait sonné avec ses peuples rassemblés derrière leur État et solidaires de leur monarque. À aucun moment, le peuple de France, y compris les prélats, n'avait songé à abandonner le roi, par peur des menaces d'excommunication du pape.

Une claque a fait Nogaret, qui a fait Philippe le Bel, qui a fait la France.

Le Grand Ferré

Au soldat inconnu

C'est l'ancêtre de tous les géants populaires ; la carcasse aussi grande que le cœur ; aussi fort que tendre, aussi héroïque que patriote, aussi féroce que dévoué ; l'ancêtre inconnu de tous les Quasimodo, de tous les Obélix. On l'appelle « le Grand Ferré ». Il va incarner le peuple de France.

La scène se passe dans un petit village, près de Compiègne. Après avoir demandé la permission au régent et à leur curé, les paysans défendent le village : deux cents laboureurs exaltés et courageux, mais n'ayant guère l'habitude de manier les armes. Au milieu d'eux, « un paysan d'une force incroyable, un géant, mais humble », dit Michelet, qui tient dans son énorme main une hache si lourde qu'il est le seul à pouvoir la porter. Les soldats anglais qui campent à Creil se réjouissent déjà : « Chassons ces paysans, la place est forte et bonne à prendre. » Mal leur en prend : « Les paysans se mirent à frapper comme s'ils battaient leur blé dans l'aire ; les bras s'élevaient, s'abattaient, et chaque coup était mortel », raconte Michelet comme s'il y était.

La hache du Grand Ferré provoque une hécatombe : « En un jour, il tue plus de quarante hommes… Mais le Grand, échauffé par cette besogne, but de l'eau froide en quantité, et fut saisi de la fièvre. » Il tombe malade, s'alite, s'épuise. Les soldats anglais accourent, sûrs cette fois de leur fait. Le géant se redresse, dans un suprême effort, en tue cinq et fait fuir les autres. Ce sera son dernier exploit. Il se couche. Et meurt.

Nous sommes au début de la guerre de Cent Ans, en 1359. Les soldats anglais sont la puissance occupante. Ils viennent d'écraser l'armée française à la bataille de Poitiers, le 19 septembre 1356. Le roi est prisonnier, ses barons aussi ; ses soldats taillés en pièces par les archers anglais ; le Dauphin, Charles, prince souffreteux de 18 ans, peine à affirmer son autorité. Une partie du territoire est occupée par les vainqueurs, qui pillent, rançonnent, brûlent, violent. Les vaincus ne sont pas en reste. Les soldats français débandés maraudent, volent des paysans déjà misérables. Le roi est prisonnier, tout est permis. Les serments d'obéissance n'ont plus lieu d'être. Les règles morales imposées par l'Église non plus. C'est la récréation. Les jeunes nobles n'ont que mépris pour ces paysans en haillons qui ne portent pas d'armes. Ils les surnomment par dérision Jacques Bonhomme. Ils se répètent en riant le dicton : « Oignez vilain, il vous poindra ; poignez vilain, il vous oindra. » Les paysans sont terrorisés. Ils ne dorment plus, se terrent dans des souterrains. Mais en 1358, ils se révoltent ; se ruent sur les nobles. Ils envahissent les châteaux à dix, vingt, cent, égorgent les seigneurs, violent les dames pour humilier la lignée, tuent les enfants pour l'exterminer. Eux aussi se donnent un roi, le paysan Guillaume Charles. Déjà, les troupes des « Jacques » s'enhardissent, se disciplinent, oriflammes au vent. Ils sortent innombrables de leurs tanières, de leurs grottes, de leurs bois, armés de leurs fléaux et de leurs faucilles. C'est la première jacquerie de l'Histoire de France.

Étienne Marcel

À Paris, la capitale aussi est en effervescence. Le Paris des bourgeois, des marchands, des petits métiers, s'échauffe contre les traîtres, les parasites, les oisifs. Paris se rebelle. Paris se donne un chef : Étienne Marcel, brillant et riche marchand. Paris tient pour la première fois son rôle de capitale de la France. Paris est Paris. Paris subvertit les états généraux, réunis de force par le Dauphin. Paris arme le peuple et fortifie la ville. Paris massacre les favoris du Dauphin. Paris exige le vote des impôts.

Cette révolution parisienne vient de loin. La révolution politique a été précédée par une révolution sociologique, culturelle, intellectuelle avec la redécouverte de la *Politique* d'Aristote, elle-même déclenchée par une révolution économique, géographique, technologique.

Dès le XIIe siècle, les routes de la Méditerranée, fermées depuis l'expansion musulmane du VIIe siècle, se sont rouvertes. Les pèlerins s'y mêlent aux marchandises. L'argent circule à nouveau. En 1119, les juifs s'établissent dans Paris ; ils emménageront un peu plus tard dans la rue des Rosiers. Les Lombards suivent. Les Templiers créent leur banque de dépôt. À partir du XIIIe siècle, Paris devient à la fois ville universitaire, ville marchande, ville royale. Le bateau devient son emblème. Le XIVe siècle amplifie l'enrichissement général par des révolutions techniques inouïes. Les premières armes à feu, avec la poudre à canon, sont utilisées dès 1338 en France. Le linge, blanc et frais, remplace les grossiers vêtements de laine. Les premiers moulins à papier font entendre leur tic-tac qui sonne la fin annoncée du parchemin et du manuscrit. On installe bientôt une horloge sur tous les beffrois de France, à l'image de celle que Charles V posera en 1370 sur une tour du Palais à Paris. Le temps ne sera plus alors scandé par les cloches des églises, mais par l'abstraction des chiffres. Le temps de l'Homme ne sera plus seulement réglé par le temps de Dieu.

Les nobles, murés dans leurs châteaux, leurs rites chevaleresques et leurs jeux grossiers, restent à l'écart de ces mouvements. Leurs fiefs s'appauvrissent. Les marchands sont les nouveaux conquérants, les nouveaux nomades, intrépides et armés, convoyeurs à cheval de chariots par les marais putrides et les routes dangereuses. Ils investissent dans les moulins à papier, qui leur rapportent beaucoup. Avec leurs nouveaux livres comptables, ils se rient des vieilles malédictions sur les manipulateurs d'argent et ignorent les anciens interdits religieux sur le prêt à intérêt. Ils n'ont plus honte d'accumuler des fortunes. Ils se gaussent des familles seigneuriales, brocardent l'antique et rugueux *pater familias* en tyran ridicule, et jugent stupides leurs enfants obéissants et craintifs, s'enorgueillissant d'élever une progéniture délurée, insolente, irrespectueuse, mais active et dynamique.

Deux sociétés, deux mondes s'affrontent. Deux élites. La fortune foncière contre la fortune mobilière. Un début de querelle des Anciens et des Modernes. La guerre avec les Anglais semble donner l'avantage décisif aux Modernes. La lutte devient ouverte aussitôt qu'est connue la défaite de la chevalerie française à Poitiers. Les marchands plastronnent. Étienne Marcel est « roi de France ». La « modernité » triomphe.

1789 AVANT 1789

Mais Paris pèche par orgueil. Paris oublie qu'elle n'est pas la France. Paris oublie qu'il y a la France. La bourgeoisie parisienne, aveuglée par son enthousiasme moderniste, n'a pas mesuré l'archaïsme du sacré. Paris est un monde dans un monde. Une grande ville dans un pays de campagnes et de petites villes. Une ville sans paysans. Une ville de déracinés.

Un instant, un court instant, Étienne Marcel le devine. Il a besoin d'alliés et tend la main aux Jacques. C'est l'alliance de la capitale et des campagnes autour du projet national. C'est de cette époque que date l'expression « bon Français ». C'est 1789 avant 1789. C'est la République des Jules avant la IIIe République. Mais Étienne Marcel n'a pas les moyens de sa politique : « Paris ne pouvait encore mener la France, Marcel n'avait pas les ressources de la Terreur ; il ne pouvait assiéger Lyon, guillotiner la Gironde », écrit Michelet. Pressé de forcer son destin, il abandonne les gueux à leur sort qu'il devine funeste et ouvre Paris à un intrigant, allié des Anglais, Charles le Mauvais, roi de Navarre.

Alors, la France ne suit plus Paris. La province reste fidèle au Dauphin, le futur Charles V. La campagne se sent trahie par Paris. Les bourgeois n'ont pas compris ce qui se passait. On ne peut leur en vouloir. C'était imprévisible et inédit dans l'Histoire. Le patriotisme était en train de naître, au milieu des campagnes miséreuses. Michelet le dit d'une phrase : « La jacquerie commencée contre les nobles continua contre l'Angleterre... L'Angleterre, en tenant le roi et les seigneurs, avait cru tenir la France. Elle s'aperçut qu'il ne lui manquait qu'une chose, la nation. » Poussé par la province, le Dauphin rentre dans Paris. Étienne Marcel en mourra.

Demi-homme et demi-taureau

Les deux mondes, noblesse et bourgeoisie, tradition et modernité, avaient dans la fureur de leur lutte oublié un détail, un troisième monde : les paysans qui souffrent et grondent en silence.

L'Histoire de France ouvre ainsi, à ce moment de la guerre de Cent Ans, le premier des cycles qui ne cessera de s'enchaîner, celui des élites qui se disputent un pays, otage de leurs querelles. Des élites prédatrices et autocratiques, forgées par le monstre parisien d'une ville-monde et d'un pouvoir royal centralisé, qui tout à leur combat pour la domination absolue et sans partage, oublient que le peuple réclame lui aussi la souveraineté au nom de la nation. À des persécutions d'État répondent des jacqueries, des « émotions » populaires, dans des flambées de violence qui surprennent chaque fois par leur férocité et leur cruauté.

Les élites s'affrontent sans fin, avec une rage inouïe, jusqu'à oublier l'objet de leur querelle : la France. Ils la négligent, la méprisent, la jettent aux chiens, au premier chien qui leur promet la victoire et les prébendes, qu'il soit anglais, espagnol, allemand, russe, américain, soviétique, européen : c'est le sempiternel et toujours actuel « parti de l'étranger ». Alors, le peuple se rebelle contre la trahison de ses élites prédatrices et leur rappelle le chemin du patriotisme.

Ce patriotisme qui naît dans l'humble mais terrible hache du Grand Ferré, dont le lyrisme frémissant de Michelet nous décrit par le menu le lent et douloureux avènement : « Ce peuple est visiblement simple et brut encore, impétueux, aveugle, demi-homme et demi-taureau... Il ne sait ni garder ses portes ni se garder lui-même de ses appétits. Quand il a abattu l'ennemi comme blé en grange, quand il l'a suffisamment charpenté de sa hache, et qu'il a pris chaud à la besogne, le bon travailleur, il boit froid, et se couche pour mourir. Patience ; sous la rude éducation des guerres, sous la verge de l'Anglais, la brute va se faire homme. Serrée de plus près tout à l'heure, et comme tenaillée, elle échappera, cessant d'être elle-même, et se transfigurant ; Jacques deviendra Jeanne, Jeanne la vierge, la Pucelle. »

Cette pucelle qui ne tardera pas à dire : « Le cœur me saigne quand je vois le sang d'un François. » Mot qui ne pouvait échapper à notre sourcier incomparable du patriotisme français, qui forgeait la conscience nationale en exhumant ses prémices obscures et glorieuses à la fois : « Un tel mot suffirait pour marquer dans l'histoire le vrai commencement de la France. Depuis lors, nous avons une patrie. Ce sont des Français que ces paysans, n'en rougissez pas, c'est déjà le peuple français, c'est vous ô France !... Souillé, défiguré, nous l'amènerons tel quel au jour de la justice et de l'histoire, afin que nous puissions lui dire, à ce vieux peuple du XIVe siècle : "Vous êtes mon père, vous êtes ma mère. Vous m'avez conçu dans les larmes. Vous avez sué la sueur et le sang pour me faire une France. Bénis soyez-vous dans votre tombeau ! Dieu me garde de vous renier jamais !" »

Cet avertissement sublime ne sera pourtant à aucun moment entendu par les élites. Ni avant lui ni après lui. Toute l'Histoire de France peut se résumer par cette malédiction du reniement sans cesse recommencé.

Le Grand Ferré n'a plus jamais rangé sa hache au rayon des accessoires.

Charles VI

Touche pas à mon roi

Il devient fou. Il a des hallucinations. Des crises de fureur. Il ne reconnaît plus personne, même pas sa femme. Il ne se souvient de rien. Il ne sait même plus qu'il est roi de France, qu'il est Charles VI ; avoue son dégoût pour les fleurs de lys. À chaque crise, on l'attache à un chariot, on l'enferme. Son entourage est effrayé, les médecins impuissants ; même les sorciers et les prêtres n'y peuvent rien.

En 1392, il se rue sur son frère, l'épée à la main. La folie du roi devient rumeur et alarme publiques. Quand il recouvre ses esprits, il en remercie Dieu à Notre-Dame de Paris ou à la cathédrale de Saint-Denis. Il reprend son métier de roi, reçoit des ambassades, préside les conseils. Mais les moments de rémission sont de plus en plus courts. La machine d'État fonctionne fort bien toute seule. Les prévôts et les baillis administrent et jugent, le Parlement rend ses arrêts, les ordonnances royales sont publiées.

Alors, certains esprits aiguisés commencent à se poser la question interdite : que faire d'un roi inutile ? Les plus érudits savent répondre. Les textes anciens attestent que le dernier roi mérovingien fut déposé par Pépin le Bref, fils de Charles Martel et père de Charlemagne, avec le soutien du pape lui-même. Un roi fainéant est un « roi qui fait néant », *rex nihil faciens* : un roi fainéant est un roi inutile. Depuis le haut Moyen Âge, la chrétienté a façonné le portrait du prince idéal. Il doit être juste et fort. Fort pour être juste. « Parce qu'on n'a pas pu faire que le juste soit fort, on a fait que le fort soit juste, afin que la paix soit, qui est le bien commun », dira plus tard Pascal.

Le bien commun, qu'on appelle aussi la *Res publica*, prévaut sur les intérêts particuliers, même ceux des féodaux, même ceux du roi. Un roi tyrannique ou incompétent n'a plus la légitimité pour demeurer sur le trône. Un roi inutile doit être déposé. Renversé, remplacé. Mais Charles VI, lui, ne le sera pas. Dans le royaume de France, cela ne se fait pas. Le prestige de la monarchie française est tel qu'il rend le roi intouchable. À l'étranger, chez nos grands voisins, en Angleterre ou en Espagne, ou en Allemagne, on est moins magnanime. On n'hésite jamais à déposer, à renverser, à trucider. Sans parler des habitudes orientales où la tyrannie est corrigée par le meurtre. La France est l'exception qui confirme la règle. « Cette surprenante exception française », dont parle le grand historien Bernard Guénée[1]. En France, le roi est sacré. Le sacre en a fait l'inviolable élu de Dieu. « Il y a trois choses qui appartiennent à Dieu, écrira Victor Hugo : l'irrévocable, l'irréparable, l'indissoluble. »

C'est Pépin le Bref qui a instauré le sacre royal lors de son avènement, en 751. Les Capétiens ont imité les Carolingiens. La cathédrale de Reims est devenue au XIIe siècle le lieu obligé des sacres, en souvenir du baptême de Clovis. Le rituel des cérémonies a été minutieusement codifié au XIIIe siècle.

Charles VI a été sacré. Charles VI est aimé, adoré. Quand il se rend à Notre-Dame pour prier, la foule se presse sur son passage. Elle l'acclame, le touche, le caresse, pleure d'attendrissement, de compassion, de désespoir : « A ! très cher Prince, jamais n'arons si bon, jamais ne te verrons. Maldicte

1. Voir Bernard Guénée, *La Folie de Charles VI*, CNRS Éditions, 2016.

soit ta mort ! jamais n'arons que guerre, puisque tu nous as laissés. » La foule est prémonitoire, la foule est prophète

Cocu et fou

Le duc de Bourgogne, Jean sans Peur, l'oncle du roi, fait assassiner le duc d'Orléans, frère du roi ; il pestait depuis des mois contre l'influence grandissante que prenait son rival sur la femme du roi fou. Il se murmure que la reine Isabeau était la maîtresse de son beau-frère ; qu'elle participait aux orgies auxquelles le duc d'Orléans avait pris goût en Italie. Rien n'étonne de la part de cette reine étrangère, venue de Bavière. Le roi l'a trop aimée, trop fêtée, trop adulée. Elle l'a moqué, trompé ; certains prétendent que c'est elle qui l'a rendu fou.

La guerre civile gronde, mais le roi ne fait rien. Au nord, les Bourguignons attendent les Anglais avec impatience ; au sud, on pleure le duc d'Orléans et on espère que le fils du roi sauvera le royaume. L'invasion anglaise se prépare, mais le roi ne fait rien. En août 1415, les troupes anglaises d'Henri V débarquent au port d'Harfleur, mais le roi n'est pas là. Le 25 octobre 1415, les archers anglais écrasent la chevalerie française à Azincourt, mais le roi n'est pas là. En 1420, la reine Isabeau de Bavière négocie le traité de Troyes et offre sa fille Catherine à Henri V, qui, à la mort de Charles VI, deviendra roi de France et d'Angleterre ; le roi est là, appose son paraphe royal sur le traité félon, mais son esprit n'est pas là. La veille de sa mort, en octobre 1422, il tire encore à l'arbalète dans le bois de Vincennes.

L'amour inconsidéré des Français pour leur roi va mener le royaume au bord du gouffre. Autour de sa fosse, certains osent crier : « Vive le roi Henry, roi de France et d'Angleterre ! » Mais la plupart pleurent, se lamentent, gémissent.

RELIGION ROYALE

Le peuple aime son roi bien qu'il soit fou. Le peuple aime son roi même fou. Le peuple aime son roi parce que fou. Charles VI est surnommé « le Fou » par le peuple d'en haut mais « le Bien-aimé » par le peuple d'en bas. Il faudra des siècles pour que Louis XV le remplace comme seul roi « bien aimé » de l'Histoire de France. Le sacre a revêtu le roi de France d'une armure d'amour qui ne protège pas ses voisins monarques. Le roi est le chéri du peuple de France. Ce sont les fanatiques religieux qui tueront les rois Henri III et Henri IV au nom du légitime tyrannicide. Ce sont les révolutionnaires farouches qui condamneront à mort Louis Capet. Jamais le peuple n'approuvera ces exécutions. Le peuple regrettera ses monarques disparus, dont il sera à jamais inconsolable.

Le peuple français n'a jamais apostasié sa religion royale. Napoléon l'a compris, qui, après avoir « ramassé la couronne dans le caniveau », l'a posée sur sa tête glorieuse de toutes les batailles victorieuses. Les républicains ont voulu obstinément faire passer aux Français cette passion royale comme les instituteurs de la IIIe République avaient décidé d'éradiquer les deux maux suprêmes qu'étaient à leurs yeux le christianisme et l'alcoolisme, ainsi que le raconte Pagnol avec une tendresse nostalgique dans *La Gloire de mon père*. La religion royale était avec le christianisme une de « ces étoiles dans le ciel qui ne se rallumeraient plus », que le socialiste Viviani était si fier d'avoir éteintes. Ce trône vide est le cœur battant de toutes les crises qui ont failli emporter la République. Les républicains habillaient le roi en tyran ; ils se paraient des atours glorieux de Brutus, quand le peuple rêvait d'un César.

À l'époque de Charles VI, les grands esprits du temps voulaient se débarrasser du sacre qui donnait trop de pouvoir aux clercs et trop de puissance au roi adulé du peuple. De même, aujourd'hui, les élites progressistes n'ont jamais admis l'élection du président de la République au suffrage universel. Elles ont lutté tant qu'elles ont pu pour sauvegarder le régime parlementaire traditionnel ; ont dénoncé le nouveau régime plébiscitaire, césariste, voire fascisant. N'ont jamais admis leur défaite. N'ont jamais cessé de plaider pour une VIe République, qui ne serait que le retour de la IVe. N'ont jamais cessé d'accuser l'élection du président au suffrage universel de tous les maux, taisant avec soin la raison fondamentale de leur hostilité à cette élection : elle donne le pouvoir au peuple, qu'elles chérissent en paroles pour mieux le craindre, voire le mépriser dans la vérité de leurs cœurs et leurs esprits.

Et l'Histoire a repris son cours. Nous avons renoué avec la litanie passée des rois impérieux, des rois sages, des rois débonnaires, des rois fainéants. Notre avant-dernier monarque n'était pas fou, mais fut un roi inutile.

Il ne fut pourtant pas renversé ni déposé avant la fin de son règne.

L'évêque Cauchon

Ensemble, nous serons plus forts

Il est des noms qui sont des destins. Des malédictions. Des éternelles assignations. Des iniques réductions. Quand on s'appelle Cauchon, on ne peut être que sale, fourbe, mauvais. On ne peut être que méchant, triste sire, traître de comédie. Pierre Cauchon est la part obscure de l'histoire lumineuse de Jeanne d'Arc. La part maudite. L'Antéchrist de la fille chérie du Christ. Face à l'héroïne couverte de lin blanc, face à la vierge héroïque, face à la patriote des origines, face à l'innocence condamnée, il est le vendu, le procureur, le bourreau.

La vie de Pierre Cauchon ne ressemble pourtant en rien à l'image qu'en a conservée la postérité. C'est un lettré dans une France d'illettrés. La crème de la crème : évêque du diocèse de Beauvais, docteur en théologie et même en démonologie.

Le procès de Jeanne d'Arc est la scène fondatrice, presque mythologique, de leur affrontement ; dans leur face-à-face, il ne se joue rien de moins que l'avenir de la France. C'est d'abord un choc culturel : la petite bergère venue de sa lointaine Lorraine, aux confins du royaume, « ne sait ni le A ni le B », et selon ses compagnons eux-mêmes « était fort ignorante en tout, hormis l'art de la guerre ».

C'est la rencontre d'un urbain et d'une paysanne, d'un Parisien et d'une provinciale, d'un notable et d'une sauvageonne. Cauchon est docte, Jeanne est insolente.

À ses questions perfides, elle répond par des lazzis.

« En quelle figure était saint Michel, quand il vous apparut ?

– Je ne lui vis pas de couronne ; et de ses vêtements, je ne sais rien.

– Était-il nu ?

– Pensez-vous que Dieu n'ait de quoi le vêtir ?

– Avait-il des cheveux ?

– Pourquoi les lui aurait-on coupés[1] ? »

Cauchon est opiniâtre, Jeanne est têtue. Quand elle refuse de répondre à ses questions, elle lui jette avec hauteur un « passez outre » qui l'exaspère. À l'ouverture de chaque séance, il lui demande de prêter serment de dire toute la vérité. À l'ouverture de chaque séance, elle refuse avec véhémence : les secrets de ses voix n'appartiennent qu'à elle et au roi !

« Comment reconnaissez-vous vos voix ?

– Je les connais parce qu'elles se nomment à moi.

– Savez-vous si vous êtes en la grâce de Dieu ?

– Si je n'y suis, Dieu m'y mette ; et si j'y suis, Dieu m'y tienne. »

Pour elle, il est l'homme des « Godons », parce que les soldats anglais ne cessent de jurer entre leurs dents : « *God damned!* » Pour lui, elle est une impertinente qui rit trop. Une insolente qui fait moult plaisanteries. Une arrogante qui vous prend de haut. Une de ces filles du peuple à la gouaille truculente. À force de fréquenter des reîtres, elle a fait siennes leurs manières de soudard. À force d'entendre des voix de saintes et d'anges, elle se prend pour un ange et une sainte. À force de répéter qu'elle a « grande volonté et grand désir que le roi eût son royaume », elle a fini par se croire faiseuse de rois. À force de côtoyer princes, archevêques, ducs, elle oublie que son père n'était qu'un humble laboureur. À force de mener grand train, elle méprise la valeur des choses.

1. Les extraits du procès sont tirés de *Jeanne d'Arc. Le procès de Rouen*, lu et commenté par Jacques Trémolet de Villiers, Les Belles Lettres, 2015.

Elle a été vendue comme prisonnière de choix au roi d'Angleterre par Jean de Luxembourg pour une rançon de 10 000 écus : une rançon de roi ! Pour elle, c'est à peine une colonne de mercenaires, quand lui, Pierre Cauchon, évêque de Beauvais, a du mal à se faire régler par les Anglais ses 100 écus par séance au tribunal !

C'est l'université de Paris qui, après une délibération du 14 juillet 1430, l'a prié d'instruire le procès de cette Jeanne capturée quelques mois plus tôt. Pierre Cauchon est *the right man at the right place.* Il avait été l'un des négociateurs du traité de Troyes ; ce fameux traité de 1420, le « honteux traité de Troyes », comme on le surnommera pendant des siècles, qui avait arraché la couronne de France au fils de Charles VI, pour la mettre sur la tête de l'héritier du roi d'Angleterre Henri V, le vainqueur de la bataille d'Azincourt, en 1415.

Les clercs s'inquiétaient de la popularité croissante de la Pucelle. Tout le monde savait ses exploits, son enfance à Domrémy, ses voix, ses premières audaces, ses premières victoires, sa rencontre avec le « gentil Dauphin » à Chinon, où elle le reconnaît alors qu'il s'est dissimulé parmi ses courtisans. La prise d'Orléans, son échec devant Paris, sa capture par les Bourguignons devant Compiègne. Sa tentative d'évasion, son transfert à Rouen, sa garde par la soldatesque anglaise. Mille légendes l'entouraient dans toute la chrétienté. Quand elle entrait dans les villes qu'elle libérait, la foule lui embrassait les mains, les femmes collaient leurs anneaux au sien ; on découpait son étendard en « papillons » pour le conserver en porte-bonheur ; on croyait qu'elle guérissait, qu'elle faisait des miracles. On prétendit même que sa prière avait ressuscité un enfant mort trois jours plus tôt.

Gentil Dauphin

Nos clercs voyaient dans cette ferveur une superstition populaire qu'ils avaient le devoir d'éradiquer ; c'était pure sorcellerie qu'ils devaient brûler. Il fallait éteindre l'incendie avant qu'il n'embrase le pays, voire l'Europe. Le vainqueur ferait le procès du vaincu pour montrer avec éclat qui était le vainqueur et qui était le vaincu ; pour montrer que Dieu n'était pas avec le vaincu mais avec le vainqueur, et que Charles VII avait confié son armée à une sorcière.

Jeanne raconta à son procès qu'elle discutait avec ses voix, qu'elle négociait, se querellait, leur désobéissait. On était soudain projeté aux temps immémoriaux de l'Ancien Testament où Abraham négociait avec Dieu la punition de Sodome et Gomorrhe. Ces histoires bibliques emplissaient alors la vie quotidienne de populations à la foi fervente. L'Église était prise à son propre piège. Jeanne se comportait comme ces Juifs qui conversent directement avec Dieu sans l'intermédiaire d'un prêtre. C'était une scandaleuse leçon d'orgueil ; un scandaleux comportement d'hérétique.

Jeanne n'a pas saisi l'importance de l'affront ni l'ampleur de l'enjeu. Elle est tout à son combat. Elle veut remettre « son » roi sur le trône. Les obstacles sur sa route seront balayés. Sans pitié.

Mais en conduisant son « gentil Dauphin » à Reims, Jeanne a ébranlé le bel édifice de Pierre Cauchon. Dans cette course à la légitimité, elle a pris un temps d'avance, alors qu'on assurait la course terminée, la guerre achevée. Elle a remis dans le jeu ce freluquet de 17 ans, qui se prétendait Charles VII, alors qu'on n'était pas sûr qu'il fût bien de sang royal, tant sa mère, la fameuse Isabeau de Bavière, avait cocufié son époux, le « roi fou » Charles VI.

Certains prétendaient que Jeanne était elle-même la fille que la reine avait eue avec son amant de beau-frère, Louis d'Orléans. De nombreuses rumeurs couraient : la visite qu'une vieille femme avait rendue à la reine le 12 juin 1407, dans sa résidence de la rue Babette ; son âge, que Jeanne dissimulait mystérieusement en dépit des questions réitérées, pour finir par répondre : « Environ 19 ans. » Que signifiait cet « environ » ? En dépit de ses efforts répétés, Pierre Cauchon ne put lui faire avouer son « secret ». Secret qu'elle avait confié au Dauphin, pour rassurer celui-ci sur sa propre filiation ?

Paix anglaise

Jeanne jetait du désordre dans un ordre que l'on croyait rétabli. Ordre dynastique, politique, social. L'université de Paris unanime avait rallié le nouveau pouvoir. Les trois ordres, solennellement réunis à Paris, avaient approuvé le traité de Troyes. Pierre Cauchon n'était pas mécontent de voir jeter les Capétiens dans les poubelles de l'Histoire. En 1414, il avait pris une part éminente à la révolte cabochienne qui avait cru, déjà, renverser la monarchie. Mais les Parisiens avaient rappelé le Dauphin de France, Charles de Valois. Celui-ci l'avait chassé. Cauchon tenait sa revanche.

La Pucelle ramenait la guerre dans une France que l'on croyait pacifiée. La paix régnait. Une paix anglaise. Mais une paix anglaise valait mieux qu'une guerre de Cent Ans. Il faudrait relire l'article 24 du traité de Troyes pour mieux comprendre l'enjeu : « Et afin que concorde, paix et tranquillité entre les royaumes de France et d'Angleterre soient pour le temps avenir perpétuellement observées [...], que de l'avis et consentement des trois états des dits royaumes [...], soit ordonné [...] les deux couronnes de France et d'Angleterre à toujours mais perpétuellement, demeureront ensemble, et seront en une même personne... »

En ce milieu du XVe siècle, le monde féodal bascule, il va disparaître. L'imprimerie sera bientôt inventée par Gutenberg. La poudre à canon et les bombardes ont déjà rendu vains l'ancien art de la chevalerie et celui de l'arbalète. Comme on l'a constaté à Azincourt, les codes chevaleresques de l'honneur et du noble combat ne sont plus de saison. L'Anglais n'a pas hésité à ordonner le massacre de ses prisonniers français. Nos arrogants seigneurs, si fiers de leurs quartiers de noblesse, ont été exterminés par des rustauds sortis des tavernes de Londres et des campagnes anglaises.

Depuis les croisades, le monde s'est agrandi, les routes vers l'Orient se sont rouvertes, le contact a été rétabli avec de vastes Empires, la Chine, l'ottoman, le moscovite. Les Européens découvrent, effarés, que les autres civilisations n'ont pas subi la tragique destruction de l'Empire romain ; elles ont maintenu des ensembles impériaux séculaires et puissants. L'ambition constante et partagée par toutes nos dynasties, des Mérovingiens aux Carolingiens, et des Carolingiens aux Capétiens, avait été de rassembler les éléments épars de l'ancienne Rome. Les monarques anglais semblaient accomplir leurs rêves. Alors, tant pis si une autre dynastie tirait les marrons du feu. Les rois anglais étaient cousins des nôtres. Ils parlaient la même langue, le français, croyaient au même Dieu, et priaient le même Seigneur, Jésus-Christ, et se soumettaient à la même Église. Ensemble, nous serons plus forts face aux mahométans et aux hérétiques, proclamaient Pierre Cauchon et ses amis. Notre petite France d'antan avait certes le charme bucolique de ses paysages vallonnés et de ses villages pittoresques, murmuraient-ils, enjôleurs, mais nous ne sommes plus de taille face aux géants qui ont surgi devant nos yeux dessillés. Cet État franco-anglais est une chance inespérée pour les Français, pensaient-ils. Nous sommes les plus nombreux et les plus riches. Les princes seront anglais, mais leurs élites seront françaises.

Cette analyse s'inscrivait de surcroît à l'époque dans un mouvement général en Europe de rapprochement des royaumes au nom de la paix « chrétienne » : la Pologne et le grand-duché de Lituanie s'étaient liés en 1385, et les royaumes scandinaves avaient célébré leur union à Kalmar en 1397. Ce siècle ne s'achèverait pas sans que la Pologne fasse cause commune avec la Bohème et la Hongrie, et que les deux couronnes de Castille et d'Aragon ne s'unissent en 1492 afin d'achever la Reconquista et chasser définitivement les mahométans de la péninsule ibérique.

Archers anglais et Blitzkrieg allemand

Le royaume de France et d'Angleterre était fait pour durer. Cet ensemble ne manquait pas de cohérence, ni politique, ni culturelle, ni géographique. S'il avait survécu, les géologues du futur auraient pu attester à juste titre que les mêmes masses rocheuses composaient le sud de l'Angleterre et le Bassin parisien, que les mêmes terres se continuaient sans rupture du pays de Caux, du Cotentin, de la Bretagne aux Cornouailles et au Bassin londonien. L'Angleterre n'avait pas toujours été une île…

La révolte de Jeanne et du gentil Dauphin aurait pu, aurait dû être circonscrite et réduite. Les Anglais possédaient la puissance militaire ; ils occupaient les terres les plus riches du royaume ; ils avaient le soutien de l'Église et de l'intelligentsia. Les élites, incarnées par Pierre Cauchon, avaient fait le choix de la raison sur le sentiment, de la légalité des traités sur la légitimité de l'ancienne famille royale, de la paix sur la guerre, de l'Église sur la superstition, de l'empire sur la petite patrie. Elles ont considéré à l'époque que le peuple français, turbulent, batailleur, émotif, chimérique, changeant, capricieux, tel que le décrivait déjà Jules César, avait toujours besoin d'un tuteur : que ce tuteur fût français ou étranger importait peu à leurs yeux. Cette conviction des élites françaises à l'égard de leur propre peuple est un des fils rouges de l'Histoire de France. À chaque moment de crise, après chaque défaite, il réapparaît à la surface.

Cette histoire se répétera sans cesse au fil des siècles, si lassante à conter. Elle atteindra son apothéose en 1940. C'était inévitable. L'écroulement de notre armée devant la Blitzkrieg allemande est la débâcle militaire la plus comparable à celle d'Azincourt. La poignée de main de Montoire entre Pétain et Hitler fut jugée par beaucoup de patriotes aussi « honteuse » que le traité de Troyes. Les résistants étaient appelés « terroristes », à l'instar de ces « brigands » que voyait Pierre Cauchon derrière les amis de Jeanne.

Le grand historien Lucien Febvre enseignait alors à ses auditeurs au Collège de France que la zone d'occupation allemande correspondait aux contours des territoires sous domination anglaise pendant la guerre de Cent Ans. Les collaborateurs préféraient la paix à la guerre, et tant pis si cette paix s'avérait allemande, tandis qu'à Londres Jean Monnet tentait de ressusciter le royaume de France et d'Angleterre. Une déclaration d'union entre les deux pays fut officiellement proposée le 14 juin 1940 par le cabinet anglais, dirigé par Winston Churchill. Entre l'Angleterre et l'Allemagne, entre le camp des *yes* et celui des *ja*, chacun tirait à hue et à dia, avec pour seul point commun la conviction que le temps de la France était révolu. Roosevelt ne se trompait pas quand il comparait sarcastiquement de Gaulle à Jeanne d'Arc.

Le duel auquel se livrent Cauchon et Jeanne dépasse leurs personnes et leur temps. Le procureur ne hait point l'accusée. Il lui évite la torture, lui propose un avocat, lui permet de se confesser à un prêtre, même si c'est pour mieux l'espionner. Il n'est pas insensible, comme les juges et le public dans le prétoire, au charme juvénile et ambigu de cette jeune vierge sanglée dans des habits militaires. Il lui conseille de porter des vêtements « décents » de femme, afin d'être gardée par des geôlières. Ces habits féminins lui auraient épargné ses fers aux pieds et la barre de bois qui, la nuit, l'empêchait de se lever. Mais la farouche Jeanne refuse tout ce qui ressemble à ses yeux à une compromission avec l'ennemi. Cauchon tente de lui éviter le sort que lui réservent les soldats anglais, persuadés que sa virginité seule lui donnait des pouvoirs magiques, à l'instar de la chevelure du héros biblique Samson. Il dresse un simulacre de bûcher pour lui épargner le vrai. Il espère lui faire peur afin qu'elle se rétracte et reconnaisse l'autorité de l'Église. La manœuvre faillit réussir : Jeanne se rétracte ; puis, reprenant ses esprits, rétracte la rétractation, abjure l'abjuration. Les Anglais fulminent. Cauchon prend peur. Elle lui lance, implacable : « Évêque, je meurs par vous ! » Lui crie aux Anglais comme on se sauve : « *Farewell! Farewell!* Faites bonne chère ! Elle est prise ! »

C'était lui ou elle. Ce sera elle.

Charles VII

L'État canon

Il faut toujours se méfier des seconds rôles. Des freluquets qui se prennent pour des géants, des lâches qui se rêvent valeureux, des pusillanimes qui se révèlent opiniâtres ; de la beauté des laids. Notre homme n'a rien d'un roi : aucun attribut de souverain, point de manteau de sacre ni de sceptre ; point de fleurs de lys ni pose de majesté. Une simple jaquette rouge, élargie aux épaules pour donner de l'ampleur à un torse étroit, bordée de fourrure aux poignets et au cou ; et un chapeau bleu un tantinet ridicule, pour dissimuler une calvitie prononcée.

En examinant ce célèbre portrait du roi Charles VII par Jean Fouquet, un historien de l'art y a vu, l'« image inoubliable d'un homme veule et las autant qu'effigie majestueuse d'un souverain[1] ». Un œil de béotien n'y voit que des poches sous les yeux et des lèvres épaisses, le regard triste et la mine maussade. On a souvent brocardé, ou vanté, Louis XI comme le premier « roi bourgeois » ; on découvre que Charles VII en avait déjà l'allure. Mais c'était sans doute son destin que d'incarner un second rôle, un second couteau, l'« homme à côté de », sempiternel subalterne : le « gentil Dauphin » de Jeanne d'Arc, le père honni de Louis XI, l'amant de la sensuelle Agnès Sorel, le débiteur du grand argentier Jacques Cœur.

1. Charles Sterling, *La Peinture française. Les primitifs*, Librairie Floury, 1938.

Charles VII ne fut ni un roi-chevalier ni un roi-mécène ni un roi-bâtisseur ni un roi-croisé. C'est sans doute la raison pour laquelle son long règne de quarante ans, de 1422 à 1461, semble n'avoir compté pour rien. Tout se passe comme s'il continuait à souffrir après sa mort, et pour l'éternité, de cette « angoisse existentielle » dont parle un historien à son propos, celle d'un héritier qui n'est pas sûr d'être le fils de son père, le rejeton d'un roi sans terre, à moitié fou, dépecé par la soldatesque anglaise.

La France fut faite à coups d'épée

C'est pourtant ce monarque falot, héros par défaut, qui fait bifurquer le destin de la France de manière décisive. En forgeant la première armée permanente de son histoire, Charles VII transforme l'ancien royaume des lys voué à la paix en une monarchie militaire, et lie indissolublement le sort de la nation à celui de ses armes. Dans *La France et son armée*, ouvert par la célèbre phrase « La France fut faite à coups d'épée », le général de Gaulle poursuit en expliquant que cinq cents ans de colonisation romaine ont laissé aux Gaulois devenus français « l'idéal – ou la nostalgie – d'un État centralisé et d'une armée régulière ».

Pour l'État centralisé, ils s'y sont mis à plusieurs, de Suger à Richelieu, de Colbert à Bonaparte. L'armée régulière, elle, n'a qu'un père : Charles VII.

La première troupe de cavalerie est mise sur pied par une ordonnance royale du 26 mai 1445 sous le titre de « Compagnie des gens d'armes des ordonnances du Roy ». Trois ans plus tard, une nouvelle ordonnance crée la milice des francs archers, solide infanterie disponible à tout moment. Chaque paroisse doit fournir un archer ou un arbalétrier qui « se tiendra continuellement prêt et qui sera et se tiendra continuellement en habillement suffisant et armé de salade, dague, épée, arc, trousse, et jaques ou huques de brigandine ». C'est la première apparition d'une réserve de soldats de dimension nationale. Ils seront choisis par les élus de la commune « parmi les plus doués et aisés pour le fait et exercice sans autre regard ni faveur à la richesse ni aux requestes qu'on pourrait faire sur ce ». Ils toucheront 4 livres tournois de solde par mois. Une nouvelle ordonnance créera dans la foulée des capitaines de francs archers ; ils prêteront serment de fidélité au roi et seront placés sous la dépendance absolue du monarque et non plus de leur seigneur.

Le roi dispose vite de quinze compagnies à cheval dites « d'ordonnance », commandées par autant de capitaines. Chacune est composée de cent lances ; une lance « fournie » comprend six cavaliers, dont quatre combattants. La petite noblesse veut sa part de « lance » et commander à cinq hommes ; les grands seigneurs sollicitent un simple office de capitaine. Neuf mille cavaliers sont à la disposition du monarque à tout moment et n'obéissent qu'à lui seul. Les troupes sont logées dans tout le pays ; le gîte et le couvert sont fournis par la population dans des maisons privées ou des auberges.

Lorsque les hostilités reprendront avec les Anglais, cette armée permanente permettra au roi de finir la guerre de Cent Ans à son avantage. Les hommes, pour la plupart issus des rangs de la troupe, avaient combattu sous les ordres de Jeanne d'Arc. Ils obéissent aveuglément à leurs chefs, devenus les hommes liges du roi, Dunois ou La Hire. Pendant quelques années, certains n'ont pas hésité à faire le coup de poing et le coup de feu, à piller, à voler, à tuer ; surnommés « les Écorcheurs », ils ont fait régner la terreur en Alsace et en Lorraine. Pour les incorporer à son armée, Charles VII les a amnistiés de tous leurs crimes. Une première règle qui sera suivie par tous ses successeurs : on n'est pas regardant sur les manières et le pedigree moral des troupes qui forment l'armée nationale. Les lansquenets allemands ou écossais ou suisses dans les armées royales ; les sans-culottes marseillais ou parisiens dans les armées révolutionnaires ; les repris de justice dans la Légion étrangère ; les gangsters-résistants dans les FFI.

Jeanne a légué à son « gentil Dauphin » ses hommes, même les moins recommandables ; elle lui lègue aussi son esprit « national », sa mentalité populaire et sa religiosité. C'est le soldat chrétien, comme Jeanne, qui se bat pour le descendant de Saint Louis. La troupe de Charles VII marche à la reconquête de son royaume sous la bannière à croix blanche de saint Michel, l'archange guerrier, protecteur du Mont et de la France. Cette nature religieuse du pouvoir militaire explique la politique constante des monarques français contre les hérésies et les schismes. Sans la défense farouche de la religion catholique, la fidélité de l'armée à son roi serait ébranlée ; et le pouvoir du monarque mis en danger.

Le roi est toujours prêt

Cette armée permanente doit obéir au roi, et à lui seul, et défendre l'unité de la nation. À l'époque de Charles VII, les féodaux ont encore les moyens de s'offrir des troupes en levant l'ost seigneurial. Mais bientôt, les progrès techniques, ceux des canons en particulier, de plus en plus puissants et de plus en plus précis, vont faire de l'infanterie la reine des batailles, et coûter de plus en plus cher. Les seigneurs ne veulent pas descendre de leur cheval. Ils ne daignent même pas encadrer les hommes à pied. Les leçons du passé ne leur ont servi à rien : huit mille cavaliers français ont été massacrés à Azincourt par les archers anglais ; la cavalerie française avait refusé la veille du combat l'offre de Paris de lui fournir six mille volontaires de ses compagnies franches : la participation de fantassins aurait gâché la fête !

L'armée permanente aura pour première mission de réduire à néant les révoltes récurrentes des seigneurs. Elle va s'y employer avec des succès divers : la Ligue du bien public sous Louis XI, la « guerre folle » sous Charles VIII montrent que le système féodal a encore de beaux restes. Mais personne n'impose sa volonté au monarque : « Le roi est toujours prêt », pestent les rebelles. Plus tard, il y aura aussi les guerres de Religion et la Fronde. Qu'importe : le roi a gagné la bataille essentielle des idées et des cœurs.

Les féodaux se résignent d'autant mieux à cette soumission nouvelle qu'ils ont obtenu du roi que le fameux « impôt du sang » légitime l'exemption d'impôt accordée à la noblesse ; ils n'imaginent pas alors que la deuxième mâchoire du piège se refermera quelques siècles plus tard, lorsque l'Assemblée constituante abolira les fameux « privilèges » du second ordre.

À la fois force et faiblesse de la monarchie, cette armée nationale réclame et légitime des impôts toujours plus lourds, dont la population est accablée, et des rois toujours plus dépendants des « traitants » et des financiers. Pour avoir les coudées franches, les rois font tout pour échapper aux assemblées et autres états généraux, qui auraient pu encadrer et limiter leur capacité financière et donc militaire. Mais quand, au bout de plusieurs siècles, la nasse de la dette se refermera sur la monarchie, elle tombera.

Cet engrenage ne pouvait échapper à Tocqueville : « J'ose affirmer que, du jour où la nation fatiguée permit aux rois d'établir un impôt général sans son concours et où la noblesse eut la lâcheté de laisser taxer le tiers état pourvu qu'on l'exemptât elle-même, de ce jour-là fut semé le germe de presque tous les vices qui ont travaillé l'Ancien Régime pendant le reste de sa vie et ont fini par causer violemment sa mort[1]. »

De son côté, Montesquieu écrit, lapidaire, dans ses *Pensées* : « La mort de Charles VII fut le dernier jour de la liberté française. »

Cette date fut sans doute la fin de la liberté des nobles. Ne fut-elle pas aussi le premier jour de la liberté de la France ? Y avait-il un autre moyen d'éradiquer les mortelles divisions féodales ? Y avait-il un autre moyen de s'imposer

1. Alexis de Tocqueville, *L'Ancien Régime et la Révolution*, 1856, livre II, X.

sur un continent européen où la monarchie capétienne faisait, depuis les grandes défaites d'Azincourt et de Poitiers, à nouveau figure de « petit chose » superflu au milieu des féodaux et des empires ?

Cette armée permanente va renverser la table. La France attaque les Flandres, l'Italie, pousse toujours plus loin ses frontières. Charles VII dispose de quarante mille hommes, Charles VIII et Louis XII en conduisent soixante mille en Italie ; François Ier se jette sur le Milanais avec des troupes encore plus importantes. Après que François de Guise eut créé les « régiments », Charles IX en aura trois, Henri IV onze, Louis XIII trente.

Entre la guerre de Cent Ans et la guerre de Trente Ans

Cette armée se professionnalise et s'internationalise. On vient de toute l'Europe s'enrôler dans les troupes du roi de France. Les Suisses sont très demandés, mais aussi les lansquenets des princes allemands ; tous suivent : Wallons, Suédois, Polonais, Danois, Hongrois, Piémontais, Corses, Rhénans, Bavarois, Écossais venus avec les Stuarts ou encore Irlandais.

De Charles VII à Louis XIV, le non-dit de l'armée permanente est resté le même : arracher la force armée aux féodaux pour la confier à l'armée royale et nationale. De Louis XI à Richelieu, de Colbert à Louis XIV, le pouvoir monarchique privilégie l'infanterie au détriment de la cavalerie et pousse aussi les nobles vers les activités industrielles et commerciales, en multipliant les ordonnances abolissant la dérogeance. En vain. Les aristocrates continuent à se diriger en masse vers la carrière militaire et à dédaigner, pour la plupart, les activités « roturières ».

« Au lieu de l'héroïsme épisodique des paladins, de la ruse avide des routiers, du bref élan des milices, la constance des troupes professionnelles sera, pendant trois siècles et demi, le rempart de la France[1]. » Entre la guerre de Cent Ans et la guerre de Trente Ans, la France eut à son service la première armée du monde.

Louis XIV avait hérité de l'armée de Louis XIII pour dominer l'Europe. Louis XV héritera de l'armée exsangue de Louis XIV, pourrie par la Régence. Certains, comme le maréchal de Noailles, en 1743, alertent le roi : « Le royaume de votre majesté est purement militaire. La gloire et l'amour des armes ont toujours distingué la nation française de toutes les autres, et ce n'est que depuis un certain temps qu'il semble qu'on se fût attaché d'avilir l'état militaire. »

En vain. Cette lente décadence s'achèvera par l'humiliante défaite de Rossbach, en 1757, face aux armées prussiennes. Alors, dès la sinistre paix de Paris, en 1763, Louis XV sabre sans pitié toute la hiérarchie militaire.

La Révolution sauvée par l'armée de Louis XV

L'armée française renaît de ses cendres. Le comte de Gribeauval équipe l'armée de canons au maniement commode et à l'efficacité meurtrière. Dans son *Essai général de tactique*, paru en 1772, le comte de Guibert préconise le fractionnement du corps de bataille en divisions, qui donnera à son meilleur élève, Napoléon Bonaparte, une souplesse inédite dans l'exercice du commandement et dans la manœuvre. Les écoles d'artillerie se multiplient en province, dont celle de… Brienne. L'armée se distingue pour constituer un véritable quatrième ordre, avec ses écoles, ses règles d'existence, son cérémonial, sa hiérarchie, ses vêtements, sa morale propre fondée sur le respect de l'engagement et la vertu d'obéissance.

La résurrection de l'armée française a lieu au cours de la guerre d'indépendance américaine. Quand les armées de la Révolution seront acculées par une coalition européenne, Carnot, suivant l'enseignement de Guibert, crée les

1. Charles de Gaulle, *La France et son armée*, Plon, 1938.

divisions et organise l'armement. Les arsenaux ont été garnis par la monarchie : deux mille canons Gribeauval ; sept cent trente mille fusils modèle 1777. Son comité de guerre est formé d'anciens officiers du génie et de l'état-major de la monarchie, Meunier, Favart, Montalembert, Marescot.

La Révolution sera sauvée par l'armée forgée par Louis XV. Et Napoléon trouvera un outil incomparable, forgé par huit années de campagne...

La Grande Armée de Napoléon est née à Rossbach. Comme l'armée permanente de Charles VII est née à Azincourt et sur le bûcher de Jeanne à Rouen. Comme la bombe atomique française naîtra de la débâcle de 1940 et de l'humiliation de Suez, en 1956. Tradition millénaire française : nos plus grands succès sont issus de nos plus terribles échecs, comme nos catastrophes les plus achevées sont logées dans nos réussites les plus flamboyantes.

Reprenant les leçons de Charles VII, de Gaulle s'efforce de remettre l'armée française sur ses deux pieds : un État centralisé et souverain, qui sort son état-major des organes intégrés de l'Alliance atlantique ; une armée permanente, dotée des équipements les plus modernes, construits par nos industriels. L'avènement de l'arme nucléaire a laissé espérer aux stratèges français que l'arme atomique permettait de rééquilibrer les forces entre les Empires américain et soviétique, voire chinois, et les plus modestes États-nations. Le philosophe allemand Peter Sloterdijk ne s'y trompe pas lorsqu'il compare l'élection du président de la République au suffrage universel et la bombe atomique au sacre de Napoléon et la Grande Armée.

Mais les successeurs du Général vont se détacher de sa vision historique et militaire, sans comprendre que s'ils sont écoutés au sein du Conseil européen, ou du conseil de sécurité de l'ONU, c'est uniquement parce qu'ils possèdent l'arme atomique et une armée encore digne de ce nom dans une Europe qui, à partir de la chute du mur de Berlin, en 1989, désarme à tout-va.

L'abandon par le président Chirac de la conscription, en 1995, transforme notre armée professionnalisée en un « corps expéditionnaire », qui accumule les interventions extérieures, dans son terrain de jeu africain. Nos troupes renouent avec les poisons et délices des expéditions coloniales du XIXe siècle, ces « courses de nomades après des nomades », selon le mot dépité du maréchal Bugeaud, qui sentait bien que l'armée française s'abîmait dans ces guerres asymétriques, où elle gagnait trop facilement des batailles qui ne s'achevaient jamais. Le retour dans les instances militaires de l'Otan, décidé cette fois par le président Sarkozy, en 2009, accélère encore cette évolution.

Notre armée s'est « otanisée » : notre aviation s'entraîne avec la Royal Air Force et l'US Air Force dans le cadre des exercices *Atlantic Trident* ; nos procédures militaires sont intégrées à celles des Américains ; notre état-major parle anglais. Son rêve est de remplacer les Britanniques dans le cœur des Américains, tandis que nos hommes politiques rêvent de lier l'industrie française à celle des Allemands. Notre armée est aux ordres de notre protecteur américain au nom de l'Alliance atlantique, tandis que notre industrie militaire passe peu à peu sous direction germanique, au nom de l'Europe.

Notre armée expéditionnaire en Afrique est appréciée par nos patrons américains, qui admirent son efficacité et soutiennent nos forces de leurs drones et de leur Marine, voire parfois de leurs bombes, qu'ils glissent dans les soutes de nos avions si nous n'en disposons plus en stock. Quand les Américains nous y autorisent, comme au Mali ou en Libye, nos armées interviennent sans coup férir. Lorsque le président Obama met son veto au bombardement de la Syrie d'Assad, le président Hollande renonce, non par pusillanimité, mais par incapacité. Notre pays a conservé ses antiques vertus militaires, mais n'a plus un État souverain pour en user.

Le maître français est devenu vassal

Nous avons perdu peu à peu l'habitude, l'envie, l'audace, la capacité même de concevoir et d'exécuter seuls en toute indépendance des opérations militaires. À force de coupes dans les budgets de défense, la vie de nos hommes est mise en danger et nos forces dépendent de la technologie de nos alliés, en particulier américains. Les armées permanentes de nos rois avaient permis à la France de parler en maître sur le continent européen et de considérer beaucoup de ses voisins comme des vassaux, qui lui fournissaient les soldats et le matériel dont elle avait besoin. Cet ordre a été subverti, retourné. Si les institutions de la Ve République octroient une liberté absolue à nos présidents de la République, chef des armées, nos élites, elles, ne savent plus raisonner qu'en termes d'alliances et de coopérations. Le maître français est devenu vassal. La France connaît désormais le destin de ces petits princes allemands qui louaient leurs lansquenets à Louis XIV. Le développement technologique et le coût exponentiel des armements ont fait subir à l'État français le sort des féodaux avec l'avènement du canon : un déclassement.

La sortie de l'Angleterre de l'Union européenne (le « Brexit ») et le pacifisme paralysant de l'Allemagne, devenu une seconde nature depuis 1945, font pourtant de la France la principale – et pour tout dire la seule – puissance militaire de l'Europe. La seule à disposer d'une force nucléaire indépendante ; la seule à intervenir sur trois théâtres d'opérations au moins.

Jamais, depuis Louis XIV et Napoléon, la France n'a connu semblable supériorité ; jamais la France n'a été dans une telle position de commander militairement à ses voisins européens.

Pour la première fois de sa longue Histoire, elle n'en fait rien.

Notre-Dame de Paris

Sous les pavés… la grandeur

Il faut la regarder de haut. Comme ne l'ont jamais vue les anonymes compagnons du Moyen Âge qui l'ont de siècle en siècles édifiée. Comme ne la contemplent plus les anonymes touristes qui s'y engouffrent en grappes derrière leur guide au parapluie rouge. Il faut la regarder de haut pour y déceler la modernité de cet héritage du passé, cette force nue, métallique dans l'ossature de ses flèches qui s'élèvent sans crainte vers le ciel ; quelque chose de froid, de pur, de clair, de précis, de mathématique ; ce mélange d'abstraction logique et d'idéalisme si français.

Les flèches de Notre-Dame de Paris s'élèvent sans crainte vers le ciel et sont plantées dans le sol comme des vieilles paysannes d'autrefois. Une sveltesse parisienne, enracinée dans le terroir. Notre-Dame n'est déjà plus une église romane, et pas encore une cathédrale gothique ; un chef-d'œuvre de transition : c'est qu'il a fallu six siècles pour la construire ! Un temple dont la statuaire faite d'anges, de vierges, de saints, de prophéties des patriarches de l'Ancien Testament semble adoucie par mille ans de prédication évangélique.

Catéchisme de pierre, chronique de pierre, symphonie de pierre. Le pape Alexandre III est présent pour la pose de la première pierre. Saint Louis dépose la couronne d'épines de Jésus achetée à prix d'or à l'empereur latin de Constantinople. Philippe le Bel y réunit les premiers états généraux, en 1302. Henri VI d'Angleterre est couronné roi de France en présence de l'évêque Cauchon, en 1431. Henri IV se marie avec la reine Margot sur le parvis et entend quelques années plus tard cette fameuse messe que valait bien Paris.

Tous les drapeaux gagnés lors des victoires de Louis XIV y sont conservés ; le maréchal de Luxembourg obtient le surnom de « Tapissier de Notre-Dame ». On y enterre Turenne et le Grand Condé. Bossuet, de sa chaire, y prêche. Les entrailles de Louis XIII et Louis XIV y sont recueillies. Louis XV y remercie Dieu d'avoir échappé au couteau de Damiens et Louis XVI y célèbre la naissance de son fils. Le maire de Paris, Bailly, vient y rendre grâce pour la prise de la Bastille, le 15 juillet 1789.

Les statues des rois de Juda sur la façade sont décapitées et saccagées par la populace qui a cru reconnaître les rois de France. Le 10 novembre 1793, on rend un culte à la déesse Raison, incarnée par Mademoiselle Aubry, premier sujet à l'opéra de Paris, portée en triomphe jusqu'à la Convention. Rebaptisée « temple de la Raison », sous la Terreur, elle est transformée ensuite en dépôt de vin pour les armées, puis rendue au culte sous le Directoire. Un décor classique néogrec reçoit la canaille sarcastique et gourmée peinte par David pour le sacre de l'Empereur et de Joséphine, le 2 décembre 1804. Plus de trois cents *Te Deum* ont été chantés en mille ans d'histoire. Les rois, les empereurs, les présidents de la République – de Jules Grévy jusqu'au général de Gaulle –, sans oublier le maréchal Pétain, célèbrent les victoires et prient le Seigneur d'éviter les défaites à la France.

LE FRANÇAIS DES FABLIAUX ET LE FRANÇAIS DES CROISADES

Personne au Moyen Âge n'a jamais parlé du style gothique. En revanche, lorsque les Allemands ou les Anglais édifient leurs propres cathédrales, ils ont conscience d'imiter leurs modèles français. *Opus francigenum.* Le prestige de la France est alors immense dans toute la chrétienté : les ordres monastiques de Cluny ou de Cîteaux, Saint Louis et les chevaliers francs d'Orient, jusqu'à l'université de Paris, tout y concourt.

Les architectes français mettent au point la croisée d'ogives, qui permet de construire des murs et des voûtes en matériaux plus légers, moins chargés de pierres, et de les couvrir de verrières élégantes. La nervure est née en Île-de-France. Les voûtes romanes, qui ressemblaient encore aux basiliques romaines, s'effondraient souvent, et leurs dimensions modestes ne répondaient plus au besoin nouveau d'avoir des édifices plus vastes, plus amples et plus fièrement dressés vers le ciel. L'emploi de l'arc-boutant y pourvoit. Tout le monde s'y met. Le roi et les villes, les corporations de marchands et les guildes. Le Français des fabliaux côtoie le Français des croisades. La foi et l'art, le sacré et le beau ne font qu'un, et tous communient dans cette célébration. La cathédrale est « un traité de théologie ; le livre d'un peuple qui n'a pas de livre[1] ». On dédie l'édifice à Notre-Dame, dont le culte de la Vierge unit Dieu et la Mère, dévotion et courtoisie, crainte de la punition et douceur de la protection. Rigueurs de l'Au-delà et simple humanité.

Mais au fil des siècles, le prud'homme se fait prosaïque, s'empâte, s'embourgeoise. La décadence a commencé comme toujours par la tête ; avec Louis XI, le saint roi guérisseur d'écrouelles est devenu grand commerçant et grand cynique ; la grandeur d'âme s'est faite calcul retors ; le commerçant s'est déguisé en roi.

C'est précisément à ce moment-là que Victor Hugo plante son décor. Nous sommes en 1482. Louis XI vit les derniers mois de son règne. Le rugueux monarque aura conduit le pays entre la fin de la guerre de Cent Ans et les guerres d'Italie, entre la France anglaise, déchirée par les affrontements entre Armagnacs et Bourguignons, et cette France enfin rassemblée, réunifiée, pacifiée, rassurée, requinquée,

---

1. Victor Hugo, *Notre-Dame de Paris*, 1831.

qui osera bientôt défier l'empire de Charles Quint. Entre le Moyen Âge et la Renaissance. Entre le temps des cathédrales et celui des palais. Entre le temps de la foi et celui de l'humanisme, le temps des moines et celui des savants. Le temps de saint Thomas et celui de Rabelais. Les flèches de Notre-Dame s'élèvent fièrement jusqu'au ciel comme pour mieux protéger la cité débauchée des foudres divines.

Tous nos poètes, tous nos écrivains ont chanté Notre-Dame de Paris sur tous les tons : Villon, Péguy, Claudel ; même Balzac l'a prise comme personnage de sa *Comédie humaine.* Mais c'est la lecture, la vision de Victor Hugo, qui traversera les siècles. Peut-être parce que Hugo est tout à la fois un poète et un romancier, un chrétien anticlérical, un légitimiste ami de Louis-Philippe. Un monarchiste admirateur de Napoléon. Un voltairien mystique. Ses contradictions rendent son parcours politique illisible et incohérent ; mais renforcent son génie littéraire et lui donnent une puissance de visionnaire. Au-delà des clivages et au-delà des querelles.

« Ceci tuera cela »

Hugo marie avec une folle audace les aspirations démocratiques de son siècle avec les passions religieuses des siècles passés. Il enjambe la Révolution française et le protestantisme, Rousseau et Luther dans le même sac, pour reprendre ce moment exaltant où l'enthousiasme populaire et la ferveur catholique ne faisaient qu'un. Balzac avait déjà expliqué que le protestantisme était la mère de la Révolution et que l'imprimerie avait été la mère du protestantisme ; Gutenberg, le précurseur de Luther. « Tout protestant est pape, une bible à la main », avait dit Boileau. Victor Hugo ajoute que le protestantisme tuera le catholicisme comme l'imprimerie a tué l'architecture, comme le livre tuera l'édifice, comme la presse tuera la cathédrale. « Ceci tuera cela. »

Hugo n'a pas alors 30 ans. Il n'est plus seulement le fils d'un glorieux général de la Grande Armée, mais déjà le dramaturge controversé d'*Hernani.* Depuis l'enfance, il n'a qu'une ambition : « Être Chateaubriand ou rien. » Sous Chateaubriand, perce déjà Victor Hugo. Le premier est en train d'achever son *Génie du christianisme.* Il croit encore qu'il écrit un roman historique, mais son livre ne sera pas ce qu'il avait prévu qu'il fût. Son livre va lui échapper. Son livre va basculer. Le roman historique va se transfigurer en roman-épopée. À la fois poète et rhapsode, conteur et prophète. Il renverse tout ce en quoi son époque croit, tout ce que les Lumières lui ont enseigné, tout ce que la Révolution lui a légué : « C'est cette décadence qu'on appelle Renaissance… C'est ce soleil couchant que nous prenons pour une aurore. » Hugo ressuscite le Moyen Âge en contant sa mort.

L'Attila de la ligne droite

Le poète solitaire s'apprête à entrer en communion avec le peuple. Le spirite accompli fait tourner les tables et invoque les esprits. Il ne cherche pas le peuple dans les foules révolutionnaires ; il le trouve dans la communion anonyme et obscure des constructeurs des cathédrales : « Les plus grands produits de l'architecture sont moins des œuvres individuelles que des œuvres sociales ; plutôt l'enfantement des peuples en travail que le jet des hommes de génie, le dépôt que laisse une nation ; les entassements que font les siècles ; le résidu des évaporations successives de la société humaine ; en un mot des espèces de formations. »

Lui, Victor Hugo, l'homme du XIXe siècle, le poète maudit parce que glorieux, glorieux parce que seul face à la multitude, l'homme de ce temps-là et de cette trempe-là tend la main aux siècles lointains où le peuple était masse : « Les grands édifices comme les grandes montagnes sont l'ouvrage des siècles… L'homme, l'artiste, l'individu, s'effacent sur ces grandes masses sans nom d'auteur ; l'intelligence humaine s'y résume et s'y totalise. Le temps est l'architecte, le peuple est le maçon. »

Victor Hugo a connu le Paris d'avant Haussmann. Ce n'est déjà plus le Paris du Moyen Âge, mais ce n'est pas encore la Ville lumière du Second Empire. Il y a déjà les Invalides, la rue de Rivoli ; l'Arc de triomphe s'élève lentement, la Bourse et l'église de la Madeleine se parent de leurs colonnades gréco-romaines, la prison de la Bastille n'est déjà plus qu'un souvenir, la place Vendôme arbore sa fière colonne de bronze faite des canons pris à Austerlitz ; l'île Saint-Louis n'est plus un simple jardin mais s'est peuplée de ces élégants hôtels particuliers érigés par des courtisans qui ne supportaient plus l'ambiance de bigoterie et d'hospice de Versailles de Madame de Maintenon à la fin du règne de Louis XIV ; le Louvre n'est plus cette forteresse de pierre protégeant les Parisiens d'une invasion venue de la Seine.

Mais la ville n'a pas encore été éventrée par Haussmann, « l'Attila de la ligne droite » vidée, éviscérée comme un poisson. Thiers et Chateaubriand se vanteront tous deux d'avoir tiré sur un lièvre dans la plaine Monceau. Des vignes et des lilas poussent encore à Montmartre. Victor Hugo ne sait pas alors qu'une vingtaine d'années plus tard il prendra le chemin de l'exil et ne reconnaîtra pas Paris à son retour.

De Quasimodo à Gavroche

Hugo peut encore voir, imaginer, humer, reconstituer ce Paris animé et populaire du Moyen Âge. « Ce n'était pas alors seulement une belle ville ; c'était une ville homogène, un produit architectural et historique du Moyen Âge, une chronique de pierre. » Il y a encore autour de la cathédrale Notre-Dame cette forêt de maisons à colombages et à toits pentus, hérissées comme des herses pour protéger le haut monument de pierre qui se dresse au milieu d'elles. Hugo a sous les yeux et sous la main ce Paris grouillant et rythmé par les arrivages de la Seine, « la nourricière Seine comme le dit le Père du Breul, obstruée d'îles, de ponts et de bateaux », et le son des cloches carillonnant à toute volée : « D'ordinaire, la rumeur qui s'échappe de Paris le jour, c'est la ville qui parle, la nuit, c'est la ville qui respire ; ici, c'est la ville qui chante. »

Il prophétise : « Nos pères avaient un Paris de pierre, nos fils auront un Paris de plâtre. » Le visionnaire ne devine pas que ses petits-fils auront un Paris de fer, puis de béton et de verre. Pour leur plus grande désolation.

Au moment où Victor Hugo achève son *Notre-Dame de Paris*, Charles X est en train de rééditer les erreurs de son frère aîné. Il perdra aussi son trône, ne sauvant sa tête qu'au prix d'un exil mélancolique à Prague, où ira le retrouver Chateaubriand. Tout se tient. Victor Hugo entreprend le travail de titan dont ne sont plus capables les rois de France. Il rebranche la foi chrétienne sur le peuple. Il exhume l'ancienne alliance entre le peuple de France et la religion catholique. Il donne à voir au peuple et aux élites le plus grand prodige réalisé par cette alliance séculaire : les cathédrales. Avec son personnage de Quasimodo, contrefait mais d'une force herculéenne, naïf mais irrésistible, Victor Hugo forge l'incarnation d'un peuple français éternel, celui du Moyen Âge bien sûr, constructeur de cathédrales, mais aussi celui, qu'il a connu, de la Grande Armée traversant l'Europe pour la conquérir, ou encore celui de la force ouvrière arrachant ses richesses minérales aux tréfonds de la terre pour fabriquer des trésors de fer et d'acier : l'industrie.

Bientôt, les Misérables succéderont à Notre-Dame de Paris, Gavroche à Quasimodo, les barricades de bois au monument de granit, mais ce sera toujours le même peuple français, en butte à des élites méprisantes, qui toujours le rabaissent, alors qu'il peut être grandiose à la fois par sa force, sa détermination et sa grandeur d'âme.

François Ier

Notre Kennedy

Il éblouit. Il scintille. Il brille de mille feux. Il est magnifique. Un géant. Un colosse. Les historiens l'encensent, les femmes l'adulent ; les romanciers le chérissent ; il est un des rares rois avec Henri IV ou Louis XIV que la marée montante d'ignorance des populations n'a pas encore recouvert. Il est le vainqueur de Marignan, le bâtisseur de Chambord, l'ami de Léonard de Vinci. Il a permis à Jacques Cartier de découvrir le Canada. Quand il gagne une bataille, à Marignan, des générations d'écoliers mémorisent en jouant la date de sa victoire : 1515. Quand il perd, à Pavie, moins de dix ans plus tard, il trouve la formule qui le sauve de l'humiliation aux yeux de la postérité : « Tout est perdu fors l'honneur. »

Il collectionne les maîtresses mais reste un homme victime de leur inconstance : « Souvent femme varie, fol qui s'y fie. » Il est un lettré qui fonde le Collège de France et l'Imprimerie nationale ; il est le premier monarque absolu qui gouverne selon « son bon plaisir », et il publie l'édit de Villers-Cotterêts, qui établit le français comme seule langue dans les tribunaux, acte de souveraineté majeur consacrant l'unité linguistique du royaume. Il est un roi-chevalier, ami de Bayard, « sans peur et sans reproche », qui l'a adoubé à Marignan. Il incarne la Renaissance, cette période glorieuse où toutes les certitudes sont remises en question, tous les tabous sont contestés, tous les rêves semblent possibles à l'homme européen.

Avec un tel portrait, François Ier est paré pour les siècles et les siècles. C'est un héros à la fois antique et moderne, un séducteur et un guerrier, un amateur d'arts et de femmes. Dans une époque qui portait au pinacle les héros de l'Antiquité, il fut comparé à Hector défiant Achille. Pour notre temps qui ne jure que par l'Amérique, il est notre Kennedy, et Diane de Poitiers, sa Marilyn Monroe.

Comparaison est en grande partie raison. Hector est vaincu par Achille et meurt malgré sa bravoure. Il a commis l'erreur, lui, simple mortel, de s'en prendre à un demi-dieu. Kennedy incarne le premier président de l'ère de l'image. Avec le temps qui passe, au fur et à mesure que ses panégyristes stipendiés ou énamourés (journalistes américains et français contemporains de ces années 1960) vieillissent ou meurent, Kennedy apparaît pour ce qu'il est, l'homme des tergiversations coupables (crises des fusées), des échecs mémorables (la baie des Cochons), des guêpiers mortels (envoi du contingent au Vietnam).

Le cœur de « l'économie monde »

François Ier est l'homme des occasions perdues, des bons coups manqués. « Tu viens de briller, gâche pas tes cartes », réplique célèbre de Michel Audiard : l'amant interpelle le mari cocu, qui, après avoir giflé sa femme, se jette sur lui, alors qu'il est bien moins fort. Après avoir brillé, François Ier, lui, a gâché toutes ses cartes. Elles n'étaient pourtant pas négligeables. Charles VII lui a légué la meilleure armée d'Europe ; la fille de Louis XI, Anne de Beaujeu, a forgé une incomparable artillerie qui a étonné l'Italie et l'Europe. L'épée de la France n'a jamais été aussi redoutée. François a remis ses pas dans ceux de ses prédécesseurs. Les guerres italiennes sont une nécessité financière, économique et stratégique. Une manière efficace de rentabiliser les armées de mercenaires qui coûtent cher quand on ne les emploie pas. Une occasion historique à saisir qui ne se représenterait pas de sitôt. Fernand Braudel nous a enseigné que la puissance dominante est toujours celle qui détient le centre de ce qu'il appelle l'« économie-monde », c'est-à-dire l'endroit le plus développé de la planète à une époque donnée. En ce début de XVIe siècle, le centre de l'économie-monde se trouve en Italie, de Milan à Gênes, de Florence à Venise, autant de cités-États qui se transmettent le talisman de la prospérité et de l'ingéniosité commerciale et financière.

Mais il y a un décalage entre la modernité économique de l'Italie et son archaïsme politique. Le temps des villes est passé, celui des royaumes est venu. Les Italiens mettront trois siècles à le comprendre. La cité et l'Empire, telle est leur éternelle grammaire politique. L'unité précoce du royaume de France lui donne une puissance démographique, politique et militaire irrésistible. Même par rapport à l'empire de Charles Quint. Ne pas en profiter pour fondre sur les riches terres italiennes serait pire qu'une faute, un crime. François Ier n'est pas coupable de l'avoir fait, mais de l'avoir manqué. D'avoir donné les clés de l'Italie à l'Espagne pour un siècle et demi, alors qu'elle avait moins de légitimité historique que nous. François s'est avéré mauvais soldat, mauvais diplomate, mauvais stratège. Il gagne à Marignan grâce à la puissance de son artillerie, mais il ne comprend pas les raisons de sa victoire, et préfère en jouir plutôt que de l'achever. Il donne le temps à son adversaire de préparer la revanche.

Il a fini par croire à sa propre propagande de roi-chevalier, quand son temps est celui de la science militaire, de la tactique et de la puissance de feu. À Pavie, il s'obstine à ne pas reculer au nom de l'honneur. Il jette son infanterie à la tête des impériaux, rendant inutile son artillerie, pourtant son atout maître. Il y perd les vieux héros de toutes les guerres d'Italie, La Palisse et La Trémoille, tandis que le roi de Navarre et Montmorency sont faits prisonniers tout comme lui.

L'homme d'État, c'est Charles Quint

Au XVIIe siècle, on sait encore tout le mal qu'on doit à François Ier. On sait ce qu'est un roi-chevalier grâce à Louis XIII ; et une politique de domination de l'Europe avec Louis XIV. On fait le distinguo entre Bayard et François Ier ; la gloire émérite de l'un ne profite pas abusivement à l'autre. On n'ignore pas que le roi de France n'a pas besoin d'être armé chevalier par Bayard, puisqu'il l'est d'office lors de son sacre. On regarde avec commisération ce pauvre Valois-Angoulême adoubé par le connétable de Bourbon, qui trahira son roi et la France au service de Charles Quint. En cet austère et noble XVIIe siècle, on tient responsable le monarque qui n'a pas su garder, par tous les moyens, les Grands auprès de lui. C'est Richelieu qui a poussé à la glorification de Bayard ; mais le Cardinal a bien compris que l'homme d'État est Charles Quint et non François Ier. Son Éminence passera sa vie et usera sa santé fragile à corriger les erreurs du Valois.

Ses contemporains s'émerveillent surtout, avec une pointe d'ironie, de ses exploits sexuels. C'est Brantôme qui fait de François Ier un Henri IV avant l'heure, dans un récit haut en couleur peuplé de femmes, de maîtresses, de grivoiseries, les dames de qualité dissimulant l'armée de prostituées qui finiront par lui donner la syphilis, en 1546. Il est le héros à peine caché de l'*Heptaméron*, roman libertin écrit par sa sœur Marguerite de Navarre. Il exige que ses compagnons ne paraissent jamais sans leur maîtresse à la cour et les questionne sur leurs ébats. Triboulet n'est pas le seul à jouer le rôle de bouffon. Mais le roi libertin est lui aussi le jouet des femmes, de sa stratège de mère d'abord, Louise de Savoie, de sa brillante sœur, et de ses maîtresses cupides ou versatiles. La présence permanente des femmes a donné un lustre et un charme incontestables, un art de vivre raffiné, une délicatesse, un goût sûr, à la cour française, que lui envieront ses rivales européennes plus austères ; elle eut cependant des conséquences fâcheuses sur les rois faibles et hésitants, qui devinrent les proies de leur entourage, de leurs rivalités, de leurs passions et de leur frivolité, au cœur d'un pouvoir monarchique où aurait dû régner l'analyse rationnelle des rapports de force et des intérêts de la nation.

François s'avère crédule avec Charles Quint et fat avec Henri VIII. Il ne se méfie pas assez de son ennemi et ne flatte pas assez son allié. Comme il y aura plus tard des « nouveaux riches », François Ier est un « nouveau roi », selon l'expression imagée de Lucien Febvre. Il a la naïveté de croire que sa richesse affichée et sa puissance arborée vont lui rallier tous les cœurs.

On ne saura jamais si le faste ostentatoire et provocateur du Camp du Drap d'or et sa défaite lors du fameux combat à mains nues des deux rois-chevaliers ont poussé le Tudor dans les bras de Charles Quint. Toujours est-il qu'aussitôt après le Camp du Drap d'or, Henri VIII rencontre Charles Quint à Calais et à Gravelines. Point de faste ni de chevalerie, mais les deux hommes se mettent d'accord pour isoler le Français. L'Anglais prétend jouer sur les deux tableaux, clame à qui veut l'entendre : « Qui je défends est maître » ; mais penche du côté de Charles : celui-ci a eu l'habileté de faire miroiter aux yeux du Tudor le souvenir des terres françaises possédées par ses ancêtres.

François Ier eut la chance de voir peu à peu recouvert le souvenir cuisant de ses échecs grâce à une légende de gloire et de faste. Ainsi, la fameuse anecdote de l'adoubement de François Ier par Bayard a-t-elle été forgée par un médecin lyonnais contemporain, Symphorien Champier, pour redorer le prestige de son roi vaincu à Pavie[1]. Pendant longtemps, Bayard seul a attiré légitimement la lumière. Dans le Paris révolutionnaire de 1789, on jouera une pièce consacrée au « chevalier sans peur et sans reproche » ; Rouget de Lisle écrira son éloge ; le Premier Empire en fera l'ancêtre des héros de la Grande Armée. Chateaubriand osera même le désigner dans *Le Génie du christianisme* comme le plus parfait des chevaliers chrétiens.

1. Voir Didier Le Fur, *François Ier*, Perrin, 2015.

La belle défaite

Si la légende dorée de François Ier est en placage, ses erreurs et ses défaites ont été payées comptant en or massif. Ainsi, la paix de Cambrai (1529) est-elle l'enterrement des rêves italiens de la France. Il faudra attendre Bonaparte pour que notre pays obtienne une seconde chance de conquérir ces riches terres de la Lotharingie. Mais les armées révolutionnaires convoient alors avec elles l'idéologie des nationalités qui ne pouvait que pousser les patriotes italiens à se séparer – un jour ou l'autre – du grand frère français.

Pour faire la guerre – et la fête –, le roi est toujours à court d'argent. François a beaucoup manié l'impôt, davantage que ses prédécesseurs ; il a forgé cette machine infernale de la vente des offices publics, qui empêchera jusqu'au bout la modernisation fiscale de la monarchie et causera sa perte. Il aliène même des domaines royaux et, jamais avare d'expédients, crée la loterie nationale. Tout cela pour financer des échecs à répétition.

Il y a pis : avec son « tout est perdu fors l'honneur », il a inoculé à la France le venin de la geste vaine mais honorable, des humiliations qu'on enrobe d'atours chevaleresques, maladie du panache qui couvre les pires échecs, et de la belle défaite, défaite heureuse, défaite inconsciemment désirée, car moins vulgaire que la victoire. Elle nous a poursuivi longtemps, jusque dans les compétitions sportives. François Ier, c'est l'ancêtre de Poulidor, l'éternel perdant mais tant chéri des foules populaires. Ou des footballeurs de Saint-Étienne qui défilent sur les Champs-Élysées comme l'armée victorieuse de la guerre de 1914-1918, alors qu'ils ont été vaincus par les Allemands du Bayern de Munich.

La culture de l'échec devient chez lui une seconde nature. Il se révèle piètre manœuvrier dans la bataille électorale du Saint Empire romain germanique pour le titre convoité de roi des Romains. Cette assemblée ressemble à ce que sont nos comités olympiques et fédérations sportives. Pour obtenir les voix d'innombrables délégués, souvent pauvres et obscurs, il faut cajoler, promettre, acheter. Corrompre. Les deux candidats font assaut de séduction, mais c'est le banquier Jacob Fugger de Charles Quint qui paie le plus. Comme pour les guerres d'Italie, François Ier n'a pas eu tort de concourir mais d'échouer.

La défaite est belle mais rend fou ; à moins que la syphilis ne commence à agir. Son alliance en 1536 avec le grand Turc Soliman scandalise toute l'Europe. Il est de bon ton aujourd'hui de louer cette « alliance de revers » au nom de l'indépendance de la France, qui, seule dans le monde, ne connaît que les relations entre États, sans se soucier de régimes ni des religions. Mais pour les monarques européens, c'est « l'alliance impie ». À l'époque, l'Empire ottoman n'est pas une puissance comme une autre. Ce n'est pas la Suède de Richelieu, la Prusse de Louis XIV. Ce n'est pas l'audacieuse alliance de revers que nos générations d'écoliers de la IIIe République ont appris à admirer en pensant à l'alliance russe, mais l'entrée du loup islamique dans la bergerie chrétienne. Comme si la France de la guerre froide s'était abouchée avec l'URSS pour prendre à revers les forces de l'Otan.

AUX PORTES DE LA GUERRE CIVILE

François Ier endosse le costume peu seyant de traître à l'Europe chrétienne. Sa transgression inouïe pourrait être jugée cyniquement à l'aune de son efficacité, s'il n'avait encore une fois échoué. Il gesticule, il s'agite, il se contorsionne, il se contredit, il trahit ; il se rapproche des puissances protestantes d'Allemagne, tandis qu'il fait brûler leurs coreligionnaires à Paris. Rien ne lui permet de prendre sa revanche sur Charles Quint. Ses armées n'ont plus l'allant du début de son règne. Elles sont sur la défensive, doivent repousser les envahisseurs en Provence. Le roi lui-même ne s'aventure plus sur les champs de bataille. Le souvenir cuisant de Pavie, l'humiliation de la défaite et les souffrances de la captivité l'ont guéri à jamais des plaisirs enivrants de la canonnade et des duels à grands coups d'estoc. François Ier n'a pas retenu les leçons de Charlemagne ou de Saint Louis, ni même de Charles VIII, qui avait tenté en vain de ressusciter la croisade : la nation qui s'impose comme la puissance dominante en Europe est celle qui défend l'Europe chrétienne contre la menace extérieure.

François Ier a échoué sur tous les plans. Il a perdu l'Italie ; il n'a pas pris la tête de l'Empire des Romains ; il n'a pas brisé la dissidence protestante, sans pour autant prendre le parti des élites du royaume, et en particulier de sa sœur, en faveur de la nouvelle foi. Après un moment de tolérance complaisante, sa répression féroce s'abat sur les protestants qui osent placarder une proclamation hostile à la messe jusqu'à la porte de la chambre de son château d'Amboise. Sa police arrête, torture, massacre les réformés. Transforme le pays de Vaud en désert. Ses hommes de main ne sont guère plus tendres que ne le seront les sbires de Louis XIV, abrogeant l'Édit de Nantes. Mais au contraire du Roi-Soleil, François Ier a échappé au courroux de la postérité. C'est pourtant lui qui a donné cette couleur inexpiable du sang rouge vif à la querelle religieuse qui naît sous son règne. Il a laissé le royaume affaibli à l'extérieur et au seuil de la guerre civile à l'intérieur.

À sa mort, la France est dominée politiquement par l'Espagne, spirituellement par l'Allemagne, culturellement par l'Italie. François Ier est l'incarnation et le responsable de ce déclin que ses thuriféraires ont, à travers les siècles, maquillé et dissimulé. Jamais, avant le XXe siècle, l'influence de la France en Europe n'a été aussi faible qu'en ce XVIe siècle.

Il est un roi de France, fait de tous les rois de France et que vaut n'importe lequel.

Catherine de Médicis

Nous sommes tous des Catherine

Le noir lui va si mal. Il durcit ses traits déjà sévères. Il l'enlaidit encore. Il ajoute à sa silhouette austère un air de spectre. Il donne à son goût florentin pour la magie une aura maléfique de sorcière. Ces robes noires qu'elle porte à tout moment, en toutes saisons, depuis la mort de son royal époux, demeureront sa marque dans l'Histoire. Le noir qui se marie avec le rouge. Le rouge et le noir. Le noir de ses robes et le rouge du sang. Le deuil de la régente et le sang de la Saint-Barthélemy.

Catherine de Médicis ne s'imaginait pourtant pas un si sombre destin quand elle arrive à Paris, en 1533. Elle a 14 ans. Ses parents sont morts quelques jours après sa naissance, mais elle n'est pas une orpheline comme les autres. Elle est la seule héritière de la glorieuse et riche famille des Médicis. Le roi n'est pas son cousin, mais le pape l'est.

Elle rentre d'ailleurs chez les Valois pour consolider l'alliance entre le pape et le roi de France. L'accord s'évanouit vite, mais son destin français s'épanouit lentement. François Ier découvre que la petite Catherine est roturière mais riche, timorée en public mais audacieuse à cheval, laide mais intelligente ; elle parle mal le français mais a une culture raffinée. La cour brocarde la « grosse banquière » et la « fille de marchands » ; mais le goût des artistes italiens rapproche le vieux monarque libidineux et la donzelle disgracieuse, dont le mari préfère batifoler avec la sensuelle Diane de Poitiers, qu'elle surnomme avec aménité « la Putain du roi ». Déjà son mariage a été l'occasion de fêtes somptueuses, avec quarante cuisiniers qui ont fait découvrir aux Français le sabayon et les sorbets, avant qu'ils n'introduisent à la cour artichauts, brocolis, petits pois, asperges, tomates, macarons et éduquent les Français au maniement de la fourchette.

Catherine de Médicis ne cherche pas longtemps les recettes pour agrémenter ces nouveaux légumes. Elle aime à s'entourer de poètes, d'hommes de lettres, de musiciens, d'artistes. Elle a un goût très sûr, repère et protège Ronsard, Montaigne, convie à la cour de France des peintres et portraitistes italiens. Elle édifiera les Tuileries et agrandira Chenonceau. Elle ajuste la politique culturelle des princes italiens aux immenses moyens de la monarchie française. Elle s'avère un des plus grands mécènes du XVIe siècle. Les fêtes qu'elle organise en février 1564, dans le château de Fontainebleau, resteront dans les annales.

Catherine de Médicis est le chaînon manquant entre François Ier et Louis XIV. Elle poursuit un objectif politique, mais sans chercher ni à domestiquer, ni à soumettre, ni à asservir, plutôt à pacifier, à apaiser les passions belliqueuses des hommes en général et des nobles en particulier ; à leur arracher ce goût irrépressible de la guerre, pour le détourner vers d'autres distractions. D'où son célèbre « escadron volant », ce bataillon de jolies femmes qu'elle rassemble sous sa houlette qui a fait tant saliver les libertins et hérisser le poil des puritains.

La princesse de Clèves

Catherine de Médicis n'est pas la Pompadour avec son réseau de prostitution au service de l'appétit insatiable de Louis XV. À sa cour, on jouit des plaisirs de la conversation, pas des plaisirs des sens. On est dans *La Princesse de Clèves,* pas dans *Les Liaisons dangereuses.* Catherine surveille la vertu de ses filles avec des airs sévères de mère supérieure du couvent. Quand Isabelle de Limeuil est mise enceinte par le prince de Condé, Catherine la chasse de la cour.

Parce qu'elle est issue du clan Médicis et née à Florence, on la croit fille de Machiavel, alors qu'elle est une émule d'Érasme, cet éducateur exigeant des princes chrétiens. Ces deux penseurs incarnent les pôles antagonistes de la pensée politique de la Renaissance. Érasme poursuit, avec une rare culture, l'œuvre de l'Église qui, depuis le Moyen Âge, a édifié le portrait du prince idéal, mariant la force des héros de l'Antiquité et la vertu des Évangiles. Il ne distingue pas entre la morale privée et la morale publique. Son but suprême est la paix et il tient la guerre pour un divertissement dispendieux et dangereux.

Machiavel n'a cure de ses prudences et de ses leçons. Lui sépare la politique de la morale ; *virtus* reprend son sens latin de *vir* : un homme. Le prince doit retrouver l'énergie vitale et virile, et se défier des douceurs émollientes, féminines, de la vie de cour. Si Machiavel conseille le prince, Laurent de Médicis, c'est pour mieux poursuivre son idéal républicain. Il ne craint pas la guerre mais rêve de la faire avec des soldats-citoyens comme le seront les soldats de l'an II ; son idéal est à la politique ce que les inventions de son compatriote Léonard de Vinci furent à la science : trop en avance. Foin de morale, pour Machiavel, seule l'efficacité compte ; un grand politique est à la fois renard et lion, selon les circonstances et les nécessités.

Catherine de Médicis restera toujours insensible à ce savant mélange de calcul et de raison d'État. Elle ne variera pas de sa route en dépit de son héritage familial, de certains de ses conseillers et des exigences du temps. Toute sa vie, elle reviendra à l'enseignement d'Érasme et dédaignera celui de Machiavel. L'image de Catherine de Médicis est une extraordinaire méprise. Elle est l'inverse de ce qu'elle incarne.

Les historiens évoqueront sa « légende noire ». Encore et toujours le noir. La malédiction de Catherine de Médicis est que cette émule d'Érasme finira malgré elle par suivre les leçons de Machiavel sans vraiment comprendre ce qu'elle a fait ni assumer ce qu'elle a osé.

Jamais elle ne renoncera à sa politique de concorde. Jamais elle n'abandonnera ses illusions conciliatrices. Jamais elle ne mesurera la fureur que sa politique de « tolérance » provoque dans les rangs des catholiques convaincus. Jamais elle n'appréciera à sa juste proportion combien sa faiblesse pacifiste pousse les chefs huguenots vers une intransigeance toujours plus arrogante. À chaque main tendue, sa bravade ; à chaque geste de paix, son geste de guerre. À chaque signe de tolérance, sa provocation.

Après l'édit de 1562, qui autorise la liberté de conscience et la liberté de culte de la religion réformée, c'est le « massacre de Wassy », quand les protestants locaux accueillent à coups de pierre les émissaires du chef de la ligue catholique, le duc de Guise. Après l'édit de paix de 1567, c'est la « surprise de Meaux », quand les troupes de Condé (un des chefs protestants) manquent de s'emparer de la famille royale.

À chaque coup de feu, Catherine se met sous la protection des Guise et des forces catholiques ; dès que la menace est passée, elle se rapproche des protestants. Même lorsqu'elle est contrainte de limiter leur liberté de culte, interdisant les « prêches et cènes », elle prend soin d'en exposer les motifs exclusivement politiques et de ne jamais qualifier la « nouvelle opinion » d'« hérésie », au grand dam des catholiques. Elle s'entoure de conseillers huguenots, Jean de Monluc, Jean de Morvillier, Paul de Foix ; favorise la nomination de Michel de l'Hospital, partisan notoire de la politique de réconciliation et de tolérance, comme chancelier de France ; fait entrer au conseil du roi le chef des protestants, l'amiral de Coligny, pour contrebalancer l'influence jusque-là dominatrice des catholiques. Ce dernier devient peu à peu le mentor du jeune roi Charles IX.

Partout, la montée en puissance du protestantisme déstabilise les régimes et les équilibres européens. La monarchie française s'efforce de ne pas sacrifier son indépendance à l'un des deux camps, amie de l'Espagne très catholique et alliée de l'Angleterre protestante d'Elizabeth. Les Guise réclament toujours plus de proximité avec le roi d'Espagne, en vain. Alors que les protestants hollandais se soulèvent contre la tutelle des impériaux espagnols, Coligny conseille au roi de France de soutenir la révolte du prince d'Orange et des rebelles bataves. Charles IX et Catherine de Médicis refusent ce renversement d'alliance. Coligny tempête, exige, menace. Son « incroyable arrogance » n'a plus de limites. Il lance au roi : « Je suis certain que vous vous en repentirez. » Puis se tournant vers la reine : « Madame, le roi se refuse à entreprendre une guerre : Dieu veuille qu'il ne lui en survienne pas une autre dont il ne sera peut-être pas en son pouvoir de se retirer. »

Non en sujet, mais en rebelle

Le roi s'exaspère en privé d'avaler « de gros morceaux d'indignité bien amers ». Il avouera après la Saint-Barthélemy : « Coligny avait plus de puissance et était mieux obéi de la part de ceux de la nouvelle Religion que je n'étais [...] de sorte que s'étant arrogé une telle puissance sur mes sujets, je ne pouvais plus me dire Roi absolu, mais commandant seulement à une de mes parts de mon Royaume. » Et Catherine de Médicis confiera que « Coligny se comportait non en sujet mais en rebelle » et que ses partisans voulaient la « subversion de cet État ».

Le prince d'Orange, Coligny et Condé, se concertent et forgent à ciel ouvert leur nouvelle alliance. Les protestants ont une politique étrangère divergente de celle du roi de France ; et l'assument avec une rare intrépidité et une souveraine suffisance. Ils prennent la figure à la fois crainte et honnie des ennemis de l'intérieur. Ils se constituent en État dans l'État et lorgnent toujours plus les principes démocratiques et décentralisés de la République calviniste de Genève. Le faubourg Saint-Germain, où l'aristocratie huguenote prédomine, est surnommé « la Petite Genève ».

Dans le préambule de l'édit de 1568, le roi fera écrire : « À quoi nous, voyant qu'ils abusent tant de fois de notre bonté et douceur, que ne pouvant plus douter de leur damnée entreprise d'établir et constituer en ce Royaume une autre principauté souveraine pour défaire la nôtre ordonnée de Dieu… »

Entre sa peur de la subversion huguenote et ses principes de concorde et de pacification, le tourment de Catherine tourne à la schizophrénie. La postérité confondra à tort préméditation et tergiversations, duplicité et désarroi. La même femme peut organiser avec un faste inédit le mariage du protestant Henri de Navarre avec la catholique Marguerite de Valois (la fameuse reine Margot), comme une nouvelle preuve de son désir de paix et de réconciliation, tout en donnant l'ordre d'exécuter Coligny, le 22 août 1572, coupable à ses yeux de rébellion contre l'autorité de l'État et de sédition contre la monarchie. À situation d'exception, procédure d'exception, « à son grand regret et déplaisir ».

Cette exécution précipitée se veut la manifestation d'un pouvoir fort alors qu'elle est la preuve suprême de sa faiblesse. Un pouvoir fort aurait osé instruire le procès public de Coligny comme un Richelieu l'osera avec tous ceux qui comploteront contre son autorité. Un pouvoir fort aurait montré au petit peuple catholique de Paris qu'il ne se soumettrait jamais aux pressions des puissants huguenots. Un pouvoir fort aurait pu assurer aux protestants que la tentative de crime contre leur chef ne resterait pas impunie. Un pouvoir fort n'aurait pas craint que les huguenots se fassent justice eux-mêmes et se vengent en assassinant le duc de Guise.

Affolée par l'échec de l'assassinat de Coligny et la peur qu'on découvre ses liens avec Guise, Catherine décide alors d'exécuter tous les chefs du parti, tous ceux qu'elle appelle les « huguenots de guerre ». Dans la panique, l'érasmienne convaincue cède aux sirènes du machiavélisme le plus fruste. Les Jacopo Corbinelli ou Bartolomeo d'Elbène justifient auprès d'elle l'action du pouvoir au nom de la théorie des « remèdes extrêmes en cas de péril » et de la « raison d'État ». Elle fait sienne la thèse de l'« ablation chirurgicale » qui « coupe un bras pour sauver le reste du corps ». Mais Catherine fait la guerre comme tous les pacifistes, trop tard et trop fort. Dans la précipitation et l'improvisation, sans assurer ses arrières, sans voir ce qu'elle va déclencher.

Le prévôt des marchands, Jean Charron, est convoqué au Louvre le soir du 23 août : la reine et le roi lui commandent de fermer toutes les portes et d'en saisir toutes les clés. Les troupes de Guise vont au matin du 24 chercher des armes chez des armuriers. Tout s'emballe, tout s'enflamme ; le tocsin sonne à l'église Saint-Germain-l'Auxerrois ; la seconde Saint-Barthélemy commence, celle du peuple de Paris. La fureur exterminatrice se répand dans les rues de Paris...

« Populace étourdie »

On se venge d'un voisin protestant trop arrogant, trop méprisant, trop riche. On en profite pour trucider un ennemi, un amant de sa femme, un créancier. Il suffit de crier à la cantonade « Voici un huguenot ! » pour qu'on l'égorge. On tue parce qu'on a eu trop peur, peur de se soumettre à la loi des protestants, peur d'être converti de force, peur d'avoir un fils, une fille séduits par la nouvelle foi, peur de souffrir de la famine, car on annonce que les huguenots ont entrepris le blocus de Paris, peur d'avoir vu déambuler dans les rues les amis d'Henri de Navarre, munificents gentilshommes du Sud parlant haut et riant fort, parés et armés, peur qu'ils volent, peur qu'ils violent, peur qu'ils massacrent. Avec la complicité du roi et de l'Italienne. On s'acharne sur les corps des victimes huguenotes comme une parodie d'exécution judiciaire, comme si on voulait substituer la justice populaire à celle du roi, jugée trop faible, trop partiale. Toute la journée du 24 août, le roi a ordonné de cesser les tueries et a interdit les pillages. En vain.

On assassinera même un huguenot devant le roi le 26 août : crime de lèse-majesté que Charles IX doit tolérer sans mot dire. On évaluera le nombre de victimes à trois mille morts pour Paris et à dix mille dans tout le royaume. Ce massacre qui nous paraît cruel et odieux sera considéré en cette année 1572 comme un coup de maître. Le pape ordonne un *Te Deum* et frappe une médaille commémorative. Le roi d'Espagne fait part de sa bruyante satisfaction.

Les protestants adoptent la même interprétation de la manœuvre, pour mieux dénoncer dans leurs libelles la « vaste et subtile conjuration catholique internationale contre la France, planifiée par le pape et le roi d'Espagne et mise en œuvre par les Guise et les parlementaires parisiens contre un Charles IX trop favorable aux hérétiques ». Tous se leurrent. Tous prêtent à Catherine de Médicis des arrière-pensées, un cynisme qui lui sont étrangers. Le quiproquo dure jusqu'à nos jours. Catherine et son fils déploient pourtant aussitôt des efforts titanesques pour se justifier, s'expliquer, en France et surtout auprès des cours étrangères, qu'ils veulent « éclaircir de la vérité ». Catherine distingue avec obstination entre l'exécution de Coligny et de ses lieutenants et les massacres de la « populace étourdie ».

Elle le répète sans se lasser : sa décision était politique ; la religion n'y a aucune part. La preuve : tout en massacrant les chefs huguenots, le roi et sa mère entendent maintenir l'édit de paix de Saint-Germain de 1570. À la reine d'Angleterre, Elizabeth, qui la tance de « ne pas avoir suivi l'ordre de justice », d'avoir frappé avant tout jugement légal et d'avoir provoqué l'« ire de Dieu » pour avoir « transgressé le Décalogue », Catherine a cette réponse étonnante mais sincère : « Et quand ce serait contre tous les catholiques [que la reine d'Angleterre sévirait] que nous ne nous empêcherions ni altérerions aucunement l'amitié d'entre elle et nous. » Son seul but était de punir les rebelles au nom du bien commun et de la paix du royaume menacée par la sédition des huguenots. Elle est convaincue d'avoir atteint son but : « Mais enfin grâce à Dieu, tout est apaisé, en sorte que l'on ne reconnaît plus en ce royaume qu'un roi et sa justice, qui est rendue à un chacun selon le désir et l'équité. »

« Monarchomaques » et « Malcontents »

Catherine se trompe et perd sur les deux tableaux : elle ne récupérera jamais la confiance des protestants et désappointe les catholiques. La contestation gagne tous les camps. Les aristocraties protestantes mais aussi catholiques, lasses de se faire la guerre, se liguent, elles aussi, contre le trône et l'étrangère. Surmontant ses différends religieux, l'aristocratie française retourne à sa nostalgie récurrente, depuis Philippe le Bel au moins, des temps bénis de la « monarchie paternelle », s'appuyant sur les grands du royaume, avant que la bourgeoisie des légistes, venus de la lie du peuple, ne leur arrache leurs anciens privilèges. La « monarchie tempérée », disent les aristocrates, a été dévoyée par des préceptes venus d'Italie, le droit romain et l'enseignement de Machiavel, qui érigent la trahison et le mensonge à la hauteur de l'art de gouverner. Ces protestataires s'appellent « Monarchomaques » ou « Malcontents ».

La monarchie française doit selon eux retrouver cet idéal mixte des anciens de la monarchie franque, mélange harmonieux de royauté, d'aristocratie et de démocratie. Le roi passerait un contrat avec ses sujets, en particulier avec les grands du royaume ; à la monarchie paternelle succéderait la monarchie contractuelle, préambule d'une future monarchie parlementaire. Les lignées nobles, catholiques ou protestantes, se sentent seules capables de s'opposer à l'arbitraire royal. Le roi ne gouvernerait plus désormais avec quelques conseillers et s'appuierait sur la réunion régulière des états généraux. Mais nos modérés « contractualistes » n'avaient pas prévu que leurs chers états généraux, malgré le filtre opéré par la distinction des ordres, transmettraient la volonté du peuple catholique de demeurer catholique ; et de rejeter toute concession à l'« hérésie ».

L'édit de tolérance de 1576, si favorable aux protestants, avec sa liberté religieuse et ses huit places fortes accordées aux protestants, est rejeté. Les états généraux de 1576 se prononcent pour le retour à l'unité religieuse et l'abolition de l'édit de pacification. Le parlement de Paris érigera bientôt, en 1593, avec l'arrêt Lemaître comme loi fondamentale du royaume, l'obligation pour un roi de France d'être de confession catholique. La preuve est éclatante : le pays dans ses profondeurs ne veut pas de la tolérance à l'égard de la minorité protestante.

Les élites politiques changent dès lors leur fusil d'épaule. On ne peut pas à la fois désacraliser l'espace public et désacraliser le roi. On ne peut être tolérant que si on est fort. On ne peut échapper à un pouvoir absolu que dans le cadre d'une nation homogène. Sinon, les divisions politiques se figent en dissensions religieuses et se muent en guerre civile.

L'ordre seul fait la liberté

Ce sera le paradoxe français : seule la monarchie absolue permettra de sortir des guerres de Religion. L'ordre seul imposera la paix et la liberté. C'est la leçon d'une histoire si française que recueillera Charles Péguy dans une phrase qu'aimait tant à citer Charles de Gaulle : « L'ordre, et l'ordre seul fait en définitive la liberté. Le désordre fait la servitude. » C'est ce que n'a pas compris Catherine.

Les plus grands esprits de son temps seront plus lucides. Jean Bodin se convertit aux principes d'une souveraineté absolue, dans son maître livre *Les Six Livres de la République*, paru en 1576. De son réduit bordelais, Michel de Montaigne, apôtre de la tolérance religieuse et même d'un certain indifférentisme détaché, a tiré de l'épreuve les mêmes leçons absolutistes : « Les lois se maintiennent en crédit, non parce qu'elles sont justes, mais parce qu'elles sont lois. C'est le fondement mystique de leur autorité. »

La messe est dite. La fameuse messe d'Henri IV. Le massacre de la Saint-Barthélemy est un tournant décisif de cette histoire, mais on ne sut pas tout de suite vers quelle direction. Les protestants, tout à leur douleur, ne comprennent pas que leur rêve d'un royaume de France huguenot a péri avec leurs milliers de morts. L'historienne Arlette Jouanna l'affirme sans ambages : « La Saint-Barthélemy a scellé l'anéantissement définitif de l'espoir nourri par les réformés de convertir tout le royaume à leur foi. La France ne sera pas protestante. Avant la tragédie, ce constat n'apparaissait pas évident. » Ils étaient deux millions en 1560. À la fin des guerres de Religion, ils ne sont plus qu'un million.

Les protestants ont perdu. Les catholiques n'ont pas gagné. Tout à leur joie mauvaise, ces derniers ne comprennent pas que l'image du message évangélique de leur Église en sera à jamais entachée. Catherine de Médicis et Charles IX, tout à leur tentative désespérée de sauvegarder l'image d'une « nation française devenue partout odieuse », ne devinent pas que leur politique et même leur dynastie, « échantillon pourri du gros sang des Valois », vomi par le poète Agrippa d'Aubigné, sont condamnées par l'Histoire. La mort de Charles IX, à 24 ans, en constitue le premier signe annonciateur. Son visage couvert de sang par la tuberculose est l'« ire de Dieu flamboyante sur son visage » ; c'est le sang de la Saint-Barthélemy qu'il rejette ; le roi aurait confié à son chirurgien Ambroise Paré (huguenot protégé pendant la Saint-Barthélemy) qu'il était hanté par des « faces hideuses et couvertes de sang ».

« Qu'on les tue tous et qu'il n'en reste aucun pour me le reprocher »

La France restera catholique. Elle ne deviendra pas protestante. La France sera une monarchie et non une république. Un royaume unitaire et non une fédération de cantons autonomes. Ce fut la manière française d'entrer dans la modernité. Mais nous ne pouvons pas apprécier justement la mesure de ces enjeux sans nous déprendre de la vision des protestants que nous ont légué le souvenir sanglant de la Saint-Barthélemy et l'historiographie républicaine et anticléricale du XIXe siècle. Les protestants en minorité pacifique, persécutée et exilée ; les protestants en nouvelle « synagogue hérétique », en « petit reste d'Israël » ; on les appelle aussi les « marrabets », c'est-à-dire des marranes qui, à l'instar des Juifs, retournent leurs persécutions en signe d'élection divine ; les protestants en propagateurs privilégiés du progrès, du capitalisme et de la démocratie ; les protestants rationalistes et humanistes en proie à la passion meurtrière de catholiques intolérants et fanatiques.

Dans ce chromo pour enfants délurés de la modernité, Catherine de Médicis tient le mauvais rôle, celui que lui ont accolé à la fois les pamphlétaires huguenots et Voltaire, qui fait feu de tout bois pour écraser l'infâme : « Le plus grand exemple de fanatisme fut celui des bourgeois de Paris qui coururent assassiner, égorger, jeter par les fenêtres, mettre en pièces, la nuit de la Saint-Barthélemy, leurs concitoyens qui n'allaient pas à la messe. » Cette vision univoque sera institutionnalisée par les historiens républicains du XIXe siècle et l'école de Lavisse et Ferry, qui, à la suite de Rousseau et des révolutionnaires, n'eurent de cesse que de dénoncer non sans raison l'influence excessive et pernicieuse des femmes, épouses ou maîtresses ou mères, sur nos rois.

Catherine de Médicis coche toutes les cases de la « légende noire » d'une époque misogyne, patriote et progressiste. Elle est femme, catholique, étrangère. Elle est la Florentine retorse qui tend ses pièges. L'étrangère entourée d'Italiens sans scrupules pour occire les « bons François ». La mère harpie qui harcèle son fils Charles IX, trop faible pour résister à ses injonctions criminelles, jusqu'à ce qu'il s'écrie : « Qu'on les tue tous et qu'il n'en reste aucun pour me le reprocher. » Alexandre Dumas l'accusera même d'avoir empoisonné la reine de Navarre, Jeanne d'Albret, et son fils Charles IX. Même ses rares laudateurs, comme Gabriel Naudé, au XVIIe siècle, et surtout Honoré de Balzac, au XIXe, alourdiront encore malgré eux les charges requises contre elle, en la glorifiant comme l'ultime et courageux rempart de la raison d'État et de l'unité du royaume en butte à la subversion démocratique et libérale qu'annonçait l'émergence de la foi réformée.

Cette « légende noire » est devenue au fil du temps un lieu commun ; elle a l'heur de convenir aux héritiers des huguenots, à la doxa dominante, aux politiques, aux médias et aux intellectuels ; même l'Église catholique, après avoir longtemps résisté et tenté en vain d'allumer des contre-feux, d'évoquer les exactions de catholiques par les protestants, dont la fameuse « Michelade » – le massacre des catholiques nîmois en 1567 –, a fini par céder et s'y soumettre en faisant repentance pour la Saint-Barthélemy, le 24 août 1997.

Cette vision a toutes les vertus ; elle souffre d'un seul défaut : l'anachronisme. Un anachronisme né avec et par la Saint-Barthélemy. Un anachronisme qui est avant tout le produit d'une époque et d'un état d'esprit particulier de nos élites nationales. À partir du déclin du Roi-Soleil, au début du XVIIIe siècle, et surtout de la défaite de Waterloo, nos élites bourgeoises incarnées par l'anglophile Guizot, mais aussi par la République franc-maçonne des Jules, sont convaincues que le déclin relatif de la France face à l'émergence victorieuse des puissances protestantes, Angleterre et Prusse, vient de son obstination coupable à demeurer fidèle à sa vieille foi catholique et d'avoir refusé de prendre le tournant protestant.

« Il n'était pas fils de bonne mère qui n'en voulait goûter »

Personne n'a plus brillamment résumé cet état d'esprit de nos élites qu'Ernest Renan, dans sa fameuse *Réforme intellectuelle et morale*, rédigée dans la fièvre de la défaite des armées françaises face aux armées prussiennes lors de la guerre de 1870 : « La France a voulu rester catholique ; elle en porte les conséquences. Le catholicisme est trop hiérarchique pour donner un aliment intellectuel et moral à une population ; il fait fleurir le mysticisme transcendant à côté de l'ignorance ; il n'a pas d'efficacité morale ; il exerce des effets funestes sur le développement du cerveau. Un élève des jésuites ne sera jamais un officier susceptible d'être opposé à un officier prussien ; un élève des écoles élémentaires catholiques ne pourra jamais faire la guerre savante avec des armes perfectionnées. Les nations catholiques qui ne se réformeront pas seront toujours infailliblement battues par les nations protestantes. »

La France a voulu rester catholique, regrette Renan ; mais il s'en est fallu de peu. La « nouvelle religion » a d'abord bénéficié de l'engouement pour la nouveauté. Le protestantisme est à la mode. On se presse pour écouter ses prêcheurs itinérants. Leur raideur puritaine séduit les femmes, leur attachement aux textes flatte les érudits. Le protestantisme est un retour aux sources, à la lettre pour revivifier l'esprit ; c'est un fondamentalisme qui rassure tous les esprits inquiets et troublés par les bouleversements de l'époque, de l'imprimerie à la découverte de l'Amérique. Selon Blaise de Monluc, « il n'était pas fils de bonne mère qui n'en voulait goûter ». C'est la religion des grands, des riches, des intelligents, des lettrés. Des *happy few*, aurait dit Stendhal.

À Paris, la séparation correspond à une opposition de classes qui sera décisive lorsque le petit peuple de Paris aura l'impression que le temps du pillage est enfin autorisé par le roi. C'est la foi dont il faut être. Les huguenots ne sont pas exempts d'intolérance ni d'arrogance. Ils sont convaincus qu'ils vont supplanter la vieille foi romaine comme le christianisme est devenu le nouvel Israël. Ils accablent de leur mépris les prêtres ignares et le peuple inculte qui leur reste fidèle. Ils couvrent de sarcasmes le faste indécent des papes et des Églises et n'hésitent pas à renouer avec la fureur destructrice des iconoclastes, brisant vases sacrés et images saintes. Le fondamentalisme huguenot fascine mais irrite aussi les derniers esprits rétifs. Ronsard adjure ainsi un ami protestant :

« Ne prêche plus en France une Évangile armée

Un Christ empistollé tout noirci de fumée
Qui comme un Mahomet va portant en la main
Un large coutelas rouge de sang humain. »

Même Montaigne s'agace du refus obstiné des protestants de donner à leurs enfants « ces anciens noms de nos baptêmes, Charles, Louis, François, pour peupler le monde de Mathusalem, Ézéchiel, Malachie, beaucoup mieux sentant de la foi[1] ». Après la Saint-Barthélemy, ce politique, pourtant fort modéré, confiera à ses amis : « Il le fallait faire[2]. »

La politique pacificatrice et tolérante de Catherine est interprétée par les élites protestantes, mais aussi par le peuple catholique, comme une soumission à cette inexorable destinée huguenote du royaume de France. Le soin qu'elle manifeste à tout propos, même quelques heures après avoir ordonné l'exécution de « Coligny et des huguenots de guerre », de séparer le bon grain de l'ivraie, de distinguer les querelles politiques des questions religieuses, de dénoncer la rébellion des chefs huguenots sans jamais mettre en cause l'« hérésie », laisse à penser aux catholiques que le roi est coupable de collusion avec l'ennemi ou prisonnier de mauvais anges gardiens. Qu'il faut le protéger de ses mauvaises fréquentations ou de sa faiblesse. C'est pourquoi, au matin du 24 août, le peuple de Paris entrera en scène avec une fureur décuplée par le sentiment d'être abandonné par le roi et la volonté irrépressible de se faire justice soi-même, puisque l'État a renoncé à la rendre.

Catherine aura sa revanche. Mais pas de son vivant. C'est son fils préféré, Henri III, qui la dépouillera de son pouvoir et de son influence. Malade, percluse de rhumatismes, elle n'en poursuivra pas moins un périple à travers le pays pour y prêcher la paix, la concorde et la réconciliation. En vain. Henri III ne la préviendra même pas lorsqu'il décidera l'exécution du duc de Guise, alors même qu'elle s'efforçait

1. *Essais*, I, XLVI.
2. Cité par Arlette Jouanna, *Montaigne*, Gallimard, 2017.

de le rapprocher de la Couronne. En 1589, elle meurt de pleurésie, désespérée, car elle a enfin compris que sa politique avait échoué et que sa famille devait passer le flambeau royal aux Bourbons. Catherine de Médicis entre alors dans un long purgatoire historique. La « légende noire » durera des siècles.

« Un crime d'amour »

Mais depuis quelques années, tout s'est retourné. Tout ce qui lui valait les foudres des historiens et des romanciers du passé est désormais mis à son crédit : elle est une femme, une étrangère, s'entoure de ses compatriotes, fait la guerre pour sauver la paix, massacre par faiblesse, cherche sans fin la conciliation, la concorde, la paix. Les historiens contemporains sont comme les chefs des partis politiques ou les patrons des grands groupes : ils sont en quête de femmes et de diversité. Ils sont prêts à tout pour embellir l'image de leurs rares, toujours trop rares protégées. Un historien, revenant sur son destin tragique, parle même de la Saint-Barthélemy comme d'un « crime d'amour[1] ». Certains décèlent aussi avec finesse son étonnante modernité.

En privilégiant sans cesse la lutte politique contre la subversion huguenote tout en épargnant la religion réformée, la reine mère porte en germe la dissociation entre l'ordre spirituel et l'ordre temporel qui fonde notre modernité libérale et laïque. Mais cette vérité royale de la raison d'État était trop intolérable aux catholiques les plus ardents ; et sera toujours méprisée par les protestants qui cherchent à l'utiliser pour imposer leur loi. Nos historiens contemporains constatent qu'Henri IV et Richelieu mettront en œuvre la politique voulue par Catherine de Médicis ; mais ils le feront en position de force et non de faiblesse. Ils mèneront une politique de tolérance religieuse après avoir conforté la sacralisation de la monarchie absolue. Au contraire de la démarche pacifiste de Catherine.

1. Denis Crouzet, *La Nuit de la Saint-Barthélemy*, Fayard, 1994.

On comprend mieux alors la découverte récente des grands mérites de la Florentine, longtemps vouée aux gémonies historiques. L'arrivée tonitruante d'une nouvelle religion, l'islam, sur le sol de France nous ramène, aux questions de cette période de guerre des Religions, aux conflits, aux subversions, au fondamentalisme religieux et à l'État dans l'État, à son prosélytisme ardent et à ses places fortes désormais banlieusardes, à ses ingérences étrangères sur un pouvoir faible, à ces prénoms coraniques « beaucoup mieux sentant de la foi » comme disait Montaigne. Nos élites politiques, médiatiques, intellectuelles, économiques ressemblent toutes à Catherine. Elles ont ses faiblesses et ses naïvetés. Ses tabous et ses totems. Son machiavélisme de pacotille et sa profonde naïveté. Son mépris du peuple et son incompréhension de ses sentiments profonds. Sa fascination devant la menace qui entreprend la subversion du pays et sa pusillanimité face à ses menées. Catherine, c'est eux, Catherine, c'est nous, Catherine, c'est notre époque. Nous sommes tous des Catherine de Médicis.

Notre avenir noir est écrit avec les lettres rouges du sang de son passé.

Deuxième partie

LE TEMPS DE LA GRANDEUR

Richelieu

Touché, coulé

Le tableau est aussi célèbre que le peintre est oublié. On n'y voit que du rouge, celui de la robe du Cardinal qui semble envelopper tout le reste de la toile, la mer, les navires, et même la digue, pourtant gigantesque avec ses rondins massifs qui se dressent comme des canons, devant un Richelieu hiératique et martial, botté jusqu'à mi-cuisses et l'épée au côté. À le voir, on comprend mieux le célèbre discours de la méthode du Cardinal : « Je n'ose rien entreprendre sans y avoir bien pensé ; mais, quand une fois j'ai pris ma résolution, je vais droit à mon but, je renverse tout, je fauche tout, et ensuite, je couvre tout de ma robe rouge. »

Je passais alors les nuits enfiévrées de mon enfance avec Alexandre Dumas qui me contait le siège de La Rochelle à travers les exploits de trois mousquetaires, qui, à quatre épées habiles et quatre cœurs ardents, repoussaient les assauts des Anglais, et l'amour intrépide et imprudent de Buckingham pour une reine ayant quelques soucis avec ses ferrets. J'étais ferré moi aussi, mais Alexandre Dumas me parlait d'amour et de chevalerie alors qu'on y enterrait celle-ci et qu'on interdisait celui-là. La France moderne naissait sous mes yeux et on me cachait tout.

DEUX MODERNITÉS

L'affrontement de deux modernités s'apprêtait en ce début de XVIIe siècle à se partager l'Europe et le monde. La modernité protestante s'était élancée la première : celle de l'imprimerie et des cités marchandes, des marins et des financiers, celle des Provinces-Unies et de l'Angleterre, qui précède et annonce leur grande sœur américaine encore dans les limbes ; où une austérité calviniste ou anglicane et une vertu affichée y dissimulent une cupidité sans limites et de grandes inégalités de conditions. La modernité catholique avait tardé à répondre, mais elle finit par trouver ses marques, la contre-réforme avec le baroque pour le style, et la monarchie absolue pour le politique. Les deux modernités se jaugent et se toisent. Les oligarchies protestantes se griment en humbles bourgeois tandis que les bourgeois catholiques se parent des atours des aristocrates.

Richelieu était un catholique de stricte obédience et de grande foi, « mais qui considérerait la religion en homme d'État, et la politique en homme religieux », selon la belle formule de Louis de Bonald. Entre les protestants et Richelieu, ce n'est pas une querelle théologique, même si le Cardinal n'a jamais renoncé à les ramener vers la « vraie foi » ni à réconcilier les calvinistes avec l'Église catholique ; c'est une guerre politique : Son Éminence dénonce toujours la « faction huguenote » et non l'hérésie. Richelieu ne mène pas une guerre de religions, mais un combat pour la restauration de l'État. À sa mort, le prêtre lui demandera s'il pardonne à ses ennemis ; réponse impérieuse jusqu'au trépas : « Je n'en ai jamais eu d'autres que ceux de l'État. »

La bataille essentielle se joue en France. L'alliance de la féodalité qui ne veut pas mourir et de la république huguenote qui tarde à s'imposer ébranle le royaume. Près de deux siècles plus tard, en 1789, cette association de l'antique et du neuf, de l'archaïque et du moderne, de la nostalgie féodale et de la dynamique libérale abattra la monarchie absolue. Un siècle auparavant, elle avait accouché en Angleterre de la *Glorious Revolution* et du régime parlementaire britannique. Elle a déjà un modèle qui fait rêver tous les Coligny d'Europe : la république des Provinces-Unies de Guillaume d'Orange. Mais, en France, cette association que l'on croit irrésistible tombe sur un os avec une robe rouge. Que Richelieu livre au bourreau la tête des plus grands noms du royaume, Chalais ou Montmorency, ou assiège La Rochelle, c'est le même combat, celui qui élimine tous les obstacles sur la route de la centralisation monarchique. Une alliance du roi et du tiers état qui prépare – sans le savoir – l'avènement de la République une et indivisible ; « Notre royaume de France », dira Péguy, qui devinait tout. La France ne sera jamais une monarchie tempérée par les libertés aristocratiques.

On a coutume aujourd'hui de considérer que l'édit de Nantes, en 1598, a achevé les guerres de Religion ; et que le bon roi Henri, de son charme paternel, a calmé les esprits échauffés avec une poule au pot du dimanche. Si l'édit de Nantes a figé la situation dans les glaces, la banquise a continué de se déplacer au profit des protestants. L'édit de Nantes n'a pas vidé la querelle, elle l'a envenimée. L'édit de Nantes accordait de nombreuses places fortes aux huguenots, à l'ouest et dans le sud de la France. La Rochelle en est la principale mais pas la seule. C'est à la fois un port, une cité commerçante et une forteresse. Les huguenots s'y affairent dans tous les sens du terme. Ils veulent faire de cette ville la capitale d'un réseau de cités protestantes. Ils se proclament « bons Français » en négociant une alliance avec l'Angleterre. Ils lèvent des impôts et des soldats. Une assemblée générale de religionnaires réunie à La Rochelle, en dépit de l'édit de Nantes, qui l'interdit, et malgré la défense du roi, se constitue en organe permanent le jour de Noël 1620. Le petit peuple huguenot s'endurcit au grand effroi des bourgeois qui, craignant le courroux royal, demeurent fidèles à la Couronne. Les villes protestantes ferment leurs portes. On y persécute et pourchasse les catholiques ; on distribue des armes et des mousquets, on lève des milices et on roule des canons qu'on appelle par dérision des « chasse-messe » ; on brocarde le roi qu'on surnomme « Louiset lou cassaire » ! Sous la houlette de La Rochelle s'édifie une sorte de réseau de petites Républiques fédératives et décentralisées, qui forme un État autonome au sein du royaume de France. Un peuple dans le peuple et un État dans l'État.

Le chancelier Brûlart de Sillery confie son inquiétude aux ambassadeurs vénitiens : « Je ne sais ce qui va advenir de nous. Le mal est dans notre sang, dans nos entrailles. Les huguenots ont formé un corps qui préjudicie à l'autorité du roi et qui lui enlève le sceptre de la main. À La Rochelle, ils font leur assemblée, sans permission, dressent des statuts, établissent des impôts, prélèvent de l'argent, constituent ces milices, construisent des fortifications, comme si le roi n'existait pas et comme s'ils étaient seuls maîtres absolus. »

Même si d'aucuns relativisent aujourd'hui les assauts protestants, Michelet, qu'on ne peut pourtant soupçonner d'être hostile aux réformés, écrit : « Les protestants se montraient chaque jour plus menaçants. Ils réclamaient les armes à la main l'exécution de ce dangereux édit de Nantes qui laissait subsister une République dans le royaume. »

Une illusion dangereuse

La France a failli tourner protestante à plusieurs reprises. Il s'en est fallu de peu. La vague était très haute. La Saint-Barthélemy l'a repoussée mais ne l'a pas brisée ; la conversion d'Henri IV au catholicisme ne fut qu'une pause, une halte, ultime hésitation du destin. À la veille de sa mort, il s'apprêtait à lancer une croisade protestante contre la maison d'Autriche ; la France aurait rameuté les princes allemands, le roi de Suède, sans oublier les Provinces-Unies et pourquoi pas l'Angleterre dans une guerre à mort contre la domination de la maison d'Autriche ; les huguenots y voyaient l'occasion rêvée de faire basculer tout le pays dans la religion réformée. Qu'en pensait le bon roi Henri lui-même ? Une nouvelle apostasie ne l'aurait pas effrayé, lui qui avait l'habitude de faire de sa confession la variable d'ajustement de ses intérêts politiques. Cet arrière-plan religieux explique les soupçons portés jusqu'à aujourd'hui à l'encontre des Espagnols et de l'Italienne Marie de Médicis. Mais le mystère autour des commanditaires de son assassinat nous importe finalement assez peu : l'assassinat d'Henri IV donna carte blanche à Marie de Médicis et à son mentor ramené d'Italie, le sulfureux Concino Concini, pour élaborer un discret mais efficace renversement des alliances. D'où le mariage du jeune Louis XIII avec l'Espagnole et très catholique Anne d'Autriche.

Faible comme toute régente, Marie de Médicis concède malgré tout la réunion des états généraux en 1614, dont il ne sort rien. Le tiers état reste fidèle à la monarchie traditionnelle. Nous ne sommes pas encore en 1789.

Comme beaucoup de catholiques, le futur cardinal Richelieu est convaincu que l'équilibre pacifique établi par l'édit de Nantes est une illusion dangereuse : « Les bons Français se plaignaient de voir une république dans la monarchie, et ne pouvaient souffrir sans douleur que nos rois ne fussent pas absolus dans l'État[1]. » En dépit du patriotisme affiché de la plupart des figures protestantes, le risque de dislocation du royaume est alors craint par de nombreux observateurs français et étrangers. L'État a trop reculé, trop cédé, trop tergiversé ; et les huguenots se sont trop enhardis. Le roi hésite. La dissidence de La Rochelle paralyse la politique étrangère de la France et rend son monarque muet. Le sort de l'Europe se joue sans lui. Il est face à un dilemme qu'on appellera bientôt « cornélien » : soutenir les huguenots contre les Habsbourg alors que les Turcs menacent la chrétienté ou soutenir la maison d'Autriche et risquer de soumettre la France à la puissance dominante en Europe. Louis XIII en vient à aider l'empereur des Habsbourg contre la révolte des États protestants de Bohême, par analogie à celle de La Rochelle ; même Marie de Médicis, très procatholique, n'était jamais allée aussi loin.

---

1. Jean-François Senault, *De l'usage des passions*, 1641.

Richelieu commence à lui faire entendre sa petite musique, qu'il codifiera dans son testament politique : la vraie grandeur d'un roi n'est pas « à pouvoir et à faire tout ce qu'on veut », mais « à vouloir ce qu'on doit » ; « il faut être fort par raison et non par passion ». Il applique les préceptes de Machiavel et sa distinction entre morale privée, qui se soumet à Dieu et au message du Christ, et la morale publique, qui ne se soumet qu'aux réalités et aux rapports de force ; et met en garde contre les monarques qui veulent mêler les deux : « Beaucoup se sauveraient comme personnes privées, qui se damnent en effet comme personnes publiques. » Il impose peu à peu la notion de « bien de l'État » qui récupère l'idée chrétienne de « bien commun » et prépare l'avènement de la formule laïcisée d'« intérêt général ».

L'IMPOSSIBLE DESTIN HUGUENOT DE LA FRANCE

C'est la chute de La Rochelle qui enraiera définitivement le destin huguenot de la France. Le protestantisme fut tué du même coup, au moins comme parti politique. Mais à l'époque, religion et politique, c'est tout comme. Richelieu le sent, le comprend, bien décidé à l'accomplir. Quel qu'en soit le prix. Le siège de La Rochelle aura coûté en dix-huit mois une quarantaine de millions de livres, soit une année de budget ordinaire de l'État ! Sur les vingt-huit mille habitants que comptait la ville, il n'en survivra que cinq mille quatre cents. Richelieu prend tous les pouvoirs. Il supprime la charge de connétable et celle d'amiral de France. Il devient surintendant général de la Navigation. Il ordonne sous prétexte d'économie la réduction des pensions et la démolition des forteresses. Il isole La Rochelle de la mer par une prodigieuse digue de mille cinq cents toises.

La famine s'installe. En mai, un cortège de femmes et d'enfants tente de fuir. Les troupes royales les repoussent épée en avant. On se nourrit d'ânes et de mulets, de chiens, de chats, de coquillages. On remplace le pain par un mélange de paille et de racines de chardon. La duchesse de Rohan fait abattre les deux chevaux de son carrosse ; les soldats mangent leurs bottes et leurs ceintures. Les femmes se prostituent pour un quignon de pain.

Le maire de la ville, Jean Guiton, homme toujours vêtu de noir, intègre et courageux, incarne la résistance farouche d'une cité sous l'emprise des pasteurs fanatisés. Guiton et son aréopage refusent de céder alors même que Richelieu leur fait savoir qu'il ne les privera pas de leur liberté de culte. Il tient dans sa main un couteau dont il menace tous ceux qui seraient tentés de céder ; il s'obstine, car il est persuadé que les Anglais viendront le sauver. Il a fait alliance avec le roi d'Angleterre, Jacques Ier ; et n'ignore rien de la détermination du Premier ministre, Buckingham.

À trois reprises, la marine anglaise a lancé l'assaut et chaque fois, les marins français l'ont repoussée. La marine britannique n'est pas encore l'invincible Navy qu'elle deviendra près de deux siècles plus tard avec Nelson, pour le plus grand malheur de Napoléon. Pourtant, Buckingham a mis les moyens. Le 27 juin 1627, la flotte anglaise avait quitté Portsmouth et cinglé vers les côtes françaises. Quatre-vingt-dix-huit navires, cinq escadres, quatre mille marins et huit mille soldats. Buckingham compte délivrer La Rochelle pendant que le duc de Soubise soulèverait les huguenots dans le midi de la France. Les Anglais se prétendent abusivement protecteurs des droits des protestants en France quand les Français n'hésitent pas à revendiquer la défense des droits des catholiques en Angleterre.

Au-delà des questions religieuses mises en avant, l'affrontement est économique. Richelieu a l'intention de créer une flotte, de développer des compagnies de commerce à monopoles et de conquérir des bases coloniales. L'Angleterre veut d'abord se débarrasser des Hollandais qui ont fait d'Amsterdam une « économie urbaine survoltée[1] » ; ils n'ont pas envie de voir débarquer de nouveaux concurrents. Buckingham préfère prévenir que guérir, tuer dans l'œuf les ambitions

1. Fernand Braudel, *Civilisation matérielle, économie et capitalisme, XVe – XVIIIe siècle*, Armand Colin, 1979.

maritimes et coloniales de la France. Les Français ne cèdent pas ; ils en ont assez d'être toujours en retard : en retard sur les Espagnols, sur les Italiens, sur les Portugais, sur les Hollandais ; et maintenant sur les Anglais. Les commerçants et les marins de toute l'Europe se sont rués sur les richesses du Nouveau Monde tandis que les Français, peuple de paysans, cultivaient leur jardin ; seule la guerre de course, entre héroïsme et piraterie, celle de Jean Bart et plus tard de Surcouf, éveille les passions et le talent français en mer. Louis XIII sera contraint de prendre un décret garantissant aux aristocrates qu'investir dans le commerce maritime ne comporte aucun risque de dérogeance[1] ; et de promettre un anoblissement aux roturiers qui s'y aventurent. L'État doit s'occuper de tout. Il met sa puissance militaire au service des intérêts économiques du pays ; mais déjà le poids de la bureaucratie parisienne pèse vite sur la nécessaire agilité commerciale.

La bataille autour de La Rochelle est la première passe d'armes sur mer entre Français et Anglais. Les Français la gagnent sans imaginer que ce sera l'exception qui confirme la règle. C'est un combat à mort qui s'engage pour la domination de l'Europe et du monde. Un combat à mort entre deux nations qui doivent briser l'autre pour régner seule. Un combat à mort qui s'achèvera par la victoire totale des Britanniques. Une nouvelle guerre de Cent Ans. « Telle est la nature des Anglais, écrit Richelieu à son ambassadeur à Londres, que si l'on parle bas avec eux, ils parlent haut, et que si on parle haut, ils parlent bas. » On croit déjà lire Napoléon ! En 1642, Louis XIII et Richelieu, tous deux moribonds, trouvent la force de créer la Compagnie de l'Orient, qui offre le monopole du commerce sur Madagascar et les alentours. Mazarin et Colbert souhaiteront eux aussi arracher à l'Angleterre l'« empire des mers ». En 1660, ils créeront la Compagnie de Chine. De grands personnages, Bossuet, le prince de Conti, le frère de Nicolas Fouquet, n'hésiteront pas à y investir. En 1664, Colbert fondera la Compagnie française pour le commerce des Indes orien-

1. Code Michau, 1629.

tales, sur le modèle des Compagnies hollandaise (VOC) et anglaise (East India Company). Il faut, écrit-il, « empêcher que les Anglais et les Hollandais n'en profitassent seuls ». La rivalité est à la fois commerciale et religieuse. Militaire et idéologique.

La Rochelle incarne le cœur du paradoxe français : pour sauvegarder l'unité politique du royaume, la France liquide son meilleur atout dans la bataille commerciale qu'elle livre à l'Angleterre. Cette nation de paysans catholiques et qui entend le rester sacrifie sa plus belle cité de marchands huguenots. Pour arrêter l'engrenage infernal et suicidaire des guerres de Religion, la monarchie sacralise le pouvoir politique ; mais « si le pouvoir d'État est défini comme issu de la puissance divine, l'unité de l'État ne peut être assurée et le roi de France et son principal ministre ne peuvent accomplir leur devoir que s'ils rétablissent l'unité catholique du royaume[1] ».

Le conflit entre protestants et catholiques est plus et moins qu'une guerre de religions ; le salut des âmes n'est pas seul en jeu ; il en va aussi de la conception du monde. Comme l'a finement analysé Carl Schmitt, il y a un lien logique entre la mer, le protestantisme calviniste, le commerce et le libre-échange, le constitutionnalisme et le parlementarisme, le capitalisme et l'idéologie des droits de l'homme. *A contrario*, l'État, la terre et le catholicisme romain, la nation et les frontières vont ensemble. À partir du règne d'Elizabeth (1558-1603), l'Angleterre entame une révolution inouïe : le pays d'éleveurs de moutons, qui envoyaient leur laine aux drapiers flamands, se transforme en une nation de corsaires et de pirates qui écument les mers. La reine bénit les héros comme Francis Drake. Elle engage victorieusement le combat contre la puissance mondiale catholique du moment, l'Espagne, en écrasant la grande Armada (1588). Elle accorde en 1600 les privilèges commerciaux à la Com-

1. Jörg Wollenberg, *Les Trois Richelieu, servir Dieu, le Roi et la Raison*, Guibert, 1995.

pagnie anglaise des Indes orientales, qui offrira plus tard à l'Angleterre l'Inde tout entière. Le butin venu de partout enrichit l'Angleterre comme jamais en son histoire. Des milliers d'Anglais font comme leur souveraine et deviennent des *corsairs capitalists.*

Dans le passé, il y avait déjà eu des puissances maritimes qui assuraient leur suprématie sur la mer, comme Athènes ou Carthage, Byzance ou Venise. Mais le cas de l'Angleterre est unique et exceptionnel : « Elle a véritablement transposé toute son existence collective de la terre à la mer. Ce qui lui permit non seulement de remporter de nombreuses guerres et batailles navales, mais aussi de gagner autre chose, en fait infiniment plus : une révolution. Une révolution d'envergure, celle de l'espace planétaire[1]. » Walter Raleigh, un de ces grands navigateurs anglais, favori d'Elizabeth I, expliquait alors sans ambages à sa souveraine : « Qui tient la mer tient le commerce du monde, tient la richesse du monde ; qui tient la richesse du monde, tient le monde lui-même. »

Le protestantisme calviniste donne un souffle religieux et idéologique à ce projet hégémonique. La théologie de la prédestination peut être interprétée en termes d'aujourd'hui comme l'assurance d'une nation d'élite, sûre de sa supériorité et de son bon droit à dominer le monde. Les huguenots français participent pleinement de ce mouvement. Leur ennemi naturel est l'Espagne catholique ; leur allié naturel, l'Angleterre. Quel que soit leur attachement sincère à la monarchie française, ils sont des membres actifs de la guerre inexpiable que le protestantisme calviniste mondial mène contre le catholicisme romain mondial. Le choix français de rester catholique implique inéluctablement le conflit avec les huguenots. La sacralisation de l'État dans le cadre de la monarchie absolue pacificatrice conserve la France dans le camp de la Terre. L'historien François Bluche note que Louis XIV, acculé par les défaites de la guerre de Succession

1. Carl Schmitt, *Terre et mer*, Le Labyrinthe, 1985.

d'Espagne, put rassembler la nation entière dans un appel à la mobilisation générale qui sauva son royaume, parce que la révocation de l'édit de Nantes avait auparavant ressoudé le trône, l'autel et le peuple. Sans oublier l'armée.

Richelieu, puis Colbert après lui, se retrouvent dans une nasse : ils ont fort bien compris l'importance de la marine et du commerce international dans la nouvelle guerre des puissances, mais ils ne peuvent imiter les Anglais, sous peine de saper les fondements de la monarchie française, de la paix civile et de l'unité nationale.

Les droits des protestants commencent d'être rognés dès la fin du règne de Louis XIII ; la route est toute tracée vers la révocation de l'édit de Nantes par Louis XIV, en 1685. Celle-ci, souhaitée et approuvée par l'immense majorité des Français, alignera à peu près la France sur le modèle des monarchies européennes, toutes bâties autour du célèbre triptyque : « une foi, une loi, un roi ». L'édit de Nantes avait été une erreur, mais sa révocation en sera une plus grande encore. La chute sanglante de La Rochelle sauve l'unité du royaume et rétablit sa souveraineté, mais les dragonnades sont une tache indélébile sur l'éclat du soleil royal. Les historiens contemporains en ont fini avec le mythe longtemps colporté de l'affaiblissement économique du pays ; il n'en demeure pas moins que les exilés transporteront leur savoir-faire et leur éthique du travail – et leur haine du roi de France – chez les puissances qui seront nos plus redoutables adversaires au XVIIIe siècle : Pays-Bas, Angleterre, Prusse. La chute de La Rochelle restaure et exalte la puissance de la monarchie française et, en même temps, prépare, au siècle suivant, l'émergence d'une opposition libérale à cette monarchie absolue qui, au nom de la tolérance et de la liberté, finira par l'abattre.

La chute de La Rochelle sonne la fin des guerres de Religion, la confirmation de la souveraineté française et l'entrée résolue du royaume dans l'ère moderne. La fin des libertés municipales et des privilèges des villes. La fin des féodaux. La fin de la France médiévale. À une multitude de tyrans succède la seule autorité du roi. Les grands ont compris le message. Richelieu a acquis la confiance définitive du monarque. Tout passe par lui, tout est décidé par lui. Louis XIII avait pourtant eu du mal à s'habituer à ce prélat impérieux et roide : « Le roi avait de l'antipathie pour un homme dans lequel il semblait pressentir un maître », note un Michelet sagace. Les querelles, les bouderies, les désaccords entre les deux hommes ne cesseront jamais. Pour La Rochelle, Richelieu plaida en vain pour la clémence, tandis que le roi exigeait la destruction de toutes les fortifications de la ville. Les survivants criaient « Pitié, pitié ! », et à leur grande surprise, ce fut le Cardinal qui tendit l'oreille la plus compatissante. N'en déplaise à notre fastueux Dumas, le plus déterminé, le plus impitoyable, le plus implacable n'était pas, dans le couple composé du roi et du Cardinal, celui qu'il mit complaisamment en scène.

Les conséquences coururent tout au long du siècle jusqu'à la révocation de 1685. Richelieu avait détruit les protestants comme parti politique ; mais il leur avait laissé leurs parlements, leurs synodes, une partie de leur organisation intérieure. Il comptait s'appuyer sur eux. Il s'imaginait vainement les ramener à la religion catholique par la persuasion. Louis XIV dépensa beaucoup d'argent et crut avoir réussi ; on le lui dit, et il le crut. Comme le note avec finesse François Bluche, dans son plaidoyer pour Louis XIV, « seul un Louis XIII pouvait en son temps, abolir les clauses de Nantes en évitant l'horreur de celles de Fontainebleau. On peut dire qu'il a laissé à son fils un cadeau empoisonné [...]. Mais cela ne convenait point au cardinal de Richelieu, soucieux de ménager les princes protestants de l'Empire. Parmi les responsables de la Révocation, il ne faut donc jamais oublier Louis XIII et son ministre ».

Toute l'Europe avait regardé le siège de La Rochelle comme un enjeu majeur pour le continent. Louis XIII pouvait savourer en novembre 1628 son entrée dans la cité rebelle et défaite. Il faisait célébrer une messe « dans la Rome du protestantisme ». Il renoua ostensiblement avec le rituel de la guérison des écrouelles, comme pour mieux signifier la sacralité de sa personne à l'arrogante cité qui avait osé remettre en cause ses pouvoirs thaumaturgiques.

On parlerait français, on penserait français, on raisonnerait français

Cette victoire de Richelieu redonna à la France son rôle central en Europe. Le roi de France parla de nouveau haut et fort ; put reprendre sa politique traditionnelle de bascule contre les Habsbourg. Richelieu engagea sa grande politique européenne, que poursuivit brillamment son meilleur héritier, Mazarin, par le traité de Westphalie de 1648 : arracher l'Allemagne aux Habsbourg. « Tout réunir en France, tout diviser en Allemagne », voici la leçon qu'on ferait désormais à chacun de nos dauphins, chacun de nos rois, pour donner une paix française à l'Europe.

Dans cette « République européenne » des cours, des diplomates, des grands esprits et des grands noms, on parlerait français, on penserait français, on raisonnerait français. On sortirait définitivement du sentimentalisme archaïque de la chrétienté du Moyen Âge pour se soumettre à la raison de fer des États-nations qui n'ont ni alliés éternels ni ennemis éternels, que des intérêts éternels à défendre. La France croit alors avoir imposé son hégémonie politique, militaire et culturelle. Le XVIIe siècle sera sien. Le siècle du seul « Roi », tandis que les autres monarques ne sont que des rois. Le siècle de la grandeur et de la raison. De l'ordre qui prévaut sur le désordre. De la communion catholique sur la liberté protestante. De l'Europe sur le monde. De la terre sur la mer. Un « équilibre » européen qui a la clarté de la langue française et qui doit garantir l'hégémonie française sur le continent européen. Jusqu'à ce qu'il soit contesté, corrodé, et enfin renversé, par des Anglais qui sonneront la revanche éclatante du protestantisme du Nord sur le catholicisme romain, de l'Empire sur l'État-nation. De la mer sur la terre.

Les Français ont gagné une bataille ; ils ignorent alors qu'ils perdront la guerre.

Bossuet

Un dieu, un maître

Que connaît notre époque de Bossuet ? Rien. Que veut-elle en savoir ? Rien. Qu'en penserait-elle si elle en savait quelque chose ? Que du mal.

Bossuet est de ces personnages du passé que nous avons jetés aux oubliettes de l'Histoire. Nous l'ignorons sans regret et le détestons sans le connaître. D'instinct. Bossuet est tout ce que nous ne sommes pas ; il défend tout ce que nous rejetons ; il admire tout ce que nous abhorrons. Entre nous et lui, le quiproquo est radical : il voit l'anarchie où nous voyons la démocratie ; il décèle l'anomie où nous ne voulons voir qu'une chimérique liberté. « Où tout le monde peut faire ce qu'il veut, nul ne fait ce qu'il veut ; où il n'y a point de maître, tout le monde est maître ; où tout le monde est maître, tout le monde est esclave. »

On a retenu qu'on le surnommait « l'Aigle de Meaux » en se demandant comment on a pu associer un oiseau royal à un trou perdu comme Meaux. Nous en avons conservé quelques formules éparses, « Madame se meurt, madame est morte », traces enfuies d'une éloquence que l'on nous dit sublime et inégalée, et qui nous rebute ou intimide à due proportion. Nous sommes prêts à concéder de la beauté à la prose de Bossuet, mais sans le lire, comme Cicéron ou Démosthène, autres grands orateurs d'une langue morte.

Bossuet sermonnait dans des églises que nous avons désertées. Il exaltait la grandeur d'une monarchie absolue que nous avons guillotinée. Il érigeait un devoir d'obéissance : « Il faut obéir sans murmure, puisque le murmure est une disposition à la sédition », quand le seul devoir que nous tolérons est celui de la désobéissance. « Sauf quand le prince commande contre Dieu », ajoutait-il ; nous avons décrété la mort de Dieu après celle du prince.

Il légitimait la loi salique qui écarte les femmes de la succession royale parce que les femmes dont le sexe est « né pour obéir » se font « un maître en se mariant », tandis que nous avons retourné l'antique soumission, sanctifié l'« égalité entre les femmes et les hommes » et fait de l'accès des femmes à tous les pouvoirs l'insurpassable symbole de la supériorité de notre modernité.

Bossuet nous surprend et nous choque

Bossuet n'est pas de cette Église contemporaine qui confond œcuménisme et confusionnisme, qui a renoncé à prêcher les Évangiles au profit d'une bouillie syncrétique empruntant à toutes les religions, qui ne voit plus dans l'Autre un pêcheur à sauver, mais une différence à vénérer, et dans l'Islam, non plus cette hérésie chrétienne longtemps dénoncée, mais une « religion d'amour, de paix et de tolérance ». Bossuet nous surprend et nous choque. Il n'a ni ces complaisances, ni ces lâchetés, ni ces renoncements : « L'Islam ! Cette religion monstrueuse a pour toute raison son ignorance, pour toute persuasion sa violence et sa tyrannie, pour tout miracle ses armes, qui font trembler le monde et rétablissent par force l'empire de Satan dans tout l'univers. »

Nous aimons tout ce qui n'est pas lui, tout ce qui fut avant lui, tout ce qui fut contre lui. Avant lui, il y avait eu Descartes et son *Cogito*, Pascal et son pari, Port-Royal et ses ruines, Corneille et son dilemme. On aime cette génération de Louis XIII, assez fière pour ne pas être servile, assez libre pour être individualiste, frères de cœur d'Athos ou d'Aramis, et dont la foi parfois fervente ne semble s'embarrasser ni d'Église ni de hiérarchie. On les aime parce que dans notre ignorance crasse, et notre prétention sans égale, on a l'impression qu'ils nous ressemblent. Nos derniers érudits leur savent gré d'avoir préparé, forgé le « Grand Siècle français », sans avoir eu le temps d'en connaître les dérives courtisanes ou belliqueuses. On aime surtout ses successeurs, les enfants rebelles de Bossuet, surtout Fénelon, l'évêque pacifiste qui osa dire à Louis XIV que les pauvres crevaient de faim dans son royaume ; on s'entiche de l'aristocrate exilé de la cour par le vieux monarque valétudinaire et vindicatif, et qui se gausse de son ancien maître, « l'Aigle de Meaux », pétrifié en moineau courtisan picorant dans la main de son maître.

Bossuet est un catholique issu de la Contre-Réforme. Il incarne une Église qui résiste encore à la « protestantisation » du catholicisme, sans honte de la roideur intolérante de son passé ni de la munificence de ses rites. Il n'a pas dissuadé le roi d'abolir l'édit de Nantes tant il était sûr, comme les dix-neuf millions de catholiques français d'alors, que la religion prétendument réformée était une hérésie ; convaincu, comme tous les prêtres, que l'examen personnel des textes sacrés était un sacrilège ; et persuadé, comme la plupart des sujets du Grand Roi, que la solidarité huguenote était le paravent d'une intelligence déloyale avec nos ennemis les plus redoutables, Hollandais et Anglais. Il n'a pas dit comme Claudel : « La tolérance, il y a des maisons pour ça », mais il aurait pu le penser. « Ceux qui ne veulent pas souffrir que le prince use de rigueur en matière de religion parce que la religion doit être libre, sont dans une erreur impie... Ce n'est pourtant qu'à l'extrémité qu'il faut en venir aux rigueurs, surtout aux dernières. » Dans sa controverse avec Pierre Bayle sur la tolérance, nous nous souvenons surtout des « rigueurs extrêmes », des conversions forcées, des violences des dragons de Louvois, des maisons pillées, brûlées, des familles disloquées, martyrisées, des exils interdits et forcés à la fois.

Essayons de nous glisser un instant dans la tête de notre grand prélat. Le protestantisme est une attaque frontale contre l'unité du royaume et contre l'Église. C'est d'ailleurs ainsi que Luther a commencé, en brisant l'unité religieuse et donc politique du Saint Empire, et en contestant la vente des « indulgences » par la papauté pour financer la construction de la basilique Saint-Pierre de Rome. Or, l'Église est sans doute le plus admirable produit politique, mais aussi artistique et culturel, bref civilisationnel, issu du catholicisme. Selon le mot célèbre d'Alfred Loisy : « On attendait le Christ, c'est l'Église qui est venue. » Et comme l'écrit Régis Debray : « La foi est une déception surmontée et l'Église, une administration raisonnée de la déconvenue. » Indispensable Église : Luther l'abat, mais Calvin en bâtit aussitôt une autre. Pour Bossuet, la France devait être catholique ou calviniste, mais pas entre les deux.

Pourtant la révocation de l'édit de Nantes et la marginalisation du protestantisme furent pour l'Église catholique française une victoire à la Pyrrhus.

Il y aura dans l'Histoire de France un avant et un après Bossuet. « La majorité des Français pensait comme Bossuet ; tout d'un coup, les Français pensent comme Voltaire : c'est une révolution », affirme Paul Hazard dans *La Crise de la conscience européenne.* Le paradoxe négligé par notre époque simplificatrice est que Voltaire pensait autant de bien de Louis XIV que Bossuet. Mais Voltaire fut aussi le plus célèbre, même si Montesquieu fut le plus profond, de ces « philosophes » qui mirent à la mode le régime parlementaire britannique. Notre psyché politique n'a guère varié depuis ces années-là. Pour nous, l'Angleterre est le modèle insurpassable ; pour Bossuet, c'est l'antimodèle. Pour nous, c'est la *Glorious Revolution* qui impose le régime parlementaire en 1688, que nous essayons vainement d'imiter, en 1789 comme en 1830. Pour Bossuet, le contre-exemple anglais est la révolution de 1642, le roi Charles Ier Stuart, décapité en 1649, l'anarchie dans le royaume, la dictature de Cromwell. Parce qu'il eut lui aussi tant de mal à fermer une parenthèse révolutionnaire autrement plus dévastatrice, Napoléon louera Bossuet, ainsi que

Corneille, parce qu'ils entrent « à pleines voiles d'obéissance dans l'ordre établi de leur temps ».

C'est depuis lors une constante de notre Histoire. Chaque fois qu'un de nos « hommes providentiels », de Napoléon à de Gaulle, en passant par Louis Napoléon Bonaparte ou Clemenceau, a repris par les cheveux le destin du pays au bord du gouffre, il est revenu à l'enseignement de Bossuet : concentration et sacralisation du pouvoir. « Voyez un peuple immense réuni en une seule personne, voyez cette puissance sacrée, paternelle et absolue ; voyez la raison secrète qui gouverne tout le corps de l'État, renfermée dans une seule tête : vous voyez l'image de Dieu dans les rois, et vous avez l'idée de la majesté royale. »

La synthèse française des racines juives, chrétiennes, grecques et romaines

Napoléon remplacera Dieu par la gloire de ses armes, et de Gaulle par le suffrage universel. Bossuet, c'est la France telle que la définit encore sans peur ni reproche le général de Gaulle : « Nous sommes avant tout un peuple de race blanche, de religion chrétienne et de culture gréco-romaine. » Bossuet réussit dans une langue d'une pureté inégalée la synthèse française du quadrilatère européen des racines juives, chrétiennes, grecques et romaines. Quand il écrit une histoire universelle à l'intention du jeune Dauphin, il relate sans se lasser les hauts faits et méfaits du peuple juif. Voltaire se moquera plus tard de cet univers réduit au « petit » peuple juif, qui ignore les innombrables Chinois ! Mais Bossuet n'est pas aussi inculte que Voltaire feint de le croire. Son « peuple juif » est un emblème, un résumé de l'histoire de tous les peuples. Il est une parabole, dans la grande tradition de la monarchie française, de celui qui l'a remplacé comme peuple élu : le peuple français. Ses fautes sont les siennes, ses convulsions et ses tourments, ses divisions et ses reniements, ses gloires aussi. « La monarchie est la forme de gouvernement la plus commune, la plus ancienne et aussi la plus naturelle. Le peuple d'Israël s'y réduisit de lui-même, comme étant le gouvernement universellement reçu… Jamais on n'est plus uni que sous un seul chef ; jamais aussi on n'est plus fort, parce que tout va en concours. »

Bossuet connaît ses classiques. Il a lu et tiré profit de la *Politique* d'Aristote. La philosophie grecque et l'histoire romaine irriguent sa pensée, et éclairent son récit du destin juif. Dans la bibliothèque de notre prélat trône en majesté *Le Léviathan* de Hobbes, en plusieurs éditions. Bossuet l'a annoté avec soin. L'éloge d'un pouvoir absolu, seul capable d'assurer la paix civile, ne pouvait que séduire l'admirateur de Louis XIV, qui avait connu les troubles de la Fronde.

Il en tire une synthèse fine et originale. Comme beaucoup à l'époque, il fait sien le présupposé fameux d'Aristote : « L'homme est fait pour vivre en société. » Mais le chrétien qu'il est avant tout ne peut oublier que le péché originel a brisé l'harmonie initiale. La sociabilité humaine, établie par tant de « liens sacrés » a été détruite et saccagée par les passions. Aristote mène à Hobbes par la grâce de Bossuet : l'homme est devenu « un loup pour l'homme ». Chacun veut s'imposer à son voisin ; la désunion et la violence sont partout, à moins que chacun accepte d'y renoncer et que tous se soumettent ensemble à un pouvoir unique, qui aura le monopole légitime de la force.

La monarchie de Bossuet est absolue et unitaire, mais « paternelle » et soumise à la raison ; en aucun cas arbitraire. Bossuet n'a pas de mots assez durs pour cette « forme barbare et odieuse » de gouvernement, « volonté dépravée de disposer à son gré et, indépendamment de la loi de Dieu, qui est celle du royaume, des biens, de l'honneur, de la vie d'un sujet ». La monarchie absolue respecte les droits naturels des hommes, créatures de Dieu, et en particulier le droit de propriété. Bossuet n'est pas l'ancêtre de Robespierre, encore moins de Staline. Bossuet cesse alors de suivre Hobbes, et son pouvoir sans limites, pour rejoindre Jean Bodin et sa monarchie légitime. Bossuet façonne le « despotisme éclairé » avant que le XVIIIe siècle n'invente le mot. Comme le notera le grand historien François Bluche, on fera gloire à Frédéric II de Prusse de ce qu'on reprochera à Louis XIV.

Bossuet est l'anti-Montesquieu. Il ne veut ni séparation des pouvoirs, ni contre-pouvoirs. « Le seul vrai contrepoids de la puissance du roi, c'est la crainte de Dieu. » Bossuet est l'anti-Voltaire, et ne souffre pas de « tolérance » : « Il n'est point d'État, point d'autorité publique sans religion, même fausse. » Mais la monarchie absolue chère à notre prélat n'est pas très catholique non plus. Il élude la contradiction entre la doctrine de l'Église, qui affirmait que tout pouvoir vient de Dieu par l'intermédiaire du peuple, et l'absolutisme français du droit divin, qui tire directement son pouvoir de Dieu. On devine de quel côté il penche. La monarchie absolue de Bossuet est avant tout française ; et ne souffre aucune ingérence étrangère, même au nom de la religion. En 1682, une assemblée de trente-cinq évêques, dont Bossuet était l'âme, décida que « le pape n'a d'autorité que dans les choses spirituelles, que dans ces choses même les conciles généraux lui sont supérieurs, et que ses décisions ne sont infaillibles qu'après que l'Église les a acceptées ».

Il y a une grande différence entre un monarque qui craint Dieu et un tyran qui n'a ni Dieu ni maître : pendant le « grand hiver » de 1709, alors que la famine guette nombre de ses sujets, Louis XIV donne des ordres impérieux à ses intendants pour la contenir et la réduire, tandis que Staline, plus de deux siècles plus tard, organisera lui-même une famine en Ukraine pour abattre l'opposition au régime communiste. L'un craint pour le salut de son âme, et s'interroge sur le bien-fondé de ses choix, comme dans une tragédie de Racine, tandis que l'autre se gausse à la manière d'un héros de Dostoïevski : « Un mort, c'est un crime, un million de morts, c'est une statistique. »

Le pouvoir est une charge, pas un « job », comme le prétendait Nicolas Sarkozy. Le pouvoir n'est pas un plaisir d'hédoniste, mais un sacrifice de stoïque.

Du haut de sa chaire, avec toutes les précautions oratoires d'usage, Bossuet ne cesse de dénoncer les amours illégitimes du monarque, mais aussi et surtout la soif insatiable de gloire du Roi-Soleil. Il convoque l'histoire sainte et l'histoire profane, les grands rois d'Israël et Jésus-Christ pour rappeler à son orgueilleux souverain que « si la plupart des vices combattent la charité, celui de la vaine gloire combat la foi : les autres détruisent l'édifice, celui-ci renverse le fondement même[1] ». Bossuet contient la gloire du roi par la gloire divine ; compense la désacralisation de la société entraînée par l'émergence d'une monarchie administrative grâce au souffle inspiré des Saintes Écritures ; comble le retrait du religieux de la sphère politique, opéré depuis la fin des guerres de Religion, par le rappel de la morale chrétienne.

Bossuet est à la fois le premier soutien du monarque et l'opposition à Sa Majesté. Il mesure l'offense faite à la morale chrétienne par la religion de la gloire royale. Il tente d'éviter l'irrémédiable séparation entre foi religieuse et obéissance politique, qui emportera au siècle suivant et la religion et la monarchie. C'est encore un paradoxe français du Grand Siècle : un monarque de droit divin, mais qui tient sa couronne directement de Dieu, et non de l'Église, va accoucher de la divination de l'État, qui peu à peu s'émancipera de la figure tutélaire du monarque[2].

Notre époque ne comprend plus ou rejette Bossuet ; ne comprend plus ou rejette l'alliance sociale et idéologique qui s'est nouée entre le roi et la bourgeoisie, entre l'État et le tiers état. L'alliance sociale et idéologique qui a fait la France. Bossuet est d'une famille de magistrats, bourgeois anoblis ; il n'est pas un aristocrate de vieille branche comme Fénelon. Ses ancêtres n'étaient pas avec les chevaliers qui

1. « Sermon pour la profession de Madeleine-Angélique de Beauvais », 1667.
2. Voir l'article de Ran Halévi, « Louis XIV : la religion de la gloire », *Le Débat*, n° 150, 2008.

entouraient Godefroy de Bouillon à la croisade ; il est l'héritier des Suger, Guérin, Nogaret, Bodin, Colbert, hommes d'Église ou hommes de loi qui ont imposé le pouvoir royal à des élites rebelles, à grands coups de sermons ou d'édits.

La monarchie absolue fut le seul moyen que ces grands serviteurs de la France aient trouvé pour éviter à notre pays le sort funeste de la Pologne, qui, avec sa noblesse valeureuse mais querelleuse, toujours en proie aux guerres intestines, toujours au bord de la rébellion, toujours au bord de la trahison, sa noblesse au fond si « française », créa une sorte de République nobiliaire, avec un roi élu par un collège de féodaux tout-puissants, qui finit par être découpée et partagée par des voisins voraces. La Pologne, c'est la sœur jumelle de la France, la sœur malheureuse, la sœur au destin brisé, la sœur fantasque, la sœur utopique, la sœur qui refuse de sacrifier ses libertés aux roides nécessités de l'édification de l'État, la sœur qui croit découvrir les trésors de la *Res publica* sans se soumettre aux rigueurs hiérarchiques de la monarchie absolue et héréditaire.

La Pologne, c'est une France où Cinq-Mars aurait eu la tête de Richelieu, où les frondeurs auraient vaincu Mazarin et mis Louis XIV sous la tutelle du cardinal de Retz et de la Grande Mademoiselle. C'est une France où l'Église aurait pris ses ordres à Rome et non à Versailles. La Pologne, c'est la sœur qui fascina les Lumières et sur laquelle Rousseau et d'autres se penchèrent ; la sœur qu'on aurait aimé être ; mais la sœur qu'on laissa dépecer sans oser un geste, à plusieurs reprises, en 1772 et 1792, sans un mot de reproche à ses bourreaux, ni à Frédéric II de Prusse ni à Marie-Thérèse d'Autriche, et encore moins à la tsarine Catherine II, ces chers amis de nos philosophes humanistes et progressistes. La Pologne disparut pendant plus d'un siècle et ne réapparut qu'en 1919. La Pologne, ou notre éternel remords ; une sœur qu'on a longtemps regardée avec la commisération de l'aînée plus raisonnable et plus prudente, qui a évité les grandes catastrophes de l'existence.

Mais nous avons oublié depuis lors les leçons de cette Histoire tragique. Nous parons les libertés héritées du Moyen Âge des oripeaux de l'indépendance ; nous aimons leur esprit rétif à tout pouvoir, leur hostilité à toute administration, ce goût des anciennes franchises, ce que les Anglo-Saxons appellent le « constitutionnalisme médiéval. » Notre modernité progressiste a redécouvert les charmes surannés de la féodalité que Bossuet et ses contemporains étaient soulagés et fiers d'avoir dissipés.

La France saborde son État, son homogénéité culturelle et l'unité de son peuple

Les sœurs jumelles jouent désormais à fronts renversés. Instruite par ses malheurs, la Pologne ressuscitée protège comme un joyau précieux son unité ethnique, religieuse et culturelle, seule garante de son intégrité territoriale et politique. Ignorant les leçons du passé et oubliant les vertus de son Histoire, la France saborde son État au nom de la liberté, son homogénéité culturelle au nom des droits de l'homme, et l'unité de son peuple au nom de l'universalisme ; elle sacralise à son tour une République imaginaire, une République sans peuple ni nation, une République de principes et de valeurs sans ordre ni incarnation, sans hiérarchie ni verticalité.

Tandis que la Pologne a fait siennes les leçons de notre Bossuet, la France d'aujourd'hui poursuit les chimères de la Pologne d'hier.

Racine

Soft power

Jean Racine n'était pas un garçon sympathique. Un ambitieux, un arriviste, un parvenu, un bourgeois anobli, un bourgeois gentilhomme. Un libertin qui tourne bigot. Un amant exalté et trompé des plus belles actrices de son temps, qui finit en ennuyeux père de famille nombreuse. Un courtisan servile dont Louis XIV lui-même est incommodé par l'excès d'encens ; après que son historiographe officiel lui eut lu un des éloges qu'il avait rédigés à sa gloire, le Roi-Soleil le moucha : « Je vous louerais davantage si vous m'aviez moins loué. »

Cet enfant grandi et éduqué à Port-Royal ne défend guère ses anciens maîtres lorsque la main de fer du monarque s'abat sur eux. Racine trahit Molière, qui a pourtant joué ses premières pièces dans son théâtre du Palais-Royal, pour se précipiter chez ses rivaux de l'hôtel de Bourgogne. Il provoque la polémique avec le vieux Corneille pour se faire connaître. Il se pose en s'opposant, il sait qu'on se grandit en rivalisant, qu'on écrit contre avant d'écrire pour. Sophocle a écrit contre Eschyle, Pascal contre Montaigne ; Racine écrira contre Corneille. Après eux, il y aura Voltaire et Rousseau, Proust et Céline, Aragon et Drieu la Rochelle, Sartre et Camus. On se jalouse, on se défie, on s'affronte, on s'invective ; mais en secret, on s'admire et se respecte. Le jeune Racine passe des heures à décortiquer les vers de Corneille, comme jeune écolier studieux il s'escrimait à traduire Tacite, Virgile, Suétone ; souvent, il les réécrit, parfois, il n'ose y toucher, inscrivant en marge son admiration. Sa vénération. Il envie le naturel enjoué de Molière et l'élégance hiératique et rocailleuse de Corneille.

Racine veut façonner une synthèse de ses deux glorieux aînés. Il est à la recherche d'introuvables oxymores : un naturel cérémonieux, une humble grandeur, une sensualité contenue. Son ami Boileau lui a donné en modèle la sublime simplicité du début de la Genèse : « Dieu dit : que la lumière se fasse et la lumière se fit. Que la terre se fasse et la terre fut faite. »

Racine est l'homme des intrigues resserrées. La règle des trois unités est pour lui un bienfaisant corset qui magnifie son style à l'économie, tandis que Corneille y étouffe et semble jamais n'y pouvoir tenir enfermé. Racine, c'est l'Italie sans le baroque, l'Allemagne sans la lourdeur, l'Angleterre sans la froideur. C'est une langue faite de toutes les langues et qui les résume toutes. Une langue française faite de toutes les langues qui ont fait la France. Une langue universelle pour dire l'universel. La langue des lignes droites, pures, des eaux limpides. La langue des traits épurés, des frontières. Racine est le Vauban de la poésie.

Le bon goût emprisonne et affadit la littérature

Sainte-Beuve considérait que la « netteté » avait fait son apparition entre « la fin de La Bruyère ou de Fénelon et les débuts de Jean-Jacques ». La langue française « devint la langue du parfait honnête homme avec Pascal ». S'édifie alors une forme impérissable de la sobriété occidentale qui se corrompt très vite. Elle se restreint et s'étouffe déjà sous les courtes phrases de Voltaire. Dès le XVIIIe siècle, le bon goût emprisonne et affadit la littérature. Voltaire envoie les pièces de Shakespeare au cardinal de Bernis pour qu'il en rie. Madame du Deffand juge le style de Saint-Simon « abominable ». Elle se gausse : « Ce n'est pas un homme d'esprit. »

Au milieu et au sommet, il y a Racine. « L'honnête homme s'est promené autour du vide entre deux chaises », s'émeut l'auteur italien Roberto Calasso dans son livre *La Ruine de Kasch.* Racine ne sera ni égalé ni imité, et n'aura pas d'héritiers. Le XVIIIe ne comprend rien à la féroce cruauté désespérée, presque nihiliste, du dramaturge janséniste, qui, suivant les leçons de Port-Royal et de Pascal, fait de l'intelligence une duperie, et de la raison une illusion. Le XVIIIe siècle n'admire et n'imite que son souci du naturel car, entre-temps, l'honnête homme a perdu la foi et, avec elle, une part de sa grandeur. Même Talleyrand l'avouera en un rare remords : « Il n'y a rien de moins aristocratique que l'incrédulité. »

Racine écrit pour des actrices qui sont aussi ses maîtresses, la Du Parc ou la Champmeslé. Elles sont ses choses, ses créatures ; elles n'ont plus que ses mots pour parler, claquent ses rimes pour respirer ; elles sont sous alexandrins, retiennent ses vers comme des larmes. Il est Dieu, il est le Verbe, il est le souffle divin qui parle à travers leurs bouches délicates. Boileau observe qu'il y a une femme en lui. Corneille note avec ironie qu'il est plus doué pour la poésie que pour l'action. Molière se revanche en le parodiant. Ses personnages sont des amoureux avec « trop de vers », comme on reprochera à la musique de Mozart d'avoir « trop de notes ». L'art de Racine n'est pas assez viril ; on raille sa langue féminine. Ces héros masculins sont fades : « Tendres, galants, doux et discrets », se moquera Voltaire. Trop touchants pour être virils. On oppose le mâle héros cornélien en quête de gloire à l'héroïne racinienne en quête d'amour.

On se méprend. L'amoureux de l'amour n'est pas celui qu'on croit. Dans la tradition chevaleresque héritée du Moyen Âge, la femme a troqué sa position d'objet de conquête pour celle de maîtresse dominatrice et exigeante. L'amour courtois a fait du chevalier le vassal de sa dame ; il renonce à la supériorité que lui donne sa force pour se mettre au pied et au service de sa maîtresse. Il est son captif, dit-on au XVIIe siècle. Sa passion est dévouement et sujétion volontaire. Les personnages cornéliens sont les derniers héritiers de cette tradition courtoise. L'amour est leur maître exigeant bien plus que la gloire ; et il leur faut déployer des trésors d'héroïsme pour le repousser et le faire céder. Rien de tel chez Racine. L'amour n'est pas dominateur mais esclave de sa fureur ; il n'est plus dévouement à la personne adorée, mais passion égoïste, cruelle, implacable, volonté de possession jalouse. Passion aveugle qui se connaît mal. Passion aveugle qui est tout instinct. Passion aveugle qui conduit au désastre.

Racine est l'élève des moralistes de son siècle plus que des troubadours du XIIIe siècle : « Si l'on juge de l'amour par la plupart de ses effets, il ressemble plus à la haine qu'à l'amitié[1]. » Les héros cornéliens doivent encore se justifier pour renoncer à l'amour. Leurs successeurs raciniens ne s'embarrassent pas d'arguties ni de plaidoyers grandiloquents ; ils vont à l'essentiel, au naturel ; se soumettent au mouvement le plus fort, étranger à toute morale. Les rois et les princes amoureux renoncent plus volontiers à leur trône ou à leur ambition dans Corneille que dans Racine. Racine utilise les mots et les postures de Corneille pour mieux les détourner et retourner. Il caricature l'héroïsme pour mieux révéler sa fausseté, pour mieux le faire mentir, pour mieux le nier.

À l'Académie, on parie pour savoir qui des deux auteurs incarnera le « génie français » dans la postérité. On se gausse du « galimatias » de Racine. On l'accuse de multiplier les équivoques, de compliquer la langue à l'excès. On critiquera toujours la pauvreté de l'action de ses pièces. Il déteste la mode des machines que le public aime tant. Il privilégie l'action simple sans coups de théâtre ni effets, pour que le spectateur écoute chaque tirade comme si c'était la dernière, la plus belle. Il aimerait tant qu'on se rende au théâtre comme on va à l'Église. Il rêve d'une tragédie sans action comme Flaubert rêvera d'un roman « presque sans sujet...

1. François de La Rochefoucauld, *Réflexions ou Sentences et Maximes morales,* 1664.

Un livre sur rien, un livre sans attache extérieure, qui se tiendrait de lui-même, par la force interne de son style... ». Il va déclamer ses vers dans le parc des Tuileries comme Flaubert scandera sa prose dans son « gueuloir ».

Il contemple le roi et cette « grande nation » qui se lève avec et à travers lui : le roi en est l'épée et le sceptre ; il en sera la langue. Sans l'épée, la langue demeure dialecte ; mais sans la langue, l'épée reste muette. Dans trois siècles, des Américains malins prétendront avoir inventé ce que Louis XIV et Racine pratiquaient tous les jours dans leur cabinet versaillais : l'alliance irrésistible du *hard* et du *soft power.*

On dit que le roi, depuis qu'il a vu son *Britannicus*, a décidé de ne plus danser. Il est un souverain grave et guerrier. Pas un danseur. Pas une fille. Racine non plus. Il va le montrer avec un éclat insoupçonné. On lui apprend que Corneille écrit l'histoire de Titus et Bérénice. Il choisit de le défier sur son terrain. Pour l'achever, pour en finir. Il laisse tomber son travail en cours, lit et relit Suétone : « Parce que Rome s'opposait à leur mariage, Titus dut renvoyer Bérénice chez elle, *inuitus inuitam* (malgré lui, malgré elle). »

Racine ne sortira pas de cette épure. Il sera plus cornélien que Corneille. C'est chez lui que l'amour s'effacera devant le devoir, que la passion cédera devant la loi. Tandis que son vieux rival s'emmêle les vers dans des querelles et rivalités amoureuses, lui va droit au but tracé par Suétone, et enchaîne son récit à l'inéluctable renoncement de Titus, au nom de la raison d'État. L'amour est grand et intense, mais doit s'incliner devant la loi de Rome. Titus aime Bérénice et Bérénice aime Titus ; mais Rome interdit à tout empereur d'épouser une princesse étrangère. Bérénice est juive et Titus, après qu'il eut détruit le temple de Jérusalem et rapporté dans ses bagages les trésors qui s'y trouvaient, entend succéder à son père, Vespasien. Et Titus régner.

« Rome, par une loi qui ne se peut changer.
N'admet avec son sang aucun sang étranger.

Et ne reconnaît point les fruits illégitimes.
Qui naissent d'un hymen contraire à ses maximes[1]. »

LE TRIPTYQUE VIRIL DE RACINE VAINCRA

La loi, l'État, la raison. Racine tient son triptyque viril. Il ne le lâchera pas. Sa victoire sera totale, implacable, indiscutable. Le *Tite et Bérénice* du vieux Corneille ne sera joué que trois fois, quand les spectateurs viendront pleurer au *Bérénice* de Racine sans se lasser. Lorsque la Comédie-Française sera instituée par ordonnance royale, en octobre 1680, la troupe royale choisira *Bérénice* pour ses premières représentations, avec dans le rôle phare la Champmeslé.

Le roi lui-même suivra la *vox populi* et exigera à Versailles devant la cour « sa » représentation. La Princesse Palatine décrira dans sa correspondance le trouble imperceptible saisissant Louis XIV qui revivait ainsi sa propre histoire, sa propre jeunesse, ses propres tourments amoureux, et ses propres renoncements, alors qu'il s'était pris de passion pour Marie Mancini, la plus pétillante et virevoltante – même si elle était loin d'être la plus jolie – des nièces de son Premier ministre. Mais le cardinal Mazarin avait d'autres ambitions pour son élève royal et le Traité des Pyrénées de 1659 imposait le mariage avec l'infante espagnole. Le jeune Louis, tancé par le cardinal, et supplié par sa mère, s'inclina. Lors de leur tendre et déchirante rupture, la jeune Marie avait eu ce mot racinien : « Vous êtes le roi et vous pleurez. »

Racine n'avait eu qu'à mettre ses mots dans les siens. Il poursuivait ainsi un dialogue ininterrompu avec le roi. Il en exaltait les hauts faits sans celer ses faiblesses humaines ; il glorifiait son sacrifice, sa soumission aux lois fondamentales du royaume, ultime rempart contre la tyrannie, son sens des responsabilités attachées à la souveraineté et à la continuité de la monarchie et de l'État. Racine ne serait pas seulement

1. *Bérénice*, réplique de Paulin, acte II, scène 2.

le tragédien préféré du Roi-Soleil ni bientôt son historiographe énamouré, mais celui qui mettrait en harmonie les nouvelles conditions politiques et sociales imposées par le monarque avec l'imaginaire et la morale de l'époque. Il accorde le corps de la France avec son âme. Louis XIV a vaincu la Fronde et, à travers l'échec de cette ultime révolte des aristocrates et de leurs belles dames, il a achevé le Moyen Âge. Il est en train de faire entrer la France dans la modernité et de forger une société plus égalitaire, où la politique est interdite, car le temps de la rébellion aristocratique est passé, où l'héroïsme des grands va céder le pas à la majesté et où la règle s'impose à tous, même au héros.

Racine est le premier poète moderne, comme Louis XIV fut le premier roi moderne. Il est l'intermédiaire entre les héros d'hier et ceux de demain, entre la gloire militaire d'hier et la gloire littéraire de demain. Entre l'adoubement des soldats des siècles passés et le couronnement des philosophes du siècle prochain, lorsque, selon le mot célèbre de Tocqueville, les écrivains seront devenus les « principaux hommes politiques du royaume ». Alors, Madame de Pompadour expliquera à Louis XV que ce sont les grands écrivains qui ont forgé la gloire éternelle du Roi-Soleil ; et Voltaire, dans son superbe *Siècle de Louis XIV*, prétendra que son plus grand titre de gloire fut la spectaculaire promotion des gens de lettres.

Cette société neuve porte la marque des mots et des personnages de Racine, comme elle porte celle des jardins et des fontaines de Le Nôtre, des façades de Le Vau ou des peintures de Le Brun. Taine fut le premier à rapprocher les mœurs du théâtre racinien de celles de la cour de Versailles, et l'accord incontestable de l'architecture de l'œuvre racinienne avec l'étiquette, l'ordonnance et la pompe de la vie de cour : « Cet accommodement des vertus héroïques à l'atmosphère tempérée de la cour où il convenait que rien dans l'individu ne s'élevât de façon trop éclatante au-dessus du commun... La soumission de la noblesse s'était accompagnée dans l'ordre moral d'une dégradation des valeurs héroïques ; mais bien des restes persistent de l'ancien esprit, dont on conserve les éléments les moins inquiétants pour le pouvoir, les plus compatibles avec l'abdication du vieil orgueil… Les valeurs aristocratiques s'accommodent au temps sans se renier tout à fait[1]. »

Le personnage sympathique est Titus

Si nous nous sommes dépris de la thèse fameuse mais trop simple de Norbert Elias, qui nous avait naguère expliqué que la sociabilité moderne serait sortie toute casquée de la société de cour, et la courtoisie si française de la courtisanerie, Versailles fut tout de même le lieu de l'éducation de tout un peuple qui, à travers les comportements des courtisans aristocrates, eux-mêmes calqués sur le modèle du grand roi, fit l'apprentissage du contrôle de ses passions et de ses émotions, du rejet de la violence, confiée à l'usage exclusif de l'État, du refoulement des fonctions naturelles imposé par un sens plus aigu de la pudeur, de l'intériorisation de la morale, d'une plus grande maîtrise de soi, de la rationalisation de ses analyses et de ses réactions. On est passé d'une société d'ordres au pluriel à une société d'ordre au singulier. Les anciennes coutumes et fêtes médiévales dans les campagnes, les charivaris, les courses de taureaux sont jugées peu convenables. La foi catholique elle-même, sous l'influence des nouveaux curés formés par la Contre-Réforme, s'épure des reliquats du paganisme. La raison individuelle s'affirme au détriment de la sociabilité holiste de l'Ancienne France.

Bérénice scelle définitivement le pacte entre Racine et le roi, entre la tragédie racinienne et la société née de la monarchie absolue. Louis XIV est Titus et le Titus de Racine parle pour le roi :

« Je sais tous les tourments où ce dessein me livre,
Je sens bien que sans vous je ne saurais plus vivre,
Que mon cœur de moi-même est prêt à s'éloigner,

1. Paul Bénichou, *Morales du Grand Siècle*, 1948.

Mais il ne s'agit plus de vivre, il faut régner. »

Cet ultime vers, qui résumait l'impatience du jeune roi à gouverner par lui-même, notre époque ne le comprend plus. Elle ne comprend pas qu'au XVIIe siècle le personnage sympathique est Titus ; aujourd'hui, c'est Bérénice. Le romantisme est passé par là. À l'heure de la souveraineté limitée, partagée, ce n'est plus la souveraineté qui est absolue, mais l'hédonisme individualiste. L'homme de pouvoir veut vivre et aimer, et croit, le naïf, qu'il pourra régner aussi.

Nos contemporains rechignent à se soumettre aux lois de la nation et de l'État, mais ne tolèrent plus de ne pas se soumettre aux feux de l'amour. C'est la raison d'État qui s'incline devant les passions amoureuses. C'est ainsi, croit-on, que Racine est nôtre, quand il ne célèbre plus la gloire du Roi-Soleil, mais vante celle de notre époque féminisée. Tout réduire au sentiment, c'est cependant rendre Racine hémiplégique, c'est conserver la tendresse pour mieux en exclure la violence, c'est le confiner à sa part féminine, sans voir qu'elle ne peut s'épanouir que parce que la part virile la féconde, la domine, s'impose à elle pour mieux la sublimer. C'est le message de *Bérénice*, le message de Racine, le message du roi, le message du Versailles de Louis XIV, cour où les femmes sont reines, mais où le monarque guerrier est l'arbitre suprême.

Lire et comprendre et aimer et s'imprégner de la langue de Racine, c'est lire et comprendre et aimer et s'imprégner de la France ; c'est devenir un Français de toujours et l'être à jamais. La langue de Racine, c'est la langue de la France. Racine, c'est le sang de la France. Racine est davantage qu'un papier d'identité, plus qu'un passeport ; il est une intronisation, un adoubement. Par la grâce de ses vers comme d'autres de leur épée, Racine nous fait chevalier français. Il nous fait français. Le maître mot de la France au Grand Siècle n'était pas la raison, mais la gloire. La France, ce n'est pas la mesure, mais la grandeur.

La France, c'est Racine.

Saint-Simon

L'espion sublime

Monsieur le duc est un raté. Un raté de la politique, un raté de la cour, un raté de la guerre, un raté de la paternité, un raté du lignage. Un raté de tout. Il est petit, laid, méchant, teigneux, rancunier, jaloux et injuste. À Versailles, il loge longtemps dans un trou à rats. Il reproche au roi d'avoir trop aimé les bâtiments. Il est le seul à trouver le château de mauvais goût.

Il a failli être nommé ambassadeur à Rome à 30 ans à peine ; le roi s'est ravisé : les « perfides l'avaient trop loué », se console-t-il. Avant de s'interroger avec une rare fatuité : « Comment se disculper d'avoir de l'esprit et des connaissances ? » Le plus grand crime du Roi-Soleil à ses yeux est sans doute d'avoir dédaigné l'employer. Quand bien des années plus tard, il obtiendra du Régent une ambassade en Espagne, il s'y ruinera à force de munificence.

Saint-Simon est devenu à 16 ans mousquetaire du roi ; ne s'y plaît pas. Il est présent au siège de Namur, participe aux charges de cavalerie à Neerwinden ; ne supporte pas l'avancement d'officiers plus audacieux et plus doués et préfère dissimuler son aigreur derrière une condamnation du nouveau système de l'« ordre du tableau », mis en place à partir de 1675 par Louvois, après la mort de Turenne, dans l'intention de favoriser le mérite sur la naissance. Il abandonne l'armée en 1709, alors que la France subit de terribles revers. Cette année-là, après la sanglante bataille de Malplaquet, Madame Palatine écrit : « On ne voit à Versailles que bandages et béquilles. La cour n'est souvent qu'une antichambre de la mort. »

Louis de Rouvroy de Saint-Simon, gardien sourcilleux des privilèges de la vieille noblesse d'épée, fait mine d'ignorer que l'impôt du sang en est la seule justification. Tout à sa détestation du Roi-Soleil et de sa cour, le petit duc ne voit pas que les bals, les mascarades, les plaisirs amoureux, la chasse, qu'il brocarde tant, sont aussi le repos et la récompense du guerrier.

À peine rentré sur ses terres, Saint-Simon fulmine contre l'instauration du « dixième » et de la « capitation », impôts payés par tous les Français, refusant de soutenir à titre personnel l'effort de guerre de toute la nation, alors même que le pays est menacé d'encerclement, voire d'invasion. Sa foi religieuse, sincère et vibrante, pourrait le rapprocher du roi et surtout de la bigote Maintenon ; mais elle est entachée de jansénisme, puisque monsieur le duc se retire chaque mois à Trappes pour y retrouver la paix. Même son bonheur conjugal le rend ridicule aux yeux d'une cour qui ne connaît et n'affectionne que les amours illégitimes. Notre duc est un « gentleman-farmer » prospère, qui finira sur le tard maître des forges ; mais trop dédaigneux des réalisations matérielles, il n'en tirera pas honneur ou simple satisfaction.

La France veut le retour de l'ordre

La Régence aurait dû être la grande chance de sa vie. Il devient membre du conseil de Régence, une espèce de ministre d'État, mais refuse les Finances et les Sceaux, et deux fois la place de gouverneur du roi : « Un cœur droit, ami du bonheur public, craint de s'embarquer. » Saint-Simon est un personnage cornélien, un Cid de papier, de comédie, préférant l'honneur au pouvoir. Il est persuadé que ceux qui croient gouverner le sont par d'autres. Il affiche un cynisme désabusé et hautain pour mieux dissimuler son aboulie : « Le sort des choses publiques est presque toujours d'être gouverné par des intérêts particuliers » ; lui-même n'acceptera son ambassade à Madrid que pour faire d'un de ses fils un grand d'Espagne. Il se cache derrière les maximes du cardinal de Retz pour mieux justifier ses renoncements craintifs : « Il n'y a rien de plus fâcheux que d'être le ministre d'un Prince dont on n'est pas le favori » ; il est pourtant l'ami personnel, le confident du duc d'Orléans, qui tolère que monsieur le duc le morigène pour ses soirées libertines avec ses amis « roués » ou le gourmande parce qu'il ne fait pas ses pâques.

Le Régent se moque de lui, de sa bigoterie autant que de ses rêves de monarchie « tempérée ». Saint-Simon est désuet, archaïque, ringard : avec son petit cercle des disciples de Fénelon qui gravitent autour du duc de Bourgogne, il nous ressert le plat mal réchauffé de l'idéologie des ligues et de la Fronde, le retour des bigots et des féodaux, une réaction aristocratique mâtinée de charité chrétienne. Saint-Simon est le seul à ne pas comprendre que la France de Louis XIV s'est lassée de tout cela et même des états généraux. Elle veut avant tout le retour de l'ordre.

Saint-Simon est le contemporain de Voltaire, mais ne comprend rien à la liberté. Il est du même siècle que Rousseau, mais ne comprend rien à l'égalité. Il s'enflamme pour des tabourets qui ne sont pas sous les bons séants, mais ne dit pas un mot de la famine de 1693 qui réduisit la population française d'un million de personnes. Monsieur le duc de Saint-Simon est l'archétype du seigneur vaniteux et grincheux qui se réfugie dans un exil intérieur et cultive une nostalgie vaine pour des légendes de monarchie au bon vieux temps du roi Louis XIII (qui a fait de son père un duc) ou à l'âge d'or de Saint Louis. Sa haine du « règne de la vile bourgeoisie » préfigure la réaction nobiliaire de la seconde moitié du siècle qui emportera la monarchie dans la tombe révolutionnaire.

Tout tourne toujours mal pour lui. Il a gâché toutes ses bonnes cartes, n'a pas fait grand-chose de l'amitié du Régent ni de celle de deux ministres du roi, Chevreuse et Beauvillier, sans oublier le duc de Bourgogne. Il alimente le petit-fils de Louis XIV de projets de réforme du royaume pour rompre avec la monarchie centralisée et absolue ; approuve le pacifisme de Fénelon ; propose une sorte de Chambre des lords ; et, dans un texte qu'il n'ose signer, prend la défense des paysans.

Il croit toucher au but lorsque le Dauphin décède, en 1711. Saint-Simon décrit le spectacle de cette folle nuit où le fils de Louis XIV trépasse, dans des pages hallucinées, écrites d'une plume haletante, et même hoquetante : « La Faculté confondue, les valets éperdus, le courtisan bourdonnant, se poussaient les uns les autres, et cheminaient sans cesse sans presque changer de lieu… Madame de Maintenon, accourue auprès du roi et assise sur le même canapé, tâchait de pleurer… Il ne fallait qu'avoir des yeux, sans aucune connaissance de la cour, pour distinguer les intérêts peints sur les visages, ou le néant de ceux qui n'étaient rien : ceux-ci tranquilles à eux-mêmes, les autres pénétrés de douleur, ou de gravité, ou d'attention sur eux-mêmes pour cacher leur élargissement et leur joie… La joie, néanmoins, perçait à travers les réflexions momentanées de religion et d'humanité par lesquelles j'essayais de me rappeler ; ma délivrance particulière me semblait si grande et si inespérée, qu'il me semblait, avec une évidence encore plus parfaite que la vérité, que l'État gagnait tout en une telle perte. Parmi ses pensées, je sentais malgré moi un reste de crainte que le malade en réchappât, et j'en avais une extrême honte. »

Le duc de Bourgogne meurt avant d'avoir régné, un an après son père. Le petit duc se retrouve dans la peau de ces courtisans qui avaient tout misé sur le Dauphin et dont il avait analysé, avec une méchante satisfaction, les désillusions : « Ils perdaient tout après une longue vie toute de petits soins, d'assiduité, de travail, soutenue par les plus flatteuses et les plus raisonnables espérances, et les plus longuement prolongées, qui leur échappaient en un moment. »

Les contemporains les plus avisés ont compris et les historiens n'ont cessé de nous le répéter depuis : Louis XIV avait assigné à résidence les anciens frondeurs à Versailles pour mieux les surveiller et les contrôler ! Le roi préfère que Monsieur, son frère, s'occupe des rangs et de sa cour à Meudon plutôt que d'intriguer contre lui, comme au temps de son oncle et du cardinal de Retz.

Louis XIV a transformé les rebelles en courtisans, et, comme dit Chamfort, « les courtisans sont des pauvres enrichis par la mendicité ». Ils sont cependant heureux et même exaltés de servir le roi qu'ils admirent. Les courtisans ne le sont pas à plein temps. Ils cumulent les emplois et les fonctions. Les guerres incessantes de Louis XIV en font des soldats aguerris. Le petit marquis à ruban est un redoutable guerrier. Il perd beaucoup d'argent aux jeux de hasard : le hoca, la bassette, le reversi, le lansquenet ; mais Louis XIV ne contraint personne à jouer pour le ruiner et le tenir.

Contrairement à la légende, le roi ne retient pas tous les nobles dans sa cage dorée versaillaise. Le château ne peut pas accueillir plus de dix mille personnes, dont cinq mille nobles. Un sur vingt ! Les autres peuvent s'occuper de leurs terres. Versailles n'a pas provoqué la désertification des élites dont on parle sans cesse. Louis XIV ne voulait pas asservir les nobles, mais les voir servir : dans l'armée, dans l'Administration, dans la justice ou même dans le commerce de haute mer, mais toujours d'abord au service du pays. Louis XIV n'est pas un despote oriental ; l'étiquette à la cour est reprise de celle d'Henri III ; on ne s'agenouille pas à Versailles, alors qu'on s'agenouille devant le monarque à Madrid, à Vienne et même à Londres.

Le roi a conservé les hommes que lui a laissés en héritage Mazarin : Fouquet, Le Tellier, Lionne et Colbert. Il s'est débarrassé de Fouquet, et Lionne s'est confiné aux affaires diplomatiques. Les Colbert et Le Tellier-Louvois sont les deux clans qui ont dirigé la France pendant tout le règne. Louis XIV n'a décidé contre l'avis de sa majorité de son Conseil d'État que six fois en cinquante-quatre ans.

Le petit duc s'insurge avec ironie : « La robe ose tout, usurpe tout et domine tout. Les premiers magistrats prétendent ne plus céder qu'aux ducs et aux officiers de la couronne ; c'est encore une grande modestie, dont il faut être très obligé. » Pourtant, Louis XIV n'agit pas autrement que ses ancêtres, de Philippe Auguste à Louis XIII, en passant par Saint Louis, donnant le pouvoir aux meilleures recrues venues du tiers état, se méfiant des grands et des nobles.

L'épée se bat et la robe gouverne. Conti, Condé, Vendôme et même le futur Régent s'illustrent à la guerre tandis que les bourgeois anoblis, les Colbert et les Louvois, les Philipeaux et les Pontchartrain, administrent et légifèrent. Louis XIV tente de forger ce que nous admirons tant chez les Anglais, cette aristocratie ouverte aux talents et aux mérites, en contraignant les vieilles familles à ouvrir leurs bras rétifs aux nouveaux venus. Louis XIV réalise au XVIIe siècle le métissage des élites qui s'accomplira au XIXe siècle.

La seule politique réformatrice intelligente au service de la puissance de la France

Un usage modéré mais constant de cette « savonnette à vilains » était la seule politique réformatrice intelligente au service de la puissance de la France. Notre petit duc aveuglé par la vanité ducale ne l'a pas compris. Louis XIV n'était pas, comme il l'a cru, le destructeur de l'ordre ancien, l'ennemi de la noblesse, mais le seul qui ait tenté de la sauver de la malédiction que Chateaubriand synthétisera après la catastrophe révolutionnaire : « L'aristocratie a trois âges successifs : l'âge des supériorités, l'âge des privilèges et l'âge des vanités. Sortie du premier, elle dégénère dans le second et s'éteint dans le dernier. »

Louis XIV est un mélange subtil de François Ier et de Louis XI. À la fois roi-chevalier et roi-bourgeois ; artiste déguisé en mécène et commerçant déguisé en roi. Il approuve et soutient le mercantilisme de Colbert, tout en portant haut les valeurs héroïques et guerrières de la dynastie capétienne. Il tente d'adapter le pays aux temps qui s'annoncent tout en conservant le principe fondateur la monarchie : l'honneur.

Le Roi-Soleil sera avec Napoléon le dernier homme d'État français à tenir la dragée haute à la finance. À imposer la loi du politique, de l'État, à l'argent et au commerce. Mais la vague est forte et la guerre coûte cher ; et le système fiscal français n'est pas à la hauteur des ambitions stratégiques qu'offrent les succès militaires. Napoléon emploiera la manière forte : « La Bourse, je la ferme, les boursiers, je les enferme » ; les « traitants » prendront leur revanche, comme l'analysera finement Stendhal, lorsqu'ils abandonneront en Russie, puis à Leipzig, une Grande Armée démunie de tout, qui ne se battra pas avec sa férocité et son efficacité habituelles parce qu'elle aura faim et froid.

Louis XIV, ce « roi absolu », n'avait pas pu ou pas osé créer une Banque de France, comme le fera Napoléon (sur le modèle de la Banque d'Angleterre), alors même que le plus grand banquier de son temps, Samuel Bernard, le lui avait proposé. À l'instar de ses ancêtres capétiens, le prétendu « plus grand roi de la terre » était contraint de louvoyer et de jouer de la vanité des hommes d'argent.

Louis XIV et Napoléon, un siècle après lui, s'efforcent sans le savoir de s'arracher au destin que leur assignera un Karl Marx : être les simples jouets de la lutte des classes et de la montée en puissance inéluctable, et destructrice, de la bourgeoisie. Conserver le fondement de la monarchie et l'honneur de l'ancienne France, tout en lui donnant les moyens économiques et financiers d'assurer sa domination sur l'Europe. C'était une entreprise herculéenne, qui a fini par ruiner l'œuvre de nos deux héros, vaincus de la même façon par des coalitions européennes financées par la City, tandis que Saint-Simon, aveugle aux rapports de force et aux enjeux, vilipende la platitude bourgeoise de son règne et de ses goûts.

Plus tard, bien plus tard, bien trop tard, quand tout aura été consommé, après que le grand roi et la « grande nation » seront rentrés dans le rang, des esprits lucides rectifieront le tir saint-simonien. Péguy dira : « Dans ses plus grands abus, l'Ancien Régime n'a jamais été le règne de l'argent. » Renan notera, entre fierté et regret : « La France n'excelle que dans l'exquis, elle n'aime que le distingué, elle ne sait faire que de l'aristocratique. Nous sommes une race de gentilshommes ; notre idéal a été créé par des gentilshommes, non comme celui de l'Amérique, par d'honnêtes bourgeois, de sérieux hommes d'affaires. De telles habitudes ne sont satisfaites qu'avec une haute société, une cour et des princes du sang. »

Seul un Louis XIV aura tenté de maintenir ceci en permettant cela. De marier ceci avec cela. La vieille noblesse glorieuse avec des roturiers valeureux et talentueux. Tout le sens de cet ordre de Saint-Louis, créé à son instigation, en 1693, cordon rouge qui annonce la Légion d'honneur napoléonienne. Le roi veut être à la fois le premier gentilhomme de son royaume et le grand égalisateur. « Le pouvoir, a écrit Bertrand de Jouvenel, est niveleur en tant qu'il est État, parce qu'il est État. Le nivellement n'a pas besoin d'être à son programme ; il est dans sa destinée. » Louis XIV est en train de forger l'État moderne et tente en même temps d'en préserver le supplément d'âme aristocratique. Une « intelligence moyenne », comme le note le méchant duc, n'interdit pas une ample vision.

Le paradoxe fascinant de Saint-Simon

Son aveuglement fut pourtant visionnaire. Son injuste ressentiment prophétique. C'est le paradoxe fascinant de Saint-Simon. Comme souvent, le nostalgique des temps passés préfigure le jugement des temps futurs. Cinquante ans avant la Révolution, il annonce « la fin et la dissolution prochaine de la monarchie française » du fait de l'abaissement de l'aristocratie. Un siècle avant Tocqueville, il pressent que la monarchie dégage le terrain pour une table rase égalitaire et centralisée. Avant même la Révolution, le jeune Louis XVI, bien chapitré par ses éducateurs, n'écrivait-il pas qu'« une des causes qui concourent à la ruine des États est la prodigalité pour des goûts de la vaine gloire ou de dépenses inutiles qui n'ont d'autre objet que la satisfaction personnelle du souverain[1] ».

L'école de la IIIe République ne sera pas plus tendre pour ce que Lavisse appellera la « concupiscence de la gloire ». La messe, même franc-maçonne, était dite : Louis XIV avait trop aimé la gloire, trop aimé la guerre, dilapidé l'argent et le sang de ses sujets. Dans son duel pour la postérité avec le Roi-Soleil, Saint-Simon avait gagné. Mais à quel prix ?

Saint-Simon a le don de faire parler, et quand il ne sait rien, il nous fait voir par ouï-dire. « Espion sublime », a-t-on dit. Notre duc est un faux témoin de génie, il fabule pour notre bonheur et notre instruction. Il nous montre l'envers du décor fastueux de la cour, où tout est grâces, faveurs, bontés, bienfaits des souverains : « L'intrigant disait bonjour à l'oreille, parlait entre ses doigts et montait cent escaliers par jour. » Il montre et démonte les alliances politiques et la « guerre civile des langues », les cabales et la lutte des clans, la petitesse des grands et la vanité des « tiercelets de ministres » : « Le très petit nombre n'avait en vue que le bien de l'État, dont la situation chancelante était donnée par tous comme le seul objet, tandis que la plupart n'en avaient point d'autre que soi-même... »

Son snobisme en fait le père et le modèle de la recherche proustienne du temps perdu. Le spectacle de la cour nous

1. Louis XVI, *Réflexions sur mes entretiens avec le duc de La Vauguyon*, Communication et tradition, 2000.

montre la forgerie des salons mais aussi des partis, où s'élaborent tout à la fois les stratégies amoureuses, sociales et politiques, les mariages et les nominations par le « canal des grâces ». On converse et on intrigue, on danse et on complote, on festoie et on élimine, on sourit et on tue d'un mot cruel mais étincelant.

La malédiction de la cour

Saint-Simon observe les fissures encore invisibles dans l'édifice grandiose louis-quatorzien. Son regard toujours aigre est translucide. La machine de guerre au service de la gloire de la monarchie et de la paix civile qu'est la cour est en train d'échapper à son créateur, et de se retourner contre lui, contre le pouvoir de ce roi qui voulait gouverner par lui-même, et contre la grandeur et la puissance de la France, sacrifiée sur l'autel des petites ambitions et des petites soumissions, des compromis qui tournent aux compromissions, des grands desseins qui s'abîment dans de grandes lâchetés et trahisons.

À l'époque où Saint-Simon s'est retiré à la campagne pour rédiger son ample chef-d'œuvre, la Prusse de Frédéric II donne l'exemple d'une monarchie absolue sans cour. La France, des petits marquis jusqu'à Voltaire, met sur le compte de la lourdeur germanique et de la raideur prussienne cette carence courtisane. Les défaites militaires de Louis XV face aux armées du grand Frédéric vont bientôt leur apprendre que les charmes émollients de la cour versaillaise ont aussi bien des désagréments. Les émotions, le libertinage et l'irréligion, les nominations au piston, jusqu'à la corruption des plus grands, vont entacher la puissance de la monarchie française sous Louis XV, et salir sa réputation sous Louis XVI. Et ce n'est pas fini. C'est la cour – et ses têtes folles d'anciens émigrés revanchards – qui convainc Charles X d'édicter des ordonnances contre la liberté de la presse et provoque la révolution de 1830. C'est la cour qui pousse un Napoléon III malade à déclarer la guerre à la Prusse, pour la plus grande satisfaction de Bismarck.

Cette guerre de 1870 entraînera la revanche en 1914 et la revanche de la revanche en 1939. Jusqu'à la catastrophe finale de mai-juin 1940. L'esprit de cour, à la fois désinvolte et servile, menteur et cupide, nous poursuit jusqu'à nos jours, avec nos présidents de la Ve République, qui ne parviennent jamais à s'arracher à l'enfermement élyséen, au milieu des statistiques trompeuses, des compliments louangeurs, des hauts fonctionnaires dociles, des « barbouzes », et des communicants manipulateurs.

Monsieur le duc a tout raté. Mais son malheur fera sa gloire immortelle et le bonheur de ses lecteurs. Heureux, il n'aurait pas écrit. Il ne comprend rien mais devine tout. Il raisonne de travers mais prophétise sublimement.

Saint-Simon rédige ses Mémoires sous Louis XV pour raconter le siècle de Louis XIV en rêvant du bon vieux temps de Louis XIII ; ne commencera d'être publié que sous Louis XVI, mais ne sera bien connu et admiré que sous Louis XVIII et Louis-Philippe. À la fois archaïque et moderne, inégalitaire et chrétien, Saint-Simon est un monde à lui tout seul.

Il sera à Louis XIV ce que Voltaire fut à Louis XV, Chateaubriand à Bonaparte, et Victor Hugo à Napoléon le Petit, le contempteur flamboyant et inspiré d'un règne, toujours de mauvaise foi, souvent injuste, mais parfois divinatoire, incarnant l'opposition entre le sceptre et la plume, l'homme providentiel et le grand écrivain, le roi et le prophète, qui se mirent l'un l'autre dans un tête-à-tête unique au monde et si français.

La Pompadour

Et ce siècle créa la femme

Elle avait le don de baptiser de son nom tout ce qu'elle touchait, le déshabillé qu'elle portait comme le nœud d'épée qu'elle refaisait au maréchal de Saxe. Il y eut le carrosse à la Pompadour, la cheminée à la Pompadour, le miroir à la Pompadour, le sofa à la Pompadour, le lit à la Pompadour, le mouchoir à la Pompadour, la chaise à la Pompadour, l'éventail à la Pompadour, le ruban à la Pompadour, jusqu'aux étuis et cure-dents à la Pompadour. Le XVIIIe siècle est une relique de la maîtresse du roi. Tous les objets, tout le mobilier et tous les accessoires, tous les artisans et tous les artistes sont dans sa main et de sa main.

Elle commande et pensionne. Par son frère, qu'elle a fait nommer, en 1751, directeur-ordonnateur général des bâtiments, jardins, arts, manufactures, elle répand la faveur du roi sur les peintres, sculpteurs, graveurs, architectes. Elle les conseille, les critique, leur donne ses idées, son imagination. Elle impose son goût au siècle. Elle arrache la peinture française à la servitude des héros grecs et romains, à tous ces Alexandre et César, pour des sujets du quotidien et du présent. Elle est la marraine et la reine du rococo. Elle crée l'École militaire pour recueillir et éduquer les orphelins des nobles tués à la guerre. Elle fonde la manufacture de porcelaine de Sèvres, pour supplanter celle venue de Saxe. Elle expose sa production à Versailles, où elle se fait marchande d'État.

LE SIÈCLE DE LA FEMME

Tout l'art du XVIIIe siècle est son client : Boucher, La Tour, Fragonard, Chardin, Soufflot, Gabriel. On dit que le XVIIIe siècle est celui des Lumières, le siècle des philosophes. On devrait plutôt dire, comme les Goncourt, qu'il est le siècle de la femme. D'une femme.

Ce basculement idéologique du siècle avait commencé par la fameuse querelle des Anciens et des Modernes. Cette bataille littéraire avait tourné au pugilat idéologique et politique. La cour prit parti pour les Modernes tandis que les salons à Paris en tiennent pour les Anciens. Groupés autour de Boileau, les Anciens entendaient empêcher les mondains, et en particulier les femmes, de devenir les arbitres des élégances littéraires et artistiques. Le parti des Modernes au contraire, mené par Charles Perrault, souhaitait favoriser la liberté de jugement du public et contestait le principe d'autorité. Aujourd'hui, on dirait que les Anciens luttaient contre la loi du marché et le « tout se vaut » moderne qui fait du succès (et donc de l'argent) le seul critère de la qualité. Louis XIV se tint prudemment à l'écart de la confrontation, mais concéda de bonne grâce à la bigote et puritaine Maintenon de dicter à Racine les conditions « idéologiques » de son retour au théâtre.

Les Modernes l'emportèrent avec le soutien des femmes. La mythologie disparut du théâtre, de la littérature, se réfugia dans l'opéra et la statuaire des fontaines de Versailles, devint un simple objet de décor, dépouillé de sa fonction politique et allégorique. C'en était fini, avant même la mort de Louis XIV, de la politique de la gloire du Roi-Soleil.

Les « femmes savantes » du XVIIe, qui avaient voulu imposer leur goût et leur langage, avaient été raillées et ridiculisées par la verve moliéresque ; leurs héritières vont être louées et glorifiées par les philosophes et savants du Siècle des Lumières. Fontenelle écrit un ouvrage scientifique avec la fille de Madame de la Sablière et Madame du Châtelet initie son amant Voltaire à la pensée scientifique. Les femmes se passionnent pour le vol de la première montgolfière et se précipitent aux expériences psycho-électriques de Messmer. Certains prétendent même y avoir vu Marie-Antoinette dissimulée sous un masque.

L'ennui est le Mal du siècle

La Pompadour va donner une ampleur inédite à cette révolution des sexes. Elle est de ces femmes de tête, de la race des Maintenon, de ces gouvernantes de roi au sang-froid. Mais si la Maintenon avait acquis une grande influence par le « canal des grâces », le roi la tenait à distance des décisions politiques. Louis XIV est resté jusqu'au bout le gaillard un brin rustique qui considère qu'« il faut se garder des femmes qui portent le caleçon[1] ». Sa descendance n'a pas le même caractère ni les mêmes préjugés. Le duc de Bourgogne, dévot et pacifiste, est sous l'influence de sa jeune femme, la pimpante duchesse de Savoie, tandis que de l'autre côté des Pyrénées son frère, devenu roi d'Espagne sous le nom de Philippe V, laisse gouverner la reine et, avec elle, les Jésuites.

Les rayons incandescents du Roi-Soleil ont brûlé sa descendance. Son arrière-petit-fils Louis XV est tenaillé par un mal-être que nos modernes médecins assimilent à une dépression chronique. Les contemporains appellent cet état l'« ennui ».

L'ennui est le mal de ce siècle. Il est incarné par le roi ; l'ennui est le mauvais génie du roi. « Il dégrade jusqu'à l'indifférence un souverain qui se dérobe à son histoire et abdique la France », analyseront les frères Goncourt dans leur biographie de Madame de Pompadour. Victor Hugo définira l'esprit du roi comme une « stupide joie avec un vaste ennui ». Après sa mort, Frédéric le Grand écrira à Voltaire : « Cet homme maudit était un honnête homme

---

1. Antoine Furetière, *Dictionnaire universel*, 1690.

qui avait le seul défaut d'être roi. » L'abbé Galiani dira de Louis XV qu'il « fait le plus vilain métier qui soit le plus à contrecœur possible ». « Ils l'ont voulu ainsi, ils ont pensé que c'était pour le mieux », plaide le roi lorsque ses ministres échouent. « Si j'étais lieutenant de police, disait-il encore, je défendrais les cabriolets. » Louis XV, jeune, était obsédé par les « rois fainéants ». Un jour, le cardinal Fleury lui avait appris qu'il y avait eu en France des rois déposés parce qu'ils ne faisaient rien. Deux jours plus tard, le monarque demandait à son ministre : « J'ai réfléchi à ce que vous m'avez dit sur certains de mes prédécesseurs qui ont été déposés ; mais dites-moi, lorsque ces souverains furent déposés, eurent-ils de bonnes pensions ? »

Louis XIV fut l'acteur de la royauté, Louis XV en sera le public. Il regardera son règne comme une mauvaise pièce : « Faites ce que veut madame », conclut le plus souvent le roi, au grand dam de ses ministres. La Pompadour est plus que maîtresse du roi, elle est favorite ; elle est plus que favorite, elle est reine ; elle est plus que reine, elle est Premier ministre.

Elle a refusé d'être confinée dans une vaine et vide surintendance des amusements du souverain. Elle annote les projets qu'on lui soumet d'un royal « nous verrons ». Elle amasse terres et châteaux comme jadis un Colbert, un Mazarin ou un Richelieu ou même une Montespan. Elle a eu la tête de son ennemi Maurepas et impose Choiseul. Elle s'enferme avec le lieutenant de police Berryer et parle bas. Elle nomme les administrateurs de la Bastille et rejette les demandes de grâce des prisonniers. Elle obtient l'expulsion des Jésuites du royaume. Elle est l'alliée de Voltaire dans son combat contre l'« infâme », et les « imbéciles fanatiques d'aumôniers » qui pestent dans leurs sacristies contre la « belle philosophe ».

Voltaire est le favori de la favorite ; elle le fait académicien, historiographe du roi, gentilhomme ordinaire de la chambre. Elle protège et pensionne aussi Crébillon, Buffon, et même Montesquieu ; et tente de séduire Rousseau, qu'elle surnomme avec une affection moqueuse « le Hibou ». Madame a soif d'immortalité, veut faire l'histoire. Comme Louis XIV, elle se sert des écrivains pour chanter ses louanges. C'est dans son antichambre à Versailles que se réunissent les économistes qui, autour de Quesnay et de Mirabeau père, fustigent la politique de l'« infâme ministère ». La Révolution a commencé dans l'antichambre de la maîtresse du roi. Elle correspond avec l'impératrice d'Autriche Marie-Thérèse, qui lui donne du « mon amie ». Rien ne l'arrête. Pendant la guerre de Sept Ans, elle envoie au maréchal d'Estrées un plan de campagne, où les positions sont indiquées avec des mouches collées sur le vélin de ses lettres.

« Un morceau de roi »

Au cours de ses innombrables nuits d'insomnie, la Pompadour compare sa vie à un « combat perpétuel », dans le tourment quotidien d'une domination disputée qui ne lui laisse pas un instant de repos. Pour se détendre, elle pioche dans son incroyable bibliothèque. Elle se cultive avec un livre politique, de droit public ou d'histoire ; elle plonge dans un texte de Voltaire ou des moralistes du XVIIIe siècle ou des stoïciens grecs ; elle feuillette un ouvrage sur le théâtre ou l'opéra ou un roman ; elle s'oublie dans un roman d'amour ; elle en possède de toutes sortes, de tous les pays, tous les romans héroïques, historiques, satiriques, politiques, comiques, féeriques…

Quand elle est trop lasse, elle laisse vagabonder son esprit au gré de ses souvenirs. Que de chemin parcouru depuis son enfance comblée de tous les dons et de toutes les grâces. Sa mère ne tarissait pas d'éloges devant ce « morceau de roi ». Elle a été prédestinée, façonnée, fabriquée. À 7 ans, une tireuse de cartes lui a promis qu'elle deviendrait la maîtresse du roi. Elle a appris le chant, le clavecin, la danse avec les meilleurs maîtres de Paris. Crébillon lui a enseigné la déclamation et l'art de la conversation plus intimiste ; elle monte à cheval comme un mousquetaire et dessine avec délicatesse. Elle a la taille souple, svelte, élégante. Des cheveux d'un beau châtain clair et un délicieux sourire qui peut cajoler, enjôler et glacer. Des yeux qui virent du noir au bleu, et dont le charme tient justement à l'incertitude de leur couleur. Elle a fait un mariage de raison à 15 ans et, depuis, les salons et les grandes dames s'arrachent la « petite madame d'Étioles ». Dont la réputation flatteuse finit par parvenir jusqu'au roi…

Madame n'a qu'un seul défaut : sa naissance. Son père, le sieur Poisson, a fui la France pour malversations et une condamnation à être pendu. C'est un de ces traitants aux pratiques douteuses autant que l'origine de sa fortune. La jeune Antoinette Poisson détonne par ses manières, son langage, son goût des surnoms : « Mon cochon », « Mon torchon », « Mon nigaud », « Ma petite horreur », « Mon petit époux ». Ce langage « à la grivoise » gêne jusqu'au roi : « C'est une éducation à faire dont je m'amuserai. » Après qu'elle eut qualifié à un dîner une caille de « grassouillette », Voltaire, goguenard, lui glisse à mi-voix :

« Grassouillette, entre nous, me semble un peu caillette
Je vous le dis tout bas, belle Pompadourette. »

Mais le pire est à venir. Inspirés, rédigés à la cour, et en particulier par le prince des courtisans, Maurepas, impuissant notoire qui poursuit de sa haine toutes les maîtresses du roi qu'il ne contrôle pas, une nuée d'épigrammes, d'ariettes, de vers satiriques, de chansons, se répand de Versailles à Paris, de Paris à la France et de la France à l'Europe.

« Une petite bourgeoise,
Élevée à la grivoise,
Mesurant tout à sa toise,
Fait de la cour un taudis, dis, dis ;
[…]
Cette catin subalterne
Insolemment le gouverne
Et c'est elle qui décerne
Les honneurs à prix d'argent, gent, gent, gent. »

Ces « poissonnades » rappellent les mazarinades et annoncent les pamphlets contre Marie-Antoinette. C'est une fronde froide et une répétition de la Révolution. Les mêmes circuits de la Cour à la Ville, les mêmes réseaux, les mêmes méthodes, entre journalisme d'opposition dans les limbes et rumeur médiévale contre les sorcières, les mêmes thèmes qui mêlent sexe et politique, dans un lyrisme souvent fantasmatique. La Pompadour est le premier cas d'une maîtresse royale sans naissance. Elle a fait déroger l'adultère du roi. Sa liaison est vécue comme une mésalliance. Même le coiffeur de ces dames à Versailles, un nommé Dugé, rechigne à la coiffer. L'ultime privilège de la noblesse est arraché par cette bourgeoisie d'argent insatiable. La transgression de Louis XV paraît inouïe.

Certes, son aïeul avait épousé Madame de Maintenon, une aristocrate de petite naissance ; mais ce mariage morganatique était demeuré secret. Certes, le Roi-Soleil, surtout dans sa verte jeunesse, à la manière de son grand-père gaillard et paillard Henri IV, ne s'interdisait jamais une aventure galante ; mais il choisissait ses maîtresses officielles parmi les plus grands noms du royaume. Certes, la Régence avait connu les soirées de « roués » dans leurs « folies » parisiennes, où les catins festoyaient avec les amis du Régent, et où les grandes dames, jusqu'à la propre fille du Régent, achevaient leurs orgies au petit matin dans les bras de « mirebalais » d'aussi modeste extraction que de virilité vigoureuse. Mais le duc d'Orléans était connu pour sa vie de débauche, n'avait pas été oint à Reims, ne guérissait pas les écrouelles ; et ses compagnes n'avaient aucune influence sur ses choix politiques. La Pompadour avait, elle, une tête politique. Ce n'est pas son tempérament assez froid, de « macreuse », comme elle dit avec dépit, qui la conservait auprès du roi, mais l'habitude, l'affection, le travail en commun.

Elle n'hésite pas à taire sa jalousie de femme pour sauvegarder sa position de pouvoir : elle s'occupe elle-même de fournir le cheptel royal des « petites maîtresses » du parc aux Cerfs et règle en personne les à-côtés, des mariages arrangés aux accouchements clandestins. « C'est à son cœur que j'en veux et toutes ces petites filles qui n'ont pas d'éducation ne me l'enlèveront pas », dit-elle pour se rassurer.

COTILLON II

Son attitude froide, cérébrale, égoïste, sans faiblesse apparente, sans clémence ni pardon, mue par une exclusive et impérieuse ambition donne crédit aux pires accusations et aux fantasmes les plus fous. Son ami le cardinal de Bernis écrira qu'elle « poussait l'amour-propre de la figure jusqu'au ridicule ».

Toute la France connaît et craint sa puissance. Elle a le caractère que le roi ne veut pas avoir. Toute l'Europe se gausse de cette monarchie française dirigée par une femme, bourgeoise qui plus est. Le roi de Prusse, Frédéric II, la surnomme Cotillon II. Une caricature de 1748 intitulée *L'Estampe des quatre nations* montre le roi lié, garrotté, déculotté, la reine de Hongrie le fouettant ; l'Angleterre disant : « Frappez fort » ; la Hollande : « Il rendra tout. »

La Pompadour est partout, se rabat sur le moindre détail ; le prince de Ligne se moque de « ses balivernes politico-ministérielles » ; on l'accuse de transformer la monarchie en despotisme. Elle laisse ses femmes de chambre accepter des pots-de-vin, vendre les bons du roi, associe les courtisans aux bénéfices des fermiers généraux. La monarchie n'est entre ses mains qu'une feuille de bénéfices ; on l'accuse d'enseigner à la noblesse les viles passions de la finance. La cour et la France ploient sous le joug de cette « libérale-libertine » ; mais ce mélange de sexe, d'argent et de politique au cœur du pouvoir royal est une bombe à retardement pour la monarchie française. Une machine à désacraliser ce qui n'est rien sans le sacre.

Après la mort de la Pompadour, Louis XV élira comme maîtresse officielle une authentique putain avec la Du Barry. De quoi désoler les filles de Louis XV qui surnommaient déjà la Pompadour « Maman putain ». Après des premiers pas timides, la Du Barry révélera beaucoup de finesse, de délicatesse, de goût. Elle s'inspirera de la Pompadour et deviendra elle aussi la référence d'une politique culturelle d'État. Le rose Pompadour de la porcelaine de Sèvres s'appelle désormais le rose Du Barry. Le marché s'adapte.

La Du Barry se tiendra prudemment à l'écart de la politique par crainte d'imiter la Pompadour ; mais elle trouvera en face d'elle la fille de l'impératrice d'Autriche, Marie-Antoinette. La jeune reine a elle aussi un mari faible et influençable. Elle aussi est jolie, taquine, charmante. Elle aussi a du goût et oriente, par ses commandes et ses idées, l'art de son temps. Elle aussi aime jouer au théâtre et donne son nom aux couleurs, aux objets, lance les modes. Elle aussi passe dans les chansons satiriques pour une mangeuse d'hommes (et de femmes). Dès les débuts de la Révolution, l'énergie de Marie-Antoinette supplante l'apathie de son mari. Le roi n'est plus dans sa bouche la personne qui est « au-dessus de moi », mais « auprès de moi ». La reine consulte, écoute, décide. C'est elle que Mirabeau, puis Barnave, conseilleront. Certains ministres refusent de voir le roi sans elle. Elle utilise les fonds et des agents secrets. Elle devient dissimulatrice, n'a plus ses « rougeurs » de jeunesse. La reine est devenue homme d'État. Marie-Antoinette a repris le rôle de la Pompadour. Ni le peuple ni les révolutionnaires ne s'y tromperont. Ils sauront qui est leur ennemi. Ils sauront qui frapper.

La défaite de Rosbach

Si une putain a pu devenir reine, une reine peut devenir putain. Pompadour, Du Barry, Marie-Antoinette : trilogie diabolique, confusion des positions et des sentiments. La décadence de la monarchie par les femmes. Leur fin tragique les confondra dans un destin semblable : quand la Pompadour agonise, le roi la conduit à Versailles, alors que, selon l'étiquette, seuls les princes peuvent y mourir. La Du Barry mourra sur la guillotine comme Marie-Antoinette. Reine ou putain, même destin.

L'amour et la haine ont en commun d'avoir besoin de cette cristallisation qui emporte les passions. La cristallisation s'opère le 5 novembre 1757 lors de la défaite de Rosbach. La Pompadour fond en larmes dès qu'elle apprend la nouvelle. Elle ne dort plus. Elle ne voyage plus qu'avec cavaliers et maréchaussée de peur des insultes, voire des agressions d'une populace vindicative.

Toute la cour, tout Paris, tout le peuple, tous les auteurs, tout le siècle maudissent la « coquine du roi », pour cette défaite. Rosbach est vécu comme un nouvel Azincourt. Et annonce l'humiliation de Sedan en 1870. Le territoire national n'est pas occupé par les armées prussiennes, mais cette défaite sonne le glas de la puissance mondiale de la France. À l'issue de cette guerre de Sept Ans (1756-1763), considérée par des historiens comme une sorte de « première guerre mondiale », Louis XV perd la plus grosse part de l'empire légué par son aïeul et les positions qu'avaient accumulées les légendaires Dupleix et Montcalm dans les Indes et au Canada. Michelet dira, sarcastique : « Que perd alors la France ? Rien ; sinon le monde. »

C'est la Pompadour qui a précipité cette guerre. C'est la Pompadour qui a engagé le « grand renversement d'alliances ». C'est la Pompadour qui s'est rapprochée de l'Autriche et éloignée de la Prusse. C'est la Pompadour qui a repris à cette occasion l'ultime fulgurance stratégique de Louis XIV à la fin de son règne : l'ennemi redoutable n'est plus l'empire des Habsbourg, mais l'Angleterre. Il faut s'allier à celle-là pour vaincre celle-ci. C'est la Pompadour qui a imposé à Louis XV cette ligue catholique contre les protestants anglais et prussiens. C'est la Pompadour qui a imposé ses hommes à la tête des armées, Soubise et Richelieu, un incapable ridicule et un voleur corrompu.

L'issue funeste qu'entérine le traité de Paris en 1763 ravive de mauvais souvenirs. Lors de la guerre précédente, en 1748, les armées françaises, conduites avec maestria par le maréchal de Saxe, s'étaient couvertes de gloire. On est alors au temps béni de la bataille de Fontenoy et du roi

« bien-aimé ». Mais ce dernier avait surpris tout le monde en renonçant à ses conquêtes, en l'occurrence la Belgique. Il eut beau évoquer le lointain précédent de son ancêtre Saint Louis, et s'inspirer de l'enseignement pacifiste de Fénelon, le geste du roi ne passait pas. Le maréchal de Saxe ne cacha pas sa fureur : « En vérité, c'est un bon morceau et nous nous en repentirons... des ports magnifiques, des millions d'hommes, et une barrière impénétrable... Pourquoi les abandonner sans nécessité ?... Je vois que le roi de Prusse a pris la Silésie et qu'il l'a gardée, et je voudrais que nous puissions faire de même. » Toute la France pense alors comme le maréchal de Saxe. Tant de sacrifices, de morts, de blessés, de destructions, tant d'argent dilapidé, tout ça pour rien ! « On s'est battu pour le roi de Prusse », se moque Voltaire. « Bête comme la paix », maudissent les harengères de la Halle en crachant par terre.

« Après nous le déluge »

On commence alors à se dire dans une opinion publique travaillée par un patriotisme croissant et vibrant qu'il y a dichotomie entre les intérêts du roi et ceux de la nation. Louis XV renonce à une bonne conquête pour la France, mais joue habilement le jeu de la politique dynastique en renforçant ses liens avec les Bourbons de Naples et maintenant de Parme. Dans les salons les plus lettrés, on rappelle que le grand roi lui-même a agi aussi de cette manière lors des débuts de la guerre de Succession d'Espagne, en 1701 : alors qu'un traité de partage offrait à la France les magnifiques terres de Lorraine, du Pays basque espagnol, et surtout la Toscane, Naples et la Sicile, Louis XIV avait préféré mettre son petit-fils sur le trône d'Espagne, sans aucun avantage direct pour la France. Mais, à l'époque, on ne discutait pas les décisions du Roi-Soleil. Ce n'est plus le cas un demi-siècle plus tard. On discute, on conteste, on accuse. On évalue les mérites d'une armée vaincue, dont les derniers grands généraux vainqueurs furent des étrangers.

La défaite de Rosbach est le tournant du règne de Louis XV et peut-être de l'histoire de la monarchie française. On a beaucoup interprété depuis deux siècles le célèbre mot lancé par la Pompadour à son roi défait : « Après nous, le déluge ! » Les historiens de la IIIe République tenaient la preuve de la légèreté de cette cour qui avait mené le roi et le pays à sa perte. Il y a quelque temps encore, un des plus célèbres philosophes allemands, Peter Sloterdijk, faisait de ce mot la quintessence d'une modernité qui ne connaît que l'instant, et croit que la liberté ne se forge que dans le refus de tout enracinement dans le passé.

La Pompadour est sans doute moins « moderne » que ne le pense notre ami allemand. C'est sa défaite qu'elle déplore par ce mot célèbre, et celle de la nation, mot qu'elle emploie un demi-siècle avant la Révolution. La défaite de ce qu'on appelait alors la « race française ». Comme ses contemporains, la Pompadour y voit un signe non de Dieu, mais de décadence. Elle écrit ainsi au duc d'Aiguillon : « Je suis dans le désespoir parce qu'il n'est rien qui m'en cause d'aussi violent que l'excès d'humiliation... Être battu n'est qu'un malheur : ne pas se battre est un opprobre. Qu'est devenue notre nation ? Les parlements, les encyclopédistes, etc., l'ont changée absolument. Quand on manque assez de principe pour ne pas reconnaître ni divinité, ni maître, on devient bientôt le rebut de la nature, et c'est ce qui nous arrive... Il faut renoncer à toute gloire. C'est une cruelle extrémité, mais je crois la seule qui nous reste... »

Réaction plébéienne et virile

L'amie des philosophes se désole du recul de la religion et de l'autorité. La favorite du roi, la grande ordonnatrice des plaisirs de la cour, la marraine de Boucher et de Fragonard, se lamente de l'étiolement de l'âme des courtisans, civilisés à l'excès par la cour. La femme qui impose ses volontés au roi se plaint du manque de tempérament des hommes de son pays et de son temps.

La Pompadour reproche à son siècle tout ce que son siècle reprochera à la Pompadour. Michelet dira : « Vers la fin de cette ignoble guerre de Sept Ans, où l'aristocratie était tombée si bas, éclata la grande pensée plébéienne. C'était comme si la France eût crié à l'Europe : ce n'est pas moi qui suis vaincue. » La réaction plébéienne et virile est toute une. Elle est théorisée par Rousseau, qui dénonce le pouvoir excessif des femmes à la cour et dans les affaires publiques. Rousseau renvoie les femmes dans l'espace privé et les incite à allaiter leurs enfants plutôt que de confier leur progéniture à des nourrices à la campagne, où la plupart d'entre eux mouraient dans les cahots du voyage.

« Je dois remarquer un autre effet de cette révolution, qui n'a rien que de naturel ; c'est que l'énorme influence du sexe est affaiblie ou plutôt réduite à rien, remarque Arthur Young, le 10 janvier 1790, avant de quitter Paris ; auparavant, elles se mêlaient de tout afin de tout gouverner. Je pense que je vois très clairement la fin de cet état de choses. Les hommes, en ce royaume, étaient des marionnettes, mises en mouvement par leurs femmes ; maintenant, au lieu de donner le ton, dans les questions d'intérêt national, elles doivent le recevoir et se contenter de se mouvoir dans la sphère politique de quelque meneur célèbre, c'est-à-dire qu'elles en reviennent à ce pour quoi la nature les avait destinées ; elles deviendront plus aimables et la nation sera mieux gouvernée[1]. »

À la trilogie féminine et curiale du XVIIIe siècle, Pompadour, Du Barry, Marie-Antoinette, répondra la trilogie plébéienne et virile de la Révolution : Rousseau, Robespierre, Bonaparte. Rousseau dénoncera la tyrannie féminine sur les salons, la fausseté artificielle des relations sociales sous leur domination, et militera pour le retour à leur « nature » maternelle. Robespierre détruira cette société aristocratique et expulsera les femmes de la vie politique ; il fera guillotiner la féministe Olympe de Gouges et Madame Roland. Napo-

1. Arthur Young, *Voyages en France*, 1787.

léon codifiera juridiquement les principes de cette nouvelle société bourgeoise, en rétablissant la verticalité du pouvoir patriarcal, dans la famille comme dans l'État.

Le peuple et la nation contre l'aristocratie et la cour. L'héroïsme antique contre la délicatesse du boudoir. La verticalité virile contre l'indistinction égalitariste de la féminisation. La sacralisation du pouvoir républicain contre la désacralisation du pouvoir monarchique. Pour réenchanter et relégitimer le politique, abîmé par la cour, les femmes et les défaites militaires, les « vertueux » républicains, hantés par le souvenir de la virile République romaine, éloigneront les femmes du pouvoir, et retremperont la « race » française dans le sang des batailles glorieuses. L'aristocratie a failli, dévirilisée et féminisée, elle ne protège plus la nation : qu'elle retourne dans ses forêts de Franconie, selon le mot célèbre de Sieyès, qu'on l'exile ou la guillotine, et que le peuple s'arroge son privilège de porter les armes, de se battre aux frontières.

Que le Peuple soit à son tour l'Homme de la France.

Voltaire

La flatterie des grandeurs

Il tempête. Il éructe. Il tonne. Il menace. Il vocifère. Il agonit les faibles d'injures, mais courbe l'échine devant les puissants. Il reçoit avec faste dans sa demeure de Ferney les riches et les gens titrés, il en chasse les pauvres et les manants. Il se plaint, gémit, se lamente, souffre mille morts, sempiternel moribond hypocondriaque, Volpone de comédie toujours entre la vie et la mort, pour mieux apitoyer et circonvenir.

On se croit avec Louis de Funès, mais on est avec Voltaire. On croit entendre de Funès : « Les pauvres sont faits pour être très pauvres et les riches très riches » ; mais c'est Voltaire qui dit : « Il faut absolument qu'il y ait des pauvres. Plus il y aura d'hommes qui n'auront que leurs bras pour toute fortune, plus les terres seront en valeur. »

On se croit avec de Funès frappant ses domestiques : « Vous êtes trop grand, baissez-vous, un valet ne doit pas être si grand ! », mais c'est Voltaire qui dit : « Il faut un châtiment qui fasse impression sur ces têtes de buffles... Laissons le peuple recevoir le bât des bâtiers qui le bâtent, mais ne soyons pas bâtés. »

Voltaire ou de Funès ? « Il eut toujours l'air d'être en colère contre ces gens, criant à tue-tête avec une telle force, qu'involontairement j'en ai plusieurs fois tressailli. La salle à manger était très sonore et sa voix de tonnerre y retentissait de la manière la plus effrayante[1]. » Voltaire ou de Funès ? « J'ai honte de l'abrutissement et de la soumission basse et servile où j'ai vécu trois ans auprès d'un philosophe, le plus dur et le plus fier des hommes[2]. » Voltaire ou de Funès ? « En général le respect pour les grands avilit le fait qu'on admire ce qui est bien loin d'être admirable. On loue des actions et des discours qu'on mépriserait dans un particulier[3]. »

Voltaire est un de Funès lettré, un de Funès en majesté ; un de Funès en robe de chambre et perruque coiffée d'un bonnet de patriarche. De Funès pouvait tout jouer, industriel ou commerçant, flic ou mafieux, restaurateur ou grand d'Espagne ; Voltaire pouvait tout écrire, poésie, tragédie, roman, conte, essai politique, récit historique ou épopée. Le personnage incarné par Louis de Funès, avec un génie comique incomparable, traduisait l'avènement, dans la France pompidolienne du milieu du XXe siècle, d'une nouvelle bourgeoisie, avide et brutale, amorale et cynique, pressée de faire fortune et de parvenir. Voltaire incarne, avec un génie littéraire incomparable, l'avènement, dans la France de Louis XV du milieu du XVIIIe siècle, d'une nouvelle bourgeoisie, avide et brutale, amorale et cynique, pressée de faire fortune et de parvenir. La même soif de reconnaissance. Le même arrivisme. Le même mépris de classe. Le même darwinisme libéral. La même cruauté sociale. Le même règne de l'argent.

Un confident de Voltaire évoque ses « 150 000 livres de rentes dont une grande partie gagnée sur les vaisseaux ». La traite des Noirs « n'est pas sans doute un vrai bien », reconnaît Voltaire dans une formule alambiquée, avant d'écrire à son homme d'affaires : « J'attends avec toute l'impatience d'un mangeur de compote votre énorme cargaison bordelaise. » En octobre 1760, Voltaire sable le champagne avec quelques amis pour fêter la défaite au Québec des Français dans une

1. Madame de Genlis décrivant l'ambiance à Ferney.
2. Collini, un secrétaire de Voltaire.
3. Voltaire parlant sans doute d'expérience.

guerre « pour quelques arpents de neige ». L'humiliation patriotique et le déclassement géostratégique lui paraissent de peu d'importance eu égard à l'enjeu commercial : sauvegarder en échange les possessions françaises aux Antilles et leurs exploitations sucrières, très abondantes et très rémunératrices, même si elles utilisent une main-d'œuvre d'esclaves alimentée par la traite des Noirs.

Notre humaniste détourne le regard. *Business is business.* Le travail est le souverain bien. Surtout le travail des pauvres. « Forcez les gens au travail, vous les rendrez honnêtes gens. » Il vante les déportations en Sibérie comme les forçats dans les colonies anglaises condamnés « à un travail continuel ». Il pense comme Quesnay, le chef de file des économistes physiocrates, « qu'il est important que le petit peuple soit pressé par le besoin de gagner » ; et n'a aucune compassion pour les « deux cent mille fainéants qui gueusent d'un bout du pays à l'autre, et qui soutiennent leur détestable vie aux dépens des riches ».

Le grand importateur des « idées anglaises »

Notre grand homme habille son insensibilité sociale et sa cupidité insatiable des oripeaux seyants de la liberté. Il a rapporté d'Angleterre ce mariage de libéralisme économique et de libéralisme politique et philosophique. Il est le grand importateur de ces « idées anglaises » que nos armées vont bientôt répandre dans toute l'Europe, après avoir bouleversé la France, pour le meilleur, mais aussi pour le pire : « Les Français ne furent que les singes et les comédiens de ces idées, leurs meilleurs soldats aussi, en même temps, malheureusement, que leurs premières et plus complètes victimes, car la pernicieuse anglomanie des "idées modernes" finit par étioler si bien l'âme française qu'on ne se rappelle plus, aujourd'hui, qu'avec une surprise presque incrédule son XVIe et son XVIIe siècle, sa force profonde et passionnée de jadis, son pouvoir créateur, sa noblesse… La noblesse européenne – noblesse du sentiment, du goût, des mœurs, bref, la noblesse de tous les sens élevés du mot – est l'œuvre et l'invention de la France ; la vulgarité européenne, la bassesse plébéienne des idées modernes est l'œuvre de l'Angleterre[1]. »

L'attrait était trop grand. Le goût du changement. La fascination des grands mots et des grands principes. La liberté de penser, d'écrire, de parler ; la liberté de commercer aussi. La liberté de croire ou de ne pas croire. Les droits de l'homme. La tolérance qu'il défend *urbi et orbi*, pour la réhabilitation de Calas ou du chevalier de La Barre, et qu'il pratique si peu : « La tolérance ? Prêchez-la d'exemple », lui lance Madame du Deffand. Ses proches seuls ont deviné que la tolérance voltairienne reposait non tant sur le respect de chacun que sur le mépris de tous. Même mépris de la « populace » catholique qui a persécuté les Calas et de ces « imbéciles » de Calas. « Nous ne valons pas grand-chose, mais les huguenots sont pires que nous. » Mépris des Juifs : ces « ennemis du genre humain » ; cette « horde vagabonde des Arabes appelés Juifs ».

Mépris des pauvres : « Il me paraît essentiel qu'il y ait des gueux ignorants... Le vulgaire ne mérite pas qu'on pense à l'éclairer... Les frères de la doctrine chrétienne sont survenus pour achever de tout perdre : ils apprennent à lire et à écrire à des gens qui n'eussent dû apprendre qu'à dessiner et à manier le rabot et la lime, mais qui ne le veulent plus faire. »

Mépris du peuple : « C'est une très grande question de savoir jusqu'à quel degré le peuple, c'est-à-dire neuf parts du genre humain sur dix, doit être traité comme des singes. »

Mépris des Français : « La chiasse du genre humain... les premiers singes de l'univers... une race de singes dans laquelle il y a eu quelques hommes... Au-dessous des Juifs et des Hottentots. »

Mépris de l'humanité : « Regardons le reste des hommes comme les loups, les renards, et les cerfs qui habitent nos forêts. »

1. Friedrich Nietzsche, *Par-delà le bien et le mal*, 1886.

C'est à ce point d'intersection que se rejoignent le tempérament et l'idéologie. Son humanisme est perverti par son sentiment de supériorité. Voltaire s'approprie le mot célèbre de Terence : « Je suis homme ; rien de ce qui est humain ne m'est étranger » ; mais il décide qui est homme et qui ne l'est pas. Il y a les « honnêtes gens » et la « canaille ». Pour cette « canaille », un Dieu est indispensable pour les « empêcher de me voler ». Voltaire animalise à tour de bras ses ennemis : « Il est juste d'écarter à coups de fouet les chiens qui aboient sur notre passage », autant que la populace, les « sauvages », les Noirs, les Hottentots, les Juifs : « animaux calculants », les « bêtes puantes de jésuites ».

C'est le cœur de son désaccord avec Rousseau : « Il n'y a que lui qui soit assez fou pour dire que tous les hommes sont égaux. » C'est surtout le cœur de son conflit avec l'Église catholique. Dans son combat inexpiable contre le catholicisme, on ne sait qui est la poule et qui est l'œuf ; on ne sait si Voltaire récuse l'égale dignité de tous les hommes parce que c'est un credo catholique ou s'il vomit le catholicisme parce qu'il défend l'égale dignité de tous les fils d'Adam : « Notre aumônier prétend que les Hottentots, les nègres et les Portugais descendent du même père. Cette idée est bien ridicule… voilà bien une plaisante image de l'être éternel qu'un nez noir épaté avec pas ou point d'intelligence. »

Dans son livre *Naissance du sous-homme au cœur des Lumières*, Xavier Martin montre comment la remise en cause par Voltaire du message universaliste chrétien le conduit irrémédiablement à une hiérarchisation entre les hommes, mère de toutes les dérives ; comment sa haine du christianisme l'amène naturellement à celle du peuple qui l'a inspiré. Jésus : « Un Juif de la populace, né dans un village juif, d'une race de voleurs et de prostituées… un ignorant de la lie du peuple, prêchant surtout l'égalité qui flatte tant la canaille… » Saint Paul : « menteur et méchante bête », qui « parviendrait à ruiner l'Empire romain en faisant triompher le principe d'égalité de tous les hommes devant un seul Dieu ». Sans oublier la Genèse, ce « roman asiatique », un texte alourdi de « toutes les dégoûtantes rêveries dont la grossièreté juive a farci cette fable ».

Notre historien iconoclaste note que Drumont dans *La France juive* comme Fourier ou Proudhon, dans leurs diatribes antisémites, citent copieusement Voltaire. Chamberlain, célèbre antisémite anglais du XIXe siècle, fonde lui aussi « sa récusation de l'unité de l'espèce humaine sous l'autorité des Lumières ». Le coup de grâce est donné par le plus grand historien de l'antisémitisme en Europe, Léon Poliakov : « L'écrasement de l'infâme préludera (à travers autant de médiations qu'on voudra) à des égorgements autrement vastes. » Le peuple vendéen sera le premier à subir dans sa chair ce déni d'humanité. D'autres ne tarderont pas à être qualifiés de « sous-hommes » et d'animaux. « Le christianisme avait fait prévaloir l'unité du genre humain. Le règne de la raison va paradoxalement battre en brèche cette conception adamique de l'humanité en minant l'idée même de l'unité de l'espèce », souligne Georges Bensoussan, historien de la Shoah. La division de l'humanité en races distinctes, et bientôt inégalitaires, sortira au XIXe siècle de cette remise en cause voltairienne de l'unité chrétienne de l'espèce humaine. Les Chamberlain, Gobineau, Rosenberg ne sont pas les produits odieux des anti-Lumières, mais les fils des Lumières. Pas les rebelles contre Voltaire, mais ses enfants dégénérés. Les bâtards de Voltaire !

L'auteur de *Candide* a de la chance : la postérité progressiste et humaniste refuse cette leçon pourtant implacable. Et se bouche les oreilles lorsque Poliakov retourne l'ironie voltairienne contre le maître : « On continuera donc à combattre le racisme au nom de ces apôtres des Lumières qui en furent les inventeurs de fait. »

VOLTAIRE EST ENCORE PLUS GRAND MORT QUE VIVANT

Ces efforts démythificateurs sont vains. Voltaire est encore plus grand mort que vivant. Son talent littéraire souverain intimide jusqu'aux plus hostiles. Même Joseph de Maistre prend des précautions avant d'abattre l'idole : « Il ne faut louer Voltaire qu'avec une certaine retenue, j'ai presque dit à contrecœur. L'admiration effrénée dont trop de gens l'entourent est le signe infaillible d'une âme corrompue. » Pourtant, de Maistre voit juste avec deux siècles d'avance. La postérité n'a pas conservé grand-chose de son œuvre protéiforme : quelques contes où sa légèreté ironique fait merveille, comme *Candide* ; mais rien de ses tragédies, encore moins de ses poésies ou épopées (*La Henriade* !) ne subsiste dans les mémoires. Ses textes politiques n'ont pas la profondeur de ceux de Montesquieu ou de Rousseau. Il est un pamphlétaire de talent, un activiste de génie. La profondeur allemande du XIXe siècle fait de Voltaire un usurpateur de la « philosophie ».

En dépit de tout, François-Marie Arouet, dit Voltaire, incarne, à nos yeux qui refusent de se dessiller, la liberté et la modernité, la fin de l'obscurantisme religieux et de la superstition, l'ère de la raison souveraine et de l'individu qui s'émancipe des corsets holistes de la société traditionnelle. « Voltaire, c'est la fin du Moyen Âge », s'inclinera encore Lamartine.

Mais pourquoi lui ? Ses thuriféraires évoquent les persécutions qu'il aurait subies, ses séjours à la Bastille, les bastonnades des grands pour son irrévérence, son mot célèbre et insolemment prophétique : « Votre nom finit où le mien commence. » En 1717, il a 23 ans ; il est emprisonné pour avoir écrit des vers injurieux contre le Régent ; mais il sort de la Bastille onze mois plus tard après avoir envoyé un poème au Régent... qui lui verse une pension. En 1726, après la volée que lui inflige le chevalier de Rohan-Chabot, tout Paris se presse pour le visiter. L'appartement qui lui sert de prison s'avère trop petit pour recevoir la foule qui se bouscule ; il faut le libérer.

On a connu persécutions plus cruelles. Celles que subissent notamment les Polonais envahis en 1768 par Catherine II. Voltaire la défend pourtant : « L'impératrice de Russie non seulement établit la tolérance universelle dans ses vastes

États, mais elle envoie une armée en Pologne, la première de cette espèce depuis que la terre existe, une armée de paix qui ne sert qu'à protéger les droits des citoyens et à faire trembler ses persécuteurs. »

Voltaire invente à cette occasion la guerre humanitaire, la guerre pour la paix, la guerre pour la liberté des peuples qu'on occupe. Il est prêt à tout pour protéger ses amis souverains. Il qualifiera même le meurtre de son mari par l'impératrice de « bagatelle ».

En revanche, il ne passe rien au roi de France, ce « despote ». Louis XV a un irrémédiable défaut : il ne le reçoit pas, ne dîne pas avec lui en tête à tête, n'entretient pas de conversation épistolaire. Ne lui demande pas son avis sur la politique à mener ; ne recherche pas son aval avant de déclarer la guerre. En dépit des pressions, des supplications de la Pompadour, Louis XV ne goûte pas la compagnie de Voltaire, le trouve pédant, fat. Louis XV est de l'ancienne roche, il a un confesseur de l'Église catholique. Ces Capétiens sont désuets ; ils n'ont pas compris les temps nouveaux : ils ne traitent pas Voltaire (et les autres philosophes) en directeur de conscience : « Aucun prince ne commencera la guerre, disait Frédéric II, avant d'en avoir obtenu l'indulgence plénière des philosophes. Désormais ces messieurs vont gouverner l'Europe comme les papes l'assujettissaient autrefois. » L'impératrice russe Catherine II ne dira pas autre chose à propos de son long compagnonnage avec Diderot : « Tout au long de ces années, j'ai fait semblant d'être l'élève et lui le maître sévère. »

Une nouvelle race d'écrivains

Voltaire est libéral, mais pas démocrate : « J'aime mieux obéir à un seul tyran qu'à trois cents rats de mon espèce. » Son régime idéal est le despotisme éclairé. Le despotisme éclairé par la philosophie. Il est une réinvention du roi-philosophe de Platon. Il se rêve despote du despote. D'où ses démêlés tumultueux avec Frédéric II, qui supporte mal sa tutelle. Il inaugure une nouvelle race d'écrivains, qu'on appellera un siècle plus tard « intellectuels », qui ont pour caractéristique commune d'aduler les despotes (on dira bientôt « tyran » ou « dictateur »), mais seulement quand ils sont étrangers : allemands, italiens, russes, algériens, égyptiens, africains, vietnamiens et même chinois. Déjà, à l'époque de Voltaire, Quesnay faisait l'éloge du *Despotisme de la Chine* (1767) ! Qu'importe le flacon, pourvu qu'on ait l'ivresse. Ces despotes sont tous éclairés, progressistes, humanistes. Ils sont l'avenir du monde. L'horizon indépassable. Encore plus loués, louangés et flattés lorsqu'ils sont les ennemis de la France. Cette xénophilie militante s'étend à leurs peuples. Ceux-ci sont fiers, dignes, et ont les vertus viriles qu'on reproche au peuple français d'avoir perdues ; ou qu'on lui interdit de posséder. Ils se battent toujours pour la liberté. Eux aussi sont encore plus dignes d'éloges quand ils se révoltent contre la France.

Voltaire est le père de tous ces futurs « intellectuels ». Leur maître. Leur modèle insurpassable. Le père des générations successives de destructeurs, « déconstructeurs », nihilistes, amoureux insatiables de la table rase. Dans *Les Origines de la France contemporaine*, Taine a bien saisi la place éminente que tient Voltaire dans la généalogie de l'esprit français qui conduit à la grande saturnale de la Révolution française. Au XVIIe siècle, les classiques utilisent un langage épuré, abstrait, qui par sa clarté devient universel. Avec La Rochefoucauld, La Bruyère, Racine, Descartes, Boileau, l'honnête homme est déjà de nulle part et de partout. Il est français parce qu'il est universel ; universel parce que français. Mais le dogme monarchique et religieux est à l'époque encore intact.

Enfin vint Voltaire. Ou plutôt l'esprit scientifique du monde revisité par Voltaire. Descartes et Newton apportés, transcendés, simplifiés, épurés par Voltaire. La raison, sacralisée par la science, corrode tout, mine tout, détruit tout. La tradition est balayée. Le dogme religieux ne s'en remettra pas. La monarchie suivra. Il suffira qu'au pessimisme du XVIIe siècle succède l'optimisme du XVIIIe, pour que toutes les digues soient emportées. L'homme est partout le même, il a donc les mêmes droits partout. Dans les livres des philosophes, les Persans, les Chinois, les Grecs, les Byzantins, les Turcs, les Arabes, les ouvriers, les bourgeois, les chevaliers du Moyen Âge parlent et pensent tous comme un Parisien du XVIIIe siècle qui fréquente le salon de Madame du Deffand. Personne ne s'en étonne.

Le premier témoin du déclin de la France

Voltaire est le premier à avoir connu, subi, souffert sans doute, le déclin de la France à la fin du siècle de Louis XIV. Les défaites de la guerre de Succession d'Espagne, la montée en puissance de l'Angleterre, les concessions du traité d'Utrecht, les ouvertures de la Régence vers les puissances protestantes, autant de signes d'un détestable affaiblissement. Voltaire sera le premier théoricien du « déclinisme » français avec son « siècle de Louis XIV », conçu comme un monumental reproche à son successeur. Voltaire sera également le premier intellectuel – d'une interminable lignée – qui ira chercher à l'étranger – Angleterre, mais aussi Prusse, voire Russie – un modèle et un maître, voire un protecteur contre la « canaille » française.

Seul Rousseau, une fois encore, a compris ce qui se trame ; seul Rousseau a dénoncé l'entourloupe : « Défiez-vous de ces cosmopolites qui vont chercher au loin dans leurs livres des devoirs qu'ils dédaignent de remplir autour d'eux ; tel philosophe aime les Tartares pour être dispensé d'aimer ses voisins. »

Voltaire ne peut déchoir dans la mémoire collective, car, tel un roi, il est porté par les générations successives des écrivains et intellectuels qui se glorifient à travers lui. Le voltairien est le soutien solide de la République radicale ; l'ancêtre de Ferney est la figure tutélaire des « couches nouvelles » de Gambetta, de cette élite bourgeoise qui a compris qu'il est des Républiques douces à l'argent. Encore un siècle et on retrouve notre Voltaire en aïeul des libéraux-libertaires qui ne sont sortis de leurs chimères révolutionnaires de Mai 68 que pour mieux endosser les habits de la cossue bourgeoisie mondialisée. Toujours au nom de la liberté, du progrès, du cosmopolitisme. Un joyeux agnosticisme tonitruant les anime qui n'épargne que les monothéismes juif et musulman ; au nom des crimes du passé de l'odieuse Église catholique : toujours et encore « écraser l'infâme », même lorsque l'infâme est à terre.

Cette alliance entre la « philosophie » et l'« argent », entre les intellectuels de la liberté et les capitalistes libéraux, donnera ses fruits politiques les plus éclatants lors de la Révolution, comme l'a si bien analysé Edmund Burke : « C'est pourquoi l'alliance des auteurs en question avec les capitalistes n'a pas peu contribué à affaiblir dans le peuple les sentiments de haine et d'envie que lui inspirait cette forme de richesse [...] ils attiraient, à force d'exagération, les haines les plus fortes sur les fautes de la cour, de la noblesse et des prêtres. Devenus une espèce de démagogues, ils servirent de chaînon pour unir, au service d'une même entreprise, l'opulence et la misère, le faste odieux des uns et la turbulence affamée des autres [...] l'alliance des gens d'argent et des gens de lettres explique la furie universelle avec laquelle on a attaqué l'ensemble du patrimoine foncier de l'Église et des communautés religieuses tout en protégeant avec un soin extrême, contrairement aux principes mêmes qui sont invoqués, des intérêts d'argent qui tirent leur origine de la seule autorité de la Couronne[1]. »

Cette alliance a déjà vaincu avant la Révolution. Voltaire a connu de son vivant la déchristianisation de la société française. Une déchristianisation profonde, inéluctable, qui commença par les hautes sphères de la société pour s'étendre jusqu'au peuple. Ses amis en plaisantaient : « Vous voyez la Terre promise et vous n'y entrerez pas », lui écrit Madame du Deffand.

Lui-même en riait : « Cela est pourtant fâcheux ; de quoi nous moquerons-nous ? »

Voltaire « écrasa l'infâme ». Ce n'est ni la Révolution, ni la

1. Edmund Burke, *Réflexions sur la Révolution de France*, 1790.

Terreur, ni Robespierre, mais Louis XV lui-même, pourtant profondément catholique, qui donnera les premiers et décisifs coups de ciseaux dans la millénaire robe sans coutures de l'Église, en expulsant la congrégation des Jésuites en 1764, à l'exultation des philosophes, pour la plupart anciens élèves ingrats de ces mêmes jésuites.

Voltaire et Diderot n'avaient pas été les seuls à sortir des collèges jésuites. Toutes les élites, pendant des siècles, avaient été éduquées par les émules d'Ignace de Loyola. Avec l'expulsion des Jésuites, le rapport de force bascule. L'école ne cessera plus d'être un enjeu majeur de la guerre idéologique. Qui éduque les enfants tient les cerveaux de l'élite. Qui tient les cerveaux de l'élite domine les esprits du pays. Les élèves rebelles deviennent les maîtres. Les persécutés, les persécuteurs. Les vaincus, les vainqueurs. C'est la Révolution avant la Révolution. La Révolution sous l'Ancien Régime. La Révolution avec la bénédiction de l'Ancien Régime.

Cette victoire idéologique et culturelle n'est pas le fruit du hasard ni du seul talent littéraire de Voltaire. Elle est le produit d'une organisation de fer, quasi militaire, d'une lutte inexpiable menée contre les adversaires de la « philosophie ». Une guerre imaginée, orchestrée, conduite par Voltaire lui-même. « Je voudrais que les philosophes puissent faire un corps d'initiés et je mourrais content », écrit-il à d'Alembert ; « Ameutez-vous et vous serez les maîtres : je vous parle en républicain, mais aussi il s'agit de la République des lettres oh ! la pauvre République. »

Il donne l'exemple. Il poursuit de sa vindicte tous ceux qui osent le contredire, le contester, l'affronter. La postérité a conservé le souvenir de ses altercations avec Jean-Jacques Rousseau. Son mépris, sa morgue contre celui qui « donnait envie de se mettre à quatre pattes ». On sait moins que la lutte intellectuelle se doublait d'une chasse à l'homme judiciaire et policière. Il n'hésite pas à susciter des lettres de cachet contre ses ennemis ; il fait tout pour qu'on enferme Fréron à la prison de Bicêtre ; s'en réjouit quand ses souhaits sont exaucés : « Vous avez enterré Fréron, vous étoufferez les autres insectes dans leur naissance. » Il écrit au duc de Richelieu : « Nous avions besoin autrefois qu'on encourageât la littérature et aujourd'hui il faut avouer que nous avons besoin qu'on la réprime. »

Il revient à l'historien Augustin Cochin le grand mérite d'avoir exhumé la face noire de ce qu'il appelait la « secte philosophique. » Elle prend forme et force pendant les années 1770. La « République des lettres » chère à Voltaire intimide jusqu'à la cour. L'*Encyclopédie* de Diderot impose ses thèmes et ses lois ; deux ou trois salons parisiens, dirigés par des amies ou des alliées de Voltaire, animent un débat intellectuel biaisé d'où les adversaires de la « philosophie » sont ostracisés ou ridiculisés ; l'Académie française a été conquise de haute lutte avec l'entrée de Duclos, et surtout de d'Alembert. En province se multiplient les académies dans les grandes villes et les sociétés littéraires dans les bourgades, sur le modèle parisien. La correspondance au sein de ce petit monde est incessante ; elle unifie et rassemble l'armée des philosophes, petits et grands, au sein des « foyers de Lumières ». La meute se ligue et se lève à volonté contre le clergé ou la cour, contre tel ou tel qui a cru s'attaquer à une coterie locale et se retrouve déchiqueté de toutes parts.

« De 1765 à 1780, le monde littéraire et politique subit une Terreur sèche, dont l'*Encyclopédie* est le Comité de salut public et d'Alembert le Robespierre. Sa guillotine est la diffamation, l'"infamie", comme on dit alors, mot lancé par Voltaire, qui s'emploie dès 1775 dans les sociétés de province : "Noter d'infamie est une opération bien définie, qui comporte toute une procédure, enquête, discussion, jugement, exécution enfin, c'est-à-dire condamnation publique au mépris, encore un de ces termes de droit philosophique dont nous n'apprécions plus la portée. Et les têtes tombent en grand nombre : Fréron, Pompignan, Palissot, Gilbert, Linguet, l'abbé de Voisenon, l'abbé Barhélemy, Chabanon, Dorat, Sedaine, le président de Brosses, Rousseau lui-même, pour ne parler que des gens de lettres, car le massacre fut bien plus grand dans le monde politique[1]..." »

La révolution intellectuelle a précédé la révolution politique selon un cheminement qui sera théorisé plus tard par le communiste italien Gramsci. C'est l'Ancien Régime qui a élevé, protégé et choyé en son sein le serpent philosophique qui le tuera. Des années après la Révolution, le comte de Ségur évoquera dans ses Mémoires le climat qui régnait dans les hautes sphères de la société : « La gravité des anciennes doctrines nous pesait. La riante philosophie de Voltaire nous entraînait en nous amusant [...] La liberté, quel que fût son langage, nous plaisait par son langage ; l'égalité, par sa commodité [...] Si l'inégalité durait encore dans la distribution des places et des charges, l'égalité commençait à régner dans les sociétés. En beaucoup d'occasions, les titres littéraires avaient la préférence sur les titres de noblesse [...] Les institutions restaient monarchiques, mais les mœurs devenaient républicaines [...]. Nous préférions un mot d'éloge de d'Alembert, de Diderot, à la faveur la plus signalée d'un prince... »

Un climat de guerre civile froide

Voltaire a forgé ce climat de guerre civile froide propre à la vie intellectuelle française. Les Jacobins traiteront leurs adversaires en criminels à exécuter ; les communistes, en ennemis de classe à ostraciser. Le sectarisme des progressistes perdure jusqu'à aujourd'hui ; leur propension à judiciariser, psychiatriser, animaliser les conflits politiques ; à refuser à leurs adversaires leur liberté, leur raison, jusqu'à leur statut d'être humain parfois. Leur faculté sidérante à se poser en victimes alors qu'ils sont bourreaux. Leur réécriture fallacieuse de l'Histoire. Tout est dans Voltaire, à la fois père tutélaire et matrice expérimentale.

Les « philosophes » ont reproché aux pères de l'Église d'avoir asservi la raison à la théologie ; mais ils ont, eux,

1. Augustin Cochin, *Les Sociétés de pensée et la démocratie moderne*, 1921.

asservi Dieu à la raison. Au moins, la raison a-t-elle pu se rebeller et s'émanciper de la théologie. Tous les pays occidentaux ont connu une sécularisation de l'espace public comparable à celle de la France ; mais seul notre pays voltairien a poussé la déchristianisation aussi loin et avec une telle hargne vengeresse, provoquant désert spirituel, anomie sociale et contrôle quasi totalitaire des esprits par une élite sectaire et intolérante.

Sans doute les deux phénomènes sont-ils intimement liés : parce qu'ils voulaient détruire l'Église et la religion catholique, et non pas seulement desserrer son étau parfois étouffant, Voltaire et les siens ont dû la remplacer. Pour la remplacer, l'imiter. Les adversaires de l'Église ont fondé une contre-Église ; les ennemis des prêtres ont prêché ; pour mieux dénoncer les persécutions et les excommunications, ils ont persécuté et excommunié.

Voltaire était drôle mais méchant ; talentueux mais arrogant ; esprit supérieur qui use de sa liberté pour balayer ceux qui ne sont pas à son niveau. Ses défauts de caractère altèrent son génie. Son sourire est toujours ironie ; sa tolérance toujours mépris ; ses moqueries toujours sarcasmes. Il blasphème ou insulte. Il a pour l'éternité ce masque de vieillard amer et revêche dont l'a affublé le sculpteur Houdon ; et arbore à jamais cet « hideux sourire » qu'évoque Musset. « Le rire qu'[il] excite n'est pas légitime : c'est une grimace [...]. Un rictus épouvantable, notait déjà Joseph de Maistre. D'autres cyniques étonnèrent la vertu, Voltaire étonne le vice. Sodome l'eût banni[1]. »

Son talent souverain a corrodé pour toujours l'esprit français de cette aigreur hautaine et grimaçante. L'Église n'avait pas tort de refuser les honneurs du génie à celui qui abuse de ses dons.

Voltaire le notait lui-même : « Un esprit corrompu ne fut jamais sublime. »

1. Joseph de Maistre, *Les Soirées de Saint-Pétersbourg*, 1821.

Rousseau

Le nez dans le ruisseau

C'est le seul écrivain qu'on appelle par son prénom : Jean-Jacques. Comme un enfant ou un adolescent. Comme un vieil ami. Comme une vedette de la chanson ou du sport. On sait tout de Jean-Jacques Rousseau ; il nous a lui-même fait ses confidences : ses premiers émois amoureux et érotiques, ses peines et ses joies, ses larcins même ; qu'il était un piètre amant ; qu'il a abandonné ses cinq enfants à l'assistance publique ; mais cela ne l'empêche pas d'écrire des traités d'éducation. Il nous avait prévenus qu'il « préférait être un homme à paradoxes plutôt qu'un homme à préjugés ».

Quand il marche dans les rues de Paris, les gens l'arrêtent, l'interrogent, lui crient leur admiration. Il s'en plaint et se retire à la campagne pour retrouver les joies simples de l'herboristerie. Jean-Jacques fut notre première *rock star*. À toute *rock star*, il faut un rival emblématique, un opposant systématique : les Beatles eurent les Rolling Stones ; Rousseau eut Voltaire. Haine et admiration, insultes et menaces, les relations entre les deux hommes semblent écrites par des agents retors. Pourtant, la postérité, bonne fille, n'aura de cesse que de les associer dans une commune admiration. Ils incarnent une époque, une idée, un siècle. Avant eux, les écrivains écrivaient des livres ou des pièces ou des poèmes ; après eux, ils seront des « intellectuels », ils donneront leur avis sur tout, ils seront « engagés ».

On connaît la chanson de Gavroche sur les barricades avant de tomber sous les balles des soldats. « Si je suis tombé par terre, c'est la faute à Voltaire. Le nez dans le ruisseau, c'est la faute à Rousseau. »

La liberté et l'égalité

Voltaire et Rousseau sont deux figures mythiques, étroitement associées ; deux frères siamois d'un même idéal. Tout semble alors les rapprocher jusqu'à les confondre : leur mort la même année, 1778, et leur entrée successive au Panthéon sous la Révolution condamnés pour l'éternité à demeurer côte à côte ; ils incarnent chacun une branche de l'idéal national : la Liberté pour Voltaire, l'Égalité pour Rousseau. La haine qu'ils suscitent parmi les contre-révolutionnaires les rassemble plus encore. Joseph de Maistre n'est pas moins tendre pour Rousseau qu'il ne l'a été pour Voltaire : « L'un des plus dangereux sophistes de son siècle... Tout, jusqu'à la vérité, trompe dans ses écrits. »

Les deux figures de la Révolution vont pourtant se disjoindre, s'opposer. La querelle sociale, qui devient prééminente au XIXe siècle avec l'émergence du capitalisme industriel, les éloigne : la bourgeoisie est voltairienne, les gens du peuple sont rousseauistes. L'individu d'un côté, la volonté générale de l'autre. La Liberté et l'Égalité deviennent désormais antinomiques. Gavroche est bien le dernier à adorer de conserve ses deux saints laïcs ; la bourgeoisie voltairienne fera donner la troupe aux journées de juin 1848 contre les ouvriers rousseauistes et bientôt socialistes. La IIIe République, encore conservatrice, choisit son camp : elle ne célèbre en 1878 que le centenaire de la mort de Voltaire, à qui elle donne le nom d'un boulevard, tandis qu'elle confine son vieil adversaire dans une rue étroite de Paris. Le communisme sonne la revanche du citoyen de Genève : les historiens marxistes exaltent Rousseau pour mieux défendre Robespierre et Lénine. Pourtant, Voltaire et Rousseau ont vécu avant la révolution industrielle. La fortune de Voltaire vient, comme celle de tous les grands bourgeois de l'époque, d'un commerce lié aux commandes d'État ou à l'économie de traite ; le romantisme agreste de Jean-Jacques est contemporain d'un temps où la masse des Français est constituée de paysans.

Cette dispute économique et sociale entre Voltaire et Rousseau était largement artificielle ; elle faisait parler les morts. Il faudra attendre deux siècles pour retrouver les termes authentiques de leur querelle fondatrice. Deux siècles pour retrouver l'essence même de leur désaccord. Pour que leurs mots, leurs pensées, leurs éclats, leurs fureurs rejoignent nos préoccupations et nos clivages idéologiques. Mondialisation et nation, ouverture et repli, universalisme et préférence nationale, cosmopolitisme et patriotisme, libre-échange et protectionnisme, Europe et souveraineté nationale, xénophobie et xénophilie, tous ces thèmes qui nous agitent et nous déchirent aujourd'hui ont agité et déchiré Voltaire et Rousseau hier. Dans les mêmes termes, dans les mêmes contextes que nous.

République européenne

Si Voltaire et Rousseau revenaient d'entre les morts, ils pourraient reprendre sans le moindre dépaysement leur controverse. Rousseau constaterait : « Il n'y a plus aujourd'hui de Français, d'Allemands, d'Espagnols, d'Anglais même, quoi qu'on dise ; il n'y a que des Européens. » Voltaire lui rétorquerait que la « République européenne » est un gage de paix, ce à quoi Rousseau acquiescerait, en prophète désolé : « Les haines nationales s'éteindront, mais ce sera avec l'amour de la patrie. » Rousseau est, comme certains d'entre nous, un patriote égaré au milieu de cosmopolites. « Attendri » par sa patrie, il subit les lazzis de rationalistes froids et ricaneurs : « Ces vains et futiles déclamateurs sourient dédaigneusement à ces vieux mots de patrie et de religion. » Jean-Jacques est fier d'être « citoyen de Genève » quand Voltaire est davantage citoyen de la « République européenne ». Rousseau, écorché vif, suisse à Paris et français à Genève, qui se sent partout exclu et rejeté parce que étranger, ressent, comprend, théorise l'immense bonheur d'avoir une patrie : « Plus je contemple ce petit État, plus je trouve qu'il est beau d'avoir une patrie ; et Dieu garde de mal tous ceux qui pensent en avoir une, et n'ont pourtant qu'un pays. »

Rousseau a le grand défaut de n'être dupe de rien. Le Genevois dissipe les illusions des salons parisiens : l'attachement à la patrie est inconciliable avec le cosmopolitisme rationaliste ; on ne peut pas aimer sa patrie et le monde, les siens et les étrangers ; l'amour universel est un leurre : « Nous ne saurions être touchés des calamités de la Tartarie ou du Japon, comme de celles d'un peuple européen. » Il faut choisir entre l'amour de soi et l'amour de l'Autre : « Le patriotisme et l'humanité sont [...] deux vertus incompatibles dans leur énergie... Le législateur qui les voudra toutes deux n'obtiendra ni l'une ni l'autre. »

Jean-Jacques dénonce les dangers du message universaliste de l'Église et démontre en même temps aux philosophes anticléricaux qu'ils ne sont que les perroquets dévoyés des Évangiles : « Le christianisme est la religion de l'homme et non celle du citoyen. Intéressant l'individu avant tout à son salut, il le détourne de son destin terrestre et politique. C'est pourquoi la loi chrétienne est au fond plus nuisible qu'utile à la forte constitution de l'État... »

Maurras saura se souvenir de la leçon de Rousseau ! Il distinguera entre l'ordre catholique incarné par l'Église et l'esprit chrétien du message évangélique qui corrode et dissout la nation au nom de la fraternité universelle.

On a toujours grand tort d'avoir raison trop tôt. Le siècle cosmopolite des Lumières s'achèvera par l'accouchement aux forceps de la nation. Le rêve européen des philosophes français finira dans l'impérialisme botté de la « grande nation ». Les révolutionnaires rangeront dans un placard fermé à double tour leurs tirades universalistes et leurs déclarations de paix au monde pour exalter la « patrie en danger » ; ils trouveront tout l'attirail théorique et politique chez leur cher Jean-Jacques : la conscription pour les citoyens qui défendent les frontières ; la rigueur militaire de Sparte donnée en modèle ; les fêtes républicaines et patriotiques ; l'éducation civique et historique : « Tout peuple a ou doit avoir un caractère national ; s'il en manquait, il faudrait lui en donner. » La République française célèbre ses noces avec le patriotisme. Saint-Just a lu Rousseau, qui a lu Platon : « Tout vrai républicain suce avec le lait de sa mère, l'amour de la patrie. »

« ÉGOÏSME NATIONAL »

La République chérit ses enfants, mais est dure aux étrangers. La nation n'existe pas sans une préférence radicale pour le groupe dont on est membre. « L'essentiel est d'être bon aux gens avec qui l'on vit[1]. » Un roi peut fédérer autour de sa personne des peuples divers qui ne sont pas unis par les mœurs ou la langue. La République en est incapable. Rousseau a compris que le concept de volonté générale mène inéluctablement à celui de peuple. Le peuple à la nation. La République de citoyens est indissociable de la nation. La nation se pose en s'opposant, se singularise dans l'« égoïsme national » ; et se dissout si elle est noyée dans les eaux brûlantes de la fraternité universelle : « L'esprit patriotique est un esprit exclusif qui nous fait regarder comme étranger, et presque comme ennemi tout autre que nos concitoyens [...] l'esprit du christianisme au contraire nous fait regarder tous les hommes indifféremment comme nos frères. »

Cet universalisme fraternel agit comme un envahisseur qui détruirait l'identité nationale d'un pays occupé. Aux Polonais engloutis par l'Empire russe, Rousseau explique qu'il ne servira à rien de résister par les armes. Il les encourage à s'atteler à une tâche moins glorieuse et plus utile : sauver l'âme polonaise. Un État peut être rayé de la carte ; la

1. *L'Émile*, I.

nation peut subsister par l'éducation, l'entraide, la solidarité, la langue. Rousseau tranche deux siècles avant nous nos sempiternels débats sur l'identité et la souveraineté : « Ce ne sont ni les murs ni les hommes qui font la patrie, ce sont les lois, les mœurs, les coutumes, la manière d'être qui résulte de tout cela. »

Avant Maurice Barrès, Rousseau a composé pour la Pologne le premier roman de l'énergie nationale ; avant Simone Weil, il s'est fait le chantre des petites nations souffrantes. Les grandes nations d'hier sont les petites nations d'aujourd'hui...

Tout au long du XIXe siècle, la gauche française tentera de concilier les frères ennemis, Voltaire et Rousseau. La liberté et la volonté générale ; l'individualisme bourgeois et le patriotisme. L'universalité des droits de l'homme et la préférence nationale pour les citoyens ; la République renouait ainsi avec l'ambivalence féconde de nos anciens rois qui mariaient eux aussi l'universalisme catholique et la souveraineté farouche de l'« Empereur en son royaume ». Toutes les synthèses étaient encore possibles. Le mot « nationalisme » n'existait pas encore. C'est Barrès qui en fera une doctrine politique à partir des années 1890. La gauche est en train de basculer. Elle est encore apparemment une bonne élève de Rousseau. Elle a tancé tout au long du siècle les pouvoirs monarchiques pour leur politique excessivement pacifiste et la soumission de la « grande nation » au concert européen de la « Sainte-Alliance », cette Europe des rois qui se méfie de la France. En 1871, les communards se révoltent encore contre la défaite et la capitulation devant la Prusse et tentent de rejouer une nouvelle fois la tragédie grandiose de la « patrie en danger ». Une dernière fois. Ce sera le chant du cygne de la tradition révolutionnaire de Paris et de la tradition patriotique de la gauche. Déjà, chez certains communards perce le mythe de l'Internationale... Ils ont troqué Jean-Jacques pour Karl. Pourtant, la IIIe République, suivant les conseils de Rousseau, nourrit tous les enfants de France au lait du « roman national » et des fêtes patriotiques.

Mais la gauche va muter pour l'universel et abandonner le patriotisme farouche de Rousseau pendant l'affaire Dreyfus. Les premiers avocats du capitaine ont vite été débordés par une agitation antimilitariste et antipatriotique qui prend prétexte de cette bataille judiciaire pour engager une campagne d'opinion hostile aux traditions militaires de la France, dont Zola se fera le chantre talentueux mais urticant.

GIONO PLUTÔT QUE SAINT-JUST

Cette offensive « gauchiste » provoquera la violente réaction des « nationalistes », Barrès et Maurras, qui en rajouteront dans l'antisémitisme le plus ordurier pour, croient-ils, protéger l'armée ; mais aussi la fureur des dreyfusards patriotes, comme Charles Péguy ou Daniel Halévy. Des années après l'Affaire, Maurras écrira encore : « Mon premier et dernier avis là-dessus a été que, si par hasard Dreyfus était innocent, il fallait le nommer maréchal de France, mais fusiller une douzaine de ses principaux défenseurs pour le triple tort qu'ils faisaient à la France, à la Paix, et à la Raison. »

Seul le conflit de 1914 éteindra momentanément les cendres de cette guerre civile froide. C'est l'« union sacrée » autour de la nation. Pour la dernière fois. La gauche ne se pardonnera jamais l'Union sacrée. L'amour de la patrie ne valait pas à ses yeux semblable boucherie. L'absurdité et l'ampleur du sacrifice ont détruit irrémédiablement sa ferveur patriotique. La gauche veut oublier Rousseau. Un pacifisme absolutiste lui tiendra désormais lieu de boussole. « Je préfère être un Allemand vivant qu'un Français mort » : la phrase de Giono s'est substituée comme idéal de la gauche française au révolutionnaire « La liberté ou la mort » de Danton, Saint-Just et Robespierre. Il y aura des retours de flamme patriotique, des retournements de veste, la Résistance, et le ralliement bien tardif des communistes au drapeau tricolore ; mais eux aussi, à l'instar de nos monarques d'antan, devront s'efforcer de concilier leur patriotisme et la fraternité universaliste de la religion communiste.

Après 1848, et son « printemps des peuples », après l'internationalisme de la Commune, après 1918, 1968 est l'ultime date qui borne le divorce de la gauche avec la nation. Les étudiants manifestent en criant : « Nous sommes tous des juifs allemands. » On est revenu à la case Départ. On est revenu au cosmopolitisme bourgeois du siècle des Lumières. On est revenu à Voltaire. La « religion de l'humanité » reprend ses droits. Au nom des droits de l'homme, on méprise les droits du citoyen. Au nom de l'Europe, on méprise la nation. Au nom de l'ouverture à l'Autre, on méprise la volonté générale. Au nom de la fraternité universelle, on méprise la préférence nationale. On s'émeut de nouveau des malheurs de la « Tartarie » pour mieux dédaigner les malheurs de ses voisins, les pauvres, les chômeurs, les ouvriers délaissés du nord ou de l'est de la France. La République est douce aux étrangers et dure aux patriotes. La gauche jette Rousseau par-dessus bord une nouvelle fois.

Et se glace les os au sourire hideux de Voltaire.

Maupeou

Le mur des cons

On les craint. On les vitupère. On les révère. On les adule. On les menace. On les circonvient. On les séduit. On les attendrit. On les applaudit. On les éblouit. On les excommunie. On les vomit. On leur obéit.

Les juges sont parmi les personnages les plus controversés de notre temps. Les plus médiatisés aussi. Les plus vénérés. Il y a des petits et des grands juges, des juges de droite et des juges de gauche, des juges de fer et des juges pervers, des juges sages et des juges audacieux. Des juges au tribunal de Valenciennes et des juges de la Cour européenne des droits de l'homme de Strasbourg ; des juges chargés des divorces et des juges constitutionnels. Des juges administratifs et des juges antiterroristes.

Mais au-delà de leurs différences et de leurs divergences, ils sont aux yeux de notre époque énamourée les garants de l'« État de droit », qui est devenu dans le langage commun synonyme à la fois de la démocratie et de la liberté. On a même vu lors de la dernière campagne présidentielle, en 2017, à l'encontre de toutes les traditions démocratiques, et de tous les principes de la séparation des pouvoirs, des magistrats mettre en examen le favori de l'épreuve, quitte à influer de manière décisive sur le sort final de l'élection.

Cette promotion inouïe est fort récente.

Sous la IIIe République, les parlementaires incarnaient la démocratie et la liberté. Ils étaient les représentants du peuple et de la volonté générale. Sous la Ve commençante du général de Gaulle, le président de la République, élu au suffrage universel, leur ravit ce rôle phare. Le premier homme politique français à avoir prononcé l'expression « État de droit » est le président Valéry Giscard d'Estaing, en 1977. Il entendait ainsi défendre sa réforme constitutionnelle qui permettait à soixante députés ou sénateurs de saisir le Conseil constitutionnel contre toute loi votée par le Parlement. Comme toujours, Giscard ne maîtrisait pas toutes les conséquences de ses audaces. Très imbu pourtant de son pouvoir et de sa légitimité présidentiels, il ne comprit pas qu'il faisait du juge constitutionnel l'arbitre suprême de la vie politique française.

Au cours des années qui suivirent, les « sages du Palais-Royal », ainsi qualifiés élogieusement par les médias, s'enhardirent. D'autres cours judiciaires, Conseil d'État, mais aussi Cour européenne des droits de l'homme et Cour de justice des communautés européennes, s'activèrent, elles aussi, à mettre sous tutelle l'activité législative de notre pays et celle de nos voisins. De nombreux essayistes en vogue pendant les années 1980 s'enthousiasmèrent. Ils invoquèrent le modèle de la Cour suprême américaine et le magistère glorieux de Montesquieu. On opposa celui-ci à Rousseau. L'« État de droit » de Montesquieu à la « volonté générale » de Jean-Jacques. Les Girondins (Montesquieu était originaire de Bordeaux !) aux Jacobins. Le libéralisme au marxisme. Personne ne fit remarquer que cette notion d'« État de droit » n'était aucunement une expression de Montesquieu, mais plutôt des juristes allemands qui, traumatisés par l'avènement démocratique de Hitler, estimaient que dans un « État de droit » chaque décision de l'État devrait être désormais conforme à une norme de droit, sanctifiée par un juge.

La « bouche » de la loi

Montesquieu n'avait décidément pas de chance avec la postérité. Peut-être était-il trop subtil pour elle. Déjà, dans les années 1960, le marxiste Althusser l'avait réduit au rôle d'intellectuel organique de sa classe sociale, celle des traitants financiers et de l'aristocratie de robe, tandis que Georges Pompidou l'avait dénoncé à Alain Peyrefitte comme honorable correspondant des services secrets anglais[1]. Montesquieu a seulement considéré que les juges devaient être la « bouche » de la loi. Ni plus ni moins. Une bouche répète comme un perroquet. Elle n'interprète ni ne censure. Robespierre, qui se voulait le premier héritier de Rousseau, reprendra pourtant un jour à son compte cette expression. Montesquieu aurait été sans doute hostile à l'« État de droit » cher à nos modernes, lui qui avait estimé que « si la puissance de juger était jointe à la puissance législative, le pouvoir sur la vie et la liberté des citoyens serait arbitraire car le juge serait législateur ». C'est exactement notre situation contemporaine, où on voit le législateur écrire sous la dictée des grands juges constitutionnels et européens.

Cette confusion n'est cependant pas sortie de nulle part. Montesquieu incarne une classe, une époque, une histoire. Une classe : la noblesse de robe des parlements d'Ancien Régime. Une époque : le règne de Louis XV dans la France des Lumières. Une histoire : le conflit qui opposa les uns à l'autre, les parlements au roi. À l'origine, rien ne pouvait laisser présager semblable opposition. Le combat était par trop disproportionné. Les parlementaires n'étaient que des jurisconsultes chargés par le roi, seul justicier du royaume, de rendre la justice en son nom. De le conseiller aussi. D'enregistrer les lois, les édits. Compétence purement technique qui devint, au fil des siècles, plus politique.

Peu à peu, les parlementaires se prirent, et furent pris par l'opinion, pour des « magistrats » au sens romain du mot, c'est-à-dire des hommes politiques qui règlent la marche de l'État. Rome était à la mode en ce temps-là. Montesquieu lui-même a rédigé ses *Considérations sur les causes de la grandeur des Romains et de leur décadence* (1734). Les parlementaires

1. Alain Peyrefitte, *Le Mal français*, Fayard, 2006.

sortent alors d'une longue période de forclusion. Avec le Roi-Soleil, ils n'ont pas eu leur mot à dire. Louis XIV ne leur a jamais pardonné d'avoir pris une part éminente dans les troubles de la Fronde. La légende raconte que le jeune Louis XIV, revenant de la chasse, ses bottes aux pieds et son fouet à la main, rendit une visite de « courtoisie » au parlement de Paris, avant de rentrer en son palais. Il en profita pour leur ôter ce « droit de remontrance » qui permettait aux parlementaires de retarder la publication d'un édit tant que le monarque n'avait pas pris en compte leurs observations. Les parlementaires s'étaient tenus cois pendant tout son règne. Mais avant sa mort, Louis XIV avait prévu dans son testament de rapprocher ses « bâtards » du trône. Cela ne faisait pas les affaires du duc d'Orléans, qui avait été désigné Régent du royaume. Pour obtenir du parlement de Paris qu'il abroge le testament du feu roi, le duc promit aux juges de rétablir leur « droit de remontrance ». Il ne se doutait pas qu'il venait de saper les bases du règne du petit enfant dont il avait la garde.

La fin crépusculaire du règne et la débonnaireté du Régent avaient par ailleurs donné le goût du changement. Le désordre avait été l'ennemi de la génération précédente ; le despotisme était devenu celui de la génération nouvelle. Les parlementaires, lisant rapidement les thèses de Montesquieu, considèrent désormais que la monarchie verse dans le despotisme dès qu'elle n'écoute pas leurs sages conseils.

Les magistrats commencent à émailler leurs « remontrances » de références aux capitulaires mérovingiens ou carolingiens, invoquant très sérieusement les lois de Childebert Ier, de Clotaire II, de Charlemagne ou de Lothaire. Chargés de vérifier le contenu des lois nouvelles par rapport aux anciennes, ils estiment partager le pouvoir législatif. Ils revendiquent un droit de veto sur les arrêts du conseil. Les parlements se piquent même de représenter la nation en dehors des états généraux (qui n'ont plus été convoqués depuis 1614 !). Ils prennent des (grands) airs de « Chambre des communes » anglaise. Louis XV n'en revient pas.

Les parlementaires osent tout, c'est à ça que le roi les reconnaît. Ils connaissent l'ivresse de la popularité, qu'ils confondent avec la toute-puissance. Les plus résolus entendent placer le roi de France dans une position inférieure à celle du roi d'Angleterre. Leur force semble sans limites. Les autres cours du royaume, les parlements de Rennes, de Toulouse, d'Aix, de Dijon, de Bordeaux, etc. proclament leur unité et leur indivisibilité. C'est l'« union des classes ». Toutes se consultent, se concertent, s'accordent. Elles vont même jusqu'à repousser les édits sous la direction du parlement de Paris. Décident même parfois des arrestations d'officiers de la Couronne.

Dans les provinces, la robe délégitime les administrateurs, intendants, ingénieurs, subdélégués. Certains intendants se soumettent et privilégient les intérêts locaux au détriment de l'intérêt général. L'institution des intendants, fondée par Richelieu pour unifier le pays, s'essouffle, gagnée à l'idéologie nobiliaire anti-versaillaise. Même Voltaire tire la sonnette d'alarme : « Cette étonnante anarchie ne pouvait pas subsister. Il fallait ou que la Couronne reprît son autorité ou que les parlements prévalussent. »

Le conflit est inéluctable. Les deux camps incarnent les deux grands mouvements contradictoires de l'époque : la rationalisation de l'État et la réaction aristocratique. Ces deux mouvements expriment l'un et l'autre cette quête, qui traverse le siècle, d'une nouvelle légitimité fondée sur les droits de la nation. Chacun s'emploie à s'attacher la faveur des philosophes. Ces manieurs de symboles, de mots, de concepts sont des armes redoutées, et redoutables, pour gagner la faveur d'une opinion de bourgeois lettrés. Nos philosophes ne sont pas hostiles à un despotisme éclairé au nom du progrès. La liberté, ce sont aussi « les libertés » dont les nobles ont hérité des temps anciens, lorsque leurs ancêtres francs guerroyaient aux côtés de Clovis ; privilèges indûment rognés, dépecés par une monarchie capétienne qui a tourné au fil des siècles au despotisme. Cette nostalgie alimente une réaction vindicative. Jean-Jacques a ses lecteurs les plus fervents dans les châteaux. La philosophie et la réaction nobiliaire ont en commun la quête d'un âge d'or, l'un pour le passé et l'autre pour l'avenir. Cette alliance ambiguë de la réaction et du progrès fera la Révolution...

Les parlementaires, gonflés de vanité et d'importance, se mêlent de tout. Ils bloquent la réforme fiscale, soutiennent les jansénistes contre le roi, lui arrachent l'expulsion des Jésuites. Bientôt, tous les opposants de tous les bords, philosophes ou dévots, voient dans le parlement de Paris leur relais et leur organe officiel. Le roi comprend qu'il est l'heure de frapper un grand coup. Il écrit au duc de Richelieu : « Poussé à bout comme je le suis, je ne puis différer de faire sentir à mon Parlement que je suis le maître absolu, que ma puissance absolue vient de Dieu, et que je n'en dois compte qu'à Lui le jour où il me retirera de ce monde. »

C'est la fameuse scène du 3 mars 1766 restée dans notre Histoire sous le nom de « séance de la flagellation » : Louis XV ne tient pas à la main le fouet de son aïeul, mais ses mots cinglent les hermines rouges sidérées : « La magistrature ne forme point un corps ni un ordre séparé des trois ordres du royaume ; les magistrats sont les officiers chargés de m'acquitter du devoir vraiment royal de rendre la justice [...]. C'est en ma personne seule que réside la puissance souveraine, dont le caractère propre est l'esprit de conseil, de justice et de raison ; c'est de moi seul que mes cours tiennent leur existence et leur autorité ; la plénitude de cette autorité, qu'elles n'exercent qu'en mon nom, demeure toujours en moi, et l'usage ne peut jamais être tourné contre moi ; c'est à moi seul qu'appartient le pouvoir législatif, sans dépendance et sans partage [...] l'ordre public tout entier émane de moi et les droits et les intérêts de la nation, dont on ose faire un corps séparé du monarque, sont nécessairement unis avec les miens et ne reposent qu'en mes mains... »

Sur le fond, le roi ne fait que rappeler la doctrine séculaire de la monarchie française, qui n'est ni un despotisme éclairé ni un régime parlementaire à l'anglaise. Encore moins le gouvernement des juges dont rêvent certains esprits hardis, mais une monarchie tempérée par le conseil. Le Parlement n'est pas un intermédiaire entre la nation et le roi et ne participe pas à la souveraineté législative. Mais l'agitation parlementaire continue comme si de rien n'était. Un coup pour rien. « Pour nous empêcher d'agir, pour nous étouffer, il faudrait nous anéantir », proclament les parlements provocateurs ; « Nous sommes résolus de vous demeurer fidèles jusqu'à devenir les victimes de notre fidélité ».

Ils seront entendus au-delà de leurs espérances. Quelques années plus tard, à l'occasion d'une nouvelle rébellion, le roi rappelle la doctrine de la flagellation. Répète solennellement que les parlementaires n'ont aucun droit de grève. Mandate les mousquetaires à leur domicile pour leur remettre leurs lettres d'exil et procéder à l'arrestation des meneurs. La routine. Une délégation parlementaire est reçue en grande pompe par le duc d'Orléans dans les jardins du Palais-Royal. C'est la provocation de trop. On raconte que le roi sortit alors de son aboulie proverbiale parce qu'un parlementaire breton teigneux, La Chalotais, tentait de le faire chanter en prétendant posséder des lettres d'amour du souverain à une de ses maîtresses. Il est plus probable que le roi, tombé amoureux d'une certaine Du Barry, ait recouvré sa vigueur d'homme et de monarque...

Le roi en est tout ragaillardi. Déterminé, fier, presque joyeux. Dans la foulée, il en profite pour se débarrasser de Choiseul, qui se croit indispensable et rechigne au conflit avec les parlements. Dans ses Mémoires, Choiseul écrira, furibond : « Le roi avait une vanité inconcevable, la vanité des valets. » L'insupportable Choiseul parlait en orfèvre...

Pendant ce temps-là, le secret de la réforme des parlements a été bien gardé entre les ministres du roi, Maupeou, l'abbé Terray, le duc de La Vrillière. Le décret de dissolution du parlement de Paris est pris par Maupeou en décembre 1770. Le 20 janvier 1771, les huissiers confisquent leurs offices et les mousquetaires leur apportent un ordre d'exil. Le 24 janvier, Maupeou installe momentanément à la place des robes rouges les robes noires des conseillers d'État et des maîtres des requêtes. Le 23 février, il décrète l'abolition de la vénalité et de la transmission héréditaire des charges. La gratuité de la justice est proclamée. C'est la fin des « épices » qui assaisonnaient les revenus de nos magistrats. Le ressort du parlement de Paris est démembré. Mais il est le seul de France à conserver ses fonctions politiques. Les juges deviennent alors des fonctionnaires appointés et irrévocables.

L'homme le plus détesté de France

C'était un grand jour pour la monarchie française. Elle se débarrasse d'un héritage féodal qui l'encombrait et la paralysait. Elle sort de l'Ancien Régime. La légitimité royale est rétablie par ce coup d'État qu'il vaudrait mieux appeler, à la manière des anciens juristes du XVIIe siècle, un « coup de majesté ».

Maupeou ne veut pas s'arrêter en si bon chemin. Il propose au roi de transformer les parlements de province en simples conseils supérieurs. Il aurait alors sonné la fin des traditions locales. Louis XV refuse cette unification pourtant décisive de son royaume. Maupeou doit renoncer à sa grande idée qui aurait couronné sa réforme : un Code civil unique. Le projet grandiose restera enfermé dans les dossiers du secrétaire du chancelier Maupeou. Celui-ci a pour nom Lebrun. Il sera désigné troisième consul, aux côtés de Bonaparte et de Cambacérès après le coup d'État du 18 et 19 brumaire 1799…

Le roi a sans doute hésité au dernier moment devant l'émotion de l'opinion. Maupeou est devenu en quelques heures l'homme le plus détesté de France. Son patronyme jusqu'alors peu connu rejoint ceux honnis de la Pompadour et de la Du Barry, les noms chuchotés avec horreur de ces grandes dames qu'on accusait de boire le sang des jeunes gens du peuple pour soigner leurs maladies, ou de ces seigneurs soupçonnés des pires crimes pour satisfaire leurs perversions sexuelles. Ou du roi lui-même ! Ne dit-on pas « Qui se ressemble s'assemble » ? Mau-Pou : deux syllabes qui claquent désormais comme une insulte. Des libelles sont largement diffusés, des affiches séditieuses placardées. Dans les rues de Paris, des femmes crient au despotisme. Les philosophes y voient même la preuve irréfutable de leurs analyses : « Un coup d'État du chancelier, écrira Mably, a révélé le despotisme qui était le secret de l'Empire. »

On l'accable d'injures, d'insultes, de rumeurs, de calomnies, de pamphlets. On se croirait revenu au temps de Mazarin, un siècle plus tôt. On dit que Maupeou est une créature de Choiseul. On dit qu'il doit tout à son père, lui-même ancien garde des Sceaux. On dit que cette famille a bénéficié d'une excessive « faveur royale ». On dit que cet ancien élève brillant des jésuites à Louis-le-Grand est resté leur homme. On dit qu'il a le soutien de la Du Barry. On dit qu'il a épousé sa femme, de vieille noblesse d'épée, pour son énorme fortune ; on dit que sa mort ne l'a guère peiné. On dit tout et n'importe quoi, mais René Nicolas de Maupeou n'en a cure.

À 54 ans, il n'est pas un perdreau de l'année. Avant de devenir chancelier de France, c'est-à-dire ministre de la Justice, il a tenu pendant longtemps le poste ô combien exposé de premier président du parlement de Paris. Il a essuyé à de nombreuses reprises la colère froide du monarque ; il a vu de l'intérieur les emportements des hauts magistrats, l'imprudence des jeunes conseillers, le jusqu'au-boutisme des têtes brûlées, les manœuvres manipulatrices de la minorité janséniste, les pressions violentes qu'elle exerce sur un « marais » apathique et effrayé, le double ou triple jeu de Choiseul, l'alliance avec les philosophes. Il a pu admirer la patience du roi face aux insolences des parlementaires. L'impasse dans laquelle le monarque s'est peu à peu laissé enfermer : que Louis XV fut autoritaire ou conciliant, il est blâmé ; on le compare à un despote alors que la désobéissance générale le condamne à l'impuissance ; le peuple lui reproche de persécuter les défenseurs de la liberté, alors que la capacité d'inertie et de blocage des parlementaires interdit au monarque d'accomplir les réformes que le peuple réclame. Tout le monde défend les parlements ; tout le monde chérit soudain ces cours de justice du royaume ; tout le monde plaint les magistrats brisés, renvoyés, exilés, emprisonnés même parfois, par l'édit du chancelier Maupeou ; tout le monde exalte la liberté contre le despotisme. La justice bafouée. Une révolution royale !

Seul Voltaire donne raison au roi : « L'édit me semble pourtant rempli de réformes utiles. Détruire la vénalité des charges, rendre la justice gratuite, empêcher les plaideurs de venir à Paris des extrémités du royaume pour s'y ruiner, charger le roi de payer les frais de justices seigneuriales, ne sont-ce pas là de grands services rendus à la nation ? En vérité, j'admire les Welches de prendre le parti de ces bourgeois insolents et indociles. Pour moi, je crois que le roi a raison. »

Voltaire a, lui, vu de près, lors des fameuses affaires Calas ou de La Barre, les dérèglements et les iniquités de la justice telle qu'elle était rendue par les parlements. La partialité, le coût (les fameuses « épices »), qui sont l'ordinaire de la justice et parfois la corruption. Les membres qui siègent comme juges dans les causes où ils sont parties ; et se rendent parfois coupables d'abus et de cruautés que même la Couronne n'ose commettre.

Surtout, Voltaire n'habite plus Paris depuis des années et échappe à ce torrent de passions qui emporte les esprits les plus raisonnables. À Versailles, le roi a eu un échange vif avec le duc d'Orléans avant de le congédier sèchement. Les princes signent un manifeste politique en faveur des parlements. Louis XV n'en a cure : « Je défends toute délibération contraire à mes édits et toute démarche au sujet des anciens officiers de mon Parlement. Je ne changerai jamais. » Malesherbes est exilé sur ses terres... Le roi reste inflexible : « On m'a fait reculer bien des fois. Ils ont cru qu'il en serait de même cette fois-ci, ils se sont trompés. Ils m'ont poussé à bout. » Dans sa jeunesse, le cardinal Fleury a enseigné au roi que son aïeul Louis XIV essuya lui aussi une fronde, bien plus redoutable, qui avait ligué les parlements aux princes, sans oublier le petit peuple de Paris. Que le roi se rassure : l'émotion est à son comble, mais il n'y a pas de barricades dans sa capitale.

Pas de barricades, mais quand même un gros tumulte : le parlement de Paris somme le roi de retirer l'édit de Maupeou ; Louis XV chiffonne le papier et le jette au feu. Les parlementaires décrètent la grève générale aux cris d'« *Omnes ! Omnes !* » (« Tous ! Tous ! »). Ils vitupèrent sans se lasser contre Maupeou. Un conseiller propose même de le traduire en jugement pour troubles à l'ordre public. Les plus anciens rappellent avec des hochements de tête entendus qu'ils se sont toujours méfiés de celui qui fut l'un des leurs. Ne dit-on pas qu'on n'est jamais si bien trahi que par les siens ? Maupeou a le visage de la trahison, il a les manières de la scélératesse. Et de brocarder sa petite taille, ses gros yeux globuleux, ses sourcils noirs, épais et broussailleux, son front bas, son nez proéminent, son teint jaunâtre et bilieux. Une belle figure de traître.

Sa courtoisie n'est qu'affectation ; son flegme, mépris ; son air affairé, courtisanerie ; ses manières austères, hypocrisie ; ses emportements, brutalité ; et son énorme capacité de travail, qui rappelle pourtant Colbert, arrivisme, ambition forcenée de parvenir.

Maupeou aurait pu sauver la monarchie

Maupeou est la face sombre de cette incroyable histoire. L'homme qui aurait pu sauver la monarchie est regardé de travers par tous les camps. Ses partisans doivent avouer que leur système connaissait bien des dysfonctionnements ; ceux de la Révolution doivent reconnaître que leur événement fondateur d'une nouvelle ère de l'humanité aurait pu ne jamais advenir. Il est bien plus commode de gloser sans fin sur l'opposition factice entre Montesquieu et Rousseau, entre « l'État de droit » et la « volonté générale »...

Le « coup de majesté » de Maupeou est arrivé trop tôt ou trop tard. Louis XV meurt trois ans plus tard. Mal conseillé par son confident, le comte de Maurepas, Louis XVI supprimera la réforme et rappellera les parlements en 1774. Le jeune monarque est tombé les pieds joints dans le piège que lui tend l'époque : il veut être aimé... il sera guillotiné.

Maupeou, ulcéré et désespéré, fulmine, écrit une lettre qu'il n'a peut-être jamais envoyée à son destinataire : « J'avais fait gagner au roi un procès de trois siècles. Il veut le reperdre, il est bien le maître. » L'historien Jean-Christian Petitfils assure que Maupeou aurait, à cette occasion, lâché à ses proches un prophétique : « Il est foutu[1]. » Les parlements ne cessèrent dès lors d'empêcher Louis XVI de mener à bout ses réformes ; le roi dut, de guerre lasse, recourir aux états généraux en 1789 pour contourner le blocage des juges. Et tout se précipita...

Peut-être le monarque se souvint-il de Maupeou lorsqu'il parapha la loi du 24 mars 1790 votée par l'Assemblée nationale qui supprimait les parlements. Cette fois-ci, l'opinion ne s'émut guère. La Révolution avait tranché le nœud gordien des ambiguïtés et des alliances contre nature, en repoussant les parlementaires dans le camp des privilégiés honnis. Cette Révolution que les parlements avaient plus que tout contribué à provoquer allait les emporter et les briser. Il reviendrait à Robespierre de définir, le 18 novembre 1790, la nouvelle religion juridico-politique de la nation, aux antipodes du rêve de gouvernement des juges caressé par les parlementaires : « Le mot de jurisprudence des tribunaux dans l'acceptation qu'il avait dans l'ancien régime ne signifie plus rien dans le nouveau ; il doit être ignoré de notre langue ; dans un État qui a une Constitution, une législation, la jurisprudence des tribunaux n'est pas autre chose que la loi. »

1. Jean-Christian Petitfils, *Louis XVI*, Perrin, 2005.

Robespierre s'inscrit dans les pas de Maupeou. Et annoncera Bonaparte avec Lebrun en porte-serviette. Tous les régimes, républicains, impériaux, monarchiques, appliqueront avec rigueur la nouvelle doxa robespierriste. Le juge est la « bouche de la loi », la fameuse expression que personne aujourd'hui ne prête à Montesquieu, qui avait pourtant ajouté : « Des trois puissances, celle de juger est en quelque sorte nulle[1]. » La jurisprudence sera surveillée, encadrée dans des limites étroites. Les juges seront strictement contrôlés par le législateur. Plus aucun régime n'oubliera en France jusqu'à la fin du XXe siècle la leçon de Maupeou. Plus aucun régime ne voudra perdre un procès vieux de trois siècles.

Mais vint un temps qui ne connaîtra plus Maupeou. Un temps qui reniera Robespierre et Bonaparte au nom de la liberté. Un temps qui rejettera les principes de la République au nom des modèles anglo-saxons. Un temps qui s'entichera de la Cour suprême américaine. Un temps qui ne jurera que par les droits de l'homme et le juge comme arbitre. Le nôtre.

Le basculement a lieu sous le règne du général de Gaulle, mais personne ne s'en rend compte. Déjà, le juge européen esquisse au nom du Marché commun une première mise sous tutelle de la souveraineté nationale, mais les juges français, Conseil d'État et Cour de cassation, contiennent aisément ses velléités. Au cours de la conférence de presse du 31 janvier 1964, le général de Gaulle précise l'idée qu'il se fait de l'esprit des institutions nouvelles et de sa fonction de monarque républicain dans une formule qui rappela à tous les connaisseurs la fameuse intervention de Louis XV lors de la célèbre séance de la flagellation : « Il doit être entendu que l'autorité indivisible de l'État est déléguée tout entière au Président par le peuple qui l'a élu et qu'il n'y en a aucune autre, ni ministérielle, ni civile, ni militaire, ni judiciaire, qui ne puisse être conférée ou maintenue autrement que par

1. *De l'esprit des lois*, XI, 6.

lui et qu'il lui appartient d'ajuster le domaine suprême qui lui est propre avec ceux dans lesquels il délègue l'action à d'autres. »

L'émotion est à son comble. On accuse le général de dictature et de mégalomanie. De despotisme. De tyrannie. On est revenu en 1766. Les Maurepas attendent leur heure. Elle ne tardera pas. Et comme chaque fois en France que l'État s'affaiblit, les juges s'enhardissent. Tout recommença avec un parallélisme que semble préparer et annoncer la « flagellation » du général de Gaulle. Les hauts magistrats de la République émaillent leurs arrêts de références historico-judiciaires, non pas aux capitulaires de Lothaire ou de Charlemagne, comme les parlements d'Ancien Régime, mais à la Déclaration des droits de l'homme de 1789. Ils font dire ce qu'ils veulent à des principes anciens et souvent obscurs.

Le dernier mot appartient non plus au législateur, mais au juge

Depuis la mort du général de Gaulle, à coups de décisions « audacieuses », de jurisprudences de principe, le Conseil constitutionnel et le Conseil d'État imposent au gouvernement et au Parlement un rôle de colégislateurs. Ignorants ou faibles, les élus du peuple se sont soumis de bonne grâce à ces nouveaux prêtres qui tirent indûment des droits de l'homme une fonction prophétique. Appuyés par les médias, et quelques professeurs de droit, qui y voient une juteuse rente pour spécialistes du « contentieux constitutionnel », ils forgent le mythe de la « démocratie constitutionnelle », où le dernier mot appartient non plus au législateur, mais au juge.

Nous connaissons à notre tour la dictature de ces nouveaux jansénistes qui ne tolèrent eux non plus aucune discussion, aucune contestation de leur idéologie sacrée qu'ils appellent « État de droit ». La souveraineté du peuple doit se soumettre à ces prêtres impérieux et à leur religion des droits de l'homme. La souveraineté nationale elle-même doit s'y plier même et surtout quand elle est portée et imposée par des juges étrangers, Cour européenne des droits de l'homme et Cour de justice de l'Union européenne.

Comme les parlements d'Ancien Régime, nos juges revendiquent à la fois un rôle politique et un rôle judiciaire. Ils inspirent les lois et les font respecter. Au nom des droits de l'homme, ils interdisent au pouvoir politique de protéger les citoyens. Au nom de la liberté, ils autorisent les grandes entreprises à déplacer leurs sièges sociaux dans les havres fiscaux des Pays-Bas ou d'Irlande ; toujours le droit au service des privilégiés. Comme leurs lointains prédécesseurs, ils entendent traiter des questions de religion, de fiscalité, de travail, de famille.

Les anciens parlementaires imprimaient et diffusaient leurs remontrances à des milliers d'exemplaires, au grand dam du roi ; nos juges, petits et grands, ont le soutien actif des médias : les journalistes défendent leurs décisions prises ou « font fuiter » les informations qui servent à légitimer leurs enquêtes et leurs accusations.

Nos juges modernes ont la même soif de notoriété que leurs ancêtres : ils veulent plaire aux journalistes comme d'Éprémesnil voulait plaire aux philosophes. Leurs passions idéologiques et politiques les guident aujourd'hui comme hier.

Comme il y eut les affaires Calas, de La Barre, Sirven, nos juges ont eu l'affaire Grégory, d'Outreau, celle du Carlton de Lille et bien d'autres « scandales ». Un syndicat de magistrats a affiché au mur de son local syndical, sous l'appellation joyeusement infamante de « mur des cons », les patronymes de politiques, intellectuels, journalistes favorables au maintien de l'ordre républicain, jusqu'aux noms des parents d'enfants violés et assassinés, qui avaient seulement l'outrecuidance aux yeux de nos Antigone de bar-tabac de réclamer justice.

Les « petits » juges sont intrépides et cabochards comme le furent les magistrats de parlements de province. Les « sages » du Conseil constitutionnel ou du Conseil d'État ont l'arrogance des hauts dignitaires de la noblesse de robe du parlement de Paris qui agaçait jusqu'à Saint-Simon. Louis XV était accusé de despotisme alors que les juges rendaient son pouvoir impuissant.

Nos gouvernements de la Ve République sont soupçonnés de ne pas respecter l'« État de droit » s'ils contreviennent aux injonctions judiciaires, pour répondre efficacement à la demande de protection des citoyens. Les passions françaises ne meurent jamais. Notre ordre juridique n'est plus fondé sur la souveraineté du peuple, mais sur les droits de l'homme. La politique n'est pas saisie par le droit, mais par les juges. La démocratie est remplacée par un régime oligarchique et aristocratique, une théocratie judiciaire, dans un mélange inégal de juridisme et de moralisme.

Au printemps 1995, alors qu'il présidait son dernier Conseil des ministres en tant que chef de l'État, François Mitterrand, d'une voix faible de moribond – il devait décéder quelques mois plus tard – délivrait son ultime conseil politique aux ministres du gouvernement Balladur : « Méfiez-vous des juges. Ils ont tué la Monarchie, ils tueront la République. »

On croit entendre, depuis lors, la voix goguenarde du chancelier Maupeou : « Vous êtes foutus. »

Le Palais-Royal

Le centre des fantasmes

Le morne silence n'est troublé que par les rires des enfants, le souffle du vent dans les branches des arbres, le bruit d'une lourde chaise de fer, qu'un lecteur solitaire déplace pour profiter d'un rayon de soleil, le claquement des talons des rares femmes qui déambulent nonchalamment dans les allées, ignorant d'un air distrait une devanture de décorations, s'immobilisant un moment devant les boutiques de bijoux ou de robes ou de peintures aux couleurs criardes, hélant leurs maris, leurs amants, leurs amis, loin déjà, la tête rentrée dans les épaules, leurs doigts serrant compulsivement leurs téléphones portables, marchant d'un pas empressé, maugréant un « Qu'est-ce qu'elle veut encore ? ».

Les jardins du Palais-Royal sont un temple où aucun culte n'est plus célébré. Les colonnes de pierre ont encore fière allure, mais leur âme s'est envolée depuis longtemps. En hiver, les tilleuls étiques ressemblent à des balais retournés ; en été, la poussière du parterre fait tousser les promeneurs. Quelques gamins tapent dans un ballon ; leurs cris joyeux dérangent les amoureux enlacés sur les bancs. Même quand il fait chaud, il fait froid ; même quand il y a du bruit, le silence règne. Les Invalides exposent le tombeau de Napoléon, et la cathédrale de Saint-Denis, ceux des rois de France. Au Palais-Royal, les tombes sont vides et anonymes. Des plaques discrètes sur les murs indiquent que les juges du Conseil d'État et du Conseil constitutionnel occupent les vastes pièces qu'on devine en levant la tête vers les hautes et élégantes fenêtres qui dominent le jardin. Nos « sages » sont des ombres discrètes qui ne sortent plus de leur tanière dorée.

La parfaite symétrie du quadrilatère qui entoure le jardin, reflet d'une architecture élégante sans être imposante, hiératique sans être pesante, évoque un temps où tout n'était « qu'ordre et beauté, luxe, calme, et volupté ». Si on se laisse aller, si on se laisse porter, si on se laisse entraîner, si on tend l'oreille, on entend, on voit, on sent des bruits, des frôlements, des odeurs, des murmures, un tourbillon d'ombres et de lumières, d'idées et de promesses, des terrasses de cafés encombrées où l'on refait la France et le monde, où l'on débite des nouvelles que l'on décortique et commente jusqu'à plus soif, jusqu'à ce qu'elles deviennent rumeurs, slogans, flèches empoisonnées qui se dissipent bientôt dans un labyrinthe de jupons, de fleurs, de masques, de pompons, de boîtes de rouge, de gaze et de longues épingles...

Ces jardins où on inventa notre modernité

On a peine à croire aujourd'hui que ces jardins tranquilles où jouent des enfants furent le lieu effervescent où d'autres jeux, moins innocents, furent expérimentés. Où on inventa, au milieu des tumultes et des complots, entre liberté et licence, notre modernité ; où la Révolution fut commencée et achevée, où toutes les révolutions furent ébauchées et esquissées. Comme l'écrira avec un lyrisme nostalgique un écrivain italien : « L'Occident rêvait d'être encyclopédie et bordel, scène et musée, Éden, polytechnique, sérail : une fois ce rêve faillit s'accomplir au Palais-Royal. Mais le rêve eut peur de lui-même. Il nous accompagne, suspendu[1]. »

---

1. Roberto Calasso, *La Ruine de Kasch*, Gallimard, 1987(1983).

Tout avait commencé au XVIIe siècle. Le cardinal de Richelieu y avait pris ses quartiers : il n'avait que quelques pas à faire pour pénétrer les murs épais et froids du sombre palais du Louvre et surveiller son cher Louis XIII. À sa mort, Richelieu légua son palais au roi. Le petit Louis XIV faillit se noyer dans la vasque de la fontaine centrale à l'époque où Anne d'Autriche s'était installée dans l'ancien domaine du Cardinal, et où Mazarin n'avait qu'à traverser le jardin pour passer de son hôtel Tubeuf aux appartements de la reine. Après la Fronde, le roi donna son bien au duc d'Orléans. Mais le duc, endetté et avide, ouvre les jardins au public à partir du milieu du XVIIIe siècle, fait construire des immeubles tout autour et installe des commerces sous les portiques. Les « superbes dehors du Palais-Cardinal », célébrés naguère par Corneille, sont alors envahis par les boutiques, les tripots, les bordels. Le Palais-Royal devient Palais-Marchand. Les changements de nom vont s'accélérer. Comme l'Histoire. Le Palais-Cardinal, devenu Palais-Royal, s'appellera Palais-Égalité, puis jardin de la Révolution, puis à nouveau Palais-Royal.

En quelques années, il est devenu le rendez-vous d'une faune interlope, où les grandes dames côtoient les catins, où des savants échangent avec des aventuriers jusque tard dans la nuit. Où les plus grands esprits tel Diderot remuent pensées et idées, en reluquant les jolies femmes du coin de l'œil : « Qu'il fasse beau, qu'il fasse laid, c'est mon habitude d'aller sur les cinq heures du soir, me promener au Palais-Royal. C'est moi qu'on voit toujours seul, rêvant sur le banc d'Argenson. Je m'entretiens avec moi-même de politique, d'amour, de goût ou de philosophie. J'abandonne mon esprit à tout son libertinage. Je le laisse maître de suivre la première idée, sage ou folle qui se présente, comme on voit, dans l'allée du Foy, nos jeunes dissolus marcher sur les pas d'une courtisane à l'air éventé, au visage riant, à l'œil vif, au nez retroussé, quitter celle-ci pour une autre, les attaquant toutes et ne s'attachant à aucune. Mes pensées, ce sont mes catins. »

On surnomme alors le Palais-Royal la « capitale de Paris ». Le centre du centre. De son œil d'entomologiste, Taine y verra le cœur d'une modernité foisonnante et abâtardie qui va détruire les anciens cadres de la société traditionnelle, tous ces étudiants, badauds, clercs, journalistes, aventuriers et déclassés, toute cette nouvelle humanité urbaine déracinée, qui court d'emplois précaires en tripots et cafés.

Le Palais-Royal est le lieu emblématique de la perversion de l'innocence. On y vient s'encanailler, s'initier, se dessaler. Les débauchés y côtoient les puceaux, les obscurs se chauffent aux rayons des gloires du jour, les maîtres du moment ignorent les maîtres de demain. Un soir, un jeune officier aux cheveux longs et à la mine efflanquée, au regard bleu qui vous transperce comme un boulet de canon, accoste une jeune personne du beau sexe, tout en étant « pénétré plus que personne de l'odieux de son état ». Écorchant chaque mot de son accent corse épouvantable, il lui lance :

« Vous aurez bien froid, comment pouvez-vous vous résoudre à passer dans les allées ?

– Ah monsieur, l'espoir m'anime. Il faut terminer ma soirée. »

Cette civilisation perspicace et ennuyée attend son chantre, son Homère : ce sera Choderlos de Laclos. Il est *the good man at the right place* de cette époque anglophile. Il est le secrétaire, l'homme de confiance, l'homme à tout faire, l'homme à toutes mains et à toutes idées et à tous écrits du duc d'Orléans. Il a rejoint le duc après avoir quitté l'armée. Le moment est judicieusement choisi : nous sommes, en 1788, à la veille du grand chambardement. Le Palais-Royal sera le phare d'où il observera et manigancera tout. Le duc d'Orléans, comme ses ancêtres, et plus que beaucoup de ses ancêtres, a jusqu'alors passé son temps entre ses plaisirs et ses complots, entre ses femmes et ses « roués ». Il s'est efforcé de trouver sa place dans un régime qui lui a donné l'argent pour ne pas lui laisser le pouvoir. Il ne sait pas encore que son fils sera roi des Français, mais il en rêve déjà. Le Palais-Royal est son domaine, son antre, son royaume. Sa capitale dans la capitale. Aucun mousquetaire ni soldat de son cousin n'a le droit d'y pénétrer. On a vu qu'à chaque querelle avec la cour et le roi, les parlementaires y sont reçus en grande pompe par le duc d'Orléans sous les hourras de la foule.

Le Palais-Royal expérimente la Révolution avant la Révolution

Pendant des années, Madame de Genlis, qui « pour éviter le scandale de la coquetterie a toujours cédé facilement », a veillé seule sur le futur Philippe Égalité. Mais quand celui-ci découvre le chef-d'œuvre de Laclos, il devine que son auteur est son homme, sa chance, le second protecteur qu'il attendait pour prendre son envol. Les deux feront la paire : il aura son homme noir et sa dame blanche ; le vice et la vertu. La galanterie scélérate chère à Laclos est un prélude utile à la scélératesse en politique. Ses *Liaisons dangereuses* sont la description la plus brillante et acerbe des mœurs aristocratiques françaises qui n'ait jamais été écrite ; un texte moralisateur qui ceint d'un écrin brillant de mille feux le péché qu'il dénonce ; et le rend plus désirable que la plus admirable des vertus.

Laclos a écrit son roman épistolaire pour dissiper son ennui tandis qu'il réside au port militaire de Rochefort. Il surveille les escadres anglaises qui menacent les côtes françaises alors que Louis XVI a décidé d'aider les « insurgents » américains. Il attend l'ennemi qui le fera héros. Notre officier ingénieur finit par se lasser de contempler la mer et le ciel uniformément bleus qui lui donnent la nostalgie de Paris. La nostalgie de ses nymphes et de ses roués. La nostalgie de ses bruits et de ses odeurs. La nostalgie qui le guette partout dès qu'il quitte de quelques lieues la ville. « Vous voilà donc à la campagne, ennuyeuse comme le sentiment et triste comme la fidélité », écrira Valmont à Madame de Merteuil.

La mort finale de Valmont, incarnation du seigneur grand méchant homme, prélude l'hécatombe aristocratique que couronnera la Révolution. Comme le Don Juan de Molière, il ne peut que mourir victime de ses méfaits, de sa perversité, mais aussi de sa naïveté. Le roué n'est pas celui qu'on croit. Les aristocrates français seront assez forts pour enrayer et détruire l'absolutisme monarchique qui était en train de les broyer sous l'éteignoir de l'égalitarisme étatique ; mais pas assez pour résister à la vindicte et à la violence populaire. Le mondain a recouvert le vieux fonds militaire ; le maître à danser a remplacé le maître d'armes.

Les nobles se sont lancés dans les affaires, ont investi dans les mines de charbon, les forges, les manufactures, les verreries, faïenceries, draperies, papeteries, entreprises chimiques. Louis XV a aussi anobli de grands armateurs, manufacturiers ou négociants. Une noblesse d'affaires a émergé au fil des ans. Mais la monarchie française n'a pas pu ou pas voulu constituer une véritable gentry à l'anglaise. Ses élites refusent à la fois les anciennes rigueurs de la grandeur louis-quatorzième et les rigidités hypocrites et cupides du libéralisme anglais. Elles cherchent leur troisième voie, qui mêlerait à la fois savoir et plaisir, une liberté qui ne soit pas seulement liberté du commerce, une égalité qui ne soit pas égalitarisme niveleur. Libres sans devenir boutiquiers ; égaux sans devenir petits.

Avec son équanimité coutumière, Tocqueville comprendra mieux que tout autre ce qui s'est passé : « On aurait tort de croire que l'Ancien Régime fut un temps de servilité et de dépendance. Il y régnait beaucoup plus de liberté que de nos jours ; mais c'était une espèce de liberté irrégulière et intermittente, toujours contractée dans la limite des classes [...]. Ainsi réduite et déformée, la liberté était encore féconde [...]. Par elle, se formèrent ces âmes vigoureuses, ces génies fiers et audacieux que nous allons voir paraître, et qui feront de la Révolution française l'objet tout à la fois de l'admiration et de la terreur des générations qui la suivent[1]. »

C'est la Révolution qui va trancher le nœud gordien. Une Révolution qui ne pouvait partir que du Palais-Royal. Le 12 juillet 1789, deux bustes de cire de Necker et du duc d'Orléans traversent les jardins. Réunis au café de Foy, la veille, Mirabeau, Danton, Sancerre, Laclos, Desmoulins lancent les rumeurs les plus inquiétantes : des troupes étrangères, réquisitionnées par le roi, s'apprêtent à envahir Paris. Une Saint-Barthélemy des patriotes se prépare... Deux jours plus tard, Camille Desmoulins harangue la foule, et, arborant à sa boutonnière une des feuilles arrachées à un arbre du jardin, l'exhorte à prendre la Bastille...

Dès lors, les rôles s'inversent : les déclassés du Palais-Royal, ces spéculateurs de la voix, deviennent la voix du peuple, remplissent les galeries des Assemblées et intimident les délégués provinciaux, leur promettent la lanterne, mettent avec ostentation deux doigts à leur cou, les prévenant ainsi qu'ils seront pendus s'ils n'obéissent pas. Michelet raconte qu'en quelques jours passés dans « cette maison où tout est faux », les honnêtes et ingénus députés y perdront leurs illusions et tout courage. L'Assemblée « pure » régente l'Assemblée « impure ». Le café de Foy gouverne la France.

L'Assemblée nationale reçoit une « pétition des deux mille cent femmes publiques du Palais-Royal ». Une dizaine de grandes courtisanes accueillent dans les appartements des nobles émigrés au deuxième étage des galeries, avec petits serviteurs nègres et mobilier mondain. Une des « nymphes » les plus recherchées, La Chevalier, est la fille du bourreau de Dijon. Les femmes se coiffent « à la sacrifiée », à la « victime ». Elles portent des boucles d'oreilles d'or et d'argent en forme de guillotine.

---

1. Alexis de Tocqueville, *L'Ancien Régime et la Révolution*, 1856.

Le 5 octobre 1789, on reconnaît un homme vêtu d'un habit brun, au milieu des premiers groupes de femmes (et des hommes déguisés en femmes) qui se mettent en marche pour Versailles, d'où ils ramèneront « le boulanger, la boulangère, et le petit mitron ». C'est Laclos. L'opération est payée par le duc d'Orléans, organisée par l'auteur des *Liaisons dangereuses.* Le même Laclos devient membre du club des Jacobins, en 1790...

On ne refait plus la France et le monde dans les jardins du Palais-Royal

La Révolution a mangé ses enfants. Mirabeau est mort. Philippe Égalité a été guillotiné. Les Girondins aussi. Et Desmoulins, et Danton. Même lorsque le café de Foy est plein, il paraît vide. Le parfum des nymphes se mêle encore aux odeurs de cuisines grandes ouvertes où l'on pend les fenaisons qui attirent les chiens errants, mais les héros sont fatigués. Découragés. Lassés. On ne refait plus la France et le monde dans les jardins du Palais-Royal. Le jeune homme timide et rougissant, à la mine efflanquée et à l'accent corse épouvantable, est devenu Premier consul. Napoléon installe le Conseil d'État dans le palais des Orléans. Il appose le sceau administratif sur le centre des fantasmes. Le lieu abandonne ses dépouilles à l'Administration. Bonaparte retourne à la conception romaine de la monarchie française : l'unité par le droit et la grandeur par l'héroïsme. Le Palais-Royal n'est plus la capitale de Paris. Le centre du centre. « La Révolution est terminée. »

En 1801, l'auteur des *Liaisons dangereuses* a commencé la rédaction d'un nouveau roman, afin de « rendre populaire cette vérité qu'il n'existe de bonheur que dans la famille ». Le libertin a lui-même épousé une jeune fille de la bourgeoisie de La Rochelle, qu'il avait naguère engrossée. Valmont épouse Mademoiselle de Volanges ! Il sera un père de famille sensible à la manière de Greuze. Laclos suit le conseil que Valmont a donné au jeune Danceny à la veille de sa mort : « Ah ! croyez-moi, on n'est heureux que par l'amour ! »

Heureusement pour la littérature et la gloire de l'écrivain, la mort le prendra avant qu'il ne conduise son roman à bout. C'est le XIXe siècle tout entier, le siècle de Louis-Philippe, le fils de son ancien maître, père modèle de famille nombreuse et roi des Français, qui écrira le roman à sa place : travail, famille, argent, ou la triade de la bourgeoisie triomphante.

Il y aura encore bien des incendies, bien des restaurations, bien des barricades. Les passages du Palais-Royal s'ouvriront sur les rues de Paris. Les lampes à gaz et à pétrole inaugureront l'ère industrielle pour illuminer les jardins. Colette et Cocteau y logeront.

Eux aussi, comme les générations qui suivront, tendront l'oreille et entendront le murmure hébété des temps héroïques qui nous livrent leurs secrets.

Mirabeau

Et en même temps…

Sa mort fut le plus grand moment de sa vie. Sa seule réussite incontestable, incomparable, inégalable. Le sommet d'une existence pourtant glorieuse. Une mort qui dura une semaine entière. Une mort mise en scène, théâtralisée, avec images soignées et mots historiques. Une mort qui ne rend pas son âme à Dieu mais à l'Histoire. Une mort au faste ostentatoire à laquelle les rois de France, humbles chrétiens, s'étaient toujours refusés. Une mort qui préfigurait les obsèques nationales dont la République est aujourd'hui friande, de Victor Hugo à Charles de Gaulle. Le mort qui inaugura le Panthéon. Avant même Voltaire et Rousseau.

En ce 2 avril 1791, un homme entre dans un café parisien, hélé joyeusement par le garçon :

« Monsieur de la Place, il fait bien beau aujourd'hui.

– Oui, mon ami, il fait beau, mais Mirabeau est mort. »

Depuis plusieurs jours déjà, des foules innombrables se pressaient devant le domicile du glorieux « Démosthène de la France ». On ne parlait que de sa maladie dans les allées du Palais-Royal. L'« inquiétude universelle » s'était répandue dans toutes les classes sociales, dans tout Paris, dans toute la France, et au-delà des frontières du royaume. On venait de l'Europe entière pour assister à sa mort comme on était venu l'entendre tonner à l'Assemblée constituante. Pour les étrangers, depuis les débuts de la Révolution, voir Paris, c'était voir Mirabeau. Le roi et la reine avaient même envoyé des domestiques prendre de ses nouvelles. On avait barricadé les rues avoisinantes pour que le bruit des voitures n'incommode point le moribond. La rumeur d'un empoisonnement se répandit. Cinquante-deux ans, c'est jeune pour mourir, même en cette fin de XVIIIe siècle. Pour apaiser la foule, on pratiqua une autopsie. Devant le spectacle désolant de ce corps éviscéré, un des forts des Halles venu en délégation y assister, bougonna, des larmes dans les yeux : « Ce que c'est de notre père à présent. »

Dès que sa mort est connue, l'Assemblée s'émeut. Chacun y va de sa tirade et de son éloge funèbre :

Barnave : « L'Assemblée constituante n'a jamais été rassasiée de l'entendre. »

Robespierre : « Il fut l'homme illustre qui, dans les moments critiques, sut opposer la plus grande force au despotisme. »

Marie-Antoinette, elle aussi, pleure : « Notre dernière ressource nous est enlevée », lorsque son ami Fersen lui apprend la nouvelle : « C'est une grande perte, car il commençait à être utile. » Seule la sœur de Louis XVI, Madame Élisabeth, reste inflexible : « Je ne crois pas que ce soit par des gens sans principes et sans mœurs que Dieu veuille nous sauver. »

Des funérailles nationales sont décrétées. Les premières de la Révolution. Le cortège s'ébranle le 4 avril à cinq heures du soir. Trois heures sont nécessaires pour arriver à l'église Saint-Eustache. Un détachement de cavalerie et une double haie de gardes nationaux lui font escorte. Douze d'entre eux portent le cercueil. Suivent la famille, les députés, la municipalité, les tribunaux ; et l'impressionnante cohorte des membres du club des Jacobins. Tous les ministres sont au rendez-vous. On évalue la foule des Parisiens qui suit le cortège à quatre cent mille personnes. Les spectateurs s'accrochent partout où ils peuvent, toits, fenêtres, réverbères, branches des arbres. L'oraison funèbre ne brille guère par son originalité : « Mirabeau a sauvé la France » revient en boucle. Des roulements de tambour résonnent sans discontinuer ; les Parisiens entendent pour la première fois le bruit lancinant du tam-tam.

Pour la postérité, sa mort prématurée est inespérée ; elle conserve ouverts, légitimes, tous les possibles, toutes les uchronies : Mirabeau aurait empêché la fuite du roi à Varennes ; ou en tout cas l'aurait mieux organisée ; Mirabeau aurait évité la guerre extérieure ; il aurait conjuré la Terreur. Il n'avait pas la tête folle des Girondins ni la froideur criminelle de Robespierre. Le sarcastique Camille Desmoulins a tout compris, tout deviné : « Un des talents de Monsieur de Mirabeau était de connaître tellement la tactique morale de son siècle qu'il ne faisait rien qu'à propos et dans sa raison ; sa fin même semble en être une nouvelle preuve. On dirait que le moment de son trépas fut de son choix. Il quitta ce monde au moment où peut-être sa gloire était parvenue au sommet de la pyramide. »

Concilier l'inconciliable

Mirabeau est l'incarnation pour l'Histoire du bon révolutionnaire. Celui qui concilie l'inconciliable. Le modéré au milieu des extrêmes. Le rationnel au milieu des fanatiques. Le pacifique au milieu des belliqueux. L'aristocrate au milieu des démocrates. Le libéral au milieu des réactionnaires. Le dompteur qui sépare les lions prêts à se battre entre eux. « Le plus grand génie politique de tous les temps », écrira avec emphase Lamartine. Pourtant, son temps était déjà passé. Il avait incarné la Révolution des débuts. Celle de sa tirade célèbre de la salle du Jeu de paume lancée au marquis de Dreux-Brézé : « Si l'on vous a chargé de nous faire sortir d'ici, vous devez demander des ordres pour employer la force. Car nous ne quitterons nos places que par la force des baïonnettes. » Mais sa synthèse politique était datée, surannée. Dépassée. Sa conciliation ne conciliait plus grand monde. Ses contradictions devenaient visibles. Ses liens avec la cour étaient connus ; et ses besoins d'argent jamais assouvis. Sa situation au club des Jacobins était de plus en plus contestée, dès le printemps

1790. Depuis des mois, Camille Desmoulins et Marat dénonçaient la « grande trahison de Monsieur de Mirabeau ». Il sentait lui-même monter l'« ostracisme » à son égard. Son mépris hautain pour tous ceux qu'il écrasait de sa supériorité intellectuelle exaspérait les nombreux médiocres. Ses manœuvres, ses apostasies, ses coups tordus lassaient. La girouette Mirabeau donnait le tournis.

L'homme qui avait abattu la monarchie s'empressait de la relever. L'homme qui avait tonné contre les privilèges indus de l'aristocratie et du clergé pestait désormais contre l'« orgie » égalitaire de la nuit du 4 août. L'homme qui, dès août 1790, préparait la guerre civile, se posait en défenseur de la paix. Le héraut de la populace qui s'appuyait sur l'agitation pour intimider la cour n'avait désormais de cesse que de faire taire Paris et « sa démagogie ». Il évitait alternativement de tomber dans le piège de la modération, piège de droite, et dans le piège de la violence, piège de gauche. Il vient se faire applaudir par le Club des jacobins en habit bleu avec deux immenses épaulettes de commandant de bataillon des gardes nationaux et rencontre Marie-Antoinette en secret dans les jardins de Versailles avec moult courbettes et révérences. Il vote à l'Assemblée l'abolition des titres de noblesse, mais le soir même, en rentrant chez lui, il saisit son valet de chambre par l'oreille et lui crie en riant : « Ah ça ! drôle, j'espère bien que pour toi, je suis toujours monsieur le comte. » Repoussé par l'ordre de la noblesse en 1789, il s'était improvisé marchand de draps pour être élu au sein du tiers état ; mais rappelle Chateaubriand, « il n'oubliait pas qu'il avait paru à la cour, monté dans les carrosses et chassé avec le roi ».

Mirabeau ne veut pas rompre avec les Jacobins pour mieux les détruire. Il méprise le roi et le roi se méfie de lui. Pendant des mois, sans se lasser, il tente d'expliquer à Louis XVI que la Révolution peut être la chance inespérée de son règne. Qu'elle réalise le rêve de ses ancêtres d'un royaume unifié, égalitaire, où les corps intermédiaires, noblesse, clergé, parlements, sont matés et domestiqués, où l'individu, privé de ses protections traditionnelles, se retrouve dans un face-à-face inégal avec l'administration d'État. Qu'elle permet au pouvoir de diriger le pays d'une main de fer, sans les privilèges des uns et les coutumes ancestrales des autres. On avait un « royaume hérissé de privilèges et de corps intermédiaires », et on a maintenant « cette surface parfaitement unie qu'exige la liberté mais qui rend aussi plus facile l'exercice de l'autorité. Cela aurait plu à Richelieu », explique-t-il dans une de ses lettres secrètes au roi. La Révolution entend récupérer l'héritage de la monarchie qu'elle abolit ; elle détruit même les ultimes obstacles et scrupules qui retenaient encore les rois, puisqu'elle parle et agit désormais au nom de la nation. Mais le révolutionnaire émule de Richelieu se retrouve vite devant une impasse stratégique. Comment déposséder le monarque de l'Ancien Régime, tout en maintenant le monarque constitutionnel ? Comment abattre le roi pour mieux le relever ? Comment le tuer pour mieux le ressusciter ?

« Il aurait fallu un grand roi, ou un grand ministre », dira l'historien Albert Sorel. Mais Louis XVI n'est pas le roi de la situation : « Pour vous faire une idée de son caractère, imaginez des boules d'ivoire huilées que vous vous efforceriez vainement de faire tenir ensemble », confiera son frère, le futur Louis XVIII. Son flegme devient apathie, son optimisme devient ingénuité, son humanité obstinée devient faiblesse coupable, son refus admirable de la guerre civile devient reniement de ses responsabilités d'homme d'État. Chez lui, le chrétien a supplanté le roi. Qui fait l'ange fait la bête. Le duc d'Orléans, pressenti un moment pour le rôle par Mirabeau, le déçoit aussi par sa pusillanimité et son excès de scrupules : « Il veut, mais ne peut ; c'est un eunuque pour le crime. » Et le « grand ministre » ne sera jamais ministre. Ainsi en ont décidé ses envieux collègues qui, par le décret du 7 novembre 1789, ont instauré que les ministres ne peuvent plus être choisis parmi les membres du corps législatif. Mirabeau a beau ironiser en proposant à l'Assemblée d'être plus explicite et de « borner l'exclusion demandée à M. de Mirabeau, député des communes de la sénéchaussée d'Aix », il est atteint.

Mirabeau fait contre mauvaise fortune bonne politique ; il ne veut plus chevaucher la Révolution mais l'arrêter. Ce sera le premier, mais pas le dernier : « Il est l'expression la plus cohérente du rêve d'arrêter la Révolution, qui va hanter tous ses leaders, en face de la dérive indéfinie du pouvoir, écrit François Furet. Après Mirabeau, ce sera le tour de Barnave et des Feuillants, puis des Girondins, de Danton, enfin de Robespierre qui, faute du roi, c'est-à-dire de l'histoire, met dans son camp l'être suprême. Au fond, après l'échec de la République thermidorienne, c'est Bonaparte qui est l'instrument du projet de Mirabeau, un roi de la Révolution. Mais c'est à un prix que Mirabeau n'aurait pas concédé : la liberté[1]. »

Dès le début de la Révolution, derrière le rideau de fumée des grandes tirades humanistes et universalistes, la question brutale de la force s'est posée avec acuité. C'est parce que le roi n'est pas sûr de ses gardes-françaises qu'il ne peut empêcher la prise de la Bastille. C'est parce que La Fayette, avide de popularité, n'a pas osé arrêter les émeutiers d'octobre 1789, que le roi est contraint de quitter son palais de Versailles pour sa « prison dorée » des Tuileries. La monarchie est en vérité abolie dès ces journées du 5 et du 6 octobre 1789. Mirabeau le comprend, comme les nombreux députés monarchiens et modérés qui font signer leurs passeports et se tiennent prêts à partir. « C'est le fer à la main, écrit Mallet du Pan, que l'opinion dicte aujourd'hui ses arrêts. Crois ou meurs, voilà l'anathème que prononcent les esprits ardents, et ils le prononcent au nom de la liberté. La modération est devenue un crime. » Le roi est dans la main de l'Assemblée, qui est dans la main du peuple qui est dans la main de la commune de Paris, qui est dans la main de la garde nationale, qui, depuis la démission de

1. François Furet et Mona Ozouf (dir.), *Dictionnaire critique de la Révolution française*, Flammarion, 1988.

La Fayette, après le massacre du Champ-de-Mars du 17 juillet 1791, est dans la main des Jacobins.

Arrêter la révolution

Toute l'histoire de la Révolution est incarnée par Mirabeau. Il fut le premier, mais pas le seul. Tous ses successeurs s'adosseront comme lui sur la rue pour prendre le pouvoir, puis tenteront de canaliser et d'arrêter le tumulte populaire qui charrie tout sur son passage. Il est traître à la monarchie pour les vrais monarchistes et traître à la Révolution pour les vrais révolutionnaires. On ne peut plus arrêter le cours tempétueux de la Révolution. Il fallait la chevaucher jusqu'au bout ou ne pas la commencer. Il n'y a pas de bonne Révolution et de mauvaise, 1789 et 1793, les droits de l'homme et la Terreur. Le germe de la plupart des lois de la Convention est déjà dans la Constituante. « Pour tout homme impartial, écrira le député monarchien Malouet, la Terreur date du 14 juillet » ; avec la tête du gouverneur de la forteresse au bout d'une pique et la phrase célèbre de Barnave : « Ce sang était-il donc si pur ? » Napoléon dira : « C'est la Constituante qu'il faut accuser des crimes de la Révolution. » Mirabeau a déclenché la foudre. Il est le pompier pyromane. On ne peut édifier une monarchie constitutionnelle en rêvant d'un royaume unifié par la main de fer de Richelieu. Il faut choisir : la liberté ou l'égalité. Les privilèges ou l'État. Un régime parlementaire à l'anglaise, libéral mais inégalitaire, qui a la faveur des députés qui ont voté l'abolition des privilèges, lors de la nuit du 4 Août, pour édifier une société reposant sur la propriété et l'acquisition de richesses ; ou une société égalitariste, nostalgique et archaïque, dont rêvent les paysans qui brûlent les châteaux et les sans-culottes qui menacent les ci-devant.

Au-delà des grands principes et des grands mots, « liberté », « égalité », « fraternité », la Révolution française est avant tout et par essence un transfert de propriété. Vente des biens nationaux de l'Église aux gros paysans et aux bourgeois et installation des ministres dans les hôtels particuliers des aristocrates en sont les symboles les plus éclatants. Ce transfert de propriété est le moteur, la force, la passion de la Révolution. « Les obstacles qu'elle rencontre ne font que la rendre plus destructive : par-delà les propriétés, elle s'attaque aux propriétaires, et achève les spoliations par les proscriptions[1]. » Des bandes expulsent, pillent, assomment, blessent les proscrits. C'est l'alliance du brigandage et du patriotisme.

Une aristocratie à l'envers a pris le pouvoir et l'exerce plus brutalement que les anciens féodaux. On substitue des pauvres aux riches, des roturiers aux nobles, des bourgeois aux ministres d'État, des comédiens à des législateurs, des avocats à des magistrats, des curés à des évêques, des journalistes à des publicistes, des citoyens à des soldats, des soldats à des officiers, des officiers à des généraux. Des fournées de fermiers généraux, puis d'avocats, de parlementaires sont guillotinées. Les riches sont la seule aristocratie qu'il reste à écraser. Barère à la tribune déclare que « le commerce est usuraire, monarchique et contre-révolutionnaire ». On ajoute à l'« incivisme » et au « modérantisme » le crime nouveau de « négociantisme ». Des commerçants, négociants, actifs et industrieux, fuient ou meurent. La Révolution se paie le luxe d'une nouvelle révocation de l'édit de Nantes. Camille Desmoulins le reconnaîtra honnêtement : « Notre révolution, purement politique, n'a ses racines que dans l'égoïsme et dans les amours-propres de chacun, de la combinaison desquels s'est composé l'intérêt général. » Les bonnets rouges supplantent les talons rouges ; les trois mille à quatre mille Jacobins qui siègent au club de la rue Saint-Honoré succèdent aux trois mille à quatre mille nobles qui montaient dans les carrosses du roi. Dans cette hiérarchie renversée, dans ce grand remplacement d'élites et de privilégiés, le roi ne peut plus être le maître, même pas le garant, mais devient une cible.

Burke avait prévenu : « On ne dépose pas un roi à demi. » Dans une situation révolutionnaire, on ne peut pas avoir

1. Hippolyte Taine, *Les Origines de la France contemporaine*, 1876.

l'ordre et la liberté. Il faut choisir. En refusant ce choix cornélien, Mirabeau se condamne à l'échec. La Constituante effacera le roi ; la Législative le déposera ; la Convention le guillotinera. Puis, les Montagnards guillotineront les Girondins, les thermidoriens guillotineront les Montagnards. Enfin, les fructidoriens déporteront les constitutionnels, le Directoire purgera les Conseils et les Conseils purgeront le Directoire. À la fin des fins, la Constitution libérale dont rêvait Mirabeau enfantera le despotisme centralisateur de Bonaparte. Rivarol avait été encore plus prophétique : « Ou le roi aura une armée, ou l'armée un roi. »

« MACHIAVEL-MIRABEAU »

Mirabeau ne sera jamais Bonaparte. Il s'est arrêté au milieu du gué. Il relève à la fois de l'imagerie révolutionnaire et de la légende monarchique. L'homme qui rêvait de devenir le « Richelieu pour la nation » « ne sera jamais qu'un cardinal de Retz », comme le lui avait prédit son père, jamais avare d'une perfidie. On le surnomme « Machiavel-Mirabeau ». Il est tout « intrigue obscure » et « artificieuse dissimulation ». Il est le produit de cette rencontre féconde au travers des siècles entre la France et l'Italie, d'où viennent ses ancêtres, les Riquetti, la monarchie française imposant les formes ordonnées de l'État-nation pendant que les Italiens enseignent les subtilités de la politique à ces Français chevaleresques et mal dégrossis, brutaux et ingénus : ils eurent successivement pour visage les conseillers de Catherine de Médicis, Concini, Mazarin, Mirabeau, Bonaparte, Gambetta. Les Italiens étaient aussi les maîtres de la commedia dell'arte. Mirabeau est la première grande vedette de cette « théâtrocratie » que fut la Révolution, selon le mot si juste de Thibaudet. Lamartine, qui fut lui aussi un grand tribun révolutionnaire – mais de la révolution de 1848 – reconnaîtra de bonne foi la supériorité du maître : « Ses mots retentissants deviennent les proverbes de la Révolution... Il est lui seul le peuple entier... Mirabeau n'inventa pas la Révolution, il la manifesta. Sans lui, elle serait restée peut-être à l'état d'idée et de tendance. Il naquit, et elle prit en lui la forme, la passion, le langage qui font dire à la foule en voyant une chose : “La voilà.” »

Dix-huit mois après la mort de Mirabeau, le 20 novembre 1792, des ouvriers découvrent dans un mur du château des Tuileries une armoire de fer dans laquelle on retrouve des documents qui attestent ses liens avec la cour. Aussitôt, l'Assemblée nationale décide que son buste sera voilé. Le 21 septembre 1794, son corps est retiré du Panthéon, car « il n'est point de grand homme sans vertu ». Le même jour, celui de Marat y est transféré. Marat avait été le seul à insulter sa mémoire dès le jour de sa disparition. Un remplacement en guise de condensé emblématique du cours de la Révolution française. « Les restes impurs du royaliste Mirabeau » sont dispersés. Nulle tombe ne portera son nom. La « petite morale », dont s'était toujours moqué cet amoraliste cynique, tenait sa vengeance.

Son père avait souvent dit qu'il avait « péché par la base, par les mœurs ». Pourtant la question de la morale de Mirabeau n'est pas l'essentielle. Certes, son train de vie fastueux agaçait quand tant de misère s'étalait ; et ses dîners au Palais-Royal avec des « danseuses de l'Opéra fort connues mais pas pour leur vertu », quelques jours encore avant sa mort, ne lui taillaient pas une chaste réputation ; mais ses dettes, ses frasques, ses scandales, ses procès, ses maîtresses sulfureuses et ses amours tumultueuses, ses conflits avec son père, qui semblait le poursuivre partout, telle sa conscience, et tel un Dieu vengeur, partout le persécuter, ses séjours en prison, au fort de Vincennes, faisaient partie de sa légende. Comme son énorme chevelure poudrée. Comme sa grosse tête difforme, grêlée de petite vérole, si laide et repoussante qu'elle en devenait fascinante. « Un satyre colossal et fangeux », écrira Taine. Comme la taille démesurée des boutons de couleur de son habit et des boucles de ses souliers. Comme la profusion excessive de ses manières, révérences et compliments. Comme l'accent méridional qui affleurait en dépit de ses efforts pour le contenir. Comme les mouvements incoercibles de ses mains, de ses bras, de ses gestes, les intonations passionnées de sa voix, l'emphase de ses propos, l'hyperbole qui perçait, ce ton déclamatoire qui charmait ses auditeurs même les plus prévenus.

Vivant, Mirabeau aurait connu le sort de ses proches et de ses frères de race et de génération, tous les Calonne et Chateaubriand émigrant pour échapper aux fureurs égalitaires du rasoir national. Il aurait suivi son ami Dupont de Nemours et émigré en Amérique. Il avait écrit à sa maîtresse Sophie qu'il rêvait que sa fille fût éduquée au milieu de la bonne société de Boston.

« De tant de réputations, de tant d'acteurs, de tant d'événements, de tant de ruines, il ne restera que trois hommes, chacun d'eux attaché à chacune des trois grandes époques révolutionnaires, Mirabeau pour l'aristocratie, Robespierre pour la démocratie, Bonaparte pour le despotisme[1]. » C'est le sempiternel drame des modérés qui se perdent toujours au milieu des passions qu'ils ont eux-mêmes provoquées. À chaque époque son modéré, à chaque époque son Mirabeau : Guizot, Lamartine, Gambetta. À chaque époque son échec. Les modérés dirigent tant que le temps n'est pas à l'orage. Leur manque la détermination, la force, la brutalité même. Alors, ils passent la main. Ils sont inadaptés aux tempêtes. Mirabeau avait incarné la Révolution, un moment de la Révolution, son moment libéral. Sans jamais pouvoir l'arrêter aux principes qui l'avaient commencée.

Il n'était pas l'homme de la situation ; il n'était qu'un homme.

1. François-René de Chateaubriand, *Mémoires d'outre-tombe*, 1848.

Robespierre

L'homme lapidé

Ce n'est pas un homme mais un concept. Pas un personnage mais un symbole. Pas un destin mais une malédiction. Pas une histoire mais un tribunal. Pas un nom mais un slogan. Qui en dit davantage sur celui qui en parle que sur celui dont on parle. Qui en révèle davantage sur l'époque qui l'évoque que sur l'époque qu'on évoque. On dit Robespierre, mais on ne dit jamais qui était Robespierre.

Notre temps hait Robespierre. Le voue aux gémonies. En a fait un repoussoir absolu. Un monstre. Notre monstre. Notre Staline franchouillard. Notre Hitler sans moustache à perruque. Un tyran, un criminel, un fanatique, un génocidaire, un psychopathe. L'exact contrepoint de la vision qu'avaient imposée les historiens marxistes du héros des masses, l'homme dont l'action avait préfiguré Lénine et sa révolution d'Octobre, comme les prophètes de l'Ancien Testament avaient annoncé la venue de Jésus-Christ. Il a suffi à nos historiens libéraux de renverser le point de vue de leurs devanciers pour édifier le Robespierre nouveau, à savoir le modèle accompli de ce bureaucrate médiocre, anonyme et sans conscience, que les crimes des ordres totalitaires, nazi et communiste, nous ont appris à connaître et à craindre.

Robespierre est notre banalité du mal. On le voit désormais avec le regard hautain dans lequel l'enveloppait déjà le vicomte de Chateaubriand : « À la fin d'une discussion violente, je vis monter à la tribune un député d'un air commun, d'une figure grise et inanimée, régulièrement coiffé, proprement habillé comme le régisseur d'une bonne maison, ou comme un notaire de village soigneux de sa personne. Il fit un rapport long et ennuyeux ; on ne l'écouta pas ; je demandai son nom ; c'était Robespierre. Les gens à souliers étaient prêts à sortir des salons, et déjà les sabots heurtaient à la porte. » Même l'austérité de ses mœurs, son apparence digne et corsetée, qui rassuraient le bourgeois puritain, sont l'objet des brocards des hédonistes débraillés que nous sommes devenus. Même son flatteur surnom d'« Incorruptible » suscite les sarcasmes de nos contemporains revenus de tout. On a fait nôtre le cynisme désabusé d'un Mirabeau : « Il ira loin, il croit tout ce qu'il dit, et il n'a pas de besoin. » On lui a longtemps préféré Danton, le viveur corrompu, en oubliant que c'est Danton qui a créé le tribunal révolutionnaire. On loue les Girondins, talentueuses et romantiques victimes, en oubliant que ce sont eux qui ont déclaré la guerre à l'Europe.

Ainsi va la vie posthume de Robespierre. Qui a commencé de son vivant. C'est l'habileté de ses vainqueurs, les conventionnels thermidoriens, celant leurs crimes et rapines sous son nom, et son seul nom, qui fabrique paradoxalement la mythologie de Robespierre, incarnation pour l'éternité de la Terreur. C'est la lâcheté des membres des comités, n'osant l'affronter en public, mais l'appelant « dictateur » et « tyran », dès qu'il a le dos tourné, qui fait de lui l'unique incarnation d'une politique et d'un système collectifs. Et ce sont ses faiblesses, son souci narcissique de la popularité, sa volonté pathologique d'être adulé, son approche philosophique de la politique, ses sermons de prêtre, et même de prophète inspiré, qui feront sa force pour la postérité, alors qu'elles vont provoquer sa chute politique.

La dictature de l'opinion publique

Il est contre la République et il va la sauver. Il est contre la guerre et il va la gagner. Il est contre la peine de mort, et il va l'incarner. Il ne veut pas tuer Louis XVI et il va réclamer sa tête. Il veut épargner la reine et il va la laisser exécuter. Il veut défendre Camille et il va l'accuser. Il veut s'allier à Danton et il va l'éliminer. Il s'écrie : « Pas de Cromwell, même pas moi ! » et il va être sacré « roi de la Révolution » par les journaux anglais. Il craint par-dessus tout l'émergence d'un dictateur botté, et Madame de Staël dépeindra Bonaparte comme un « Robespierre à cheval ». La dictature qu'il ambitionne, c'est celle de l'opinion publique, la souveraineté de sa parole.

Robespierre est lucide sur le destin qui l'attend : « La mort toujours la mort ! et les scélérats la rejettent sur moi ! Quelle mémoire je laisserai si cela dure ! La vie me pèse. » Il connaît ses limites mieux que quiconque : « Non ! Je ne suis pas fait pour gouverner, je suis fait pour combattre les ennemis du peuple. »

C'est un prêtre entouré de ses dévots, et surtout de ses dévotes. Elles trépignent et sanglotent quand il ressasse inlassablement ses formules creuses, apprises de Jean-Jacques ou des grands Romains, Socrate et sa ciguë, Brutus et son poignard, les « flambeaux de la discorde et le vaisseau de l'État ». Il aime l'encens du culte dont il est entouré pour mieux apaiser son angoisse de ne pas être à la hauteur. La suspicion maladive qu'il manifeste à l'égard de tous, y compris ses amis les plus proches, n'est que l'expression des doutes légitimes qu'il a à son égard. « Trente-deux ans, pincé, épaules étroites, teint pâle, regard de myope. Il était plus qu'inconnu, il était médiocre et dédaigné. Il était le dernier mot de la Révolution, mais personne ne pouvait le lire », écrit Lamartine.

Il s'est incorporé la Révolution tout entière, principes, pensées, passions ; et la contraint ainsi à s'incorporer en lui. Une Révolution est déterminée par la nature du gouvernement qu'elle renverse : la Révolution absolue est le produit direct de la monarchie absolue. Le Salut public n'est qu'une nouvelle version de la raison d'État. Pour sauver la patrie en danger, si les mots et les hommes changent, les concepts et les actions demeurent identiques. Richelieu n'aurait pas été dépaysé au sein du Comité de salut public. Robespierre n'a qu'à retourner l'ancien système comme un gant. Comme le prince absolu, la nation ne peut mal faire, puisqu'elle est le nouveau vicaire de Dieu sur Terre. Succédant à l'oint de Dieu, Robespierre se prend pour le glaive de l'Être suprême. L'historien américain J. M. Thompson a décrit la mue quasi mystique qui a transfiguré le modeste député du tiers état d'Arras : « Robespierre avait vécu le serment du Jeu de paume comme le rousseauisme incarné. Il avait entendu la voix du peuple et pensé entendre la voix de Dieu. Dès cet instant date sa mission. »

Le peuple est devenu pour Robespierre un mythe, un Graal. Il a inventé une illusion pour ne pas voir la réalité. Ou plutôt la reconstituer, l'édifier, la forger. Le peuple, forcément pur et immaculé, antithèse manichéenne des aristocrates libertins. À ses intrigues et ses perfidies, qui se sont démultipliées autour du roi, et surtout de la reine, depuis les débuts de la Révolution, le peuple a répondu par la violence, la brutalité, le meurtre. Ce peuple sanctifié doit être protégé contre lui-même, comme un enfant encore malhabile et brutal. Depuis les massacres de septembre 1792, cette « Saint-Barthélemy de la liberté », les hommes de la Révolution, saisis d'effroi, craignent que la violence du peuple, qu'ils ont suscitée et encouragée, ne les balaie tous. Robespierre, mis en accusation, choisit pourtant d'attaquer pour mieux se défendre : « Des actes illégaux ? Est-ce donc le code criminel à la main qu'on sauve la patrie ? Tout cela était illégal, sans doute. Oui, illégal comme la chute de la Bastille, illégal comme la chute du trône, illégal comme la liberté ! Citoyens, voulez-vous une Révolution sans révolution ? La sensibilité qui gémit presque exclusivement sur les ennemis de la liberté m'est suspecte. » Robespierre, mais aussi Danton, n'ont pas le choix ; le peuple – « c'est-à-dire l'attroupement », écrira Taine – ne leur laisse pas d'alternative : ils doivent frapper pour qu'il ne frappe pas ; ils doivent tuer pour contenir les tueries ; ils doivent judiciariser la vengeance pour arrêter celle au nom de la justice : « Ne laissons pas ces enfants de la Révolution jouer avec la foudre du peuple ; dirigeons-la nous-mêmes ou elle nous dévorera », confie Robespierre. « Soyons terribles pour dispenser le peuple de l'être », répond Danton en écho.

« Les malheureux m'applaudissent »

C'est ce paradoxe funeste que ne parvient plus à saisir notre époque amollie par des décennies de paix et de slogans simplistes et pacifistes : la Terreur fut moins inventée par Robespierre et par Danton contre les ennemis de la République que contre les fureurs de la Révolution elle-même. Les émigrés et les Vendéens sont le prétexte et les malheureuses victimes expiatoires ; mais les enragés, les exagérés et les hordes de sans-culottes furent bien la cible. Cette guillotine qu'ils réclament à grands cris fut dressée surtout contre eux. La Terreur n'est pas sortie tout élaborée d'un cerveau particulièrement criminel, mais au contraire d'une réaction instinctive et collective qu'on appelle l'« esprit du temps ». Contrairement aux analogies devenues lieux communs historiographiques, Robespierre n'est pas Lénine ni Trotski, qui, hantés par la mémoire de la Révolution française, décident dès le premier jour de provoquer une Terreur inexpiable pour ne jamais subir le contrecoup de Thermidor. Il n'est pas Staline non plus, car il s'agit bien pour Robespierre d'arracher les masques des traîtres et des félons, et non de désigner arbitrairement des individus requis pour tenir le rôle de traîtres et de félons auxquels des masques seront arrachés pour une sanglante mascarade dialectique.

La Terreur est née peu à peu dans une émulation, une enchère de gages patriotiques : chacun reproche à l'autre de ne pas donner assez à la Révolution : Barnave à Mirabeau ; Brissot à Barnave ; Danton à Brissot ; Marat à Danton ; Hébert à Robespierre ; Saint-Just à Danton ; tous aux Girondins. C'est Rousseau qui a introduit la compassion dans le discours politique : « une répugnance innée à voir souffrir un de nos semblables ». C'est son émule Robespierre qui la fera entrer dans l'action politique. Le « peuple » devient synonyme de « petit peuple » : « Les malheureux m'applaudissent », se félicite Robespierre. Les Girondins parlent au nom de la République française, Robespierre parle au nom du peuple français. Les Girondins ont repris le projet de Mirabeau d'une société à l'anglaise, libre mais inégalitaire, une fois le trône, l'aristocratie et le clergé liquidés ; ou d'une société à l'américaine, faite d'oligarchies départementales. Robespierre embrasse le peuple tout entier dans ses projets d'émancipation, sous une trilogie sacrée et hiérarchisée, un peuple, un magistrat, un Dieu : « La République ? La monarchie ? Je ne connais que la question sociale. » Les Girondins sont des démocrates de circonstance ; les Montagnards, des démocrates de principe. « Le peuple ne voyait dans les Girondins que des ambitieux ; il voyait dans Robespierre un libérateur », note Lamartine. La loi de ventôse 1794 confisque les biens de l'Église, des émigrés et de tous les « suspects » pour les céder aux « malheureux ». Saint-Just dit : « Les malheureux sont les puissances de la terre. »

Question Sociale

Robespierre invente le concept d'État-providence qui mettra cent cinquante ans (et deux guerres mondiales) à se concrétiser : « Tout ce qui est nécessaire au maintien de la vie doit être bien commun et le superflu seul peut être reconnu comme propriété privée. » La loi du 11 mai 1794 érige « la bienfaisance nationale en priorité politique nationale ». Avec une finesse incomparable, Hannah Arendt, dans son célèbre ouvrage *De la révolution*, a analysé comment « la transformation des droits de l'homme en droits des sans-culottes marque le tournant de la Révolution française et de toutes les révolutions qui allaient suivre ». Robespierre abandonne « son despotisme de la liberté » pour les « droits des sans-culottes, le vêtement, la nourriture et la reproduction de l'espèce ». Marx théorisera ce basculement idéologique cinquante ans plus tard.

Cette tentative française pour résoudre la question sociale par des voies politiques conduira à la Terreur. La compassion mène à la violence. La seule révolution où la compassion n'a joué aucun rôle dans la motivation des protagonistes est la révolution américaine. Hannah Arendt montre que la révolution américaine a réussi là où la Révolution française a échoué parce que la première n'eut pas à traiter la question sociale. Dans cette terre de cocagne qu'est le Nouveau Monde, tous les habitants vivaient dans une honnête aisance. Jamais la misère, et la fureur qu'elle entraîne, n'a enseveli, comme en France, les fondations de la liberté. La seule misère, la seule désespérance, la seule souffrance est celle des esclaves noirs ; mais les révolutionnaires américains n'en ont cure. Souvent propriétaires d'esclaves eux-mêmes, ils estiment que leur sort n'est pas une question politique. Lorsque la question noire devint politique, un siècle après l'indépendance, les États-Unis connurent quatre années d'une guerre de Sécession effroyable...

Le peuple rassemblé autour des nouvelles idoles révolutionnaires de la Liberté et de l'Égalité divise et déchire la nation. Les Vendéens se battent pour défendre leurs prêtres et se liguent avec les insurrections de Normandie et du Midi ; Marseille a repris le flambeau du fédéralisme ; Toulon ouvre son port et ses arsenaux aux Anglais ; Lyon s'est proclamé « municipalité souveraine » et retourne la guillotine contre les représentants de la Convention. Les puissances étrangères battent partout les troupes françaises inexpérimentées et fraternisent déjà avec les émigrés dans Valenciennes. Les commissaires politiques envoyés par la Convention aggravent la désorganisation de l'armée en menaçant les généraux trop indépendants. La Révolution guillotine ceux qui se croient indispensables parce qu'ils sont nécessaires. Elle exige que les hommes ne soient plus rien pour que la patrie soit tout. Elle confond l'art de la guerre avec l'art de la trahison. Elle invente une guerre au pas de charge, avec des masses plébéiennes commandées par des généraux ignorants.

Les Girondins ont déclaré la guerre à l'Europe entière et se révèlent incapables de la mener. La pensée, la résolution, la fermeté, tout leur manque. La confusion, la désobéissance, l'idéalisme, l'irréalisme règnent sans partage. Malouet note, sarcastique : « C'est la Régence d'Alger, moins le dey. » Quand Vergniaud, leur orateur le plus brillant, vote la mort du roi, après qu'il a discouru en faveur de la clémence – la veille encore du vote, il pérorait : « Moi, voter la mort, c'est m'insulter que de me croire capable d'une action aussi indigne » –, Robespierre sourit de mépris et Danton murmure à Brissot : « Vantez donc vos orateurs ! Des paroles sublimes, des actes lâches. Que faire de tels hommes ? Ne m'en parlez plus, c'est un parti fini. » Et la France avec. À la fin d'un ouvrage consacré initialement à leur gloire, Lamartine exécutera les Girondins d'une seule phrase : « Tout périssait entre les mains de ces hommes de paroles. »

À moitié conquise par la coalition des Rois, et déchirée de l'intérieur par la contre-révolution, la Convention n'a le choix, en juillet 1793, qu'entre la dictature et la mort. La mort de la Convention signifie celle de la Révolution et de la République. Et la mort de la Révolution et de la République signifie celle de la France. L'exemple polonais – bien oublié aujourd'hui – le prouve aux contemporains. Autrichiens, Prussiens et Russes achèvent alors le dépeçage de la nation polonaise commencé vingt ans plus tôt. La France est la prochaine sur la liste. Les pays coalisés contre la France révolutionnaire guignent l'Alsace et la Lorraine, les Flandres françaises et la Picardie. À Bruxelles, le comte de Mercy dit toute l'ambition de la monarchie autrichienne et de ses alliés : « Quand on lui aura pris ses provinces les plus belles, cette puissance ne sera plus rien. »

Dans ce contexte tragique, les ambitions fédéralistes des Girondins s'avèrent utopies criminelles : « Vous nous accusez d'asservir les départements, nous vous accusons de décapiter la République, assène Danton à un Girondin. Lesquels de nous sont les plus coupables ? Vous voulez morceler la liberté, pour qu'elle soit faible et vulnérable dans tous ses membres ; nous voulons déclarer la liberté indivisible comme la nation, pour qu'elle soit inattaquable dans sa tête. Lesquels de nous sont des hommes d'État ? »

L'État-nation a vaincu la Révolution

Il est des dictatures qui sont des résurrections. Imprégnés de culture classique, les conventionnels puisent la légitimité de la dictature qu'ils instaurent dans le souvenir glorieux de la République romaine. Robespierre n'est pas un tyran honni ni l'idiot utile du capitalisme puisque la Convention lui a délégué tout pouvoir. La Convention, c'est la Révolution. La Révolution, c'est la France. L'État-nation préexiste à la Révolution, et sera sauvé par Robespierre. L'État-nation a vaincu la Révolution et ses rêves de fraternité universelle. Robespierre n'est pourtant pas hostile aux idées cosmopolites et généreuses d'un Thomas Paine ; mais son patriotisme s'est affermi à la hauteur des périls encourus. Il est ennemi des guerres de conquête et ne veut vaincre l'Europe que par les idées. Le patriotisme de la France n'est ni dans la communauté de langues ni dans la communauté des frontières, encore moins dans la communauté du sang, mais dans celle des idées. « La Révolution est la guerre de la liberté contre ses ennemis. » Mais au plus fort de la lutte, Robespierre avoue qu'il « hait le peuple anglais ». Lorsqu'il fait guillotiner le Prussien Anacharsis Cloots, cosmopolite apôtre du « genre humain », il s'exclame : « Pouvons-nous regarder comme patriote un baron allemand ? »

À partir de l'été 1793, l'« étranger » devient une catégorie politique, désignant celui qui n'adhère pas à la Révolution. L'aristocrate est un « étranger de l'intérieur », doublement étranger, à la fois comme descendant de l'envahisseur franc, vivant depuis quinze siècles « aux dépens de la nation gauloise » et comme un « peuple à part, un faux peuple », ennemi de la Révolution et de la nation. Robespierre déclare : « Le plan de la Révolution était inscrit en toutes lettres dans l'œuvre de Machiavel. » Il faisait référence à la phrase la plus célèbre du grand Italien : « Nous préférons la patrie au salut de notre âme. »

La grande Révolution accouche de la « grande nation ». Et Robespierre sacrifie le salut de son âme à la patrie. La situation militaire est rétablie dès la victoire de Wattignies, en octobre 1793. À partir de celle de Fleurus, le 26 juin 1794, les Français sont partout à l'offensive, dominant les Autrichiens, reprenant la Belgique, repoussant les Prussiens sur le Rhin, les Piémontais dans les Alpes, les Espagnols dans le Roussillon. À Fleurus, les Français ont utilisé pour la première fois dans l'histoire militaire un ballon d'observation. Mais c'est surtout la Pologne – dont décidément le sort est sans cesse le miroir inversé de notre nation – qui va sauver l'armée révolutionnaire : pour mieux se partager la nation martyre, une partie des troupes autrichiennes et prussiennes a dégarni le front ouest pour renforcer l'est. Carnot, l'« organisateur de la victoire », plastronne et rêve à haute voix des « frontières naturelles ». Il s'offusque du manque d'enthousiasme de Robespierre, prenant pour un manque de patriotisme ce qui est peur persistante de la renommée d'un général heureux.

Il faut arrêter la guerre. Il faut arrêter la Terreur. Il faut arrêter la dictature. Les trois font système. Robespierre le sent, le sait. Saint-Just écrit à Robespierre : « L'usage de la terreur a blasé le crime, comme les liqueurs fortes blasent le palais. » Danton apostrophe Robespierre : « La colère du peuple est un mouvement. Vos échafauds sont un système. Le Tribunal révolutionnaire que j'ai inventé était un rempart ; vous en faites une boucherie. » Alors qu'il se rend, un soir, au Comité de salut public, Fouquier-Tinville, l'accusateur public, se trouve mal sur le Pont-Neuf : « Je crois voir les ombres des morts qui nous poursuivent, dit-il, surtout celles des patriotes que j'ai fait guillotiner. » La guerre paie la guerre. Les pays conquis financent les déficits. Les assignats dévalués permettent aux paysans d'acquérir les biens nationaux pour une bouchée de pain. D'instinct de survie, la

Terreur est devenue méthode. De sursaut, elle est devenue tactique. Tout le monde veut arrêter la Terreur et tout le monde craint qu'on l'accuse de modération. Le soupçon devient synonyme de pureté. L'inhumanité de patriotisme. On confond la philosophie avec le meurtre. La volonté d'arrêter la Terreur aggrave la Terreur. Robespierre n'ose même pas faire condamner Carrier, l'ignoble massacreur de Nantes, transformant sa faiblesse du moment en une complicité criminelle aux yeux de l'Histoire. Saint-Just justifie tout, surtout le pire : « Rien ne ressemble à la vertu comme un grand crime. Tout doit être permis à ceux qui vont dans la direction de la Révolution. »

Robespierre refuse d'avouer un geste d'humanité qu'il confond avec une faiblesse coupable. Il ajourne la clémence jour après jour. « Le système avait tué en lui la nature, relève Lamartine. Il se croyait plus qu'un homme en immolant en lui l'humanité. Il se fût arraché le cœur s'il eût été capable de lui conseiller une faiblesse. Plus il souffrait de cette violence, plus il se croyait juste. » Plus il tue, plus il pose au « martyr ». Plus il sacrifie, plus il est persuadé de se sacrifier. « C'est Caïn qui se croit Abel », notera Taine, toujours impitoyable. S'il célèbre l'Être suprême, le 8 juin 1794, c'est pour désavouer le crime, ériger un Dieu qui condamne le criminel ; mais les conventionnels brocardent le prêtre dévot qui ramène l'ancienne foi et le peuple le soupçonne de vouloir se faire sacrer Christ et roi. « C'est toi qui nous tues », lui dira Saint-Just, le 9 Thermidor 1794, lorsque Robespierre hésitera à appeler les sections parisiennes à l'insurrection. Napoléon aura le mot de la fin : « Robespierre a péri pour avoir voulu arrêter les effets de la Révolution, et non comme tyran. Ceux qu'il voulait faire périr étaient plus cruels que lui… S'il n'avait succombé, ce serait l'homme le plus extraordinaire qui ait paru. »

« Plus jamais lui »

En finir avec Robespierre. Extirper Robespierre du corps et de l'âme de la France. Effacer ce Robespierre de l'image que l'Europe se fait de la France. Montrer que la République n'est pas Robespierre. Empêcher Robespierre de revenir quels que soient les moyens. À n'importe quel prix. Cette résolution de nos élites, sorte de « plus jamais lui », est un des fils rouges de notre Histoire depuis deux siècles. Dès 1830, alors que le peuple de Paris réclame la République à grands cris, les bourgeois arrachent le vieux La Fayette à sa retraite pour qu'il sacre Louis-Philippe de son aura de révolutionnaire, et l'installe sur le trône de Charles X, à peine enfui. En 1848, la République est proclamée, mais Lamartine conjure la malédiction terroriste de Robespierre en faisant bénir des arbres de la liberté par les prêtres et en repoussant le drapeau rouge.

Avec la Commune, on croit revenir aux fondamentaux du robespierrisme mais on se leurre. La plupart des communards suppriment de leur programme toute référence à la « République une et indivisible ». Ils rejettent toute conception autoritaire du pouvoir, qu'ils voient, non sans raison, comme le pendant retourné de l'autorité monarchique. Adeptes de Proudhon, de nombreux communards défendent une France fédérative, décentralisée, dirait-on aujourd'hui, association de communes libres. La Commune esquisse une synthèse originale entre les préoccupations sociales de 1793 et le libéralisme politique de 1789. Mais les communards seront balayés par la réaction versaillaise, comme la République de 1848 avait été confisquée par le neveu de Napoléon. Les communards ne réussiront ni à vaincre l'ennemi prussien qui assiège Paris ni à imposer la question ouvrière à la bourgeoisie versaillaise et revancharde. Ils découvrent, mais un peu tard, que la synthèse robespierriste de la dictature romaine avait aussi du bon. Marx, lui, saura tirer les leçons de l'échec de la Commune. Et surtout Lénine et Trotski. L'histoire de la Révolution française n'avait aucun secret pour ce dernier. Il avait compris l'erreur tactique commise par Robespierre. Bien que le Club des jacobins ait été le cœur du pouvoir, Robespierre avait préservé les prérogatives de l'Assemblée nationale, au grand dam des sections parisiennes qui rêvaient d'imposer leur loi aux « représentants de la nation ». Cette dichotomie des pouvoirs et ce respect des formes parlementaires lui furent fatals : lorsque les Jacobins furent vaincus à l'Assemblée, le peuple demeura indifférent et les sections parisiennes ne vinrent pas à leur aide. Trotski et Lénine n'eurent pas ces faiblesses et ces ingénuités : ils donnèrent aux bolcheviks le rôle de parti unique qu'avait forgé le Club des jacobins ; sans laisser aucun formalisme parlementaire subsister.

La nation succède à l'absolutisme au XIXe siècle ; le parti succède à la nation au XXe. Mais les questions nationales et sociales restent au cœur des problématiques politiques de toute l'Europe. Robespierre demeure la référence initiale et incontournable. Chaque camp en conserve un morceau en ignorant l'autre. À droite, les monarchistes les plus lucides saluent l'homme de la patrie en danger : « Malgré ses atroces folies, malgré ses agents ignobles, la Terreur a été nationale. Elle a tendu les ressorts de la France dans un des plus grands dangers qu'elle ait connus. » (J. Bainville). À gauche, les historiens marxistes reconnaissent leur dette à l'égard de celui qui a défendu les « malheureux », même s'il n'était pas encore éclairé par les lumières du « socialisme scientifique ». À droite comme à gauche, la nécessaire violence de la « dictature à la romaine », qui pour sauver la patrie, qui pour prendre à la gorge le grand capital, n'est pas contestée. Seuls nos républicains modérés, de peur de réveiller le spectre endormi de la Terreur, ont condamné toute violence, s'enfermant dans un stérile théâtre d'ombres parlementaire, et renonçant à toute résolution efficace de la « question sociale », pour le plus grand bonheur des « intérêts » jamais maltraités.

Les deux guerres mondiales, et les exactions criminelles des régimes totalitaires du XXe siècle qui tentaient eux aussi de concilier le « national » et le « social », ont scellé le destin historique de Robespierre. Il est désigné père de toutes les terreurs, père de tous les fanatismes, père de tous les totalitarismes. Il a tout inventé et tout préparé. Robespierre ou notre Antéchrist.

Notre époque exige tout et le contraire de tout, la Révolution mais sans la violence, 1789 mais sans 1793, le patriotisme mais sans le nationalisme, le progrès social mais sans le socialisme. L'industrialisation sans ouvriers, la protection sans frontières. On ne veut pas voir non plus qu'il ne peut y avoir de social sans national. Qu'il n'y a pas de solidarité des riches envers les pauvres s'il n'y a pas de sentiment commun d'appartenance, soudé par l'Histoire, les mœurs, les traditions. Les Américains n'ont pas instauré la sécurité sociale, à l'issue de la Seconde Guerre mondiale, contrairement aux Britanniques et aux Européens, parce que les Blancs refusaient de payer pour les Noirs. Ils ne se sentaient pas appartenir à la même nation. Aujourd'hui, les ouvriers et les chômeurs français sont farouchement hostiles à toute forme d'« assistanat », dont abusent selon eux, certains immigrés et leurs enfants.

Notre époque veut tout mais abandonne tout. Elle renie Robespierre avec d'autant plus de précipitation qu'elle délaisse et la nation et la question sociale. La droite abandonne la nation pour le marché, et la gauche abandonne le peuple français pour l'humanité. La République des uns et des autres n'est plus nationale mais européenne. Voire mondiale. Elle n'est plus la République française mais une République universelle. Elle n'est plus la République.

Adieu, Maximilien.

Charette

Tout doit disparaître ! *Sold out!*

On prend les mêmes et on recommence. Un dandy à rubans de soie et jabots de dentelle comme Robespierre. Un homme à femmes, séduites par la beauté des laids et des vauriens, comme Mirabeau. Un animal de l'espèce féline, audacieux et déterminé, comme Danton. Un combattant de la liberté américaine comme La Fayette. Un petit aristocrate de province comme Bonaparte. Qui commandera lui-même le peloton militaire qui l'exécutera, comme Murat. Initié à la franc-maçonnerie comme tous.

François Athanase Charette de La Contrie n'est pas différent des hommes de la Révolution qui le pourchasseront sans répit. Il est du même siècle, de la même génération ; il est fait de la même pâte, sociale et intellectuelle. Comme eux, il a de l'esprit : « Je suis officier français, monsieur, je ne sers que pour l'honneur », répond-il à un contrebandier qui lui offre un pourcentage sur ses bénéfices ; comme eux, c'est un mauvais coucheur, cabochard, rancunier, cruel. En ce mois de mars 1793, le « chevalier Charette » a 30 ans. Il lui reste deux années à vivre. Deux années qui vont changer la face de la France et du monde. Deux années qui vont changer la face de la Révolution et de la guerre. Deux années qui préfigurent deux siècles de combats inexpiables entre le passé honni et l'avenir radieux, entre la religion du Christ et la religion du Progrès, entre l'identité et l'humanité, entre les droits des hommes et les droits de l'homme.

Charette est un ancien officier de la Royale. Ce marin a l'idée géniale d'adapter sur terre les méthodes des flibustiers et des corsaires. Il invente ainsi la « petite guerre », que les Espagnols nommeront bientôt « guérilla », lorsqu'ils affronteront l'armée de Napoléon. Les paysans vendéens prennent le « maquis », sans connaître le mot. Ils passent sans cesse de leur champ de blé noir au champ de bataille. Dans la forêt, on crée des « villages de partisans ». Armés de couteaux de pressoir, de fourches, de faux et de fusils de chasse, ces paysans en sabots sont des va-nu-pieds comme le seront les troupes de l'armée d'Italie de Bonaparte ; et leur héroïsme fait l'admiration de leurs adversaires, de Kléber à Hoche, jusqu'à leur bourreau Turreau. Dans le même temps, les troupes révolutionnaires bouleversent elles aussi les tactiques militaires héritées de l'« art de la guerre » du XVIIIe siècle et forgent les principes de la « guerre totale », qui s'épanouiront dans les deux siècles qui suivront.

Un rassemblement occasionnel de bandes

Bleus et Blancs, soldats de la République et rebelles de l'armée royale de Vendée, frères ennemis malgré eux et en dépit de tout... C'est la réquisition forcée des jeunes gens pour la guerre aux frontières qui a déclenché l'insurrection en mars 1793 contre la République, et non la mort du roi le 21 janvier de la même année. Les Blancs, quoi qu'en penseront les théoriciens et les historiens de la Révolution, se battent eux aussi pour la liberté et l'égalité. Les paysans ne se sont pas révoltés pour rétablir la monarchie, mais pour défendre leur mode de vie ; pas pour restaurer les privilèges de l'Église et de la noblesse, mais pour protéger leurs curés persécutés. À l'instar de Charette, les nobles ont longtemps tergiversé et hésité à s'engager. Cathelineau est roulier, Stofflet garde-chasse. Charette songera, mais trop tard, qu'il eût fallu imiter le tsar, qui, pour combattre le patriotisme polonais, avait donné aux paysans les terres des nobles. Encore Charette n'est-il pas le pire. Il mange la soupe avec ses hommes et parle patois avec eux. La veille des batailles, il danse avec ses hommes au lieu de chanter des cantiques. Il est entouré d'amazones qui se battent à ses côtés, avant de le rejoindre pour « bavarder sur son sofa ».

Charette est un chef vendéen dont les actions relèvent de la chouannerie. Son armée est un rassemblement occasionnel de bandes : un jour huit mille hommes, le lendemain, huit cents. Au maximum, il aura sous ses ordres une troupe de quinze mille hommes. Il y a ceux qui marchent à l'eau-de-vie et ceux qui marchent à l'eau bénite. Charette multiplie les ruses, habille ses éclaireurs de cocardes tricolores ; prend des sentiers inconnus des républicains, les pluies effaçant ses traces, marchant toujours de nuit. Tant que Charette joue de l'effet de surprise, il gagne ; dès qu'il accepte le combat frontal, à Nantes ou à Cholet, il perd. Napoléon a écrit que si Charette avait osé marcher sur Paris, après ses premiers succès, les Bleus auraient pris la fuite, et le drapeau blanc aurait flotté sur les tours de Notre-Dame. Napoléon se trompe : les troupes vendéennes n'étaient efficaces que dans leur cadre local ; elles ne pouvaient pas être manœuvrées comme une armée. Charette le sait. Il a refusé de quitter les terres basses qui cernent son fief de Legé pour mieux tenir « son royaume », ce quadrilatère de la « Vendée militaire ».

C'est le début de la fin pour la Vendée. Tout se joue dès la conquête manquée de Nantes, le 29 juin 1793. Nantes prise, toute la Bretagne se soulevait. Mais Nantes résiste, crie « Vive la République ! ». Une fin ponctuée par la défaite de Cholet, le 17 octobre 1793, et le massacre de Savenay, les 23 et 24 décembre. Chaque fois, Charette est accusé par les autres généraux blancs de ne pas jouer le jeu, de ne pas être solidaire. La victoire a dix pères, la défaite est orpheline. Charette était un héros, il est un paria. La guerre de Vendée est finie, la traque de Vendée commence. La guerre civile devient peu à peu « opération de maintien de l'ordre[1] ». Le maquisard devient fuyard. Le dandy Charette porte des chemises sales où s'incrustent les poux. Qu'il paraît loin,

1. Selon l'expression du général Louis Lazare Hoche.

le temps de ses chapeaux de feutre noir, fleuris de plumes blanches, de ses habits violets, brodés de soie et d'argent ! Il ne reste auprès du chevalier que cinq femmes et deux serviteurs. Une amazone a brodé sur son écharpe : « Combattre : souvent. Battu : parfois. Abattu : jamais. »

C'est le temps des chimères : d'abord, l'intervention de la flotte anglaise, qu'il guette avec avidité comme les huguenots, naguère, traqués par Richelieu ; puis, on lui promet l'arrivée du prétendant au trône, mais le comte d'Artois, futur Charles X, refuse de prendre la tête des troupes. Louis XVIII lui envoie le grand cordon rouge de l'ordre de Saint-Louis et le nomme lieutenant général commandant en chef de l'armée catholique et royale. Comme une décoration en guise de dernier clou sur son cercueil. Charette a rêvé d'une restauration monarchique qui n'aura jamais lieu.

« Génocide par petits bouts de papier »

La guerre est finie. L'horreur peut commencer. La Vendée est unique en ce que tout est renversé : les soldats de la République, Kléber, Hoche, font la paix, tandis que les bourreaux de la République, Carrier, Turreau, exterminent. La guerre laisse la place au génocide. La Vendée est le lieu de tous les anachronismes, où les choses n'attendent pas les mots pour devenir réalité. C'est le « génocide par petits bouts de papier », dont parlera Reynald Secher. Un « populicide » avait accusé, avec une rare lucidité, Gracchus Babeuf, dès 1795. François Furet parlera, lui, de « rhétorique de l'extermination ». Une rhétorique qui n'a jamais été plus clairement exprimée que par Barère dans son célèbre décret du 1er août 1793 et son rapport d'octobre 1793. Nous sommes alors après la bataille de Nantes du 29 juin 1793 ; les Blancs ont perdu une guerre que les Bleus n'ont pas encore gagnée. Contre Charette, on invoque les mânes de Louvois. Pour vaincre la « guerre de buissons » de Charette, on ressuscite la politique de la terre brûlée que le ministre de Louis XIV avait menée dans le Palatinat. Barère incite les troupes révolutionnaires à tout détruire, tout brûler, récoltes, animaux, habitations. Et « brigands ». Il faut « exterminer cette race rebelle ». La Vendée est pour Barère une énigme. Il ne comprend pas comment ni pourquoi « l'inexplicable Vendée existe encore ». Les Vendéens sont des êtres anachroniques qui ont raté le train de l'Histoire. Ces « fanatiques » préfèrent Dieu à la raison. Le passé à l'avenir. Les Vendéens ne méritent pas de vivre. Ce sont des « sous-hommes ». Les Jacobins voulaient faire naître un « homme nouveau » exempt d'« aristocratie » et de « superstition ». Ce « nouveau peuple », « régénéré » par les Lumières, remplacera l'« espèce humaine dégradée » par l'ancienne foi et la monarchie.

Turreau n'est pas un assassin sans conscience ; il a un projet politique : exterminer la Vendée de sa population pour la repeupler avec de bons sans-culottes. Alors que Kléber milite pour une amnistie réconciliatrice, Turreau, pour faire du zèle, propose au Comité de salut public de « dépopulationner » la région rebelle. Turreau obtient gain de cause. La « chasse aux lapins », comme disent les révolutionnaires, est ouverte dès janvier 1794. Rien ni personne ne sera épargné, les hommes, les femmes, les enfants, les femmes enceintes, tout périt par les mains des « colonnes infernales ». On évalue les victimes à deux cent mille personnes.

Début 1794, le général Westermann écrit au Comité de salut public : « Il n'y a plus de Vendée. J'ai écrasé les enfants sous les pieds des chevaux et massacré les femmes qui, au moins celles-là, n'engendreront pas de brigands. Je n'ai pas un prisonnier à me reprocher. J'ai tout exterminé, nous ne faisons pas de prisonniers. Il faudrait leur donner le pain de la liberté et la pitié n'est pas révolutionnaire. » À situation exceptionnelle, vocabulaire exceptionnel : au cours de ce « grand brûlement », « on purge les cantons », on égorge : « On fait passer derrière la haie » ; et on rend compte chaque soir « du nombre de têtes cassées à l'ordinaire ».

La guillotine est trop lente ; Carrier lui substitue les noyades de masse dans la Loire. C'est le temps de la « grande distraction patriotique » ; le « baptême patriotique » ; le « mariage républicain dans la baignoire nationale ». Carrier assume tout : « Nous ferons de la France un cimetière plutôt que de ne pas la régénérer à notre façon. » Le « département Vengé » portera bien son nom. Carrier sera guillotiné alors qu'il prétendait avoir suivi les consignes de Robespierre ; mais Turreau sera, lui, acquitté. Il « appliquait les ordres ».

Tout doit disparaître

La Vendée est un laboratoire. Tout est fait en petit qui sera refait en grand. Chaque événement, chaque personnage, chaque anecdote, chaque massacre, nous rappelle un personnage, un événement, une anecdote, un massacre, survenus depuis lors. Les saccages d'églises, les viols publics évoquent l'Espagne de la République et de la guerre civile pendant les années 1930, ou le Tibet chinois depuis les années 1960. On croit lire *Kaputt* de Malaparte, et ses généraux allemands qui massacrent dans un grand éclat de rire cynique tous les « sous-hommes » slaves qu'ils croisent pendant leur campagne de Russie. On reconnaît ici et là la fureur exterminatrice des nazis, le « populicide » des Juifs, aurait dit Gracchus Babeuf, avant qu'il ne se nomme « holocauste », « génocide », puis « Shoah » ; mais aussi celui des Arméniens par les Turcs ou des Cambodgiens par le régime de Pol Pot. On inaugure des méthodes qu'utiliseront les soldats yankees pour égorger les Indiens à travers tout le pays. La « politique de la terre brûlée » sera mise en œuvre par le général Bugeaud dans la conquête de l'Algérie, puis, par les GI's américains au Vietnam, puis en Afghanistan et en Irak. « Tout est brigand », disaient les éradicateurs de la Vendée. Tout est indien. Tout est « sauvage ». Tout est contre-révolutionnaire. Tout est koulak.

Tout est ennemi de la Révolution.

Tout est juif.

Tout est bourgeois.

Tout est communiste.

Tout est terroriste.

Tout doit disparaître pour laisser la place à l'homme nouveau. À la civilisation. Au progrès. Soljenitsyne ne s'y est pas trompé lors de son voyage en Vendée en septembre 1993 pour le bicentenaire de la Révolution française. La Vendée annonce d'abord la résistance à ce totalitarisme progressiste, cette nouvelle religion séculière, qui donnera toute sa mesure terroriste avec le communisme. Mais pas seulement. L'ancien dissident soviétique est devenu, depuis son exil américain, le plus redoutable contempteur de la folie nihiliste occidentale. Il a compris que le capitalisme et le communisme étaient les deux faces d'un même projet matérialiste qui fait fi des identités et des racines, des croyances et des fois. Il a saisi la perversité profonde de notre modernité qu'avait déjà analysée, quelques décennies plus tôt, notre philosophe Simone Weil, dans son célèbre ouvrage *L'Enracinement* : « Le passé détruit ne revient jamais plus. La destruction du passé est peut-être le plus grand crime. »

Les révolutionnaires français ne tolèrent pas qu'on résiste parce qu'on ne doit pas résister au progrès. L'émergence d'un individu « libéré » de ses chaînes religieuses et claniques, les chaînes de cette société traditionnelle dite « holiste », n'attend pas. La raison doit écraser l'aliénation de la superstition qui, comme disait Barère, « parle bas-breton ». Le projet révolutionnaire français est un projet d'universalisation du monde, dans une logique dialectique, par la raison. L'« esprit du monde » s'exprimera par le Code civil et la rationalisation par le droit. Napoléon ne comprendra pas davantage la révolte des guérilleros espagnols, à qui il « apportait le Code civil », que les membres du Comité de salut public n'avaient compris l'« inexplicable Vendée ». Pourtant, Napoléon avait admiré et glorifié l'héroïsme des valeureux Vendéens ; mais la leçon ne lui servira pas lorsqu'il se retrouvera confronté à sa « Vendée espagnole ».

Ce projet éradicateur au nom de la raison et du progrès montera en puissance à mesure des moyens nouveaux de communication et d'échange développés par des technologies sans cesse plus performantes : train, téléphone, avion, porte-conteneurs, Internet. Ce qu'on appelle la « mondialisation » n'est rien d'autre qu'une unification et une uniformisation par le droit et le marché de tous les peuples du monde.

Les peuples récalcitrants sont menacés, ostracisés ou massacrés. Selon tous les moyens déjà utilisés par la Convention contre la Vendée. L'explosion démographique de la planète donne aussi une ampleur inédite à cette submersion par le nombre. Les flux migratoires de populations venues du sud de la planète inondent les peuples résistants, qui veulent conserver leurs coutumes et leurs mœurs, sauvegarder leur patrimoine immatériel. Comme Carrier voulait remplacer les « fanatiques vendéens » par de braves sans-culottes, l'humanité ancienne par une humanité nouvelle, l'universalisme mondialisateur remplace les populations européennes rétives par un nouveau peuple de la « diversité » qui les punira de leurs coupables attachements passés. Cette humanité nouvelle servira de main-d'œuvre idéale, moins chère et plus malléable que les anciens, dotés de savoir-faire et de conscience politique désormais superflus. Comme en Vendée, les villes, devenues des métropoles, sont les agents de cette uniformisation forcée, tandis que les campagnes, transformées en « périurbain », tentent de résister dans un combat perdu d'avance. « Qui est déraciné déracine. Qui est enraciné ne déracine pas », avait prévenu Simone Weil.

Marx nous a expliqué que les révolutionnaires français ont détruit les anciennes féodalités pour imposer le règne de la marchandise sur un marché national unifié. Il faut étendre ce raisonnement à la planète. Plus de féodalités, plus de traditions, plus de frontières, plus de petites patries, pour l'unification d'un grand marché mondial.

La France est une nouvelle Vendée

La France est devenue à son tour une cible du grand équarrissage mondial. La France est une nouvelle Vendée, comme tous les pays d'Europe. La « grande nation » est devenue une « petite patrie ». Son État est le dernier féodal à écraser. La « vocation universelle de la France » a longtemps servi le patriotisme français ; elle s'est retournée aujourd'hui contre lui. Comme Charette, il y a deux siècles, ceux qui se lèvent pour prendre la tête de la résistance savent leur combat perdu d'avance. Il faut lire dans *Quatrevingt-Treize*, de Victor Hugo, sans doute le récit le plus exaltant sur cette guerre de Vendée, qui en suscita pourtant de nombreux, la tirade finale que le marquis de Lantenac, chef des Blancs, adresse à son geôlier républicain, pour comprendre Charette au jour de son exécution : « Soit, messieurs soyez les maîtres, régnez, prenez vos aises, donnez-vous-en, ne vous gênez pas. Tout cela n'empêchera point que la religion ne soit la religion, que la royauté n'emplisse quinze cents ans de notre histoire, que la vieille seigneurie française, même décapitée, ne soit plus haute que vous... Allez ! Allez ! Faites ! Soyez les hommes nouveaux. Devenez petits ! »

Nous sommes tous des catholiques vendéens.

Capitaine Coignet

Ascenseur pour l'échafaud

L'ascenseur social est en panne. Formule rituelle de notre temps. Une incantation. Une obsession. Une malédiction. Quelle part d'ouvriers parmi les étudiants des grandes écoles ? Combien d'enfants de l'immigration parmi les cadres des entreprises ? Combien de femmes parmi les dirigeants des grands groupes ? Les statistiques sont les auspices des temps modernes ; nous y contemplons notre destin comme nos lointains ancêtres le cherchaient dans le vol des oiseaux. Nos sociétés contemporaines reposent sur le mythe de la mobilité sociale, de la chance égale donnée à chacun selon ses talents et ses mérites ; et souffrent quand elles s'aperçoivent que cette promesse n'est pas tenue. La société a une dette envers tout individu : s'affirmer, s'émanciper, se réaliser, aller le plus haut possible, même – et d'autant plus – s'il vient de plus bas. Le droit est devenu devoir. La possibilité, injonction. La promotion, obligation.

Sous l'Ancien Régime, dans un ordre social fondé sur l'hérédité et la tradition, une naissance obscure fermait l'accès aux premières places. Dans le grand escalier social, il y avait plusieurs étages ; chacun pouvait gravir toutes les marches du sien, mais pas monter au-delà ; arrivé sur le palier, on se heurtait à des portes closes. L'étage supérieur était réservé à ses habitants et à leurs descendants. Chaque escalier avait son costume ; pour endosser un plus seyant, on se faisait anoblir. On achetait une charge, qui vous coûtait cher et vous rapportait fort peu ; mais vos enfants avaient alors une chance de changer d'escalier. Encore fallait-il acquérir les manières et le ton de Versailles. Cette fixité sociale n'avait pas que des inconvénients. Les hommes avaient l'habitude de rester dans leur condition. On ne regardait pas en haut avec regret et envie. On se trouvait bien dans son monde. Les âmes étaient moins troublées et moins tendues. Le Français suivait ses instincts aimables et sociables, qui charmaient tant les visiteurs étrangers. Tous notaient l'habitude nationale de chanter à la fin des repas des chansons joyeuses et bon enfant.

« À partir de 1789, la France ressemble à une fourmilière d'insectes qui muent », note Taine. Tous les Français sont soudain éligibles à tous les emplois. Parvenir devient la seule obsession. Mais jusqu'en 1799, la rivalité des ambitions s'est réduite à une lutte informe de tous contre tous, dans la fureur et le sang. Le principe d'égalité est demeuré pendant dix ans dans le ciel des promesses incantatoires et des déclarations constitutionnelles. Napoléon le fait descendre sur terre.

« Désormais, la carrière est ouverte aux talents », proclame-t-il. Il agit dans son intérêt ; il ne veut se priver d'aucun talent, d'aucune force. Son ambition la plus haute lui permet de comprendre celle des autres. Puisque tous les hommes sont désormais égaux, la vie est devenue un grand concours. Bonaparte en est l'arbitre idéal : on ne réussit auprès de lui ni par intrigue d'antichambre, comme sous l'Ancien Régime, ni par lyrisme de tribune, comme sous la Révolution. Il évalue chacun en fonction de son travail, de son efficacité, de son « rendement net ». Les militaires risquent leur vie au feu ; les civils risquent le surmenage. Lui-même ne mesure jamais ni sa peine ni son génie. Il ne refuse rien à ceux qu'il a choisis : argent, autorité, influence, considération, prééminence sociale. Son jugement dépassionné lui permet d'apprécier ce que chacun désire. On connaît son mot de grand cynique : « C'est avec les hochets qu'on mène les hommes. » On a moins retenu le complément de cette formule : « Les Français n'ont qu'un sentiment : l'honneur. » L'un des plus grands sociologues des relations du travail, Philippe d'Iribarne, lui donnera raison deux siècles plus tard. Il expliquera qu'au contraire des Anglo-Saxons, qui ne jurent que par le contrat, ou des Allemands, qui voient leur entreprise comme un groupe auquel il faut tout sacrifier, les travailleurs français évaluent leur activité professionnelle, l'intérêt de leur besogne et les rapports avec leurs supérieurs à l'aune d'un sentiment qui prime tous les autres : l'honneur[1].

L'honneur n'est plus l'honneur

Mais si le mot est resté, la chose a changé. L'honneur n'est plus l'honneur ; il était la pointe de diamant d'une société organisée autour de lui : cette fameuse « société holiste », analysée depuis lors par Louis Dumont, où chacun était à sa place et à son rang, où chacun, du manant jusqu'au roi lui-même, faisait son devoir en fonction de son statut, où la liberté signifiait non pas faire ce que l'on veut mais ce que l'on doit. Cette société a été détruite par la Révolution. Au nom de la liberté et de l'égalité, il n'y a plus de rang, plus de statut. Et donc plus d'honneur. Ne restent que *des* honneurs. Lors des débats de la Constituante, certains députés aristocrates avaient tenté de défendre leur statut. « Le privilège (de la noblesse) est celui de produire des grands hommes et faire de belles actions. C'est pour cette raison qu'elle est la mieux à même de "conduire le peuple" », proclama le député aristocrate Jacques de Cazalès. Ce dernier carré du monde ancien fut hué, insulté, balayé ; quand il ne fut pas condamné à l'exil ou à la guillotine. Notre société est désormais un assemblage d'atomes égaux et rivaux.

Napoléon ne peut pas ressusciter ce monde d'avant la grande désintégration révolutionnaire ; il ne peut que mettre ses vertus ancestrales au service de l'intérêt général. L'honneur est comme les titres nobiliaires ; il lui permet de

1. Philippe d'Iribarne, *La Logique de l'honneur*, Le Seuil, 1989.

consolider son pouvoir et de raviver sans cesse la flamme de l'énergie des nouveaux maîtres de l'Europe. L'Empereur connaît les limites de sa réinvention ; il n'a pas le choix. Il sait que son sacre à Notre-Dame n'a pas le charme mystique de celui de Reims. Il combat comme il peut la dissipation des illusions en maudissant tous ceux, philosophes, révolutionnaires, qui ont contribué à dessiller les yeux du peuple. Il rétablit les trônes en sachant qu'ils ne sont « que quatre bouts de bois », comme il rétablit le culte catholique sans avoir la foi. Il n'ignore moins que personne que le bois dont il se sert n'est qu'un placage ; on a arraché les racines des arbres dont il coupe les branches. L'ambiguïté de cette restauration condamnée à l'inachèvement finira par saper les fondements de son pouvoir. Quand le temps des batailles perdues sera venu, les élites qu'il aura faites et modelées sur leurs glorieuses devancières oublieront l'honneur pour l'intérêt, le sacrifice pour le sauve-qui-peut, le sens du devoir pour le sens des affaires. Alors, on s'apercevra qu'on aura fait semblant pendant quinze années, qu'on aura fait « comme si ». Que tout était théâtre, même si la scène, la pièce et les personnages avaient fière allure.

Il faut dire que l'artiste sait y faire. Il a la manière, un art incomparable. La mise en scène est soignée, les décors majestueux, les costumes somptueux. Les cérémonies sont toujours grandioses, émouvantes, enivrantes. Jusqu'à la fin de leur vie, tous ceux qui y assistent, même les hommes les plus pondérés et mesurés, n'en parlent qu'avec un tremblement dans la voix. Prenons ce 15 août 1804, jour anniversaire de la naissance de l'Empereur. Au camp de Boulogne, face à la flotte française qui prépare la conquête de l'Angleterre, au roulement de mille huit cents tambours, Napoléon reçoit le serment des légionnaires et leur distribue leurs croix. Tous les mérites et tous les talents de la France sont proclamés ce jour-là.

Le soldat Jean-Roch Coignet n'en croit pas ses yeux ni ses oreilles. Il a été fait chevalier de la Légion d'honneur le 25 prairial an XII, pour ses exploits face aux Autrichiens, chargeant baïonnette en avant, tuant cinq artilleurs sur leur pièce, et prenant un canon à lui tout seul. Dans cette prestigieuse promotion, le capitaine Coignet se trouve au milieu d'un aréopage de savants, de cardinaux, de maréchaux. Il était garçon d'écurie dans une ferme six ans plus tôt ; il ne sait ni lire ni écrire et apprendra, dira-t-il, goguenard, entre Friedland et Wagram ; il a pourtant pour « camarades de promotion » Monge, Laplace, Berthollet, Fontanes, mais aussi Kellermann, Jourdan, Lefebvre, Masséna, Augereau, Ney, Lannes, Soult, Davout. Un incroyable destin l'attend. Cette Légion d'honneur sera son talisman. L'Empereur ne s'est pas trompé. Le capitaine Coignet sera de toutes les batailles de l'Empire, de Marengo jusqu'à Waterloo, sans jamais être blessé. Il entrera à Berlin, à Vienne, à Madrid, à Moscou. Il mourra à 89 ans, en 1865, dans sa maison d'Auxerre. Sous le Second Empire ! Au sortir de la cérémonie, racontera-t-il bien des années plus tard, « les belles dames qui pouvaient m'approcher pour toucher à ma croix, me demandaient la permission de m'embrasser ».

Coignet fut l'un des premiers nommés dans la première promotion. Napoléon y avait veillé. Comme il fit à dessein du maréchal Lefebvre le premier de ses ducs ; « ce maréchal avait été simple soldat et tout le monde à Paris l'avait connu sergent aux gardes-françaises ». Lefebvre était le fils d'un meunier ; Masséna, le fils d'un marchand de vin ; Murat, le fils d'un aubergiste ; Ney, le fils d'un tonnelier ; Lannes, le fils d'un garçon d'écurie ; Augereau, le fils d'un maçon et d'une fruitière.

L'ÉMULATION PERMANENTE

L'Empereur, tel Dieu, élève les petits et abaisse les grands ; mais il ne les ostracise pas. Sous la République, une naissance illustre, un grand nom étaient l'objet d'opprobre ; l'obscurité volontaire était exigée et n'évitait pas toujours l'exil, voire la guillotine. La Révolution avait chassé tous ceux qui, sous l'Ancien Régime, remplissaient les administrations, possédaient les charges, jouissaient des fortunes. Sous l'Empire, la noblesse d'épée comme la noblesse de robe reprennent du service. Napoléon récupère les survivants des luttes politiques de la Révolution ; peu lui importe qu'on fut jacobin ou royaliste ; les anciens membres de la Convention sont juges, préfets, députés, chefs de bureau...

Napoléon n'a ni hésitation ni état d'âme ; il n'est ni généreux ni altruiste, seulement utilitariste : « Personne n'a intérêt à renverser un gouvernement où tout ce qui a du mérite est placé. » L'Empereur dote somptueusement ses maréchaux, comme le faisaient les rois de France qui avaient donné Chantilly au Grand Condé et Chambord au maréchal de Saxe, dont Berthier héritera. Il les couvre de cadeaux : un million de livres au général Lassalle ; sept cent vingt-huit mille livres de rentes pour Davout, autant pour Ney. Les plus avides amassent des fortunes : Masséna, quarante millions de livres, Talleyrand soixante. Toutes les barrières sont renversées, les limites ordinaires sont dépassées. On dit alors dans l'armée : « Il a passé roi à Naples, en Hollande, en Espagne, en Suède » ; comme on disait autrefois du même homme : « Il a passé sergent dans telle compagnie. » Du soldat au maréchal, on rêve en grand. Soult a essayé de se faire élire roi du Portugal, et Bernadotte a réussi à devenir roi de Suède. « Les enfants de tout état pensent à se faire soldats pour avoir la croix, et la croix fait chevalier, note Roederer. Le désir de se distinguer, de passer avant un autre, est un sentiment national. »

L'émulation engendre des résultats extraordinaires, qui laissent nos ennemis pantois : « Les soldats français, écrit un officier prussien après Iéna, sont petits, chétifs ; un seul de nos Allemands en battrait quatre. Mais ils deviennent au feu des êtres surnaturels : ils sont emportés par une ardeur exprimable, dont on ne voit aucune trace chez nos soldats... » Napoléon le sait mieux que personne : « Voyez Masséna, dit-il quelques jours avant Wagram ; il a acquis assez de gloire et d'honneurs ; il n'est pas content, il veut être prince, comme Murat ou Bernadotte ; il se fera tuer demain pour être prince. »

Cette soif de parvenir, de réussir, d'être récompensé, cette émulation permanente ne touche pas seulement les militaires, mais aussi les civils. Napoléon a pris soin avec sa Légion d'honneur de ne pas les négliger. Il visite usines et laboratoires, encourage savants et industriels. Stendhal le note avec son ironique sagacité coutumière : « En ce temps-là, un garçon pharmacien, parmi ses drogues et bocaux, dans une arrière-boutique, se disait, en pliant et en filtrant que, s'il faisait quelque grande découverte, il serait fait Comte avec cinquante mille livres de rente. »

Napoléon a plus de places et de droits à décerner que les anciens rois. Au lieu de quatre-vingt-six départements avec vingt-six millions d'habitants, la France finit par en comprendre respectivement cent trente et quarante-deux millions. Les cadres administratifs français se retrouvent partout en Europe, du nord au sud, de Hambourg jusqu'à Rome, sans oublier les princes sujets et les rois vassaux. Les indigènes sont à leurs yeux des demi-sauvages ; ils se sentent membres d'une humanité supérieure comme autrefois les Espagnols de Charles Quint ou les Romains d'Auguste. Jamais le Français n'a été regardé avec une telle admiration dans toute l'Europe ; jamais il n'a bénéficié d'une semblable estime de soi.

Si tous les membres de la « grande nation » sont sur le toit de l'Europe, les soldats sont sur le toit de la grande nation. La guerre suscite le héros et la noblesse d'Empire n'est pas factice, justifiée par la guerre même. Les nobles de l'Empire fondent eux-mêmes leurs dynasties. Le duc de la Moskowa ou d'Auerstaedt vaut bien dans l'imagination des contemporains le duc de Montmorency ou de La Rochefoucauld. Leurs titres sont également héréditaires. C'est une nouvelle chevalerie, qui semble renouer avec les valeurs millénaires du christianisme médiéval, l'exaltation de l'héroïsme, la sublimation de l'honneur, fondé sur le respect de la foi jurée au souverain, le sens du sacrifice, l'acceptation de la mort. Le héros de l'Antiquité est un modèle pour tous. Paul-Louis Courier, officier d'artillerie à cheval, renonce aux éperons et à la selle, en hommage aux Grecs anciens qui n'en usaient pas. Sans cheval, Murat n'est pas Murat. Après sa légendaire charge de cavalerie à Eylau, les cosaques le regardent comme un demi-dieu, sorti tout droit des récits d'Homère.

Marx s'est moqué des Français de cette période qui s'habillaient de toges romaines et de nobles sentiments héroïques pour mieux favoriser le prosaïque avènement de la bourgeoisie. Il se trompait. Napoléon a tenté de concilier les vertus féodales d'honneur et de sacrifice avec l'efficacité scientifique et matérialiste de la modernité. Il s'est voulu à la fois nouvel Alexandre et membre de l'Académie des sciences. L'Allemagne de Bismarck, puis le Japon de l'ère Meiji tenteront et réussiront – pour un temps – ce mariage de l'ancien et du nouveau, du Junker et de l'industriel à la Krupp, du samouraï et du businessman. Mais ni l'Allemagne ni le Japon n'avaient vécu 1789 ; subi la grande désintégration sociale au nom de la liberté et de l'égalité ; détruit les valeurs de l'autorité et de l'honneur sous le couperet de la guillotine.

Les réserves d'héroïsme ne sont pas inépuisables. Elles s'usent, s'altèrent, se pervertissent. En 1792, on s'engage pour sauver la patrie ; le soldat français se voit comme le libérateur de l'humanité, une sorte de soldat-philosophe. Mais peu à peu, celui-ci cède la place au héros. En 1799, notre jeune Coignet s'engage pour se distinguer. Il dit à ses maîtres : « Je vous promets que je reviendrai avec un fusil d'honneur, ou que je serai tué. » Il n'est pas encore calculateur. Lors des premières campagnes d'Italie, témoigne Stendhal, « personne dans l'armée n'avait d'ambition ; j'ai vu des officiers refuser de l'avancement, pour ne pas quitter leur régiment ou leur maîtresse ». Déjà, pourtant, le pillage a commencé ; la guerre déprave le vainqueur ; le soudard supplante peu à peu le héros.

À Sainte-Hélène, Napoléon dira de Murat : « Combien de fautes n'a-t-il pas faites pour avoir son quartier général dans un château où il y eut des femmes. Il lui en fallait tous les jours. » La rivalité généralisée engendre le pire et le meilleur, les plus sublimes dévouements et les plus perfides trahisons : « À Talavera, écrit Stendhal, deux officiers étaient ensemble à leur batterie ; un boulet arrive qui renverse le capitaine. Bon, dit le lieutenant, voilà François tué, c'est moi qui serai capitaine. Pas encore, dit François, qui n'était qu'étourdi et se relève. – Ces deux hommes n'étaient point ennemis, ni méchants ; seulement le lieutenant voulait monter en grade. Tel était le furieux égoïsme qu'on appelait alors l'amour de la gloire et que, sous ce nom, l'Empereur avait communiqué aux Français. »

Les soldats heureux trop longtemps prennent de mauvaises habitudes ; tout – hommages, richesses, femmes – leur est dû. Ils sont devenus fiers, susceptibles, arrogants, irritables. Ils sont vexés de ne pas être accueillis en héros à leur retour de campagne. Ils provoquent en duel le bourgeois pour un mot. Le futur maréchal Bugeaud écrit à sa famille : « En ville, le militaire est peu estimé. On ne reçoit aucun d'entre nous, pas même les officiers supérieurs. » Napoléon s'en informe et s'en inquiète. Comme d'habitude, son esprit méthodique et pratique s'occupe de tout, sans craindre l'indélicatesse ou le ridicule. Il transforme les préfets en « marieuses » en exigeant qu'ils dressent des listes de jeunes filles de la noblesse de leur département susceptibles de faire de bonnes épouses pour ses officiers, avec notation sur leur caractère, évaluation chiffrée de leur dot, et même description sommaire de leurs charmes physiques.

Lasse de la gloire

La France est lasse des victoires, lasse de l'héroïsme, lasse de la grandeur. Lasse de la gloire. Ce n'est que dans les générations suivantes, celles des enfants du siècle confessées par Musset, qu'on retrouvera l'admiration inconsolable pour ses héros. Le rapport du préfet de Périgueux indique que les jeunes gens de bonne famille se hâtent d'épouser civilement les vieilles servantes de leurs parents en leur promettant de leur verser de confortables rentes. Ainsi sont-ils exemptés. On cache les insoumis et les déserteurs dans les châteaux. La lassitude touche même les rangs de l'armée. Il est trop « ambitionnaire », dit-on de Napoléon. Pour les soldats et les officiers, « le Petit Tondu » est le plus grand capitaine de tous les temps ; mais pour les maréchaux, il n'est qu'un d'entre eux que la chance a servi. Ils en veulent toujours plus ; s'imaginent impudemment à sa place ; sont prêts à toutes les manœuvres, toutes les trahisons, pour sauver ce qu'ils estiment ne devoir qu'à leurs propres mérites.

Le mécanisme qui, depuis quinze ans, jouait si bien, s'est de lui-même désarticulé. Le besoin de parvenir, l'émulation effrénée, l'ambition sans scrupule, l'égoïsme nu et cru sont apparus brutalement sous les grands principes et les grandes promesses. Après la chute de l'Empereur, sous ses successeurs, le même mécanisme jouera pour se casser au bout d'une période plus ou moins longue. Mais ce n'est qu'une pâle imitation. Balzac expliquera dans un de ses romans : « Napoléon seul put employer des jeunes gens à son choix, sans être arrêté par aucune considération. Aussi, depuis la chute de cette grande volonté, l'énergie avait-elle déserté le pouvoir. »

Alors, l'analyse de Karl Marx devint enfin pertinente : sous nos derniers rois, la noblesse d'Empire reste aux manettes, à quelques exceptions près (Ney et Murat exécutés ; et Davout, seul maréchal de Napoléon à refuser de prêter serment à Louis XVIII) ; mais les comtes sont banquiers, les barons, industriels. Napoléon n'avait jamais négligé les mérites des civils, mais ses successeurs n'ont que ça à se mettre sous la dent. C'est ce qu'avait compris Chateaubriand, lorsqu'il poussait le roi à intervenir militairement en Espagne au nom de la Sainte-Alliance. Après l'avoir dédaignée, parce qu'elle en était gavée, la « grande nation » a désormais soif de gloire militaire ; il est trop tard. Le tourbillon des carrières et des succès donne alors le tournis à cette vieille société catholique, paysanne et féodale. L'argent prime la gloire. Les romans de Balzac, Flaubert, Stendhal, Zola sont emplis de cette foire aux vanités, de ces arrivistes triomphants et des victimes de leur ambition.

La société française découvre les effets pervers de son obsession égalitariste. Le vainqueur du concours méritocratique est légitimement convaincu de devoir sa réussite à ses seules qualités : son intelligence, son énergie, son endurance, son caractère. Il n'a que mépris pour ceux qui n'ont pas atteint son niveau social. L'ancienne noblesse savait qu'elle devait son statut davantage à ses parents et à sa naissance qu'à ses propres vertus. Cette fragilité la rendait moins présomptueuse et plus attentive au sort des plus modestes. C'est l'un des grands paradoxes français : la Révolution était destinée à renverser l'aristocratie plus que le roi ; elle a abattu le roi et rétabli une nouvelle aristocratie encore plus arrogante que la précédente ; encore plus méprisante, encore plus imbue de son sentiment de supériorité. Ceux qui sont au-dessus se croient d'une autre essence. La « cascade de mépris » de l'Ancien Régime a changé de sens et de motifs, mais n'a nullement disparu.

La désintégration de la France d'avant

On ne reviendra jamais en arrière. Sous la IIIe République, l'état-major de l'armée se veut le conservatoire clos des rites aristocratiques et catholiques. L'affaire Dreyfus manifeste le rejet par cette caste d'officiers d'un de leurs pairs de confession israélite, seulement parce que ses coreligionnaires incarnent à leurs yeux le monde frelaté qu'ils abhorrent, alors même que le capitaine Dreyfus et sa famille s'étaient imprégnés des valeurs de l'ancienne France. L'avènement du régime de Vichy, après la débâcle de juin 1940, consacre de même l'échec de l'ultime tentative pour rétablir une société hiérarchique et terrienne, corporatiste et catholique. C'est l'Église elle-même qui condamne les persécutions antisémites, publiquement par le cardinal Gerlier de Lyon, Primat des Gaules, ou par le cardinal Saliège de Toulouse, et, dans la coulisse, en faisant pression sur le maréchal Pétain pour qu'il renonce aux projets du gouvernement de dénaturalisation des français juifs récemment naturalisés. Dans la pétaudière de Vichy, les vertus anciennes, dont la Révolution nationale se réclamait, s'effacent assez vite devant le carriérisme, la modernité technocratique et la cupidité, dont les théoriciens de l'État français reprochaient pourtant à la Révolution d'avoir infecté le corps national.

Les deux guerres mondiales vont accélérer la désintégration de la France d'avant. Les fortunes rapides des intermédiaires, les héros des tranchées cocufiés, la promiscuité sociale, l'inflation de l'entre-deux-guerres, la ruine des rentiers, les grandes grèves révolutionnaires de 1936, la déliquescence de la République : la France devient un cimetière d'élites qui se succèdent à une vitesse effrénée. On monte aussi rapidement que l'on descend ; les anciens collaborateurs arrogants et souvent cupides, voire cruels, deviennent des « collabos » fuyards et parfois lâches ; les « terroristes » traqués par la Milice deviennent des « résistants » et des héros ; les résistants de la 25e heure sont légion, mais la nouvelle aristocratie des compagnons de la Libération cherche à son tour à renouer avec les valeurs chevaleresques. La devise de la France libre est *Honneur et Patrie.* Malraux évoque les croisades et les soldats de l'an II pour célébrer l'entrée de Jean Moulin au Panthéon ; et Romain Gary précise : « Je ne suis pas français, je suis français libre. » Ils ne sont pas ducs et comtes, mais épousent parfois des duchesses et des comtesses ; ils deviennent députés, sénateurs, ministres, capitaines d'industrie. Comme sous l'Empire, la guerre et l'héroïsme forgent des carrières fulgurantes.

Ce sera la dernière fois. Comme les maréchaux d'Empire, nos grands résistants ne résistent pas à l'appât des honneurs et surtout de l'argent. Les « trente glorieuses » s'avèrent une formidable machine à enrichir et à parvenir. À partir des années 1960, on se croit revenu aux grandes époques de chamboulement social, la monarchie de Juillet ou le Second Empire. La montée du niveau éducatif général et la massification de l'enseignement, la création de nouveaux métiers, comme celui de cadre dans les grandes entreprises, bouleversent les hiérarchies traditionnelles. Le général de Gaulle, encore moins que Napoléon, ne parvient à mâtiner le matérialisme effréné de la société de ces valeurs d'honneur et de patriotisme qu'ils défendaient tous deux.

Napoléon avait été trahi par des héros fatigués qui voulaient jouir des richesses accumulées : « Je ne trouve de noblesse que dans la canaille que j'ai négligée et de canaille que dans la noblesse que j'ai faite », lâchera-t-il en 1814. Quand de Gaulle quitte le pouvoir après le référendum perdu, en 1969, sa « noblesse d'Empire » ne cache pas son mépris pour la piétaille embourgeoisée qui a renvoyé son grand homme. De Gaulle lui-même n'hésite pas, devant Malraux, à manier la comparaison avec l'Empereur abandonné : « Comme lui, j'ai été trahi par des jean-foutre que j'avais faits... et nous avons eu le même successeur : Louis XVIII. »

L'éducation sentimentale

Le Général a vu juste. Son règne va accoucher de nouvelles élites qui seront aux antipodes de ceux qui l'avaient suivi : des enfants de la paix et non de la guerre ; des enfants du monde et non de la patrie ; des enfants du plaisir et non du devoir ; des enfants de la géographie et non de l'histoire. Plus férus d'économie que de stratégie. Mais on n'échappe pas au destin français : ces nouvelles élites se sentent obligées d'en passer par l'histoire et la politique pour gagner leurs galons. De Gaulle jouant à Richelieu et Louis XIV, ils joueront aux frondeurs de 1648 et aux enragés de 1793. C'est une jeunesse des écoles, née dans la bourgeoisie ou les classes moyennes, qui mime celle qui fit la révolution de 1848, avec ses ridicules, ses naïvetés et ses présomptions, décrits par Flaubert dans *L'Éducation sentimentale*. La passion romantique pour la Pologne ou l'Italie a seulement été remplacée par celle pour l'Amérique du Sud, l'Afrique et l'Asie.

Si l'ingratitude est le propre des grands, cette génération est immense. Pour affermir son autorité sur le pays, elle se prête à tous les reniements. Pour mieux éliminer et remplacer son adversaire, l'élite gaulliste issue des combats de la Résistance, elle la traitera de « fasciste » et de « pétainiste ». Produit du plus grand effort éducatif réalisé par la nation, elle s'empresse, une fois aux commandes, de désagréger le système éducatif, au nom de théories sociologiques égalitaristes, d'abaisser le niveau scolaire pour transformer les diplômes en assignats universitaires. La réalité de ces nouvelles élites est à l'opposé de son discours : elle va, peu à peu, fermer volontairement la porte des hautes sphères aux classes populaires, dont les enfants pourraient menacer les leurs. L'hégémonie de la progéniture des enseignants s'impose toujours plus dans les grandes écoles de la République ; durant les années 2010, 9 % des enfants des classes populaires seulement se retrouvent dans les quatre grandes écoles, Polytechnique, ENA, ENS, HEC, contre 30 % qui l'étaient pendant les années 1950.

Afin de permettre aux enfants de l'immigration venue en France depuis les années 1970 de grimper plus vite les échelons de la hiérarchie sociale, on instaure des mécanismes inégalitaires, inspirés des méthodes américaines d'*affirmative action* au profit des populations noires. Ceux-ci bénéficient de passe-droits en fonction de l'origine de leurs parents ou de leur lieu d'habitation. On réinstaure au sein de la République des privilèges aristocratiques dus à la naissance. Nos dirigeants font mine d'ignorer que ce système qu'ils ont mis en place pénalise les enfants des classes populaires françaises, qu'ils soient de souches anciennes ou récentes, qui se voient dégradés dans leur propre pays. Le capitaine Coignet serait confiné aujourd'hui dans une France périphérique, loin des métropoles, où se créent et se concentrent toutes les richesses, sans aucune chance de sortir de sa condition inférieure. Il est vrai que ces élites elles-mêmes profitent de leur puissance de feu financière, culturelle et médiatique, de leurs réseaux et de leur influence, pour pousser en avant leurs propres descendants. On voit d'innombrables enfants d'acteurs, de chanteurs, d'animateurs de télévision, d'écrivains, d'intellectuels, de politiques, de médiacrates propulsés sur le devant de la scène, quels que soient leurs talents et mérites réels, reprendre le rôle de papa ou de maman. La République des lettres est devenue monarchie des lettres.

Ils se transmettent les charges et les honneurs comme si le roi les leur avait vendus. Le système économique mondialisé accentue cette reproduction sociale ; le retour des sociétés occidentales à un degré d'inégalité proche de celui d'avant la guerre de 1914 fabrique peu à peu une société d'héritiers.

Une société que la Révolution française avait abolie.

Napoléon Bonaparte

L'homme à abattre

On ne comprend plus Napoléon. On ne peut plus le comprendre. On comprend Bonaparte en revanche. On le comprend de mieux en mieux : l'ambitieux, le self-made man, le parvenu, est devenu notre lot quotidien. On compare à Bonaparte n'importe lequel de nos chefs de l'État, pourvu qu'ils soient volontaires ou impérieux. Les Bonaparte sont légion, dans tous les pays, tous les domaines. Nous sommes tous des Bonaparte au moins dans nos rêves.

Napoléon n'est pas Bonaparte. « Napoléon est une synthèse du surhumain et de l'inhumain », dira Nietzsche. « Il est hors ligne, hors cadre, ni un Français, ni un homme du XVIIIe siècle », ajoutera Taine. Bonaparte est un homme des Lumières ; Napoléon est la figure romantique par excellence. Bonaparte est un grand lecteur de Rousseau ; Napoléon s'est « dégoûté de Rousseau depuis [qu'il] a vu l'Orient ; l'homme sauvage est un chien ». Bonaparte est un jeune homme plein de passions ; Napoléon est un homme gouverné par sa raison. Bonaparte est obsédé par son destin, Napoléon par l'Histoire. Bonaparte est le fils de sa mère ; Napoléon est l'héritier de Charlemagne. Bonaparte est corse, Napoléon, romain. Bonaparte a une famille encombrante et arrogante ; Napoléon « n'a point de famille si elle n'est française ». Bonaparte est un condottiere italien du XVe siècle, un contemporain de Dante, de Michel-Ange, de César Borgia. Napoléon est le Dioclétien d'Ajaccio, le Constantin du

Concordat, le Justinien du Code civil. « Napoléon appartient à l'humanité antique », dira Nietzsche. Bonaparte a la fureur de l'ambitieux ; Napoléon, les ridicules du parvenu. C'est Bonaparte en lui qui s'exclame : « Quel roman que ma vie ! » ; c'est Napoléon qui ne cessait de regretter : « Ah, si j'étais mon petit-fils ! »

Le sauveur de la Révolution

La gauche ne lui pardonne pas d'avoir liquidé la Révolution. Il l'a pourtant sauvée. Cette gauche devrait relire Ernest Renan : « Si la réaction royaliste l'eût emporté en 1796 et 1797, la Restauration se fût faite alors avec de bien plus franches allures, et la République n'eût été dans l'Histoire de France ce qu'elle est dans l'Histoire d'Angleterre, un incident sans conséquence. Napoléon sauva la Révolution, lui donna une forme, une organisation, un prestige militaire inouï. » La droite ne lui pardonne pas « d'avoir rendu la France plus petite qu'il ne l'avait prise », selon le mot célèbre de Bainville, repris par de Gaulle, en oubliant que c'est lui qui a sauvé le Directoire d'une déconfiture militaire qui aurait entraîné le partage de la France entre les vainqueurs. C'est précisément à la reconnaissance des Français que Napoléon devra sa couronne, comme l'avait analysé Stendhal : « Le général Bonaparte pouvait dire à chaque Français : "Par moi tu es encore français ; par moi, tu n'es pas soumis à un juge prussien, ou à un gouverneur piémontais ; par moi tu n'es pas esclave de quelque maître irrité et qui a peur de se venger. Souffre donc que je sois ton Empereur." »

Notre époque pense comme Chateaubriand, longtemps incompris quand il avouait : « Mon admiration pour Bonaparte a toujours été grande, alors même que j'attaquais Napoléon avec plus de vivacité. » Nous lui reprochons d'avoir trop aimé la guerre, alors qu'il n'a fait que se défendre contre quatre coalitions successives ; qu'il a mis fin à la guerre que la Révolution avait déclarée à l'Europe entière par une série de traités de paix, dès son arrivée au pouvoir, avec l'Angleterre, l'Autriche, Naples, la Turquie. Nous sommes des pacifistes qui ne jurons que par des guerres justes, tandis que Napoléon considère que « les guerres inévitables sont toujours justes ».

On dénonce son impérialisme sans limites alors que l'essentiel de l'expansion française a eu lieu sous le Directoire. Les Anglais le poursuivront de leur vindicte pour avoir fait du port d'Anvers un « pistolet sur la tempe de l'Angleterre », alors que la Belgique était devenue province française par la volonté du même Directoire. Paul Kennedy nous a appris dans *Naissance et déclin des grandes puissances* que les empires finissent par mourir de leur économie et de leurs finances, lorsque celles-ci sont ponctionnées au-delà du supportable par les dépenses militaires. On oublie que Napoléon faisait financer ses expéditions militaires par les vaincus, et refusait par principe l'endettement. C'est d'ailleurs pour cette raison que les financiers de la City avaient décidé sa perte.

On parle des « guerres de Napoléon » alors qu'on devrait dire les « guerres de la Révolution » ; et même, à la suite de l'historien Pierre Gaxotte, d'une « seconde guerre de Cent Ans » entre la France et l'Angleterre, depuis la ligue d'Augsbourg (1688-1697), jusqu'à Waterloo (1815), en passant par la guerre de Succession d'Espagne (1701-1713), la guerre de Sept Ans (1756-1763), la guerre d'indépendance américaine (1776-1783) et les guerres de la Révolution française depuis 1793. Jusqu'à l'ultime reddition française. Napoléon a mis en œuvre les projets du Comité de salut public, qui, lui-même, après avoir guillotiné le roi, avait poursuivi l'œuvre de ses ancêtres capétiens. Napoléon achevait l'Europe française dont avait rêvé Louis XIV. Napoléon va accomplir mille ans d'Histoire de France. Il est la fin en apothéose du rêve français ; dans les deux sens du terme : achèvement et échec définitif.

L'Empereur est en avance sur la France, sur l'Europe, sur le monde. Il a compris d'instinct que celui-ci était en train de changer d'échelle. Il ne le sait pas, mais son arrivée au pouvoir, en 1800, coïncide avec l'inflexion des courbes démographiques de l'humanité, qui a mis des millions d'années pour atteindre son premier milliard d'habitants et entame sa croissance exponentielle qui la conduira en deux siècles aux sept milliards. Avec ses vingt-cinq millions d'habitants, la France était la « Chine de l'Europe » au XVIIIe siècle. Une position privilégiée sur le continent. Mais sa natalité va s'effondrer entre 1793 et 1799, et non à cause des guerres de l'Empire, comme l'a montré le démographe Jacques Dupâquier dans son livre *Révolution et population.* La France va entamer son hiver démographique qui fera d'elle dès la fin du XIXe siècle un « pays de vieux » effrayé et dominé par les juvéniles puissances de l'Allemagne, de l'Angleterre, de la Russie et des États-Unis.

L'Empire français était la seule solution pour éviter ce déclassement mortel. Napoléon puise dans l'empire d'Occident de Charlemagne ce qui lui permettra d'embrasser l'avenir en position de force. Ce superbe isolement de prophète n'a pas échappé à Paul Valéry un siècle plus tard : « Napoléon semble être le seul qui ait pressenti ce qui devait se produire et ce qui pourrait s'entreprendre. Il a pensé à l'échelle du monde actuel, n'a pas été compris, et l'a dit. Mais il venait trop tôt ; les temps n'étaient pas mûrs ; ses moyens étaient loin des nôtres. On s'est remis après lui à considérer les hectares du voisin et à raisonner sur l'instant... » Encore un siècle, et seul un haut dignitaire de l'Empire américain sera en mesure de saisir l'ampleur de l'enjeu : « Pendant l'épisode napoléonien, elle [la France] étend son hégémonie à la quasi-totalité du continent. Si cette entreprise avait été couronnée de succès, la France serait devenue une véritable puissance globale. Cependant, sa défaite contre une coalition européenne rétablit l'équilibre continental des forces[1]. »

1. Zbigniew Brzezinski, *Le Grand échiquier*, Pluriel, 1997.

Le passé nous aveugle

Pour comprendre Napoléon, il faut, comme Léon Bloy en était encore capable en 1912, « se sentir le contemporain des hommes de 1814 ; cette histoire est pour moi si vivante que je souffre réellement de l'abandon du projet de descente en Angleterre comme j'ai souffert précédemment de l'évacuation de l'Égypte ; j'ai beau savoir cette cruelle série de désastres, il m'est impossible de ne pas espérer, à chaque instant, qu'ils n'arriveront pas ». Le passé nous aveugle. La domination sans partage de la marine anglaise sur les mers et la puissance industrielle de l'Angleterre au XIXe siècle nous donnent l'illusion qu'il en était de même en 1800. Il n'en est rien.

Le combat est alors indécis, rien n'est encore écrit. Les dirigeants de Londres ont conscience qu'entre la France et eux « c'est un combat entre deux géants ». L'Angleterre défend la liberté du commerce et sa domination sur les échanges mondiaux. Elle veut détruire les Empires français et hollandais dans les Antilles ou l'océan Indien. Napoléon entend, lui, rattraper le retard économique de la France en passant par la politique et la conquête de territoires. C'est le combat de la Mer contre la Terre. Napoléon dira à Caulaincourt : « J'abuse de la puissance. Mais c'est dans l'intérêt du continent. Alors que l'Angleterre abuse réellement de sa force, de sa puissance altière au milieu des tempêtes et dans son seul intérêt. Les marchands de Londres sont prêts à sacrifier l'Europe à leurs spéculations ! Mais le masque de l'Angleterre tombera. Si je triomphe de l'Angleterre, l'Europe me bénira ! »

L'idée d'anéantir l'Angleterre était en France une idée courante à la fin de l'Ancien Régime. Napoléon disait que « la nature avait fait de l'Angleterre une de nos îles ». Robespierre « haïssait le peuple anglais ». Napoléon exprime bien l'esprit public en disant : « Il n'est pas un Français qui ne préférât la mort à subir les conditions qui nous rendraient esclaves de l'Angleterre et rayeraient la France du nombre des puissances. » Les Français ont soif de venger six siècles d'insultes, depuis la guerre de Cent Ans. Après avoir fait la Révolution, osé guillotiner leur roi, ils ont le sentiment qu'ils sont les seuls êtres raisonnables d'Europe.

Nous nous sommes depuis lors tellement éloignés de ce nationalisme farouche que nous ne le comprenons plus, ou que nous en avons honte. On croit lire Cioran : « Tant qu'une nation a conscience de sa supériorité, elle est cruelle et respectée ; dès qu'elle ne l'a plus, elle s'humanise et ne compte plus. » En 1800, les Français sont gagnés par l'esprit de conquête. Conquête militaire qu'accompagne une conquête par les idées, la langue, le droit, les principes administratifs mêmes dont nos voisines italiennes ou rhénanes s'empressent de s'imprégner. Une délégation de Cologne sollicite d'être rattachée à la République française. Gênes demande, par référendum, son annexion, après celle du Piémont.

Les Anglais se rendent compte, effarés, que la paix favorise l'influence française encore mieux que la guerre. C'est ce qui les poussera à rompre la paix d'Amiens, un an seulement après l'avoir paraphée, en 1802. On nous a enseigné que l'arme majeure de Napoléon, après son échec à Trafalgar, fut le « blocus continental ». Blocus qui poussa Napoléon à envoyer ses douaniers, et à leur suite ses soldats, de Madrid à Moscou, de Lisbonne à Hambourg. À la démesure et à la ruine. Dans un livre récent[1], un historien astucieux renverse l'analyse traditionnelle. La logique psychologique penche en sa faveur : le blocus n'est pour Napoléon qu'une mesure de représailles, une violence opposée à une violence, « injustice pour injustice, arbitraire pour arbitraire ». Une réponse au blocus que la marine anglaise déploie déjà pour interdire le commerce avec les colonies françaises. Il n'en fait pas l'alpha et l'oméga de sa politique.

---

1. Nicola Todorov, *La Grande Armée à la conquête de l'Angleterre*, Vendémiaire, 2016.

Le blocus est un moyen de pression pour fomenter des tensions politiques à Londres, tenter de faire tomber un gouvernement Tory belliqueux ; il peut même favoriser, à l'abri de ces barrières douanières, l'éclosion de l'industrie française, mais aussi belge, suisse, rhénane et toscane.

Napoléon n'a pas en tête de réaliser un grand marché commun continental tel que l'édifieront les Européens au cours des années 1950. Le projet de Napoléon est avant tout politique : unifier le continent autour de la France, dans l'intérêt de la France. Napoléon n'est pas le père de l'Europe, mais celui de la grande France. Son projet gigantesque n'a qu'un ennemi et qu'un obstacle : l'Angleterre. Et l'Angleterre n'a qu'un bouclier : sa marine. Pour détruire Carthage, Rome a dû édifier une marine assez puissante pour vaincre sa rivale sur son terrain. Napoléon, une fois encore, se met dans les pas de son illustre modèle. Il engage un énorme chantier : l'édification d'une marine qui puisse rivaliser avec la Royal Navy. Cette marine existait : elle avait été édifiée par Louis XVI. Elle avait vaincu la *Navy* anglaise lors de la guerre d'indépendance américaine. Les troubles révolutionnaires et l'émigration des officiers aristocrates l'ont détruite. Tout est à recommencer. L'Empereur y met tout l'argent qu'il peut, et tous les hommes. Toute sa politique s'éclaire à la lueur de son défi maritime. Et d'abord ses absorptions de territoires, à partir de 1810 : Hollande, Espagne, Portugal, pays à la fois de marins et de côtes. Il dira, faraud : « Louis XIV n'avait que Brest, moi j'ai toutes les côtes de l'Europe. »

La rébellion espagnole est une mauvaise surprise pour lui et une plaie purulente pour sa Grande Armée ; de nombreux historiens se sont demandés pourquoi il n'intervenait pas en personne pour la mater et bouter les Anglais de Wellington. On y a décelé une lassitude d'homme mûr, décidé à s'abandonner aux plaisirs charnels de sa jeune et nouvelle épouse, Marie-Louise. On peut aussi y deviner une stratégie délibérée d'amener le plus de troupes anglaises possible pour dégarnir le sol britannique. Il confie alors à Caulaincourt : « C'est parce que l'Angleterre est en Espagne et obligée d'y rester, qu'elle ne m'inquiète pas. Vous n'entendez rien aux affaires. » Il prépare déjà des plans d'invasion en passant par l'Irlande, où le général Hoche, envoyé par le Directoire, avait échoué. Il attend son heure, ou plutôt celle de ses bateaux. 1812 ? 1813 ? Il jubile lorsque la Royal Navy subit ses premiers échecs dans un affrontement avec la marine américaine. Napoléon transmet aussitôt un message d'encouragement au président des États-Unis. Mais c'est un Napoléon d'après la retraite de Russie. Un Napoléon affaibli, exsangue, en sursis. L'alliance russe avait pourtant été la grande affaire de son règne.

L'impossible alliance russe

À Sainte-Hélène, Napoléon confiera que la conférence de Tilsit (1807) fut le moment le plus heureux de sa vie. Il croit alors avoir séduit et convaincu le tsar de l'utilité et de l'efficacité de l'« alliance des deux plus grandes puissances du monde ». Il va trop vite comme d'habitude ; il ne se rend pas compte qu'on ne signe pas un traité d'alliance quand l'encre du traité de paix est à peine sèche. Il presse le tsar de rentrer dans son combat contre l'Angleterre. Lui décrit les perspectives grandioses de leur partage du monde : la France régnera sur l'ouest de l'Europe tandis que la Russie, s'emparant des terres européennes de l'Empire ottoman, de Constantinople jusqu'aux Dardanelles, exercera son emprise sur l'Est. Napoléon est prêt à donner au tsar la tutelle sur les deux puissances allemandes, Prusse et Autriche. Il garde l'Allemagne et l'Italie, avec le consentement des puissances germaniques moyennes (Bavière, Bade, Wurtemberg, Saxe, réunies dans la Confédération du Rhin), sans oublier le Piémont, la Lombardie ou Gênes : Napoléon invente l'Otan cent cinquante ans avant les Américains.

Encore une fois, Napoléon a repris à son compte un projet du Directoire, qui, avec une rare finesse, avait compris que l'alliance avec la lointaine et autocratique Russie était le meilleur choix offert à la France puisque ce pays, par son éloignement même, géographique mais aussi culturel, avait le moins à craindre de la contagion idéologique des armées révolutionnaires. L'alliance russe de revers était née, mais elle ne prendra malheureusement corps qu'un siècle plus tard, quand une France affaiblie par la défaite face à la Prusse de Bismarck cherchera un soutien pour résister à l'hégémonie allemande.

Ce sera alors une stratégie défensive quand Napoléon était à l'offensive. Il trace des plans grandioses où l'armée française et l'armée russe iraient jusqu'aux Indes, non pour reprendre leur empire aux Anglais, mais pour les gêner, les effrayer, ouvrir un autre front. Les Anglais ne prennent pas la menace à la légère : déjà, lorsque Bonaparte avait débarqué en Égypte, la Bourse de Londres s'était effondrée ; les escadres de l'océan Indien furent mises en alerte et les garnisons des comptoirs britanniques renforcées, avant que Nelson ne détruisît les bateaux français dans la rade d'Aboukir. Napoléon fait feu de tout bois dans sa stratégie d'encerclement de l'Empire anglais des Indes. Il va jusqu'à se lier avec le shah d'Iran, à qui il envoie des armes et des instructeurs pour former son armée.

Le tsar est fasciné par la personnalité du « roi des batailles ». La fascination ne durera pas. Le jeune prince est harcelé par son clan familial et sa cour, qui haïssent l'enfant de la Révolution, régicide et déicide. Le tsar basculera bientôt dans un mysticisme qui finira par le rendre fou. Il se met peu à peu dans la main des popes, ils lui assurent qu'il vaincra l'Antéchrist et sera le glaive de Dieu. Alors qu'Alexandre couvre Napoléon de caresses, il écrit à sa sœur, à sa mère, à ses « cousins », à l'empereur d'Autriche et au roi de Prusse, « que l'heure de la vengeance sonnerait un jour ». Il continue de recevoir l'argent anglais pour préparer la revanche ; et craint comme la peste les services britanniques qui ont déjà assassiné son père avec sa tacite approbation.

LA NAÏVETÉ DE L'EMPEREUR

Napoléon n'a pas le choix. Il doit lui faire confiance. Tout son système repose sur lui. Lorsque la cour de Saint-Pétersbourg lui refuse une de ses filles en mariage, il troque la Russe pour l'Autrichienne. Il ira de Charybde en Scylla, comme il ne tardera pas à le découvrir. Le Polonais Poniatowski lui a appris que le tsar préparait la guerre contre la France. Nous sommes au début de l'année 1811. Napoléon se décide, la mort dans l'âme, à le prendre de vitesse. La cohorte de six cent mille hommes qu'il a rassemblée ne peut rester longtemps l'arme au pied, dans une position purement défensive. La mobilisation d'une telle force coûte horriblement cher, en tout cas au-delà de ce que permet le budget de la France. Et Napoléon se refuse par principe à emprunter. Il n'a aucune envie de s'enfoncer dans l'immensité russe, alors qu'il n'a d'yeux que pour l'Angleterre. Comme en 1805, il est obligé de renoncer à la descente sur les côtes britanniques pour arrêter un adversaire venu du continent. Destin funeste. Il dit à Savary au moment de partir : « Celui qui m'aurait évité cette guerre m'aurait rendu un grand service ; mais enfin la voilà, il faut s'en tirer. »

Dostoïevski prétend que ce n'est ni l'hiver ni le patriotisme qui ont vaincu la Grande Armée, mais l'incohérence, le désordre de son adversaire. Napoléon a fini par être englouti par le chaos russe. Alors que Moscou brûle, Napoléon, désemparé et en même temps impressionné par le fanatisme héroïque de ses ennemis, écrit au tsar : « La belle et superbe ville de Moscou n'existe plus... L'humanité, les intérêts de votre majesté et de cette grande ville voulaient qu'elle fût confiée en dépôt... on devait y laisser des administrations, des magistrats et des gardes civils. C'est ainsi que l'on a fait deux fois à Vienne, ainsi qu'à Berlin et à Madrid. » Le tsar finira par gagner cette lutte homérique : victoire à la Pyrrhus. Il a l'espoir de remplacer le système napoléonien sur le continent par sa Sainte-Alliance. Dans son histoire de la Russie, Soljenitsyne reconnaîtra qu'Alexandre a commis une grave erreur stratégique en sacrifiant l'alliance française. Il a cru imposer la tutelle russe sur l'Europe ; il découvrira trop tard qu'il a tiré les marrons du feu pour l'hégémonie anglaise sur l'Europe et le monde. Cet impérialisme britannique que ses successeurs ne tarderont pas à affronter dans le fameux « grand jeu » en Afghanistan.

L'histoire de l'alliance russe est un condensé du destin napoléonien. Contrairement à l'image que nous avons conservée de lui, ce ne sont pas sa brutalité, son arrogance, son insensibilité, sa boulimie de conquêtes ou ses rêves de grandeur qui sont à l'origine de sa chute. C'est tout le contraire. Sa précipitation à faire la paix aura perdu l'Empereur ; sa mansuétude à l'égard des monarchies qui l'avaient agressé, sa quête inlassable d'alliés qui le duperont sans cesse, et, disons-le, sa naïveté.

La nouvelle République française ne pouvait vivre qu'en s'environnant de républiques. Pour une fois, Napoléon n'a pas prolongé l'action du Directoire, et ses fameuses « républiques sœurs ». Il a eu grand tort. Il a voulu imiter les Bourbons en mettant sa famille sur les trônes. Après Marengo (1800), Austerlitz (1805) et Wagram (1809), il a épargné les Habsbourg, qui lui planteront l'ultime coup de couteau dans le dos. Après Iéna (1806), il laisse survivre la maison prussienne, qui s'empresse de préparer la revanche, qui aura lieu à Leipzig en 1813. À Austerlitz, le tsar Alexandre supplie son vainqueur magnanime de se retirer avec les restes de son armée, provoquant la fureur prophétique du général Vandamme : « Leur faire grâce aujourd'hui, c'est vouloir qu'ils soient dans six ans à Paris. » Après Friedland (1807), il ne touche pas au territoire russe, à la grande surprise du tsar, qui croit à un miracle de Dieu. À Wagram, il néglige de morceler la monarchie autrichienne. En bon méditerranéen, il ne peut s'empêcher d'imaginer que l'empereur d'Autriche ne se retournera jamais contre lui à partir du moment où il lui a donné un petit-fils.

Chaque fois, Napoléon comprend un peu tard que l'allié qu'il s'est choisi, qu'il fût prussien, autrichien ou russe, l'a dupé. Il finira même par confier son destin à la générosité de l'Angleterre, ce qui atteste à quel point il refuse de voir la haine que les Anglais lui vouent. Il ne fait pas ce que les Alliés feront subir à l'empire des Habsbourg en 1919, et à l'Allemagne en 1945, ce que Staline imposera à l'Europe de l'Est conquise par les chars russes à la fin de la Seconde Guerre mondiale. La main de Bonaparte n'est pas aussi ferme que l'esprit de Napoléon. Il n'est pas le monstre qu'il aurait fallu. On connaît le mot célèbre de Joséphine : « Tu humilies trop et tu ne punis pas assez. » Élie Faure a répondu à l'impératrice, à un siècle de distance : « Il n'a pas le temps d'être méchant. L'homme fort peut pester contre la pierre qu'il heurte ou la ronce qui le déchire. Il oublie la pierre et la ronce la seconde après. Il oublie même qu'il y a encore, sur les chemins, d'autres pierres et d'autres ronces. »

La France rentre dans le rang

Napoléon a toujours pardonné et ne fut jamais pardonné. Il a tenté d'enrayer l'hégémonie naissante de l'Angleterre sur le monde et l'a payé d'une guerre inexpiable. Il a voulu unifier le continent derrière la France et n'a pas réussi dans sa tentative herculéenne. Son successeur, Louis XVIII, sera plus réaliste. Il faut dire qu'il n'avait pas le choix : l'exil en avait fait l'otage de l'ennemi de sa famille et de sa nation. Avant de quitter Londres, pour retrouver son trône au printemps 1814, il affiche ostensiblement « sa reconnaissance éternelle à la famille royale britannique qui lui a rendu le trône de ses ancêtres, et cet heureux état de choses qui promet de fermer les plaies, de calmer les passions et de rendre la paix, le repos et le bonheur à tous les peuples ».

La France rentre dans le rang et accepte son rôle de puissance moyenne dans un système d'« équilibre » dominé par l'Angleterre. L'« équilibre » anglais a vaincu le « système » napoléonien. La « perfide Albion » est au sommet de son art.

Elle n'a jamais renoncé à ramener la France à ses anciennes limites, celles d'avant 1792 et les conquêtes de la Révolution. Elle a laissé ses alliés continentaux faire passer Napoléon pour un monstre, un ennemi du genre humain, pour mieux le séparer du peuple français, puis se déclarer prête à traiter avec la France. Mais sans lui.

Napoléon a deviné l'intention de ses ennemis. Il ne cesse de répéter que « dans la défaite, il faudrait toujours reculer comme dans la victoire, il avait fallu avancer toujours ». Qu'on annule les traités de 1809, 1807, 1805, et l'on sera ramené à 1800, puis à 1792. Or ramener la France à sa taille qu'elle avait sous l'ancienne monarchie, ce n'est pas la restreindre à son ancienne puissance, car l'Europe n'est plus la même.

Napoléon avait tout compris mais a tout perdu. Et la France avec lui. Toute l'histoire du XIXe siècle est la poursuite funeste de cette défaite et la tentative – vaine – des successeurs de l'Empereur d'y remédier. La France, désormais, n'osera plus tenir tête à l'Europe. Elle se cherchera un allié, à tout prix. Elle hésitera entre l'Allemagne et l'Angleterre. Et perdra sur les deux tableaux. Napoléon s'apprête à connaître les désillusions, les trahisons, les abandons. Les insultes de ceux qu'il a faits. La fuite, déguisé, pour échapper à la vindicte populaire. À Erfurt, quelques années plus tôt, chacun voulait voir, approcher celui qui dispensait tout : trônes, misères, craintes, espérances. Talleyrand notera, effaré : « La bassesse n'avait jamais eu autant de génie. » Il était le maître du monde. Dieu. On le comparait à un soleil avec une inscription sur scène : « Moins grand et moins beau que lui. » Il soliloquait, désabusé : « Il faut que ces gens me croient bien bête ! »

Napoléon pensait monde dans un univers qui n'était pas encore mondialisé. Il annonçait les fureurs de la guerre totale de l'avenir, alors que Chateaubriand, ingénu, croyait « qu'il avait tué la guerre en l'exagérant ». Ce n'était pas de la mégalomanie, mais de la lucidité. Ou plutôt de l'extralucidité. Les Tuileries étaient alors ce que la Maison Blanche est devenue : le centre du monde. Il n'est pas étonnant que les communards l'aient brûlé et que la IIIe République ait renoncé à le reconstruire. Ces deux gauches françaises, pourtant héritières de la Révolution, ne voulaient ou ne pouvaient plus réaliser le rêve millénaire de la France. C'est depuis qu'on ne comprend plus Napoléon. Au fil des années et des siècles, des défaites inattendues et des victoires vaines, on brûla ce qu'on avait adoré, on adora ce qu'on avait brûlé. On nous apprit à détester ce qu'on avait aimé, à aimer ce qu'on avait détesté. On appela le rêve « cauchemar » et la propagande anglaise « vérité historique ».

Et on décréta fou ce qui n'était qu'immense.

Troisième partie

LE TEMPS DE LA VENGEANCE

Talleyrand

La main du diable

Il ne s'est pas pressé davantage dans la mort que dans la vie ; et la postérité a donné raison à cette placidité de tortue de la fable. Talleyrand a mis cent cinquante ans à devenir une icône, l'idole de nos élites, diplomates, politiques, technocrates, historiens, universitaires, éditorialistes. Ils louent sans se lasser la subtilité de son esprit, la sagacité de ses vues, sa science inégalée des arcanes de la diplomatie, l'ampleur de sa vision européenne, son amour de la paix, son sens aigu de l'équilibre ; son attitude mesurée et raisonnable, qu'ils opposent à la boulimie conquérante et belliqueuse qu'ils prêtent à l'Empereur. Jusqu'à ses bons mots qu'ils se transmettent de livre en livre, de leçon en leçon, d'éloge en éloge.

Même sa corruption, incontestable et revendiquée, les fameuses « douceurs » qu'il exigeait de la plupart de ses interlocuteurs et solliciteurs, est banalisée en fait d'époque. Ses thuriféraires expliquent, d'un ton docte, que l'argent qu'il touchait de partout n'a jamais influé sur ses choix politiques. Ils font de sa cupidité un gage de son intégrité.

Les historiens d'hier jugeaient pourtant que son immoralité l'avait empêché d'atteindre la grandeur d'homme d'État, que son intelligence supérieure méritait. « Son existence a été une prodigieuse et immorale réussite, conclut ainsi Louis Madelin dans son portrait sévère du prince. Pour avoir été un Armand de Richelieu, il lui a manqué un cœur haut placé et le souci des grands devoirs. »

Seuls ses biographes britanniques lui trouvaient alors des vertus ; circonstance longtemps aggravante au pays des « grenouilles ». Son anglophobie est devenue aujourd'hui le signe admirable d'un cosmopolitisme précurseur. Au contraire, tant que le sentiment national était encore vivant, personne n'oubliait que Talleyrand était l'obligé de l'Angleterre. Stendhal résume parfaitement l'opinion générale : « Monsieur de Talleyrand n'a eu aucun plan, aucune grande aspiration. Mais comme il portait dans la politique l'extrême finesse avec laquelle il gagnait sa vie, il s'aperçut facilement que l'alliance anglaise était la seule convenable pour la France... L'adresse de Monsieur de Talleyrand ne l'a réellement conduit à de grandes choses qu'à Vienne lorsque, avant Waterloo, il empêcha les rois de l'Europe de prendre peur et les força à marcher vite et à ne pas laisser à l'homme le temps de s'établir. » On pourrait ajouter à l'ironie stendhalienne qu'un an avant, en mars 1814, alors que les troupes russes et autrichiennes hésitent à foncer sur Paris, craignant à juste titre la réaction de l'Empereur et de ses maigres troupes qui rôdent sur leurs arrières, Talleyrand leur fait parvenir ce message éloquent : « Vous marchez avec des béquilles, servez-vous de vos jambes et voulez ce que vous voulez. »

L'astre noir du mal

Son cynisme, sa cupidité, son amoralisme sont alors légendaires ; personne, même pas lui, ne songe à les discuter ni à les atténuer ; encore moins à les retourner en vertus. Il n'en tire ni honte ni gloire. Comme un fait indiscutable, irréfutable. À une époque où florissaient tant les bons sentiments, Charles Maurice de Talleyrand-Périgord eut le privilège insigne d'incarner l'astre noir du Mal.

Il n'a jamais suscité le respect, dès sa jeunesse d'« abbé mauvais sujet ». Si ses traits d'esprit sur ses contemporains sont célèbres, ceux le clouant au pilori ne le sont pas moins.

Certains sont devenus proverbiaux, comme le « Vous êtes de la merde dans un bas de soie », que lui lança Napoléon lors d'une de ses plus célèbres colères. On pourrait en faire un recueil.

Chateaubriand : « Comme il avait reçu beaucoup de mépris, Monsieur de Talleyrand s'en était imprégné et l'avait placé dans les deux coins pendants de sa bouche. »

Mirabeau : « Pour de l'argent, il vendrait son âme et il aurait raison, car il troquerait son fumier contre de l'or. »

Ou encore Fouché, lorsque Talleyrand reçut le titre de vice-chancelier : « C'est le seul vice qui lui manquait. »

Les grands écrivains du XIXe siècle, Balzac, Hugo, Stendhal, participèrent eux aussi à la curée, dans une sorte de rivalité à celui qui planterait le plus beau couteau entre les omoplates de l'odieux « Diable boiteux ».

Stendhal assura même que le prince n'était pas l'auteur de ses plus célèbres bons mots. « On mettait sur son compte ceux que Paris produit toujours et il ne les adoptait qu'après deux ou trois jours quand leur succès était assuré. »

Talleyrand, c'est Vautrin qui éduque Rastignac : « Si j'ai un conseil à vous donner mon ange, c'est de ne pas plus tenir à vos opinions qu'à vos paroles. Quand on vous les demandera, vendez-les… Il n'y a pas de principes, il n'y a que des événements ; il n'y a pas de loi, il n'y a que des circonstances : l'homme supérieur épouse les événements et les circonstances pour les conduire[1]. »

Pour plaider sa cause, le prince a conté lui-même, dans ses Mémoires, son enfance sans amour (« Je n'ai jamais dormi sous le même toit que mon père ») et son accident à 4 ans, la chute d'un buffet, le pied foulé, qui entraîna sa cruelle infirmité, par un manque de soins qui l'affligea de cette claudication permanente. Revers originel qui empêcha Charles Maurice de connaître la gloire des armes, comme l'y prédisposait pourtant son droit d'aînesse dans son illustre

1. *Le Père Goriot*, Balzac, 1835.

famille. Il fut contraint de rentrer dans les ordres parce que boiteux, alors qu'il n'en avait ni l'envie ni la foi. Toute sa vie est une revanche contre cette enfance. Il aurait pu dire comme le cardinal de Retz, encore un homme entré dans les ordres par contrainte familiale : « Je pris le parti de faire le mal par dessein, ce qui est sans comparaison le plus criminel devant Dieu, mais ce qui est sans doute le plus sage devant le monde. »

Œil de bœuf et boudoirs

Il fut d'abord et avant tout un maître des cérémonies. Grand chambellan. Le grand chambellan de l'Histoire. Son rôle fut de faire passer dans le monde le gouvernement des parvenus ; de mettre quelques gouttes d'huile dans les engrenages là où les autres mettaient du sable. Mais il méprisait tout et tous, des furieux révolutionnaires aux parvenus de l'Empire, jusqu'aux bourgeois louis-philippards : « On voyait bien qu'il n'y avait pas longtemps qu'ils marchaient sur un parquet. »

Son impassibilité légendaire était une forme suprême du mépris. À 73 ans, il est giflé en public et reçoit des coups de pied. Il dit à Charles X, qui l'interroge : « Sire, c'était un coup de poing. » Il est à la fois racine et déraciné, prélat défroqué resté grand seigneur. Il n'a pas la morgue du parvenu mais le mépris de l'homme né. Il ose même railler Napoléon.

Talleyrand n'est pas un homme du temps qu'il a vécu, mais du temps qui l'a formé. Il est un homme du XVIIIe siècle égaré dans le XIXe. Il est un roué de la Régence et de Louis XV, un lecteur du marquis de Sade. Il est un talon rouge, survivant de l'œil-de-bœuf et des boudoirs. Il en conservera leur goût pour la mystification, les intrigues de cour. « La parole a été donnée à l'homme pour dissimuler sa pensée… il faut se méfier du premier mouvement… parce que c'est le bon. » Il restera à jamais perverti, tant par la disgrâce physique de son enfance que par la disgrâce morale de sa jeunesse.

Comme ses amis de l'époque, les Vaudreuil ou les Lauzun, il a voulu la fortune, les plaisirs, les femmes, la bonne chère, le luxe, le jeu ; et le pouvoir qui offre tout ça. « Il ne faut jamais être pauvre diable » ; telle est sa règle de vie. Il vit entouré de femmes qui dédaignent leurs maris. Elles l'ont formé, aidé, protégé. Elles ont pour nom la duchesse de Luynes, la duchesse de Fitz-James, la vicomtesse de Laval. Insolentes et aventureuses dans leur jeunesse, décrépites et intrigantes à la fin ; elles ont toujours veillé sur le prince comme un corps de garde. « Il fut dans leurs bras et à leurs pieds, mais jamais dans leurs mains », a écrit le comte de Saint-Aulaire.

Ses contemporains contemplent ce spectacle, incrédules, entre fascination et dégoût. Il leur décrit avec nostalgie les délices d'une époque dont ils ne savent que les ruines. Il leur dit, sans larmes dans ses yeux morts : « Celui qui n'a pas connu l'Ancien Régime n'a pas connu la douceur de vivre. » Talleyrand est passé du temps de la douceur au temps des douceurs. Le charme agit malgré tout.

Il trouve le trait juste à la Voltaire, dans ses propos qu'il égrène avec une savante lenteur du bout de ses lèvres marmoréennes ; et même le « grand style » du « Grand Siècle » quand il s'astreint à écrire. « Il est le seul avec qui je puisse causer », confesse Bonaparte à ceux qui le pressent de le renvoyer. Napoléon et Talleyrand sont irrésistiblement attirés l'un vers l'autre, comme deux fauves venus de climats lointains, mis par un dresseur dans la même cage.

Il aide Bonaparte pour son coup d'État du 18 Brumaire ; Bonaparte le confirme au ministère des Affaires étrangères. Bonaparte est le maître des batailles ; Talleyrand est le maître de la diplomatie. Mais leur complémentarité tourne vite à la rivalité. Depuis l'Italie et Campoformio, le guerrier est aussi un pacificateur, tandis que Talleyrand est plus belliqueux qu'on le prétend. Il approuve la défense des « frontières naturelles » léguées par le Directoire ; il encourage Napoléon dans sa politique « progressive », c'est-à-dire brutale, à l'égard de la Prusse, qu'il déteste ; c'est lui qui conseillera à l'Empereur de mettre un de ses frères à la tête de l'Espagne : « Faites comme Louis XIV », lui glisse-t-il, toujours courtisan.

POLITIQUE À L'ANCIENNE FRANCE

Le prince est un homme du passé. Comme le Régent, il ne partage pas l'hostilité française envers l'Angleterre ; comme Choiseul, il penche pour l'alliance privilégiée avec l'Autriche. Il est resté un enfant de Choiseul et de Madame de Pompadour. Même la Russie tsariste lui paraît trop exotique, pays de « barbares » venus des steppes enneigées. Il voit encore la France comme la décrivait le baron de Besenval, sous le règne de Louis XVI : « Le plus beau, le plus puissant et le plus florissant empire de l'Europe. » Il ambitionne de faire pour la France issue de la Révolution ce qu'il a réussi pour les parvenus révolutionnaires eux-mêmes, la faire accepter par l'ancienne société, obtenir des monarchies européennes ce qu'il appelait un « droit de bourgeoisie » ; mais il n'atteindra ce but qu'au prix d'un affaiblissement irrémédiable de la puissance française. Napoléon rechigne à tendre la main aux Habsbourg : « Je ne comprends pas votre penchant pour l'Autriche. C'est de la politique à l'ancienne France », dit-il à Talleyrand.

Cette ancienne Europe et cette ancienne France n'existent plus. Elles ont été emportées par la Révolution française, mais plus encore par les bouleversements géostratégiques de la fin du XVIIIe siècle, l'extension inouïe de l'Empire britannique aux Indes et au Canada, l'absorption de la Pologne par la Prusse et la Russie, l'accès des Russes aux mers chaudes, sous Catherine II, l'avènement de la Prusse en grande puissance européenne depuis les victoires de Frédéric II. Sans compter la naissance des États-Unis d'Amérique, géant en gestation. Talleyrand ne voit pas ce que décèle le regard perçant de Napoléon : « Les partages de la Pologne, les modifications de la carte politique de l'Allemagne, les conquêtes de l'Angleterre au-delà des mers ont modifié l'équilibre du continent et obligent à des compensations au bénéfice de la France. Quand tout a changé autour de la France, comment pourrait-elle conserver la même puissance relative en étant replacée au même état qu'auparavant ? »

Le prince est un aveugle en révolte contre un voyant qu'il sert. Avant de le trahir.

À Erfurt (1808), Talleyrand distingue pour la première fois les intérêts de la France et ceux de Napoléon devant le tsar : « Le souverain de la Russie est civilisé, mais son peuple ne l'est pas ; le peuple français est civilisé et son maître ne l'est pas. C'est donc au souverain de la Russie d'être l'allié du peuple français. » Pressé par Napoléon, qui veut l'enrôler dans sa croisade contre l'Angleterre, le tsar ne cède rien en trois heures de discussion avec l'Empereur. Celui-ci, déçu, se confie à... Talleyrand. Napoléon veut placer l'Autriche sous la surveillance de la Russie ou obtenir son désarmement après celui de la Prusse ; mais il n'atteindra pas cet objectif autrichien du fait du double jeu de Talleyrand.

Le prince est le grain de sable qui dérègle la machine napoléonienne. Devant les réticences russes, Napoléon se tourne vers l'Autriche. L'arrivée de l'archiduchesse Marie-Louise aux Tuileries irrite la base révolutionnaire et républicaine du peuple français ; l'éloigne de « son » Empereur. Sans que l'alliance autrichienne ait la profondeur stratégique et la valeur militaire du Russe. Napoléon a conclu un marché de dupes. Il s'est fait rouler dans la farine par Talleyrand et son complice, le chancelier autrichien, Metternich. Il est tombé dans les filets tendus par l'Angleterre, dont la propagande ne cesse désormais de détacher Napoléon, l'« ogre », du « peuple » français.

Après la chute de Napoléon, Talleyrand touche enfin au but ; le gouvernement provisoire de la France tient tout entier dans sa chambre à coucher, à l'entresol de son hôtel particulier. Il a défait un Empereur et fait un roi. Il bâtit l'ordre européen sur le principe de légitimité, seul capable, selon lui, d'étouffer l'hydre des nationalismes. Il croit moins que tout autre aux fictions qu'il invente et suggère. Il érige en principes ce qui n'est que bricolage conceptuel, pour répondre à l'urgence des circonstances. L'Europe des rois est sortie bouleversée par la houle révolutionnaire. Napoléon a montré qu'on nommait les rois comme des préfets ; et que leurs trônes n'étaient que « quatre morceaux de bois dorés recouverts de velours ». L'Empereur a transformé les souverains en usurpateurs fortunés et brutaux qui couvrent la crudité de leur domination d'une patine d'Histoire. Ceux-ci adoptent donc dans l'enthousiasme le principe de « légitimité » concocté par Talleyrand.

Noble langage et grands principes

Mais en exigeant l'abdication d'un Napoléon vaincu par les armes, ils ont ouvert la boîte de Pandore. Plus aucun souverain, plus aucun pouvoir ne résistera à une défaite militaire : Napoléon III en 1870, les Habsbourg et les Hohenzollern en 1918, la IIIe République en 1940, Pétain en 1944, Mussolini et Hitler en 1945. Le principe de légitimité s'inclinera désormais devant le sort des armes ; Louis XIV et Louis XV n'avaient pas été renversés après leurs défaites militaires.

Talleyrand n'en a cure. Il est déjà passé à autre chose. En 1832, il inventera le principe de « non-intervention », pour éviter un affrontement entre la France et l'Angleterre autour de la Belgique, qui réclame son indépendance. Envoyé en ambassade à Londres, accueilli comme un héros et un messie à la fois, le vieux Talleyrand fait ce qu'il a toujours fait : des compromis ; mais au détriment de la France. Alors que les Belges réclament un prince français, ils auront un roi allemand. Qui épousera une fille de Louis-Philippe ! Les Anglais ne reverront pas les Français à Anvers. En revanche, les Français verront les Prussiens sur le Rhin. C'est le fruit des « habiletés » de M. de Talleyrand.

Au cours des innombrables tractations de Vienne en 1815, entre deux danses ou deux réceptions, on avait décidé que le roi de Saxe, cousin de Louis XVIII, garderait son royaume que guignaient les Prussiens ; en échange, ceux-ci obtiendront la rive gauche du Rhin. Ils amèneront leurs armées à Cologne, à Coblence, à Trèves, à Sarrebruck. Ils feront du Rhin une « barrière » armée contre l'impérialisme et le militarisme de l'« insolente nation ». Encore quelques années et la barrière se fera tremplin ; la défense se muera en attaque ; la route du Rhin deviendra celle de Paris. 1870 est écrit. La France vivra pendant cent cinquante ans sur un perpétuel qui-vive. Les Anglais, une fois encore, triomphent. Castlereagh, le négociateur britannique, avait écrit à Liverpool, alors ministre des Affaires étrangères : « Je suis toujours porté à reprendre la politique que monsieur Pitt avait si fort à cœur et qui consiste à mettre la Prusse au contact avec les Français sur la rive gauche du Rhin. » Talleyrand n'a pourtant aucune sympathie pour la Prusse : « L'exiguïté de sa monarchie fait de son ambition une espèce de nécessité pour elle. Tout prétexte lui paraît bon. Aucun scrupule ne l'arrête. Son avantage est le droit. »

Le prince a des prétentions plus vastes. À Madame de Staël, il écrit : « Les succès de Bonaparte n'étaient pas la seule chose à détester en lui... C'étaient ses principes qui étaient horribles : ils doivent être à jamais repoussés... Je ne sais ce que nous ferons ici, mais je vous promets un noble langage. » Au cours des négociations, il monte les uns contre les autres, l'Angleterre contre la Russie, la Prusse contre l'Autriche, les « petits » pays contre les grandes puissances. Il se proclame « chef des petits et dernier des grands ». « La coalition est dissoute, écrit-il, faraud, à Louis XVIII, la France n'est plus isolée en Europe. » Il exalte la « vraie France », qui, « cessant d'être colossale, allait redevenir grande ».

En quelques formules bien frappées, Talleyrand a fondé la rhétorique française jusqu'à nos jours. Ses « procédés », dont il se gaussait en privé, ses « principes » qu'il inventait au gré des nécessités, tout ce qui faisait dire à Chateaubriand que si Talleyrand « signait les événements, il ne les faisait pas » sont devenus paroles d'Évangile de la diplomatie et de l'historiographie françaises. La France ne cesse plus de tenir à la face du monde un « noble langage », qu'il soit celui du « droit des peuples à disposer d'eux-mêmes » ou celui des « droits de l'homme ». La France ne se remet pas de n'être plus colossale, comme disait Talleyrand, de n'être plus un « mastodonte », comme disait de Gaulle, mais croit, ou veut croire, ou veut faire croire, qu'elle peut rester grande, et « tenir son rang », alors même qu'elle ne compte plus parmi les géants de son époque. Cette chimère française que poursuivent depuis deux siècles nos dirigeants et nos diplomates, seul Napoléon l'a combattue lucidement et s'est donné les moyens d'y échapper. Lui seul fut conscient de la vanité de cette position ; vanité dans les deux sens du terme : ce qui est vain et ce qui est fat. « Si on cessait de parler de la vanité du peuple français ; et si on parlait un peu d'orgueil ? » disait-il. En vain.

Intérêts supérieurs avant tout !

La réalité rattrape les illusions. La réalité s'impose même aux plus aveuglés. Conscients de leur faiblesse nouvelle et irrémédiable, nos dirigeants, tenaillés par la hantise de la « France isolée », sont prêts à sacrifier sa souveraineté et les intérêts essentiels du pays à l'alliance du moment, que ce soit l'Angleterre entre les deux guerres mondiales, l'Amérique au cours des années 1950, l'Allemagne et l'Europe depuis les années 1970. Dans son testament, Talleyrand écrit : « Je n'ai jamais mis les intérêts d'aucun parti ni les miens en balance avec les intérêts de la France, qui d'ailleurs, ne sont dans mon opinion, jamais en opposition avec les vrais intérêts de l'Europe. » C'est l'ultime verrou rhétorique qui clôt la catéchèse léguée par le prince à ses lointains héritiers. L'Europe se pose comme une seconde nature, « une communauté presque mystique d'États, disait l'historien italien Guglielmo Ferrero, qui a le pouvoir de conférer la souveraineté ».

L'Europe, notre « maison commune », selon le mot célèbre du Soviétique Gorbatchev ; « l'Europe, notre avenir, la France, notre patrie », selon un autre mot fameux, de François Mitterrand. L'Europe, l'Europe, l'Europe, les cabris dénoncés naguère par le général de Gaulle sont tous des héritiers du « Diable boiteux ». Quand on lui transmettait les plaintes des commerçants hollandais, des marchands allemands, des consommateurs français de denrées exotiques, privés de café ou de sucre par le blocus continental, Napoléon s'emportait : « On dirait que toute la politique de cette pauvre Europe, que tous ses intérêts se résument au prix d'une barrique de sucre... » Un résumé parfait de l'actuelle Union européenne.

Talleyrand a trahi Napoléon au nom des intérêts supérieurs de l'Europe. La leçon sera retenue par nos grands patrons, nos hauts fonctionnaires, nos politiques et nos intellectuels. Leurs intérêts personnels peuvent s'opposer à ceux de la France ; il existe tant d'intérêts supérieurs à ceux de la France. Les Balzac, Victor Hugo, Musset, tous ces « enfants du siècle » nés sous le règne de l'Empereur, savaient, eux, ce qu'ils devaient à leur « professeur d'énergie », comme dira Barrès. Ils reconnaissaient leur dette à celui qui fut leur héros, et leur modèle, celui qui leur donna envie « d'achever par la plume ce que [l'Empereur avait] commencé par l'épée » selon la célèbre formule de Balzac. Au fil du temps, la reconnaissance s'est évanouie. N'est resté que la vanité.

La France n'est plus capable de dominer l'Europe ; les élites françaises considèrent cependant qu'elles doivent continuer à la diriger comme au temps des jeunes conseillers d'État de trente ans que Napoléon envoyait gouverner les royaumes de sa fratrie. C'est le seul héritage qu'ils ont conservé de cet Empereur qu'ils abhorrent.

Talleyrand est leur modèle. Le saint prophète qu'il faut imiter. Le louer, c'est se louer. Le glorifier, c'est se disculper. Eux aussi défendent leurs intérêts et ceux de la France, en servant l'Europe et l'humanité. On se souvient du mot célèbre de Jean-Claude Trichet à son arrivée comme gouverneur de la Banque centrale européenne, au début des années 2000 : « *I'm not French.* » On sait que les commissaires européens français à Bruxelles se font un devoir de s'exprimer en *globish* devant leurs pairs.

Heureux hommes. Et malheureux peuple français.

Madame de Staël

Elle cause plus, elle flingue !

Elle parle. Sans discontinuer. Elle parle à Benjamin Constant, elle parle à Madame Récamier, elle parle au prince de Ligne, elle parle à la comtesse de Boigne, elle parle au prince Auguste de Prusse ; elle parle parfois à son mari aussi, le baron de Staël-Holstein ; elle parle sans cesse à sa fille préférée, Albertine. Elle parle pour le plaisir de parler, pour le plaisir de s'écouter. Elle parle pour ne pas être seule. Elle parle pour conjurer sa peur de l'ennui. Elle parle à tous mais pas avec n'importe qui. Elle parle avec un art inégalable de la conversation. Elle parle pour exposer son brillant esprit.

Stendhal disait qu'elle avait été « la femme la plus extraordinaire qu'on vit jamais, elle qui mena la conversation française et porta au plus haut degré de perfection l'art brillant de l'improvisation, sur quelque sujet qu'il fût ».

« Elle parle chiffons avec autant d'intérêt que de Constitution », disait son amie la comtesse de Boigne. Elle parle pour égayer une conversation languissante ; elle parle pour raviver une passion défaillante. Elle parle pour charmer, séduire, briller, plaire. Elle parle pour parler.

Un seul être vous manque et tout est dépeuplé. Le seul à qui Germaine de Staël voudrait parler est celui qui ne l'écoute pas. Ne l'entend pas. Germaine de Staël a cru le séduire par le charme de sa conversation et le brio de son esprit, mais il n'a pas de temps à perdre à des badinages de salon. Il est un mâle dominant méditerranéen, qui considère que les femmes n'entendent rien à la politique ; elle est une riche aristocrate protestante du Nord, capricieuse et impérieuse, vaniteuse et snob, qui regarde le Corse « Buonaparte » comme un « Africain ».

Madame de Staël incarne aux yeux du nouveau maître de la France le temps révolu de la monarchie, où les femmes régnaient à la cour et dans les salons ; lui incarne l'homme des temps nouveaux, que l'esprit de la Révolution a imposé dans la fureur et dans le bruit. Bonaparte a retenu la leçon de l'Ancien Régime qui vit les écrivains préparer en son sein la Révolution. Il a observé, sous le Directoire, les manœuvres de Germaine de Staël pour pousser au gouvernement ses amants du moment, qu'ils s'appellent Narbonne ou Talleyrand, puis, sous le Consulat, Benjamin Constant. C'est là le cœur battant de sa querelle avec Madame de Staël comme avec son grand ami, René de Chateaubriand.

JE T'AIME, MOI NON PLUS...

Pourtant, tout avait bien commencé entre eux. Germaine de Staël n'avait pu s'empêcher d'être fascinée par l'avènement du jeune prodige. En 1799, elle écrit : « C'était la première fois, depuis la Révolution, qu'on entendait un nom propre dans toutes les bouches. Jusqu'alors, on disait : l'Assemblée constituante a fait telle chose, le peuple, la Convention ; maintenant, on ne parlait plus que de cet homme qui devait se mettre à la place de tous, et rendre l'espèce humaine anonyme, en accaparant la célébrité pour lui seul, et en empêchant tout être existant de pouvoir jamais en acquérir. »

Même après sa chute, dans ses *Considérations sur la Révolution française*, elle écrira encore avec une finesse d'analyse hors pair : « Un tel être, n'ayant point de pareil, ne pouvait ni ressentir ni faire éprouver de la sympathie ; c'était plus ou moins qu'un homme... Il ne hait pas plus qu'il n'aime, il n'y a que lui pour lui ; tout le reste des créatures sont des chiffres... Chaque fois que je l'entendais parler, j'étais frappée de sa supériorité ; elle n'avait aucun rapport avec celle des hommes instruits et cultivés par l'étude et la société tels que la France et l'Angleterre peuvent en offrir des exemples... Je sentais dans son âme comme une épée froide et tranchante qui glaçait en blessant... »

Madame de Staël ne lui cache pas son admiration. Le lui dit, le lui clame, le lui chante sur tous les tons. Le compare à Washington. Fait tout pour le séduire. Mais Germaine ne réussit qu'à l'agacer : « Que voulez-vous, dira-t-elle à Joseph Bonaparte, je deviens bête devant votre frère à force de vouloir lui plaire. »

Après le temps des admirations et des séductions vient donc celui des oppositions et des conflagrations. Sa vanité de femme ne pardonnera jamais à celui qui l'avait dédaignée alors qu'elle ne rêvait que de le servir.

C'est l'écrivain allemand Henri Heine qui résumera avec le plus de finesse le changement d'atmosphère : « Quand la belle dame s'aperçut qu'avec ses importunités, elle en était pour ses frais, elle fit ce que font les femmes en pareil cas : elle se jeta corps et âme dans l'opposition, déclama contre l'Empereur, contre sa domination brutale et peu galante, et pérora tant et si haut que la police finit par lui envoyer ses passeports. »

Chacun des deux protagonistes sort alors les grands mots, les grands principes, et les grands moyens. Il est pour elle un despote, un « Robespierre à cheval » ; elle est pour lui un « bas-bleu », une femme savante de Molière, une de ces intellectuelles qu'il qualifie avec horreur d'« idéologue », qui plus est de cette caste de théoriciens libéraux qu'il vomit sous le nom d'« idéalistes ». C'est une femme d'argent, qui ne néglige jamais d'arrondir sa fortune ; c'est un soldat qui a toujours un plan de bataille en tête. Il n'a jamais eu que mépris pour son père adoré ; et rechigne à lui rembourser les deux millions de livres que ce même Necker a prêtés au Trésor royal ; dette que sa fille lui réclame avec une insistance qu'il juge déplacée.

Mais ces querelles d'épiderme seraient demeurées vénielles si leur affrontement n'avait pris une ampleur politique et même géostratégique. Napoléon est la nation en armes ; Madame de Staël est le cosmopolitisme en verbe. Il forge avec ses soldats la « grande nation » ; elle exalte avec ses mots les « petites nations ».

« Conquérir le monde et libérer le monde sont deux formes de gloire incompatibles en fait, mais qui se concilient très bien dans la rêverie », a écrit Simone Weil.

Le temps de la rêverie révolutionnaire est passé ; les choses se sont décantées : Napoléon veut conquérir le monde ; Madame de Staël, le libérer.

La France est l'homme, l'Allemagne la femme

Napoléon entend dominer l'Allemagne au bénéfice de la France ; Madame de Staël propose d'unifier l'Allemagne au bénéfice de l'Europe. Leur querelle se retrouve au cœur de cette « question d'Occident » qui hante le continent depuis le traité de Verdun de 843. Napoléon reprend la tâche millénaire que s'est assignée la France depuis Charlemagne : apporter la civilisation romaine au-delà du Rhin. Madame de Staël estime au contraire que l'Allemagne est l'âme de la civilisation européenne, avec son armada de professeurs, philosophes, artistes, poètes, musiciens, écrivains. La France a les attributs de la puissance : État, territoire, armée. L'Allemagne n'est qu'une entité géographique, éparpillée en innombrables principautés et duchés d'opérette. La France est un conquérant, l'Allemagne est villes ouvertes. La France est une nation de soudards conduits par un tyran qui met l'Europe à feu et à sang ; l'Allemagne est une nation savante qui honore la culture et l'art. La France, c'est la guerre, l'Allemagne, c'est la paix. La France est l'homme, l'Allemagne est la femme.

À l'été 1808, Madame de Staël réunit en son château suisse de Coppet un aréopage d'esprits brillants et de grands noms, venus des quatre coins d'Europe. Elle anime et domine cette coterie, lui insuffle les mots et les pensées avec lesquels elle stigmatise le gouvernement impérial ; mots et pensées que ses hôtes s'empressent de répandre dans toute l'Europe. Le prince Auguste les rapporte en Prusse, à la grande joie des ministres qui préparent en secret la revanche d'Iéna. C'est une véritable campagne médiatique qui atteint toutes les cours et toutes les élites d'Europe, une opération de propagande d'intellectuels bien nés, mobilisant les opinions du continent contre la France napoléonienne, relayant avec une rare efficacité le travail inlassable des agents anglais. Napoléon, fort conscient de l'importance de sa propre stratégie de communication, avec ses bulletins de la Grande Armée qu'il écrivait parfois lui-même, comprend aussitôt le danger. Il lui interdit Paris et la fait surveiller par la police de Fouché ; même si tout l'Empire reste ouvert à Germaine, le prestige de l'Empereur lui rend les moindres formalités vexatoires. Certains amis évitent Coppet ; elle les rejoint à Lyon ou à Aix, avant que le préfet ne la réexpédie dans la première berline vers la Suisse.

En 1810, les épreuves de son livre intitulé *De l'Allemagne* sont détruites par les sbires de Fouché. Napoléon a ordonné à son ministre de mettre au pilon les dix mille exemplaires imprimés ; de « prendre des mesures pour qu'il n'en reste pas une seule feuille », de réclamer à l'auteur son manuscrit, et de reprendre aux amis de l'auteur les deux exemplaires qu'elle leur a prêtés.

L'ouvrage paraît néanmoins en 1813 à Londres : les Anglais sont trop contents de protéger une telle opération contre leur adversaire redouté. Le texte de Madame de Staël est publié la même année que la bataille de Leipzig, qui permet aux Prussiens, aidés des Russes et des Autrichiens, de chasser Napoléon d'Allemagne.

La germanophilie militante de Madame de Staël a triomphé

De l'Allemagne est à la guerre des idées ce que Leipzig est à la guerre tout court. Son retentissement sera considérable ; son influence immense et durable. Sa vision d'une Allemagne savante et artiste, bucolique et pacifique, imprégnera toute l'élite progressiste de la gauche française du XIXe siècle. De Michelet à Hugo, ils entreront dans l'Allemagne comme « dans un Temple », selon l'image religieuse employée à dessein par Ernest Renan dans ses souvenirs d'enfance et de jeunesse : « Tout ce que j'y ai trouvé est pur, élevé, moral, beau et touchant. Ah qu'ils sont doux et forts ! Je crois que le Christ nous viendra de là… L'Allemagne avait été ma maîtresse, j'avais la conscience de lui devoir ce qu'il y a de meilleur en moi. » L'Allemagne devient une de ces religions séculières qui emporte régulièrement notre intelligentsia parisienne déchristianisée. Gérard de Nerval évoquera dans *Lorely* « la terre de Goethe, de Schiller, le pays d'Hoffmann, la vieille Allemagne, notre mère à tous, Teutonia ». Une illumination mystique pour la « noble révoltée de 1813, la nation qui a soulevé l'Europe par générosité ». La germanophilie militante de Madame de Staël a triomphé.

Elle désarmera les légitimes méfiances françaises devant l'unification résistible de l'Allemagne et l'irrésistible montée en puissance de la Prusse. Le livre de Germaine a inoculé dans l'organisme national, et en particulier celui de ses élites progressistes, une maladie, qu'on dirait de nos jours « auto-immune », qui élimine les anticorps contre une menace mortelle. Comment se méfier et pourquoi se défier du « plus moral et cultivé de tous les peuples », comme dit encore Ernest Renan ? Le traditionnel militarisme prussien tourmente certains esprits ; on leur répond que la Prusse aura été une « Vendée du Nord », l'énergique moyen employé par l'Allemagne pour se délivrer de la menace de la France bonapartiste.

L'Allemagne, c'est Goethe, Kant, Beethoven. Désormais, les qualités de l'Allemagne sont dues aux Allemands tandis que ses défauts sont imputables à la France. Lorsque les armées de Bismarck écrasent les Autrichiens à Sadowa, en 1866, l'empereur Napoléon III s'inquiète enfin et tente d'enrayer la mécanique prussienne, qu'il a lui-même alimentée au nom du « principe des nationalités » ; mais les députés républicains refusent de voter les crédits pour renforcer l'armée française. Jamais l'Allemagne de Kant ne fera la guerre à la France, disent-ils ; celle de Bismarck si. Abasourdi par la défaite, Renan écrit en 1871 : « Tout ce que j'avais rêvé, désiré, prêché se trouve chimérique. » On dit que Michelet en mourut de chagrin. Victor Hugo rédige *L'Année terrible.*

Nos élites pleurent leurs illusions, mais n'y renoncent jamais. La défaite de 1870 comme la victoire de 1918 auront paradoxalement un même effet : renforcer encore l'attraction pour l'Allemagne. Après la défaite, il faut s'inspirer du modèle allemand qui nous a vaincus : la haute université, sous la houlette d'un Gabriel Monod, grand favori du nouveau régime républicain, vante la pensée allemande, la méthode allemande, l'université allemande. Après la victoire, et le traité de Versailles, il faut protéger et choyer cette Allemagne redevenue victime. Dans ces deux après-guerres, qui s'avéreront chaque fois des entre-deux-guerres, les rares audacieux, en particulier à l'Action française, qui osent résister au pacifisme et à la germanophilie ambiants, sont traités de « bellicistes » et de « germanophobes ». Une fois encore, les médias anglais, rejoints par les américains, feront chorus avec notre intelligentsia pour dénoncer et abattre l'impérialisme et le militarisme des successeurs de Napoléon, qu'ils aient pour nom Clemenceau ou Poincaré. Une fois encore, la France, désarmée moralement, intellectuellement, idéologiquement, s'effondrera militairement dans une défaite qui n'avait rien d'étrange.

Après juin 1940, les stéréotypes nés de la plume de Madame de Staël s'inverseront : la France et l'Allemagne échangeront leurs rôles et leurs images. L'Allemagne casque à pointe, militariste et brutale, la France, victime éplorée et terre des arts et de culture. Drieu la Rochelle conclura : « Puisque la France n'a pas réussi à être l'homme, elle sera la femme de l'Allemagne. » Comme l'a démontré l'historien Simon Epstein, dans *Un paradoxe français,* la Collaboration se fonde avant tout sur la volonté des élites venues pour la plupart de la gauche, de préserver la paix à tout prix, même si cette paix est allemande. L'Allemagne, c'est la paix, avait dit Madame de Staël.

Les empires français finissent toujours mal

Le testament de Germaine porte au-delà de l'Allemagne ; au-delà de Napoléon, au-delà du XIXe siècle. Cette maladie propre à l'intelligentsia française mélange la générosité sincère et la posture narcissique, l'amour de l'Autre et la haine de soi, l'universalisme et le mépris de classe, le baiser chrétien aux lépreux et le rejet du catholicisme. Dans une de leurs conversations, Malraux dira à de Gaulle : « Depuis le XVIIIe siècle, il y a en France une école des âmes sensibles, dans laquelle les femmes de lettres jouent d'ailleurs un rôle assez constant… La littérature est pleine d'âmes sensibles dont les prolétaires sont comme les bons sauvages. »

L'Allemagne avait détruit les espoirs chimériques mis en elle ; elle n'avait pas détruit la quête de chimères. La chute brutale de Napoléon avait accouché de cette folle passion pour l'Allemagne ; la lente désintégration de notre empire colonial lèvera parmi nos intellectuels une cohorte de défenseurs des peuples opprimés. Les empires français finissent toujours mal.

La comtesse de Boigne, en habituée du château de Coppet, avait confessé dans ses Mémoires : « Je ne puis me rappeler sans honte les vœux antinationaux que nous formions et la coupable joie avec laquelle l'esprit de parti nous faisait accueillir les revers de nos armées. »

Un siècle plus tard, Jean-Paul Sartre, dans sa célèbre préface à un texte du révolutionnaire tiers-mondiste Frantz Fanon, exhortera au meurtre des colons en Algérie. De nombreux militants communistes et anticolonialistes porteront les valises d'armes et d'argent du FLN, qui assassinera pieds-noirs français et harkis ayant choisi la France.

Les intellectuels libéraux et progressistes, cosmopolites et humanistes, amis de Madame de Staël, s'allièrent aux pires autocraties pour appeler tous les peuples européens à la révolte contre l'impérialisme français. Un siècle plus tard, le congrès des Peuples d'Orient organisé par les bolcheviks à Bakou, en septembre 1920, dénonçait la colonisation, l'impérialisme, la bourgeoisie, et appelait les peuples du tiers-monde à rejoindre le camp de la révolution communiste. C'est là que s'édifie le statut de l'immigré comme victime et du musulman comme nouveau prolétaire. C'est à ce congrès que sont célébrées les noces du communisme et de l'Islam, de la révolution prolétarienne et du djihad. « L'islam est un communisme avec Dieu », dira le grand spécialiste de l'Islam, Maxime Rodinson.

COPPET PARTOUT

L'Allemagne des poètes et des artistes avait été une religion ; les peuples du Sud devinrent un nouveau peuple-Christ chargé de la rédemption de nos vieilles nations fatiguées. Même quand la Prusse se montrait brutale et menaçante, nos adorateurs parisiens demeuraient dans le déni : la Prusse passera, l'Allemagne restera, distinguait-on avec subtilité. De même, leurs lointains héritiers, en bons sophistes, ont-ils édifié un mur théorique entre islamisme et islam, afin de préserver l'image immaculée de ce dernier. Avant la guerre de 1870, les rares visiteurs français de Berlin revenaient épouvantés, mais taisaient avec prudence ce qu'ils avaient vu. De même, lorsque Simone de Beauvoir voyagea en Algérie après l'indépendance, durant les années 1960, notre féministe s'offusqua des pratiques patriarcales maintenues et même restaurées par ses amis « progressistes » ; mais les lecteurs du *Deuxième Sexe* n'en surent rien.

L'Islam est l'Allemagne de notre génération. Acteurs, chanteurs, écrivains, journalistes, animateurs font chorus pour défendre une vision irénique de cette « religion de paix, d'amour et de tolérance ». Ils sont tous des enfants de Germaine. Sa progéniture a proliféré. Elle raconte ses états d'âme et ses tourments dans ses petits romans autobiographiques. Comme à Coppet jadis, chacun « exprime son talent » et est persuadé de l'intérêt planétaire de son petit tas de secrets. Germaine de Staël a été entendue jusqu'à plus soif, même si ses lointains héritiers ont perdu son talent d'écriture et le charme de sa prose légère et vive.

Sa victoire est totale, comme l'avait prophétisé Sainte-Beuve : « Son existence ne fut-elle pas comme un grand empire qu'elle [fut] sans cesse occupée, non moins que cet autre conquérant, son contemporain et son oppresseur, à compléter et à augmenter. » Germaine de Staël est revenue à Paris et n'en sera plus jamais exilée. On loue son art de vivre et d'écrire, son libéralisme et son européisme, son cosmopolitisme, son mari suédois et son père suisse, son amour de l'Italie et de l'Allemagne ; on dénonce les ringards qui l'ont moquée et méprisée : de vils misogynes. Napoléon et ses derniers adorateurs sont condamnés à vivre à Sainte-Hélène jusqu'à la fin de leurs jours.

Sur les plateaux de télévision, ce ne sont que talk-shows, politique spectacle et divertissement : Coppet partout et tous les jours.

Et Germaine parle, parle, parle…

Monte-Cristo

La vengeance du serpent

C'est l'histoire d'un messie revenu sur terre pour se venger. Une histoire sainte renversée, retournée, profanée. Où la colère de Dieu se fait loi du talion ; où les méchants sont punis de leur méchanceté, où les traîtres paient leur trahison ; où si les puissants ne gagnent pas, les faibles et les pauvres ne perdent pas. Un conte moral à force d'immoralité. Une machine à mensonges qui débite la vérité. Une épopée de la vindicte, une *Odyssée* moderne, qui passionne les foules dès sa publication dans le *Journal des débats*, d'août 1844 à janvier 1846, sous forme d'un roman-feuilleton de cent cinquante épisodes. Le livre de mille cinq cents pages prend alors sa forme définitive ; le comte de Monte-Cristo devient un de ces héros de fiction que le monde entier, par-delà les différences de races et de civilisations, s'approprie comme un frère, à la fois romanesque et réel, charnel et éternel, étranger et proche : un archétype universel. Un mythe.

Notre héros détruit la méchanceté par la méchanceté, la félonie par la félonie, le crime par le crime. Et l'argent par l'argent. Le comte de Monte-Cristo est la version française et romanesque des thèses de Karl Marx : « Les humiliés et les offensés n'ont jusqu'ici eu de l'indulgence pour les salauds de ce monde que sous différents prétextes. Il s'agit de se venger d'eux. »

Les méchants portent tous les « masques de caractère du capital », selon l'expression marxiste : Caderousse, la canaille qui incarne l'homme de main ; Villefort, le juge corrompu devenu procureur général, qui a condamné Dantès pour protéger sa carrière alors qu'il le sait innocent ; Fernand, jaloux de l'amour que lui porte la belle Mercedes, devenu général et pair de France, après avoir épousé l'ancienne promise de Dantès ; et Danglars, prêt à tout pour arriver, devenu banquier et baron.

Edmond Dantès est revenu à Paris en 1838, sous la monarchie de Juillet. C'est le règne de tous les possibles et de toutes les injustices ; de toutes les fortunes et de toutes les misères. La bourgeoisie a supplanté la noblesse ; elle a asservi le prolétariat. Le comte de Monte-Cristo use d'anciens attributs aristocratiques, la force, l'audace, l'intrépidité, pour venger ceux qui n'ont rien. Il est le grand consolateur. Le révolutionnaire communiste italien, Antonio Gramsci, expliquera un siècle plus tard qu'à ses yeux la figure philosophique du « surhomme » forgée par Nietzsche sort toute casquée du roman d'Alexandre Dumas. « Quoi qu'il en soit, on peut affirmer que beaucoup de la prétendue surhumanité nietzschéenne a comme origine et modèle doctrinal non pas *Zarathoustra,* mais *Le Comte de Monte-Cristo* d'Alexandre Dumas. »

Monte-Cristo, de gauche à droite

Après avoir été le père de tous les révolutionnaires du XIXe siècle, le comte de Monte-Cristo deviendra celui de tous les « guides » du XXe siècle. Le prémarxiste se muera en préfasciste ; il passera de gauche à droite, du socialisme au fascisme, à la manière d'ailleurs des Mussolini, Hitler et autres Déat ou Doriot.

Dumas aura des imitateurs à foison ; son comte de Monte-Cristo fonde une famille nombreuse, les Rocambole, Arsène Lupin, Fantômas, Superman. Le surhomme se fera super-héros, sortira du roman pour le cinéma ou la bande dessinée. Dans le même temps, il ne sera plus aussi subversif, et rentrera dans le rang du conformisme social ; la bourgeoisie ne le craint plus mais l'admire et le plébiscite ; elle l'a récupéré. Aseptisé. L'ordre social n'est plus à miner, mais à intégrer. Le super-héros n'accuse plus la société, mais vend de la sensation. L'ouvrier a fait place au bourgeois ; le lecteur à la lectrice. La vindicte est devenue sentiment. L'huile de ricin est devenue eau de rose.

Alexandre Dumas nous avait lui-même annoncé cette apostasie. Épargnant son ultime victime, Danglars, Dantès confesse qu'il s'est pris pour Dieu et veut redevenir un homme parmi les hommes. Il conclut sa lettre par sa célèbre formule : « Toute la sagesse humaine sera dans ces deux mots : attendre et espérer ! »

Cette ultime humilité, ce fatalisme oriental, sont aussi peu crédibles que les improbables issues heureuses dans les comédies de Molière. C'est un double renoncement, une double chute. Alexandre Dumas abandonne son héros et le comte de Monte-Cristo quitte le camp des malheureux pour se fondre dans celui des rentiers heureux. Mais il ne faut pas se fier aux apparences. Cette désinvolte révérence est une parabole. Un mystère dans le mystère. Une prophétie dissimulée.

Edmond Dantès a été arrêté en 1814 pendant que Napoléon résidait encore à l'île d'Elbe. Le début du roman est plein de bruits sur son retour. Les royalistes s'affolent et craignent l'arrivée soudaine de l'« usurpateur ». Dantès est arrêté sous le prétexte fallacieux d'avoir servi d'intermédiaire entre Murat, l'Empereur déchu et les réseaux bonapartistes. Quand il revient à Paris, en 1838, il découvre que la monarchie de Juillet est douce aux anciens serviteurs de l'Empereur reconvertis. Ils sont ministres, banquiers, généraux, pairs du royaume. Louis-Philippe a engagé une vaste entreprise de récupération des hommes et de la gloire impériale. Au nom de la concorde nationale, il a achevé les travaux de l'Arc de triomphe – qui avaient été interrompus sous la Restauration – et rapatrié les cendres de l'Empereur.

Victor Hugo conte dans *Choses vues* le spectacle grandiose

de ce dernier voyage vers les Invalides, et la ferveur populaire, en particulier des survivants de la Grande Armée, que rien n'arrête, ni l'âge, ni la neige, ni la bise polaire qui glace l'atmosphère parisienne en ce mois de décembre 1840, pour passer la nuit au pied de leur « Petit Tondu ». Victor Hugo ne manque pas non plus de décrire par le menu le contraste saisissant entre cette passion populaire spontanée et la froideur, le dédain, voire le discret mépris sarcastique que manifestent les classes dirigeantes au cours de la cérémonie officielle.

À l'instar de Victor Hugo, Alexandre Dumas connaît intimement cette histoire de la fin de l'Empire. Il est lui aussi le fils d'un général révolutionnaire devenu bonapartiste, avant de se brouiller avec le futur Empereur. Lui aussi est fasciné par la légende napoléonienne. Au début des années 1840, Dumas se lie d'amitié avec Jérôme Bonaparte, ex-roi de Westphalie, qui séjourne alors à Florence. Il accompagne le fils de celui-ci dans un périple italien qui les conduit jusqu'à l'île d'Elbe, en partant de Livourne sur un petit bateau. Ils désirent alors se rendre sur l'île voisine de Monte-Cristo, mais ne peuvent l'aborder en raison des épidémies. Dumas insiste pour en faire le tour, à la grande surprise du jeune prince, qui demande : « À quoi cela sert-il de faire le tour de cet îlot ? »

Dumas répond, énigmatique : « À donner, en mémoire de ce voyage que j'ai l'honneur d'accomplir avec vous, le titre de *L'Île de Monte-Cristo* à quelque roman que j'écrirai plus tard. »

Monte-Cristo et Napoléon III

Alexandre Dumas rend aussi visite à Louis Napoléon Bonaparte, enfermé alors au fort de Ham pour sa tentative ratée de coup d'État ; mais il ne l'avouera jamais. Le sort de Monte-Cristo et celui du futur Empereur sont mystérieusement liés. Tous deux ont été trahis et faits prisonniers au nom du glorieux Empereur. Tous deux s'évaderont et reviendront à Paris en triomphateurs pour se venger de ceux qui les ont dédaignés, méprisés, trahis. Tous deux se voudront les hérauts des petits, des sans-grades, des pauvres. Tous deux seront des militants de l'« extinction du paupérisme ». Tous deux ont des liens avec des comploteurs italiens, moitié voyous moitié militants révolutionnaires, moitié maffieux moitié carbonari. Monte-Cristo devient le roi de la capitale, fêté par le Tout-Paris qui chante et qui danse. Louis Napoléon Bonaparte sera élu président de la République en 1848, avec une écrasante majorité, avant de devenir empereur des Français, ouvrant alors un cycle de vingt années de « fête impériale ».

Monte-Cristo est Napoléon III et Napoléon III est Monte-Cristo. Le livre de Dumas annonce l'avènement du futur Empereur. Il ajoute une touche supplémentaire de romanesque et de mystère à une légende napoléonienne déjà surchargée. Louis Napoléon Bonaparte s'est enfui du fort de Ham en 1846, l'année de la publication du *Comte de Monte-Cristo.* La fiction et la réalité se mêlent à un point extrême, troublant même. Dans cet ouvrage, Fernand est devenu le riche baron de Montcerf pour prix de sa trahison de Napoléon à la bataille de Ligny, la veille de la bataille de Waterloo.

Dans la biographie du général Valence, Gabriel de Broglie raconte une rencontre entre ce dernier et Wellington en juillet 1815, quelques semaines après Waterloo, alors que leurs voitures se croisent à l'angle de la rue d'Anjou et du faubourg Saint-Honoré. Valence demande à l'Anglais comment il a osé avancer sur Paris alors que ses troupes l'attendaient.

Wellington sourit : « Du moment où Napoléon eut abdiqué, nous reçûmes du duc d'Otrante jusqu'à quatre dépêches par jour portant : Arrivez. Le gouvernement provisoire vous garantit qu'il n'y aura aucun combat, mais arrivez.

– Et le maréchal Soult ? interroge Valence.

– Il avait vingt-cinq millions à la banque d'Angleterre », répond Wellington.

L'IDÉAL FUNESTE DE LA FRANCE

Les comptes ne seront jamais soldés. Les partisans de l'Empereur ne pardonneront jamais aux traîtres qui l'ont abandonné. Comme les partisans du roi ne pardonneront jamais à ceux qui l'ont guillotiné. Comme les aristocrates ne pardonneront jamais aux acheteurs de biens nationaux qui les ont spoliés. Comme les ouvriers ne pardonneront jamais aux bourgeois qui les ont exploités. Comme les communards ne pardonneront jamais aux Versaillais qui les ont massacrés. Comme les bourgeois ne pardonneront jamais au front populaire qui les a effrayés. Comme les catholiques et les socialistes ne pardonneront jamais aux juifs d'avoir livré leur pays aux mains de la finance. Comme les juifs ne pardonneront jamais à Vichy de les avoir donnés aux Allemands. Comme les pieds-noirs ne pardonneront jamais à de Gaulle de les avoir trahis en bradant l'Algérie. Comme les immigrés venus d'Afrique ne pardonneront jamais la France de les avoir colonisés. Comme les femmes ne pardonneront jamais aux hommes de les avoir mal-aimés.

Le Comte de Monte-Cristo est un chef-d'œuvre prophétique parce que Alexandre Dumas y définit l'idéal funeste qui va occuper la France pendant les deux siècles à venir : la vengeance.

Victor Hugo

Présumé innocent

C'est un effet de manche dont use et abuse le moindre avocaillon de sous-préfecture. On se le transmet de génération en génération, de prétoire en prétoire, de plaidoirie en plaidoirie. « Mon client a tué, mon client a torturé, mon client a volé, mais ce n'est pas de sa faute, monsieur le président. Il a eu une enfance malheureuse, son père l'a violé à 5 ans, sa mère l'a abandonné à trois, il a été battu, humilié, a vécu dans la misère, c'est la société qui l'a rendu méchant, il était bon, il faut lui donner une seconde chance, on peut, on doit le rééduquer, il est une victime, la vraie victime, il est malade, il est fou, le psychiatre dit qu'il faut le soigner… »

Les avocats, les journalistes, les assassins, les délinquants entonnent sans se lasser cette ritournelle. Toutes les victimes la connaissent aussi. Celles-ci savent désormais qu'elles seront oubliées, escamotées, niées, quand elles ne seront pas ostracisées, méprisées, voire brocardées ou insultées. La double peine.

Qu'on s'en afflige ou s'en réjouisse, c'est un fait irréductible que ce climat compassionnel et victimaire où baigne la France depuis des décennies, sans que l'on en distingue bien les sources, qu'elles soient historiques, religieuses, culturelles, sociologiques, psychologiques.

Son père est pourtant un des personnages les plus célèbres de l'Histoire de France. Un des Français les plus connus dans le monde aussi. Son patronyme est une avenue ou un boulevard de toutes les villes de France. Ses formules sont la bénédiction des politiques et des étudiants en mal d'inspiration.

Ce père de famille nombreuse faite d'avocats, de journalistes, d'écrivains, de politiques, de sociologues, de psychologues, communiant dans le culte du criminel, c'est Victor Hugo.

À la seule évocation de ce nom, il nous faut oublier et élaguer les images et les souvenirs qui affluent : le patriarche à la barbe blanche, la foule avenue d'Eylau pour sa mort, le *great old man* dans les journaux anglo-saxons, l'exilé de Guernesey, le grand-père gâteau de *Lorsque l'enfant paraît*, et le chantre immortel de nos gloires passées, les « Waterloo, Waterloo, morne plaine ». Oublier le grand amoureux et le mâle turgescent, Juliette Drouet, les soubrettes et les prostituées. Oublier la légende des siècles. Oublier Quasimodo et Esmeralda. Oublier Cosette et l'homme qui rit.

Il faut revenir en 1829. Victor Hugo a 27 ans. Il est déjà un poète et un dramaturge controversé. Un jeune Turc romantique et royaliste. Il n'a pas encore accompli le destin auquel il s'est voué : « Être Chateaubriand ou rien. » Cette année-là, il publie *Le Dernier Jour d'un condamné*. Ce livre n'est ni un roman, ni un poème, ni une pièce de théâtre. Il est bien connu des enfants d'aujourd'hui, qui l'étudient quasiment tous au collège. L'auteur parle à la première personne. Il est un condamné qui se confie quelques heures avant son exécution : sa peur de mourir, son angoisse de la guillotine, sa tristesse de quitter la vie. Le lecteur se prend très vite de sympathie pour cet assassin cultivé, sensible, qui sait le latin ; et s'attendrit en songeant à son adorable « petite fille de trois ans, douce, rose, frêle, avec de grands yeux noirs et de longs cheveux châtain ». Le condamné ressemble comme un frère à Victor Hugo : sa fille a l'âge de Léopoldine ; il en a même les souvenirs d'enfance au jardin des Feuillantines.

On ne sait rien du crime qu'il a commis. On ne sait rien de sa victime non plus. On ne sait rien du procès, des témoignages, des plaidoiries. Victor Hugo a mis en œuvre la célèbre recommandation de Jean-Jacques Rousseau en ouverture du *Contrat social* : « Écartons d'abord tous les faits. » Il n'est pas dans la justice, il n'est pas dans le bien et le mal, dans le juste et l'injuste, il est dans l'émotion et la compassion, la seule compassion pour le criminel. Le crime et sa victime sont effacés, occultés. Néantisés. Le procédé est redoutablement efficace : l'auteur nous interdit de nous pencher sur les fautes de son héros ; de comparer sa peine à ses crimes ; de réfléchir, raisonner, rationaliser, jauger, juger. Punir. Condamner. Il a désarmé toutes nos défenses face à la compassion unilatérale. La victime est doublement victime, du meurtre et du déni de compassion, tandis que l'assassin est sacré comme seule victime digne d'intérêt.

Mettre à mort la peine de mort

Ce renversement de perspective est au service d'un seul objectif : mettre à mort la peine de mort. La rendre illégitime. Dans sa préface de 1832, Victor Hugo avoue hautement que son livre n'est pas « autre chose qu'un plaidoyer, direct ou indirect, comme on voudra, pour l'abolition de la peine de mort ».

Le Dernier Jour d'un condamné est un ouvrage de propagande qui met le génie littéraire d'un des plus grands écrivains français au service d'une entreprise de subversion inédite. Victor Hugo en est tout à fait conscient : il écrit que « si l'avenir lui décernait un jour la gloire [d'avoir délégitimé la peine de mort par son livre] il ne voudrait pas d'autre couronne ». Il souhaite, ajoute-t-il, « donner son coup de cognée et élargir de son mieux l'entaille que Beccaria a faite, il y a soixante-dix ans, au vieux gibet dressé depuis tant de siècles sur la chrétienté ».

Victor Hugo est pour une fois trop modeste. En se mettant dans les pas du grand juriste italien du XVIIIe siècle et son *Dei delitti e delle pene*, publié à Livourne, en 1764, premier texte de l'histoire de l'Europe qui remette en cause le principe de la peine de mort, il dissimule l'audace de sa transgression.

Car Beccaria lui-même prévoit, en certains cas extrêmes, que la peine de mort puisse subsister. À part Beccaria, tous les grands auteurs des Lumières défendent la peine de mort : Montesquieu, Voltaire, Diderot, Rousseau.

Victor Hugo est le premier abolitionniste absolu de l'Histoire. Son slogan a le mérite de la simplicité qui parle aux imaginations : « Pas de bourreau où le geôlier suffit. »

Victor Hugo a fini par gagner. Il n'en a jamais douté : « Au reste qu'on ne s'y trompe pas, cette question de la peine de mort mûrit tous les jours. Avant peu, la société entière la résoudra comme nous. » Il fallut pourtant près de cent cinquante ans pour inscrire, en France, sa victoire dans le marbre de la loi. Cent cinquante ans de controverses, d'invectives, d'anathèmes. Cent cinquante ans pour convaincre une majorité de Français qui ne sera jamais convaincue. Le ministre socialiste de la Justice qui accomplira en 1981 le rêve d'Hugo, l'avocat Robert Badinter, reconnaîtra volontiers que l'abolition de la peine de mort était contraire au « sentiment général des Français ». Mais les intellectuels, les médias, et toutes les élites progressistes, pourtant hérauts sourcilleux du respect sacro-saint des règles démocratiques, tresseront des couronnes au président Mitterrand, qui avait osé, en pleine campagne électorale, assumer ses convictions, malgré l'hostilité majoritaire du peuple.

C'est que les abolitionnistes placent leur combat au-delà des lois démocratiques, dans un empyrée qui relève de la mystique davantage que de la politique. C'est à cette hauteur sacrée que Victor Hugo a d'emblée placé son combat : il ne connaît pas « de but plus élevé, plus saint, plus auguste que celui-là : concourir à l'abolition de la peine de mort ». Et promet, tel un prophète biblique, qu'une fois l'horrible châtiment supprimé « la douce loi du Christ pénétrera enfin le code et rayonnera à travers. On regardera le crime comme une maladie, et cette maladie aura ses médecins qui remplaceront vos juges, vos hôpitaux qui remplaceront vos bagnes [...]. On traitera par la charité ce mal qu'on traitait par la colère. Ce sera simple et sublime. La croix substituée au gibet. Voilà tout ».

Dans un texte court mais brillant, intitulé *Hugo aimait les assassins*, le juriste Jean-Louis Harouel rattache le combat du poète à toutes les tentations millénaristes des siècles passés, ces hérésies, régulièrement condamnées par l'Église, qui ont voulu dévier le christianisme vers l'instauration du règne sur la Terre de la loi du Christ. Pourtant, Jésus avait d'avance refusé ce rôle par sa célèbre phrase : « Mon royaume n'est pas de ce monde. » Laïcisés après la Révolution française, ces millénarismes sont les matrices des « religions séculières » qui, du socialisme au communisme, en passant par le fascisme et le nazisme, promettront le bonheur sur Terre pour mille ans. De son côté, Philippe Muray, dans son livre *Le XIXe siècle à travers les âges*, démontre avec éclat les liens étroits qu'entretiennent socialisme et occultisme, rappelant que Victor Hugo faisait souvent tourner les tables, pour converser avec Napoléon, Chateaubriand ou Robespierre.

LE VÉRITABLE ET RÉPUGNANT VISAGE DU CRIME

Le plan de Victor Hugo est au-delà de l'humain. Le poète réside dans des nuées où nous autres, médiocres êtres rationnels, nous n'avons pas l'honneur d'être admis. L'abolition de la peine de mort elle-même n'est en réalité qu'un moyen au service d'une humanité régénérée. Le mal que le christianisme place dans l'homme, Victor Hugo le place dans la société. Cet homme était « pur » avant de tuer, nous assène-t-il. « Et pourtant, misérables lois et misérables hommes, je n'étais pas méchant », s'écrie le condamné à mort. Tous ses pairs, du voleur à la tire jusqu'à l'assassin en série sont ainsi touchés par la grâce hugolienne : « Pauvres diables que la faim pousse au vol, et le vol au reste ; enfants déshérités d'une société marâtre, que la maison de force prend à douze ans, le bagne à dix-huit, l'échafaud à quarante ; infortunés qu'avec une école et un atelier vous auriez pu rendre bons, moraux, utiles. »

Pourtant, ceux qui ont côtoyé ou étudié les criminels s'avèrent plus réservés. Dans ses *Essais sur le monde du crime*, l'écrivain russe Varlam Chalamov, qui a vécu aux côtés de la pire pègre dans les pénitenciers staliniens, se désole : « La littérature de fiction a toujours représenté le monde des criminels avec sympathie et parfois complaisance… Les artistes n'ont pas su discerner le véritable et répugnant visage de cet univers… Victor Hugo a vu le monde du crime comme protestant contre l'hypocrisie de l'ordre régnant. »

Notre poète nous décrit un condamné hanté par la guillotine, psychologie que les spécialistes qui ont approché des condamnés à mort démentent. Le sociologue Raymond Boudon a expliqué, dans son livre *Pourquoi les intellectuels n'aiment pas le libéralisme*, que la criminalité n'est pas le résultat mécanique d'un déterminisme social : « La plupart des personnes nées dans un milieu criminogène ne commettent jamais aucun crime ni délit… l'interprétation causaliste de la délinquance est inacceptable. »

Victor Hugo n'en a cure. Son condamné à mort est d'ailleurs un bourgeois raffiné, pas un pauvre hère. Quelle que soit sa classe sociale d'origine, un criminel est forcément une victime. C'est pour lui une croyance religieuse : la société est seule coupable. La société des honnêtes gens. C'est l'ordre qui est le désordre, et le désordre qui est amour. Robert Badinter, en bon disciple, ne dira pas autre chose : « Je ne me sens pas au fond du côté des honnêtes gens, des victimes. » Relatant une de ses plus célèbres affaires, où il ne put arracher ses clients à la guillotine, Buffet et Bontemps en 1972, l'avocat décrit le procès d'assises comme une « chasse à courre » et les assassins comme un « gibier qu'on force ». Une seule chose compte pour lui : « Sauver l'assassin dont il assure la défense. » Un assassin qui est à ses yeux la seule victime. Victime de la justice et de la société. Victime, victime, victime. Victime qu'il faut sauver, qu'il faut soigner, qu'il faut rééduquer. Victime qu'il faut aimer. Badinter est bien l'héritier d'Hugo. Charles Péguy ne s'y trompera pas : « Hugo aimait les assassins, c'est un fait. […] Il faut le dire, il avait une prédilection particulière pour les assassins. Ils sont partout dans son œuvre en des points secrets de compétence. En des points de complaisance... Cette grande prédilection pour les assassins, c'est encore la grosse innocence de Hugo. Sa grosse ignorance. Du bien et peut-être surtout du mal. »

Cette fascination pour les assassins est un des fils rouges de son œuvre. Dans *Les Misérables*, il exalte la figure du bagnard évadé Jean Valjean, paré de toutes les vertus, et peint le représentant de l'ordre, le commissaire Chabert, sous les couleurs les plus sombres. Son chef-d'œuvre devait s'intituler *Les Misères*. Tous ceux qui appellent notre compassion, miséreux, marginaux, exclus, jusqu'aux pires criminels, y sont sanctifiés. C'est dans ce roman qu'on trouve la fameuse apostrophe, devenue la devise de tous les progressistes : « Une école qu'on ouvre, c'est une prison qu'on ferme. » Le criminel est une victime de la société, coupable de ne pas l'avoir éduqué ou de ne pas lui avoir procuré du travail.

Le même objectif que Robespierre

Victor Hugo a forgé l'arme absolue, l'arme de destruction massive : la compassion. L'amour qu'il porte à tous les assassins, et au-delà à tous les déviants, va faire trembler sur ses bases une société française déjà bouleversée par la Révolution. Hugo poursuit finalement le même objectif que Robespierre : la création d'une humanité régénérée. Ce que « l'Incorruptible » tenta de réaliser par la guillotine, le poète génial l'accomplit par l'amour.

Dans son *Victor Hugo*, Barbey d'Aurevilly jauge avec une rare lucidité l'intention de l'auteur des *Misérables* : « Le dessein du livre, c'est de faire sauter toutes les institutions sociales, les unes après les autres, avec une chose plus forte que la poudre à canon, qui fait sauter les montagnes – avec des larmes et de la pitié... Son public, ce sont les femmes et les jeunes gens... C'est pour tous ces cœurs, impétueusement ou tendrement sensibles, qu'il a combiné les effets d'un livre arrangé à donner toujours raison à l'être que la société punit contre la société qui le punit. »

Les Misérables, ou le triomphe de l'avocat sur le ministère public, de la sensiblerie sur le bon sens. Victor Hugo bâtit du sublime sur du faux. Son faux devient réalité. Victor Hugo et tous les écrivains qui l'ont imité n'ont pas seulement perverti les esprits juvéniles, en leur présentant une image mythifiée et fallacieuse des milieux de la pègre, mais ont surtout désarmé la société face à leurs agissements. En rendant la peine de mort illégitime, Victor Hugo et ses émules ont rendu illégitime toute sanction. En faisant des criminels les victimes, ils ont fait des victimes des criminels, puisque au fond représentants malgré eux de cette société honnie. Cette « inversion accusatoire » nourrit la déstructuration des sociétés modernes et l'ensauvagement d'une jeunesse délinquante qui a fait de la « culture de l'excuse » une seconde nature.

Victor Hugo ne pensait pas à mal. Il est un Balzac qui étale son « grand cœur », quand Balzac cachait le sien. Il est, comme dit Léon Daudet, « l'homme qui ne peut pas s'effacer, qui ne peut pas s'en aller, qui demeure attaché à ses métaphores par le je et par le moi ». Sa maîtresse Juliette Drouet était une actrice. Elle fit de lui un grand poète en représentation devant l'univers. Il se laissa faire avec une rare complaisance. Il avait des excuses. Il perdit ou vit sombrer dans la démence ses quatre enfants. Sa femme le trompa avec Sainte-Beuve, qui ne put s'empêcher de le clamer dans Tout-Paris. Pour celer sa souffrance, Victor Hugo, dans ses soirs de beuverie, affirmait que c'était le propre des grands hommes : Napoléon avait lui aussi été trompé par Joséphine. Sur les photos qu'il nous reste de lui, il a toujours la main dans le gilet comme son illustre modèle. Il veut être Napoléon et Chateaubriand à la fois. Il n'a pas choisi son lieu d'exil au hasard : Guernesey est un mélange de Sainte-Hélène et du Grand Bé.

Un romantique baroque et barbare

Son travers a été de vouloir étonner. Il a cru qu'il était plus beau de lâcher la bride à toutes ses intuitions et impulsions que de les ordonner. Victor Hugo est un poète génial et un grand lyrique. Son verbe jaillit, lumineux et puissant, sous le coup de l'émotion. Il confond l'extraordinaire et le sublime, le monstrueux et l'admirable. Victor Hugo est un auteur baroque méconnu. C'est par son baroque qu'il a séduit les foules, qui l'ont pris aussitôt pour du sublime. Son romantisme du criminel est avant tout un romantisme. Comme le dit Léon Daudet avec une rare sagacité : « Tout le romantisme est issu de cette confusion du baroque et du sublime... À cette littérature baroque a correspondu une politique baroque. Toutes les erreurs politiques et littéraires aboutissent à la barbarie. Qu'est-ce en somme que la barbarie ? C'est l'extension de la confusion mentale. La glorification de l'instinct, et la fausse règle du cœur primant la raison. »

Il faudra attendre un siècle, et deux guerres mondiales, pour que la mystique hugolienne finisse en politique. L'ordonnance de 1945 sur la délinquance juvénile privilégie l'éducation sur la punition. À partir des années 1960, de jeunes magistrats d'extrême gauche réunis au sein du Syndicat de la magistrature promettent de juger non selon la loi, mais selon leurs consciences. La justice sera subversive ou ne sera pas. C'est la célèbre « harangue de Baudot », qui était distribuée aux étudiants de l'École nationale de la magistrature, pendant les années 1970 : « Soyez partiaux... pour maintenir la balance entre le fort et le faible, le riche et le pauvre, qui ne pèsent pas du même poids, il faut que vous le fassiez un peu pencher d'un côté. C'est la tradition capétienne [...]. Ayez un préjugé favorable pour la femme contre le mari, pour l'enfant contre le père, pour le débiteur contre la compagnie d'assurances de l'écraseur, pour le malade contre la Sécurité sociale, pour le voleur contre la police, pour le plaideur contre la justice. »

Beaucoup d'entre eux tiendront parole. Au grand dam des policiers, et des victimes, nos « juges rouges » mettront en prison des notaires et des ministres, mais relâcheront des clandestins et des délinquants multirécidivistes. Nos grandes consciences de gauche prétendent que la prison est criminogène ; qu'il faut tout faire pour l'éviter. On multiplie les peines de substitution et les remises de peine. On refuse de construire de nouvelles prisons. L'objectif prioritaire de notre politique pénale est la rééducation des prisonniers. On se gargarise de la formule hugolienne sur les écoles et les prisons. Nos écoles n'ont jamais été aussi nombreuses, mais beaucoup sont devenues le lieu d'apprentissage du crime. Du trafic de drogue, certains passent au grand banditisme, d'autres au djihadisme. Après avoir volé, ils tuent, ils égorgent, ils massacrent au nom de Dieu. La réaction de nos politiques, de nos médias et de nos intellectuels est toujours la même : c'est un fou qu'il faut soigner ; un psychopathe qui doit être enfermé en asile psychiatrique ; une victime de notre société raciste et colonialiste.

Nous vivons dans le monde rêvé par Victor Hugo. Celui des bougies qui répondent aux couteaux. Des « Vous n'aurez pas ma haine » qui répliquent aux « *Allahu akbar* ». Le rêve christique du poète génial est devenu notre cauchemar.

Dans *Les Misérables*, Victor Hugo fait dire à l'étudiant révolutionnaire Enjolras : « Citoyens, le XIXe siècle est grand, mais le XXe sera heureux. » Après les deux guerres mondiales, les massacres de masse, les génocides, les dictatures totalitaires, les héritiers du grand homme ont amendé et renouvelé la prophétie hugolienne : le XXe siècle fut horrible, disent-ils, mais le XXIe sera heureux.

N'ayons aucun doute : le pire sera au rendez-vous.

Rothschild

« Vous êtes juif, Jacob ? »

Nucingen, c'est lui. Balzac lui a tout pris : son titre de baron, sa fortune colossale, son cynisme sans scrupule, sa rapacité de loup-cervier, ses ramifications financières internationales, son influence politique ; et son accent allemand qui rend grotesques ses moindres propos, même les plus austères ou les plus tendres.

Nucingen, c'est le baron James de Rothschild. Une des rares fois, peut-être la seule, où le nom du modèle pris dans la réalité est plus célèbre que celui du personnage forgé par le génie balzacien.

Ce n'était pourtant pas la première fois que des banquiers devenaient si puissants qu'ils ne résistaient pas à la tentation de mettre sous tutelle le pouvoir politique.

Ce n'était pas la première fois que des « juifs de cour » faisaient fortune en fournissant aux armées ce qu'elles avaient de plus précieux, les approvisionnements et l'argent, comme on avait pu le voir pendant la guerre de Trente Ans, entre 1618 et 1648.

Ce n'était pas la première fois que les « juifs de cour » consolidaient des pouvoirs absolutistes. Pendant le XVIIe et le XVIIIe siècle, ils furent les hommes d'affaires des despotes européens et leur permirent d'édifier les États-nations modernes, sans passer sous les fourches caudines des Assemblées de nobles et de bourgeois. Les juifs devinrent ainsi le point de mire dans la bataille entre les gouvernements et les Assemblées.

Du Juif errant au Juif puissant

L'antisémitisme moderne est né de cette tentative longtemps retardée de lutter contre l'arbitraire royal. Les hommes des Lumières méprisaient les juifs. Ils voyaient en eux les survivants du Moyen Âge. Leurs seuls défenseurs étaient alors les auteurs conservateurs, tels Joseph de Maistre, qui dans *Les Soirées de Saint-Pétersbourg* dénonçait l'hostilité aux juifs, « l'une des thèses favorites du XVIIIe siècle ».

Les juifs ne possédaient ni État ni territoire ; ils devinrent le symbole du « système » européen. À l'article « Juif » de l'*Encyclopédie,* rédigé par Diderot, on pouvait lire : « Il en est d'eux comme des chevilles et clous qu'on emploie dans un grand édifice, et qui sont nécessaires pour en joindre toutes les parties. » Vieille, très vieille histoire. Henri Pirenne raconte que sous Charlemagne déjà, les commerçants juifs étaient les seuls autorisés à briser le « mur » entre l'empire d'Occident, chrétien, et l'empire d'Orient, islamisé par les soldats de Mahomet.

Les juifs furent longtemps l'élément le plus sûr de la société, puisqu'ils n'en faisaient pas vraiment partie. Ils servaient les États absolutistes qui les protégeaient. Ils étaient d'instinct avec le monarque, et se méfiaient de la plèbe. Les juifs étaient toujours conservateurs dans la France de la monarchie de Juillet et du Second Empire.

Les Rothschild ont le redoutable privilège d'incarner symboliquement à eux seuls cette longue histoire mouvementée. Ils sont à la fois tous les juifs et tous les banquiers, et tous les banquiers juifs. Ils sont le Moyen Âge et la modernité. Ils sont la richesse ostentatoire et le pouvoir occulte. Ils sont la famille repliée sur son enclos endogamique, où les hommes épousent leurs cousines ou leurs nièces, et l'individu libre tout-puissant. Ils sont liés à l'État-nation et à l'Europe cosmopolite. Ils sont la réaction et le progrès. Ils sont les produits de la guerre et les archanges de la paix.

À la fois « banquiers du monde entier » et « rois des juifs », les Rothschild sont la famille la plus riche de ce XIXe siècle. Plus qu'un nom : un emblème, une légende, noire et dorée à la fois, un mythe. Le nom de Rothschild vient de cet écusson rouge qui éclairait la maison qu'une famille de petits commerçants et de prêteurs sur gages de Francfort, les Amschel Mayer, avait acquise à la fin du XVIe siècle, dans la Judengasse, la rue des Juifs. À Francfort, les juifs représentaient 10 % de la population et n'avaient jamais été expulsés, même au Moyen Âge.

Ses relations étroites avec le landgrave de Francfort, lui-même apparenté au roi d'Angleterre, font peu à peu d'Amschel Mayer le principal banquier de la Coalition européenne qui lutte contre Napoléon. Entre 1811 et 1815, la moitié des subventions anglaises aux puissances continentales de la Coalition passe entre les mains des Rothschild. Ils deviennent tout naturellement la haute trésorerie de la Sainte-Alliance, qui réunit les vainqueurs de la France impériale, Anglais, Autrichiens, Prussiens et Russes. Les Rothschild ont désormais pignon sur rue dans chacune des grandes capitales européennes : Nathan est à Londres, Jacob à Paris, Salomon à Vienne, Charles à Naples ; seul Amschel est resté à Francfort avec son père.

Le vrai vainqueur de Napoléon

Jacob débarque à Paris en 1811, sous l'Empire. Il est le plus jeune fils de la fratrie. Après Waterloo, en 1815, sa maison, Messieurs de Rothschild frères, devient la plus importante de la place. En 1825, on évalue sa fortune à trente-sept millions de francs, quand le capital de la Banque de France est à peine de soixante. Il a même acquis le château de Ferrières, demeure de Fouché. La révolution de 1830 ne desservira guère ses intérêts ; il gérait déjà la fortune privée de Louis-Philippe. Il prend part à toutes les émissions d'emprunts d'État au cours des dix-huit ans du règne. La coutume était alors que chaque banquier soumissionnaire fît une offre ; le mieux-disant, après ouverture des enveloppes cachetées, acquérait les titres et les revendait au public. En 1823, Rothschild enlève un emprunt de vingt-trois millions de rente 5 % contre ses collègues Laffite et Lapanouze. Mais avant de déposer en dernier sa soumission, il a fait un détour par le bureau de Villèle, ministre des Finances de Louis XVIII…

C'est que Rothschild n'est pas un banquier comme les autres. Il est un symbole, un représentant, un ambassadeur : le symbole du retour des rois après vingt-cinq ans de « désordre » révolutionnaire et d'« usurpation » impériale ; le représentant de l'ordre pacifique mis en place par le congrès de Vienne ; l'ambassadeur à Paris du maître anglais. La fratrie de Francfort a fait sa fortune en soutenant la lutte contre Napoléon. L'Empereur avait tout pour leur déplaire : il refusait tout endettement et méprisait les fournisseurs de guerre.

Le Premier ministre britannique, Disraeli, ne manquera jamais une occasion de rendre hommage aux « vrais » vainqueurs de l'Empereur français. Tout Paris connaît l'histoire des fameux « courriers Rothschild » ; certains parlent même de pigeons voyageurs qui au soir de la bataille de Waterloo les informeront de la défaite de Napoléon, alors même que toute l'Europe est encore persuadée que les armées françaises sont victorieuses, permettant ainsi aux Rothschild d'acheter à la baisse du « papier » britannique, qui remontera bientôt dans l'euphorie de la victoire enfin confirmée des armées anglo-prussiennes.

Les origines allemandes de la famille et ses liens privilégiés avec l'Angleterre rappellent et résument d'ailleurs l'alliance fatale entre Wellington et Blücher. Leur défense de la paix européenne est vue par les patriotes français comme le maintien du statu quo issu du congrès de Vienne, qui consacre l'abaissement de la France et l'hégémonie britannique, ce qu'ils appellent avec horreur la « halte dans la boue ». Comme pour marquer avec éclat son anglomanie, après Waterloo, Jacob Amschel prend comme patronyme James de Rothschild. On murmure qu'il a lâché Charles X quand celui-ci a irrité l'Angleterre en s'emparant de l'Algérie. On n'oublie pas les liens qu'entretient de longue date avec la « perfide Albion » un Louis-Philippe qui écrivait déjà en 1808 : « Je suis prince français, et pourtant je suis anglais d'abord et par besoin, parce que nul ne sait plus que moi que l'Angleterre est la seule puissance qui veuille et qui puisse me protéger. Je le sais par principe, par opinion et par toutes mes habitudes. »

James de Rothschild est l'œil de Londres à Paris : « Je connais tous les ministres, se vante-t-il auprès de Madame de Nesselrode, je les vois journellement et dès que je m'aperçois que la marche qu'ils suivent est contraire aux intérêts du gouvernement, je me rends chez le roi que je vois quand je le veux... Comme il sait que j'ai beaucoup à perdre et que je ne désire que la tranquillité, il a toute confiance en moi, m'écoute et tient compte de ce que je lui dis. »

En 1840, Adolphe Thiers, président du Conseil de Louis-Philippe, tente de renverser l'ordre du congrès de Vienne. Il arme sur le Rhin, pour arracher cette rive gauche du fleuve que les Anglais avaient donnée à la Prusse. Le ton monte entre Paris et Berlin. Londres s'inquiète, Rothschild intrigue. Au nom de la paix, bien sûr. Thiers est renvoyé comme un domestique. « Il a été emporté par son stupide orgueil national », commente, laconique, James de Rothschild.

L'antisémitisme moderne a trouvé sa cible privilégiée et sa voie d'expansion. Il va recruter à pleines mains dans les cénacles athées, révolutionnaires, sans-culottes, anticléricaux et républicains. Un certain esprit montmartrois chantonne alors une « *Marseillaise* antijuive ». Toussenel, l'auteur du célèbre *Les Juifs rois de l'époque*, signe une charge virulente contre les Rothschild et les féodalités financières. Pour lui, le terme « Juifs » englobe les Anglais et les protestants : « Le peuple français, soi-disant affranchi par la révolution de 89 du joug de la féodalité nobiliaire n'a fait que changer de maîtres... Juif, usurier, trafiquant sont pour moi synonymes... Qui dit Juif, dit protestant, sachez-le. »

Antisémitisme patriotique et anglophobe

Les juifs et protestants sont mis dès l'origine dans le même sac des ennemis de la France, et dans ce même sac de la modernité capitaliste. Les protestants sont des élus sans peuple élu, qui ont, comme les juifs, le culte du livre sacré. Comme le dit avec humour l'écrivain allemand Henri Heine : « Un protestant écossais est un juif qui mange du porc. »

Les socialistes et les républicains communient dans un antisémitisme patriotique et anglophobe. Toussenel imprégnera Proudhon : « Par le fer ou par le feu, il faut que le juif disparaisse... La haine du Juif comme de l'Anglais doit être le 1er article de notre foi politique. » Et le chantre vibrant de la Révolution et de la patrie, le grand Michelet lui-même, ne dit pas autre chose dans son ouvrage intitulé *Le Peuple* : « Les juifs ont une patrie, la Bourse de Londres ; ils agissent partout, mais leur racine est au pays de l'or. »

Cette thématique se perpétuera tout au long du XIXe siècle. Clovis Hugues, premier député socialiste de la IIIe République, en 1881, célébrera ainsi Napoléon : « Il était aryen, soldat, et fils de France : il n'était pas juif allemand ! Il n'arrivait pas de Francfort. »

L'affrontement entre les Rothschild et Napoléon est une des matrices majeures, quoique souvent dédaignées, de ce XIXe siècle. Si le vieil Amschel a décidé d'internationaliser sa maison, en envoyant ses fils s'installer dans les principales capitales d'Europe, c'est avant tout pour répondre au défi lancé par l'émancipation des juifs, proclamée par la Révolution française et mise en œuvre par Napoléon. L'Empereur avait en effet ordonné : « Le sanhédrin établira ce principe : les Français et les juifs sont frères... les juifs doivent considérer, comme s'ils étaient à Jérusalem, tous les lieux où ils sont citoyens… Les juifs doivent défendre la France comme s'ils défendaient Jérusalem. Je désire prendre tous les moyens pour que les droits qui ont été restitués au peuple juif ne soient pas illusoires, et pour leur faire trouver Jérusalem dans la France. »

Dans tous les pays où passe la Grande Armée, elle ouvre les ghettos et transforme ses habitants en « citoyens ». En faisant des juifs les citoyens de leurs pays respectifs, l'émancipation détruit leur position européenne et ses avantages. Les Rothschild risquent de perdre leur domination sur les communautés juives nationales qui préféreront désormais à la solidarité religieuse et « tribale » celle de leurs concitoyens au sein de leur nation d'élection. Les Rothschild ont édifié un système d'une remarquable efficacité autour d'une seule firme présente dans toutes les grandes capitales européennes, qui demeure en contact étroit et constant avec toutes les communautés juives du continent. Comme le note, avec une cruelle finesse, Hannah Arendt, dans son livre *Sur l'antisémitisme* : « Aucune propagande n'aurait pu créer un symbole politiquement plus efficace qu'une telle réalité. »

La banque contre la France

Le développement économique de la France et la structure sociologique de ses classes populaires vont accentuer cette spécificité française. Le retard industriel que connaît alors notre pays donne aux banquiers une place encore plus grande que chez ses voisins. La petite-bourgeoisie, peu habituée au crédit, voit les banquiers comme de simples parasites et usuriers cousus d'or. Les courants socialistes précapitalistes, proudhoniens et antimarxistes, sont puissants. Ils s'appuient sur un prolétariat composé d'artisans et de petits commerçants, qui connaîtront leur chant du cygne lors de la Commune. Il n'y a pas en France de classe ouvrière digne de ce nom, contrairement à l'Angleterre, ou à l'Allemagne, car il n'y a pas d'industrie française, ou si peu ; il n'y a donc pas de lutte de classes. Les ouvriers anglais ou allemands ne sont guère touchés, à cette époque, par l'antisémitisme ;

leur adversaire de classe est le patron ou le bourgeois, pas le juif. Les prolétaires français, eux, sont patriotes, pas internationalistes ; ils prennent à tort le banquier juif pour le personnage central du système capitaliste. Leur anticapitalisme est archaïque, loin des constructions intellectuelles de Marx et Engels, qui ont sous les yeux la classe ouvrière anglaise asservie à la machine et au patronat.

Les juifs ne sont ni bourgeois, ni paysans, ni ouvriers. Les juifs riches comme les Rothschild ne font pas encore partie de la bourgeoisie. Ils sont définis en tant que juifs, pas en tant que classe sociale.

Dès lors, toute catégorie sociale qui a un conflit avec l'État devient aussitôt antisémite. Les juifs riches se tiennent à l'écart des positions clés du capitalisme. Les Rothschild, exclusivement occupés de l'émission de fonds d'État et du mouvement international de capitaux et de devises, ne cherchent guère à créer de grandes entreprises. James se laisse un moment entraîner dans le financement des chemins de fer par les frères Pereire ; mais la rivalité entre banquiers juifs va bientôt devenir féroce... Les Pereire sont pourtant d'anciens employés des Rothschild. En fondant le Crédit mobilier, ils font appel à l'épargne de la nation. Pour la première fois, les banquiers, même les plus riches, ne font pas le poids. Napoléon III est séduit par ce projet d'un « capitalisme démocratique », lui qui rêve d'extirper la pauvreté du peuple par le développement de l'industrie. Mais James de Rothschild a de la ressource. Il inquiète l'entourage impérial sur l'inflation que risquent de provoquer les émissions massives d'obligation du Crédit mobilier ; elles sont aussitôt interdites.

James de Rothschild combat les frères Pereire en France, et en Autriche aussi. En 1867, la crise financière conduit ces derniers à la faillite. Ultime bataille et ultime triomphe, avant sa mort, l'année suivante. Mais c'est une victoire à la Pyrrhus. L'élite saint-simonienne progressiste accuse, non sans raison, les Rothschild de maintenir la banque française dans sa routine spéculative et malthusienne. La présence de son fils Alphonse à la Banque de France prouve que la famille Rothschild va bel et bien poursuivre de l'intérieur son combat contre l'établissement d'un crédit d'État solide.

Ce même Alphonse met d'ailleurs sur pied une banque d'affaires, la Banque de Paris et des Pays-Bas, consortium des maisons de la haute banque, qui réserve les bénéfices des opérations d'investissement industriel au petit monde des grands financiers. En 1882, la faillite de l'Union générale, qui ruine des milliers d'épargnants modestes, sera jugée par les observateurs, et surtout ses victimes, comme une nouvelle agression des Rothschild, de la banque juive contre la banque catholique, de la haute banque élitiste et cosmopolite contre la banque démocratique et nationale ; même si l'objectif réel de la manœuvre était surtout de couler d'autres banques juives rivales et de déstabiliser le leader républicain, Gambetta.

Les Rothschild aggravent leur cas : ils sont doublement le « parti de l'étranger », celui qui a financé les guerres de nos ennemis contre l'Empereur et celui qui empêche l'économie nationale de rattraper son retard. L'identification des Rothschild à l'ensemble des juifs se fait plus que jamais naturellement. Tous les juifs sont mis dans le même sac que les grands banquiers, incarnation d'un capitalisme parasitaire et privilégiant les intérêts de l'étranger, James, comme ses frères dans toute l'Europe, n'ayant jamais accepté de relâcher sa mainmise ostensible sur la « communauté ». Les juifs, qu'ils soient riches ou pauvres, se soumettent, bon gré, mal gré, à ce « judaïsme des notables » qui a pris la succession de l'ancien système des « juifs de cour ». Proudhon pourra dire sans être contredit : « Le juif est par tempérament anti-producteur, ni agriculteur, ni industriel, pas vraiment commerçant. » Quelques années plus tard, une profession de foi boulangiste reprendra avec plus de vigueur encore cette même thématique : « Guerre ! Aux oisifs, aux parasites, qui vivent de la société sans la servir ! Guerre aux accapareurs, aux Sémites, aux catholiques, protestants ou juifs, qui spéculent sans produire. Guerre aux financiers cosmopolites, à l'étranger gallophobe ! »

Ces réactions vindicatives sont le reflet des transformations telluriques que connaît le XIXe siècle. L'industrialisation et l'urbanisation ont pris la suite de la démocratisation pour bouleverser en profondeur les habitudes et les situations les plus anciennes. Le paysan devient un citadin comme le sujet est devenu un citoyen. Les agriculteurs et les soldats sont mis au rancart au profit des nouvelles professions, du journalisme, du droit, de la finance, de la médecine. C'est ce que l'écrivain russo-américain Yuri Slezkine appellera dans son livre *Le Siècle juif* la revanche des nomades sur les sédentaires, des hommes d'argent sur les hommes de guerre, des spéculateurs sur les producteurs. Ce qu'il conceptualisera dans l'opposition des « mercuriens » contre les « apolliniens ». Depuis le Moyen Âge, les juifs sont les « mercuriens » de l'Europe, du colporteur au prêteur sur gages, professions à la fois méprisées et indispensables. Le juif n'a pas inventé la modernité. Il en a manqué les étapes fondatrices, que ce soit la révolution scientifique ou la révolution industrielle. Mais il semble s'y adapter mieux que quiconque. Tous les « apolliniens » sont sommés de devenir des « mercuriens » ; tous les chrétiens, de devenir juifs.

Clemenceau en plaisantera avec son don inimitable de la formule : « Il y a deux sortes de juifs, les spéculateurs et les spéculatifs. » D'autres feront dans la formule prophétique, comme Nietzsche : « Le juif, c'est la revanche de l'esclave sur le guerrier. » D'autres enfin manieront l'emphase historique, comme le saint-simonien Prosper Enfantin, dans le journal *Globe* : « Il fut un temps où les grandes questions s'appelaient "liberté de la presse", "liberté individuelle" ; à une autre époque, elles s'appelaient Austerlitz, Iéna, Wagram et Marengo, à d'autres c'était autour de Jansénius, de Luther, de Calvin que voltigeaient les esprits supérieurs, aujourd'hui c'est près de Rothschild et d'Isaac Pereire qu'il faut voler, et sur les rails qu'il faut marcher si l'on veut vraiment se mêler aux grandes affaires du monde. »

Tout le monde doit devenir juif

Tout est cul par-dessus tête ! Tout ce qui était sacré est devenu méprisable ; tout ce qui était méprisé est devenu sacré. Tout le monde doit devenir juif. Le nationalisme lui-même tend à transformer chaque nation en peuple juif : tous les peuples sont élus, toutes les terres sont promises, toutes les capitales sont Jérusalem.

La France était le paradis politique des juifs, le premier à avoir fait d'eux des citoyens. Tout à leur joie d'être devenus des Français comme les autres, ceux-ci vont accomplir d'énormes efforts pour s'assimiler, pour acquérir la culture française et s'imprégner des mœurs françaises, des coutumes françaises, de l'amour du terroir français, sans se rendre compte que le succès même de l'assimilation devenait un obstacle à l'assimilation : plus les juifs excellaient à être modernes et laïcs, plus la modernité et la laïcité étaient désormais perçues comme des caractéristiques juives.

Dans son journal, Maurice Barrès notait, sarcastique : « Degas ayant reçu la visite de Robert disait : "Comme il aime l'art !" On peut dire des juifs : "Comme ils aiment la France." Quelle manière plus décisive de marquer qu'ils sont en dehors. »

De quoi enfiévrer les esprits les plus mesurés. Leurs succès inouïs tournent des têtes juives parmi les mieux faites. Le culte moderne de la réussite individuelle ravive la très ancienne flamme biblique du peuple élu. Mais ces esprits pour la plupart déjudaïsés oublient seulement que l'élection et l'espoir messianique sont liés au plan divin de rédemption de l'humanité. Ces juifs d'exception sont trop éclairés pour croire encore en Dieu, mais ils demeurent suffisamment orgueilleux pour croire en eux-mêmes.

Ces juifs modernes et émancipés oscillent alternativement entre une vision héroïsée ou victimaire de leur destin historique séculaire, sans se rendre compte que ces deux regards ne font en vérité que prolonger l'antique mythe du peuple élu. Juifs et antisémites communient paradoxalement dans une histoire forgée de toutes pièces qui les arrange tous, d'une longue et ininterrompue suite de persécutions, unissant indûment antijudaïsme chrétien et antisémitisme moderne, et faisant du juif l'archétype du bouc émissaire. Un récit victimaire pour dissimuler que le repli communautaire, fondé sur les prescriptions religieuses et le souci de pérenniser une minorité sans État ni territoire, a en réalité été inspiré par les juifs eux-mêmes, et ce dès le XVe siècle. Les antisémites surenchérissent parce qu'ils peuvent ainsi laisser accroire que les juifs n'ont jamais été acceptés et que l'ancienne France n'a connu ses heures de gloire passée qu'en tenant en lisière ces étrangers par nature. Ce « roman national de l'antisémitisme » est fallacieux et dangereux ; mais son accréditation par les deux camps assure son succès. Hannah Arendt encore : « La théorie du bouc émissaire est une des nombreuses théories dont la raison d'être est la fuite devant les vrais problèmes. »

Tout est race

Toute l'Europe est touchée par ce bouleversement moderne des mentalités. Les mêmes découvertes scientifiques, les mêmes innovations technologiques, les mêmes idéologies progressistes, les mêmes audaces philosophiques, les mêmes mots d'ordre politique se répandent comme traînée de poudre de Londres à Paris, de Paris à Vienne, de Vienne à Berlin et de Berlin à Saint-Pétersbourg. Un homme va incarner et théoriser pour toute l'Europe cette effervescence du « chauvinisme juif » : Benjamin Disraeli. Devenu Premier ministre de la reine Victoria, qu'il a consacrée impératrice des Indes, Disraeli fait de son histoire personnelle exceptionnelle la quintessence du destin des juifs dans l'Europe moderne. À la fois choisi et rejeté par la gentry britannique pour son excentricité juive, Disraeli oppose « l'orgueil d'une race pour affronter l'orgueil d'une caste » ; il est le premier à se décrire comme « l'élu parmi la race élue ». « Tout est race : il n'y a pas d'autre vérité. La race est la clé de l'histoire », écrit le Premier ministre de Sa Gracieuse Majesté, une « race pure et parfaitement organisée. L'élément sémitique représente toute la spiritualité de notre nature… Il n'y a à présent aucune race… qui plaise, fascine, élève et ennoblisse l'Europe autant que le font les Juifs. » D'autres sauront au XXe siècle se souvenir de l'efficacité des théories raciales pour combattre les sentiments d'infériorité sociale. D'autres encore sauront retourner contre eux cette vision que les juifs se faisaient d'eux-mêmes d'une grande famille unie par les liens du sang.

Dans une note qui date de 1919, le jeune Adolf Hitler remarque : « Lord Disraeli est celui qui a formulé la loi fondamentale de la race, comme clé de l'histoire. » Et dans le programme de l'Institut zum Studium der Judenfrage des nazis à Berlin, on pourra lire que cet Institut pour l'étude de la question juive « se veut au service de l'idée vivante qu'un Juif, et l'un des plus considérables de tous les temps, a lui-même formulée ainsi : "*All is race.*" Tout est race ».

Salons du faubourg Saint-Germain

L'étoile des Rothschild pâlit, dès la fin du Second Empire, au profit de celle d'Henri Germain, patron du Crédit lyonnais, qui monte au firmament. Ils ne sont pas loin de perdre leur pouvoir et sur l'État et sur les autres juifs. À l'avènement de la IIIe République, ils sont entrés dans l'opposition au régime pour la première fois de leur histoire ; se sont introduits dans les salons réactionnaires et antisémites de l'aristocratie du faubourg Saint-Germain ; se sont rapprochés d'Arthur Meyer, le directeur du *Gaulois*, juif converti, qui sera un des antidreyfusards les plus virulents. Le manque d'enthousiasme des Rothschild eux-mêmes n'a pas échappé à Clemenceau, qui ironise dans un article paru dans le journal *Le Spectacle du jour* : « Si Dreyfus est reconnu innocent, ils ne lui cracheront pas à la figure. Mais de là à lever le petit doigt pour la justice et la vérité, il y a un abîme. »

Les Rothschild ne maîtrisent plus leur image ni leur destin. Ils continuent cependant d'incarner la modernité démocratique, pour la droite monarchiste comme pour la gauche socialiste. À un moment où les croyances religieuses s'affaissent, le besoin de « religions séculières » se fait sentir et les « grands récits » se multiplient, que ce soit le socialisme ou l'antisémitisme.

Tocqueville nous a appris que les aristocrates ont été attaqués au moment où leur pouvoir avait été radicalement érodé par la centralisation monarchique. Le faste de leur existence apparut alors comme un privilège exorbitant ; la richesse sans fonction était devenue intolérable. De même, l'affaire Dreyfus éclate tandis que les juifs et les Rothschild sont beaucoup moins puissants que sous le Second Empire. Comme les aristocrates, on leur reproche l'importance qu'ils accordent à la famille et à l'hérédité. Comme les aristocrates, ils sont des éléments européens et anationaux dont on se méfie. À la fois identifiés au pouvoir et repliés sur le cercle familial, ils sont soupçonnés de travailler à la destruction de toutes les structures sociales. L'individualisme et l'incroyance modernes ont pourtant commencé à faire leur œuvre destructrice parmi eux également.

Le texte du jeune Marx sur « La question juive » a préfiguré la révolte des nouvelles générations, qui sont d'autant plus attirées par la gauche révolutionnaire que leurs pères banquiers n'étaient jamais entrés en conflit de classes ouvert avec des ouvriers. Ces intellectuels révoltés manquaient de cette conscience de classe que possédait naturellement un fils de famille bourgeoise. Mais « son histoire a mal préparé le peuple juif au discernement et à la capacité politique ; c'est l'histoire d'un peuple sans gouvernement, sans pays et sans langue[1] ».

Après que la guerre de 1914-1918 eut brutalisé les peuples européens de manière inouïe, le XXe siècle donnera un impact démesuré à tout ce qui avait été en gestation au siècle précédent. Le déclin de l'appareil d'État, sous la République décadente de l'entre-deux-guerres, a fini par provoquer la

1. Hannah Arendt, *Sur l'antisémitisme*, Calmann-Lévy, 1973(1951).

désintégration de la société juive, si longtemps liée à lui. Les juifs se retrouvent, non sans raison, accusés à la fois de tirer les ficelles à la Bourse de Londres ou de New York et d'errer dans les rues de Moscou et de Berlin, le couteau bolchevik entre les dents. Sans oublier les petits commerçants polonais, les médecins russes, les artistes et les écrivains cosmopolites, qui concurrencent leurs homologues français désarçonnés et souvent dépassés.

Le « siècle juif » se retourne contre les juifs, comme le *Verus Israël* chrétien de Saint Louis s'était jadis retourné contre les juifs du XIIIe siècle. Les Rothschild ne recouvreront plus jamais l'éclat qu'ils avaient au temps de James. Ils demeureront cependant le patronyme étendard du destin juif, pour les antisémites, mais aussi pour les juifs eux-mêmes.

Étrange fortune d'un nom devenu légende...

Chambord

Couleurs primaires

Le piège était tendu de tricolore. Un peu de bleu et de rouge, beaucoup de blanc. Ou un peu de blanc, une pointe de bleu, beaucoup de rouge. Des querelles dérisoires de couleurs qui changeraient la face de la France et du monde. Des querelles d'étendards pour servir de paravent à des luttes de pouvoir, à des questions d'argent, à des enjeux diplomatiques et géostratégiques. Des querelles de drapeaux qu'on raconte toujours partiellement et partialement. Invariablement au détriment du même. Il est bien connu que l'Histoire est écrite par les vainqueurs et le comte de Chambord en est un des grands vaincus. Pas étonnant qu'il sorte ridiculisé du roman national des républicains et qu'il soit complètement sorti du résumé insigne qui nous en reste.

Il avait pourtant tout pour lui. Il a tout gâché pour un morceau de tissu. Dit-on. Depuis plus d'un siècle. Comme si on avait voulu voiler de tricolore un trop lourd secret de famille.

Claude Mauriac rapporte dans *Le Temps immobile* une conversation qu'il a eue avec le général de Gaulle à Colombey, en août 1946. De Gaulle vient de quitter le pouvoir et Mauriac l'interroge sur son éventuel retour : « Voyez-vous, répond de Gaulle, à la grande surprise de son interlocuteur, je songe beaucoup au comte de Chambord. Je songe aux vraies raisons de son refus. Car l'histoire du drapeau blanc n'est qu'un prétexte naturellement. Eh bien cette raison je la connais : c'est qu'il n'avait plus confiance en la France, qu'il savait qu'il ne pouvait rien faire de la France, qu'il a préféré voir la monarchie morte une fois pour toutes et sans avoir à participer à cette décadence. Le roi ne pouvait accepter le traité de Francfort. Si le comte de Chambord avait signé, il lui aurait fallu préparer aussitôt la revanche, il ne pouvait régner sans cela. Or, le pays ne voulait pas de la revanche et il le pressentait, le pays ne voulait surtout pas accomplir l'effort nécessaire. » Et de Gaulle d'interroger en guise de conclusion : « Ce que le comte de Chambord a refusé d'être, c'est vraiment cela que vous voulez que je sois ? »

La songerie mélancolique du Général n'était pas d'une grande orthodoxie républicaine. Il ne puisait pas aux sources du « roman national » encore enseigné par l'école de son enfance ; il puisait davantage dans ses lectures de jeunesse, son admiration pour Jacques Bainville, l'historien de l'Action française, ou les souvenirs de sa famille. Aujourd'hui, on dirait que le Général donne crédit à des thèses « complotistes ». Ce qui mérite au moins de plonger précisément jusqu'aux faits, dans les moindres détails, et d'observer derrière le rideau, même lorsque celui-ci est drapé de tricolore.

Ce 4 septembre 1870, la République est proclamée au balcon de l'Hôtel de Ville de Paris, à l'annonce de la défaite des armées françaises à Sedan. L'empereur Napoléon III est prisonnier des Prussiens, et Gambetta écrit une nouvelle page de ces « journées » qui ont fait la République. Ce temps d'avance, les républicains ne vont plus jamais le perdre, même lorsque leurs adversaires croiront avoir touché leur but : la restauration de la monarchie.

Chambord réside au château de Frohsdorf, en Autriche. Bien qu'en exil, le petit-fils de Charles X y suit une étiquette royale. Il n'a pas renoncé à rentrer en France. Lui aussi a été proclamé à un balcon, celui du château de Rambouillet, alors que sa famille fuyait Paris couverte de barricades. Il n'a jamais abdiqué ni cessé de se considérer comme le seul roi de France : Henri V. N'a-t-il pas été surnommé « l'Enfant du miracle », parce que sa naissance a suivi la mort de son père, le duc de Berry, assassiné par un républicain qui voulait en finir avec la dynastie ? Dans sa famille, la question de la légitimité ne se pose pas. En 1814, on annonce à Louis XVIII l'arrivée des troupes alliées dans Paris, en lui disant : « Sire, vous êtes roi de France » ; Louis XVIII rétorque : « Ai-je jamais cessé de l'être ? »

La proclamation précipitée de la République arrange le comte de Chambord. En tout cas, il en est persuadé. La République devra négocier les conséquences de la défaite militaire avec le redoutable Bismarck. Le prétendant n'a nulle envie de rentrer dans les « fourgons de l'étranger », comme son grand-oncle, par deux fois, avait dû s'y résigner en 1814 et 1815. Contrairement à ce qu'ont prétendu des générations de révolutionnaires, on a dans la famille la fibre patriotique. Alors que l'ambassadeur d'Angleterre l'accablait de protestations, parce que la France s'apprêtait à conquérir Alger en 1830, le baron d'Haussez, ministre de la Marine de Charles X, répliqua d'un cinglant : « Allez dire à votre maître que je m'en fous ! » Le comte est convaincu que ce fier patriotisme a sans doute coûté son trône à son grand-père ; mais il n'entend pas se renier. Il ne peut accepter de dépecer la France de l'Alsace et la Lorraine. C'est le premier paradoxe du prétendant : ses partisans sont pour la paix, tandis que lui ne rêve que de revanche ; ce sont ses adversaires républicains qui poussent, avec Gambetta, les derniers feux de la « guerre à outrance » ; et le pays montre, en élisant une assemblée monarchiste, qu'il est pacifiste ; qu'il n'est pas prêt pour une revanche.

Le blanc n'est pas tant le drapeau de la monarchie que celui de la Restauration

Chambord n'a pas alors de prévention particulière contre le tricolore. Ses proches l'ont souvent entendu dire : « Quelle que soit la couleur du drapeau, je l'embrasserai. » Il sait que les trois couleurs ont fait le tour du monde avec la gloire de la France. Il a été éduqué par le marquis d'Hautpoul, qui s'était distingué dans toutes les batailles napoléoniennes et dont la famille n'a jamais émigré. Son précepteur a conté à son illustre élève les victoires impérissables de la Grande Armée et le génie de l'Empereur. L'enfant a retenu la leçon de son maître : « Il vous faut être un Napoléon légitime. » Le drapeau blanc n'a été introduit dans la famille que par hasard. Henri IV l'a emprunté aux milices protestantes lorsqu'il a combattu à leur tête. Puis, devenu roi de France, il a repris la bannière bleue fleurdelisée. Louis XVI n'a pas fait grande difficulté pour adopter les trois couleurs ; à l'origine, le rouge était le plus près de la hampe : c'était alors une toile rouge-blanc-bleu. Les émigrés qui combattaient dans les armées alliées n'ont pas non plus pris le blanc comme étendard. C'est Louis XVIII qui l'impose. Le blanc n'est pas tant le drapeau de la monarchie que celui de la Restauration. Lors des Cent-Jours, Napoléon se drape de tricolore. Mais c'est surtout au moment des journées de juillet 1830 que le bleu-blanc-rouge prend une signification révolutionnaire. En 1848, pourtant, les ouvriers et les socialistes ont failli imposer le drapeau rouge. Le tricolore a beaucoup de sang sur la hampe. Rouge de la Commune ou tricolore des Versaillais, Chambord refuse de choisir entre deux symboles de guerre civile. Lui veut réconcilier les Français. Tous les Français.

Cette ambition vient de loin. Chambord a approuvé la loi impériale de 1864 autorisant le droit de grève. En 1865, le prétendant au trône rend publique une lettre aux ouvriers dans laquelle il propose de limiter le pouvoir du patron d'industrie, qui, « tenant dans ses mains l'existence des ouvriers, se trouvait investi d'une sorte de domination qui pouvait devenir oppressive ». Son règne, promet-il, assurera « à l'ouvrier la dignité de sa vie, le fruit de son travail, la sécurité de la vieillesse ».

Les officiers aristocrates, souvent monarchiques, ont été bouleversés par la férocité de la répression des communards par l'armée versaillaise. Deux d'entre eux, Albert de Mun et René de la Tour du Pin, créent les Cercles catholiques d'ouvriers. Ils tiennent leurs réunions en uniforme. La prédication morale n'est jamais isolée de l'action sociale. Ces officiers sont certes fidèles au roi, mais ne se reconnaissent guère dans l'Assemblée qui a été élue après la défaite et siège à Versailles. Ce n'est pas la même monarchie, pas le même roi – les uns sont fidèles au comte de Chambord, le petit-fils de Charles X ; les autres au comte de Paris, le fils de Louis-Philippe.

La République rassure les possédants

Cette division du camp monarchiste fait l'affaire de la république, qui selon le mot célèbre de Thiers « est le régime qui nous divise le moins ». Thiers nomme des préfets républicains et se déclare favorable au régime présidentiel des États-Unis. Sa répression de la Commune en a fait le héraut de la bourgeoisie orléaniste et des gros paysans. Il a donné de la République une image conservatrice, de régime à poigne. Pour la première fois, c'est la République qui rassure les possédants et la monarchie qui les inquiète. Ceux-ci savent qu'ils doivent leur fortune à la Révolution, qui leur avait permis d'acquérir les biens nationaux, arrachés à l'Église et aux nobles. Les bourgeois ont depuis lors adoubé tout pouvoir qui garantissait leurs avoirs : le Consulat, l'Empire, Louis XVIII, Louis-Philippe. Ils s'affichent monarchistes ; mais ils préféreront une république libérale qui protège leurs intérêts à une monarchie sociale qui les menace.

Chaque camp s'efforce d'être le plus malin. On joue à cache-cache entre Versailles (où siège l'Assemblée) et Frohsdorf (où vit le prince de Chambord). Une « république sans républicains » s'est installée. Le maréchal de Mac-Mahon est élu président de la République. Un pis-aller ? Non, un jeu de dupes. « Ne pouvant faire la monarchie, il faut faire ce qui s'en rapproche le plus », disait alors le comte de Paris. Mac-Mahon, sorte de lieutenant général du royaume, est établi à l'Élysée pour attendre la disparition du comte de Chambord (qui n'a pas d'héritier) et installer sur le trône le comte de Paris. L'Élysée est mis en viager. Les parlementaires veulent un Louis-Philippe II, dont le règne aurait pris naissance non sur les barricades, mais sur le massacre de la Commune. Ils n'ont pas compris qu'entre-temps le suffrage censitaire n'était plus de saison.

Le comte de Chambord, lui, a saisi depuis longtemps qu'une nouvelle ère s'est ouverte. Dans une lettre écrite de Vienne, datée du 6 février 1843, il dit à Chateaubriand : « Si je rentrais dans mon pays en Prince, je voudrais devoir ce bonheur au suffrage de la majorité des électeurs qui ont conquis le droit d'élire un roi... Je ne crois pas au droit divin de la royauté, mais je crois à la puissance de l'évolution et des faits... » Pour les officiers monarchistes des Cercles catholiques d'ouvriers, le roi n'est pas un arbitre, comme le veulent les orléanistes, mais le « premier garde des métiers ». Chambord n'a aucune intention d'être un roi élu par l'Assemblée. Il lance aux députés : « Je ne serai pas le chef d'un parti ; je serai le roi de tous. » Il se méfie d'eux et eux se méfient de lui. Il n'a pas oublié comment la Chambre, en 1867, a empêché Napoléon III de préparer la guerre contre la Prusse. Il songe à un coup d'État et à un plébiscite pour se relégitimer. Les parlementaires orléanistes comprennent que, devenu roi, Henri V dissoudrait cette Assemblée plus pacifiste que monarchiste. Chambord entend « reconstituer la France ».

Dans cette bataille à fronts renversés, le drapeau n'était bien qu'un prétexte. Chambord a fait du drapeau blanc le test de sa liberté. Il se croit habile, il n'est que maladroit. Voilà pourquoi il déclare aux députés : « Je sais qu'avec le drapeau tricolore, je ne suis plus moi-même, et que je ne puis rendre au pays les services qu'il attend de moi en étant le représentant de l'ordre et de la liberté. »

Il n'a pas fini de payer cette erreur tactique. La Chambre fait passer ce prétendant aux idées sociales avancées pour un rétrograde, une vieille perruque. Chambord ne peut plus faire machine arrière, par crainte que la presse républicaine ne le raille aussitôt : « Il abandonne son drapeau pour une couronne, il renie son passé. »

Il est coincé. L'armée refuse de renoncer au tricolore, qui demeure, à ses yeux, le symbole de la grandeur napoléonienne. Chambord cède. Trop tard. Toujours trop tard.

Le piège se referme. Le comte se raidit : « Ma personne n'est rien, mon principe est tout… Je veux rester tout entier ce que je suis. Amoindri aujourd'hui, je serais impuissant demain. »

De son côté, le maréchal Mac-Mahon a des états d'âme cornéliens. Installé à l'Élysée pour préparer en douceur la restauration monarchique, il répond aux émissaires de Chambord au sujet d'un éventuel coup d'État : « Monck, jamais. Le souverain, maintenant, n'est-ce pas l'Assemblée ? »

L'indécis Chambord tranche enfin le nœud gordien ; prépare un coup d'État ; sa date sera ô combien symbolique : le 11 novembre 1873, jour anniversaire de ce 18 Brumaire qui mit Bonaparte au pouvoir. Il est plus que jamais lié aux bonapartistes ; va jusqu'à adopter le prince impérial pour couper court aux prétentions dynastiques du comte de Paris. Cette fusion nationale entre les deux dynasties, les Bourbons et les Bonaparte, reçoit la bénédiction de l'impératrice Eugénie.

Face à cette entente des légitimistes et des bonapartistes, les orléanistes vont petit à petit se jeter dans la gueule des républicains. C'était leur destin. Celui de tous les orléanistes, de tous les modérés qui font toujours le lit de la gauche. La défense des « intérêts » rapproche les deux camps. Les républicains, habiles, ont tout accepté, même un Sénat qui ne soit pas élu au suffrage universel direct. L'important est de mettre un pied dans la porte. Ils la claqueront sur le nez des monarchistes. Gambetta, longtemps rétif, a enfin fait sienne la stratégie conservatrice de Thiers et de Grévy. L'assemblée orléaniste sera chassée un jour ou l'autre par les électeurs. Ne restera alors que la République. C'est ainsi que Gambetta va entraîner la gauche et piéger la droite.

Les conservateurs ont cru créer du provisoire ; ils s'aperçoivent un peu tard qu'ils ont conçu du définitif aux yeux des Français. La république « sans républicains » se remplit de républicains. Elle commence sa grande marche vers la gauche. Une marche sans fin.

Bismarck vote républicain

Le conservatisme change de camp. Gambetta dans la campagne de 1877 pourra accuser ses adversaires monarchistes : « Qui veut lancer la France, pays de la paix, de l'ordre et de l'épargne, dans des aventures dynastiques et guerrières ? »

Il ne parle pas dans le vide. Alors que les bruits de coup d'État se précisent à la fin de l'année 1873, l'ambassade d'Allemagne fait savoir qu'une démission contrainte du maréchal de Mac-Mahon et une restauration monarchique provoqueraient aussitôt une intervention de l'armée allemande. L'empereur d'Autriche, François-Joseph, recevant à Vienne le comte de Chambord, conseille au prétendant de ne pas monter sur le trône. Il transmet au Français le message que lui a glissé Guillaume II, le récent empereur d'Allemagne, avertissant « son cousin » que l'avènement du roi en France ne pourrait qu'entraîner une nouvelle guerre.

Le chancelier Bismarck vote républicain sans hésiter. C'est à ses yeux le meilleur régime pour la France ; le plus « dissolvant » – c'est le mot qu'il emploie – ; qui affaiblit le plus la France. La divise le plus. L'isole le plus au sein d'une Europe des monarchies. Dans une lettre à son ambassadeur d'Allemagne à Paris, il confie : « La France est partagée en bonapartistes, en orléanistes, en légitimistes et en républicains. C'est pour nous comme si elle était divisée en quatre États indépendants et même rivaux. »

Ses instructions sont claires : « Travaillez de toutes vos forces à empêcher le rétablissement de la monarchie. La monarchie des Bourbons seule peut ramener des alliances à la France ; notamment celle de la Russie, et que l'Allemagne prise entre la France et la Russie comme dans un étau, serait gravement compromise. »

L'alliance n'est pas seulement tactique ; elle remet en question la conception que la France se fait d'elle-même, de sa place en Europe et dans le monde. La défaite de 1870 a ébranlé les certitudes patriotiques de nombreux républicains. La France n'a plus les moyens de dominer en Europe et doit se soumettre de bonne grâce à l'hégémonie allemande. C'est la conviction d'Adolphe Thiers, qui, après avoir été un nationaliste fervent dans sa jeunesse, ne rêve plus sur le tard que d'une République modeste, humble, n'effarouchant personne en Europe. Une République qui adopte en guise de nouvelle devise : « Point d'affaires. Ni guerre, ni révolution ». Jules Grévy, qui deviendra bientôt président à la place de Mac-Mahon, restera jusqu'à sa mort le gardien sourcilleux de la ligne politique de Monsieur Thiers.

Dans ses *Souvenirs de jeunesse*, le député alsacien Scheurer-Kestner a conté l'échange sans équivoque qu'il eut dès 1871, avec Grévy : « Il ne faut pas que la France songe à la guerre, lui dit celui-ci ; il faut qu'elle accepte le fait accompli ; il faut qu'elle renonce à l'Alsace. » Avant d'ajouter : « N'en croyez pas les fous qui vous disent le contraire. » Mais peu à peu, même « les fous », c'est-à-dire Gambetta, cessèrent de plaider le « contraire ». Le fougueux descendant d'immigré génois a compris, au tournant des années 1880, qu'il n'accéderait jamais au pouvoir s'il ne levait pas le veto de Bismarck. Il n'apaiserait ce dernier qu'en lui donnant des gages. Qu'en reniant les souvenirs glorieux de sa « guerre à outrance ». Qu'en renonçant, au moins pour un temps, aux mirages romantiques de ce qu'il appelait lui-même l'« action extérieure ». Qu'en s'éloignant toujours davantage, selon ses propres mots, de l'« esprit de conflagration, de conspiration, d'agression ».

Les contacts avec les éminences germaniques se multiplient. On se découvre, on se côtoie, on s'apprécie. On échange des livres, des coupes de champagne et parfois même des femmes. On se retrouve souvent chez Thérèse Lachmann, marquise de Païva, courtisane de haut vol et espionne à ses heures perdues, dans l'hôtel particulier somptueux donnant sur l'avenue des Champs-Élysées que son mari allemand, le comte Henckel de Donnersmarck, a édifié pour elle. Ce dernier est pourtant un proche de Bismarck, qui l'a nommé préfet de la Lorraine annexée par l'Allemagne. Mais il est aussi l'ami et le conseiller de Léonie Léon, la maîtresse de Gambetta.

Bismarck est prêt à tout pour éloigner la France de l'Europe

Dans ses Mémoires intitulés *À travers la République,* Louis Andrieux, qui fut préfet de police de Paris entre 1879 et 1882, homme d'ordre et républicain de toujours (et accessoirement père naturel d'Aragon), conte cette scène édifiante :

« ... Je reçus la visite de Madame Henckel. Avec ses remerciements et l'expression exubérante de sa gratitude, elle m'apportait une invitation à dîner. Mon premier mouvement fut de refuser, en alléguant un engagement antérieur. Le premier mouvement, dit-on, est toujours le meilleur ; c'est possible ; mais c'est au dernier que nous obéissons. Quand Madame Henckel m'eut assuré qu'elle aurait ce jour-là, dans l'intimité Gambetta et Spuller, mes instincts de police, qui avaient survécu à ma démission, l'emportèrent sur ma répugnance. C'était donc vrai, ce que j'hésitais à croire ?

« À l'hôtel des Champs-Élysées, comme au château de Pontchartrain, où la Païva succédait à Mademoiselle de Lavallière, le dictateur de la défense nationale fréquentait chez l'agent de notre pire ennemi. Tandis que pour les Alsaciens, pour Scheurer-Kestner, pour les ligueurs de Déroulède, pour la France patriote, Gambetta restait l'homme de la Revanche, il en préparait l'abandon et, de même qu'après Sadowa, l'Autriche vaincue, acceptant sa défaite, était devenue l'alliée de la Prusse, Gambetta, après Sedan, après le siège de Paris, après la capitulation, combinait une alliance franco-germanique dans ses mystérieux conciliabules avec le mari de la Païva...

« Quand j'arrivai à l'hôtel des Champs-Élysées, Gambetta, étendu sur un sofa, fumant un cigare, causait avec Henckel... Un valet annonça : Madame est servie ! La Païva, en grand décolleté, portant dans une chasse de bijoux les reliques de sa beauté, prit le bras de Gambetta et gravit avec lui les escaliers de porphyre et d'onyx qui conduisaient des salons du rez-de-chaussée à la salle à manger du premier étage, tandis qu'Arsène Houssaye se penchant vers moi, me disait : Ainsi que la vertu, le vice a des degrés. »

Avec son cynisme et son habileté habituels, Bismarck a saisi que le camp républicain est prêt à tout pour accabler sa vieille ennemie : l'Église. Quitte à pactiser avec le diable. Le chancelier ne souhaite à aucun prix un roi catholique français qui pourrait renouer de vieilles complicités avec les pays rhénans, voire avec l'Autriche.

Il avait écrit à son ambassadeur à Paris : « Faites parler dans les journaux du danger de la réaction, des crimes de l'absolutisme, des horreurs de la féodalité, de l'infâme droit du seigneur, de la dîme, des corvées, de l'inquisition, comme si tout cela avait réellement existé ou pouvait revenir. Faites peur des empiétements et des captations du clergé. Dites qu'avec Henri V, la religion serait non seulement protégée, mais imposée, que chacun serait forcé d'aller à la messe, et même à confesse. »

Grand seigneur, le chancelier autorise Jules Ferry, lors du congrès de Berlin en 1878, à intervenir en Tunisie. Bismarck est prêt à tout pour éloigner la France de l'Europe. L'expansion coloniale est le lot de consolation qui doit compenser, aux yeux des républicains, le second rôle que la France est désormais condamnée à jouer en Europe. Il faut cesser de « s'hypnotiser sur la trouée des Vosges », se justifie Jules Ferry. Les Monarchistes et bonapartistes tempêtent, en vain. À gauche, Clemenceau, clairvoyant, explique que sa politique coloniale fait de la France l'« obligée de l'Allemagne ». Un ambassadeur d'Angleterre, lord Lyons, confessera en 1887, à un ami français : « Il est inutile de causer à Paris, puisque la France a confié toutes ses affaires au gouvernement prussien. »

Le chancelier, lui, voit plus loin, ou plutôt, plus près, beaucoup plus près : « C'est sur le Rhin que l'Allemagne conquerra son domaine colonial. »

Chambord restera dans l'Histoire comme le fondateur de la IIIe République. On imagine la fureur et l'amertume de ses partisans qui avaient tant fait pour un retour qu'il gâchait par une obstination et un orgueil inextinguibles. « Monsieur le comte de Chambord a jeté la couronne par la fenêtre », dit l'un d'eux. Au fond, l'héritier du trône a fait sien le mot désespéré de Louis-Philippe après sa chute : « Tel ou tel prétendant peut réussir ; aucun ne se maintiendra. »

Un échec matriciel pour la droite

Au-delà de la personne du comte, au-delà même des Bourbons et de la restauration de la monarchie, cet échec est emblématique, matriciel même pour la droite française. Cet échec annonce les défaites à venir pour ce courant conservateur qui, au même moment va s'épanouir en Grande-Bretagne, à l'ombre du règne impérial de Victoria. La droite française va se déchirer en futiles querelles entre conservateurs et réactionnaires, entre ceux qui demeureront les ennemis indéfectibles du régime républicain, espérant l'avènement d'une utopique monarchie, et ceux qui se rallieront au régime de leurs anciens adversaires, mais ne cesseront jamais d'y être toujours dominés, toujours méprisés, toujours humiliés, toujours soupçonnés de manœuvres séditieuses, toujours menacés d'être renvoyés au ban des ennemis de la république par une gauche souveraine et souvent sectaire, qui délivrera désormais à sa guise les certificats de républicanisme et de progressisme. Déjà…

Un carré funeste va pourtant sans cesse menacer cette République : question allemande, question institutionnelle, question sociale, question religieuse. Les quatre côtés du carré se tiennent et s'influencent.

L'historiographie traditionnelle nous a appris qu'il y avait eu un basculement à la fin du siècle, après l'affaire Dreyfus, du nationalisme de la gauche vers la droite. Le terrain était pourtant miné depuis la défaite de 1870 et l'échec de la restauration monarchique, troublant les esprits et aiguisant les méfiances réciproques.

Le succès populaire du boulangisme a enterré une première fois la politique d'entente avec l'Allemagne. Les républicains, même les plus germanophiles, ont compris que la passion pour le « général Revanche » signifiait que le peuple rejetait leur politique d'entente avec le vainqueur de 1870. L'heure était venue de l'alliance russe (1892). De nombreux conservateurs abjuraient alors en faveur du régime républicain.

La pente germanophile est cependant la plus forte. Notre nouvel allié russe s'avère d'abord l'ami des Allemands. Au Quai d'Orsay, Gabriel Hanotaux est à la manœuvre. Celui que les gazettes ont surnommé le « chef du Foreign Office français » a entrepris de donner consistance au vieux projet républicain de réconciliation et d'alliance avec l'ancien vainqueur. Ce 18 juin 1895 – 80e anniversaire de Waterloo ! –, les vaisseaux français rencontrent les vaisseaux russes avec les escadres allemandes dans les eaux du canal de Kiel.

Le Quai d'Orsay élabore les plans les plus brillants autour du « système » Saint-Pétersbourg-Paris-Berlin. Guillaume II jubile. Il a lui-même conçu un plan d'unification du continent pour abattre l'hégémonie britannique. Une Europe rassemblée sous la houlette de l'Empire allemand et dans laquelle il n'est pas mécontent de ranger la France. Au début de 1899, l'empereur allemand confie à l'attaché naval français, le lieutenant de vaisseau Buchard : « L'heure est certainement venue où le continent doit se défendre contre l'Angleterre et l'Amérique, et je pense qu'il faut que l'Allemagne et la France s'appuient l'une sur l'autre. »

Les Anglais s'inquiètent. Si les Français se mettaient bêtement à aimer les Allemands, c'en serait fini de la domination britannique. C'est exactement l'objectif allemand : « Ce que je veux, disait Guillaume II, c'est que la France cesse d'être gouvernée par mon oncle Édouard VII. » Heureusement pour la « perfide Albion », les grandioses plans d'Hanotaux et de Guillaume II vont s'effondrer comme châteaux de cartes. Lors de la rencontre de Fachoda (1898), entre troupes françaises et anglaises, les Français se rendent compte qu'ils n'ont pas de marine digne de ce nom pour tenir tête à l'Angleterre dans la course coloniale. L'affaire Dreyfus, qui éclate au même moment, ravive la vieille animosité avec les Allemands. L'Affaire finira par briser la domination de la droite et renvoyer Hanotaux à ses chères études. Au Quai d'Orsay, c'est Delcassé qui dirige désormais et s'empresse de renverser le « système » de son prédécesseur : on ne jurera plus que par le nouveau triangle, Londres-Paris-Saint-Pétersbourg.

L'alliance allemande conservera cependant toujours ses fidèles. On les verra ressortir au moment de la crise de Tanger, en 1905, lorsque Guillaume II, menaçant la rade marocaine de sa fameuse canonnière, obtiendra la tête de Delcassé, ou lors de la crise d'Agadir de 1911, quand le radical Caillaux évitera la guerre par un compromis colonial avec les Allemands. Caillaux incarnera désormais au sein des républicains cette ligne pacifiste et germanophile, qui sera poussée jusqu'au bout de sa logique par le socialiste Jaurès. Une ligne qui disparaîtra comme par miracle aux premiers jours de la guerre, dans l'enthousiasme de l'Union sacrée – Jaurès lui-même, quelques semaines avant son assassinat, était résolu à s'y rallier – mais qui renaîtra tel le phénix de ses cendres, pendant les hostilités, avant de dominer outrageusement pendant dans l'entre-deux-guerres, avec Briand, l'homme de la paix, l'homme de l'amitié avec l'Allemagne, et son héritier politique, son fils spirituel, Laval, et sa politique de « collaboration ». Tous ces hommes, même Laval, étaient à cette époque des patriotes sincères. Ils croyaient tous, même Laval, défendre l'intérêt de la France. Tous, et pas seulement Laval, ont érigé la paix en valeur suprême. Tous, surtout Laval, fasciné par la puissance germanique, considèrent que le rôle de la France n'est plus que d'être le fidèle second au sein d'un ordre européen dominé par l'Allemagne. La charrette des condamnés à mort dont Péguy menaçait déjà Jaurès, à la veille de l'embrasement de 1914, c'est Laval qui grimpera dessus en 1945.

On comprend mieux l'acharnement des combats politiques. Pour la droite monarchiste, la république incarnera toujours la soumission de la France à l'Allemagne. De leur côté, les républicains n'oublieront jamais ce qu'ils doivent au comte de Chambord. Ils compenseront leur faiblesse par une solidarité sans faille « des gauches » et un sectarisme implacable à l'égard de tout parti qui ne soit pas de stricte obédience républicaine. Un sectarisme qui se parera des atours flatteurs du « front républicain » et perdurera jusqu'à aujourd'hui à l'égard du Rassemblement national.

La guerre civile froide

L'échec de Chambord provoqua cette guerre civile froide qu'il avait voulu éviter ; la guerre sans fin des Deux France. Guerre religieuse, guerre sociale, guerre institutionnelle. Le 22 juin 1899, à la tribune de l'Assemblée nationale, Henri Brisson croise soudain les doigts vers l'avant, renverse son corps en arrière et lance un « À moi les enfants de la veuve ! ». Cette posture et ce cri, signe de détresse maçonnique, rallieront *in extremis* les députés francs-maçons présents en séance et sauveront le ministère Waldeck-Rousseau. Le même Brisson ne cessait de répéter aux juifs et aux protestants qu'ils étaient l'« ossature » de la République, tandis que son ami Waldeck-Rousseau déclarait en 1902 : « Il existe une entente naturelle entre le régime républicain et le culte protestant, car l'un et l'autre reposent sur le libre examen. » En face, la droite protestait contre la politique anticléricale de la République ; et bientôt, dans ses éditoriaux de *L'Action française*, Charles Maurras fulminera et dénoncera la mainmise des « quatre États confédérés, juifs, protestants, francs-maçons, métèques », sur la France.

Cette guerre civile froide s'acheva dans le sang sous l'Occupation. Alors, une partie de la droite profita des malheurs militaires de la République pour régler ses comptes avec les « quatre États confédérés ». On revit aussi dans les rangs de la Collaboration une partie importante de cette gauche, républicains et orléanistes ralliés depuis longtemps, qui avait fini par accepter d'être le brillant second d'une Allemagne hégémonique. C'était l'aboutissement d'une histoire séculaire, celle d'une germanophilie intellectuelle, de Madame de Staël à Renan, en passant par Michelet et Victor Hugo, qui avait peu à peu été convertie en stratégie politique.

Il faudra attendre 1958 pour qu'enfin le général de Gaulle réussisse à arracher la France au carré funeste de la IIIe République. De Gaulle fut ce roi élu par le peuple, sous le drapeau tricolore, dont avait rêvé le comte de Chambord, mais qu'il n'avait pu et su réaliser, par un mélange de maladresse et de naïveté.

Le général eut tout loisir de reprendre ses songeries mélancoliques après son départ de l'Élysée en 1969. Une fois encore, le pays n'avait pas voulu accomplir l'effort nécessaire ; une fois encore, l'hédonisme, le droit au bonheur individuel l'avaient emporté sur le souci de l'honneur et de la gloire nationale. Après sa disparition, le fleuve national retournerait dans son lit républicain. Il le savait, l'avait toujours su. Le rapport à l'Allemagne serait comme d'habitude le révélateur des renoncements de nos élites.

Comme Marx prétendait renverser sur ses pieds la philosophie hégélienne, le général de Gaulle s'était efforcé de remettre à l'endroit la germanophilie des élites républicaines en tissant à son tour une amitié franco-allemande, mais dans le cadre d'un ensemble européen dirigé politiquement par la France ; c'est le sens de sa fameuse expression « La France sera le jockey et l'Allemagne, le cheval ». Mais une fois de Gaulle parti, tout redevint lentement, mais inexorablement, comme avant.

L'ALLEMAGNE COMME HORIZON

Nos défaites dans la guerre économique et industrielle tenaient lieu de nos anciennes déroutes militaires. La réunification allemande de 1990 fut notre Sedan. Helmut Kohl avait le physique de géant granitique d'un Bismarck et François Mitterrand, la petite taille d'un Thiers. Le « couple franco-allemand » fut l'habillage rhétorique qui dissimula le grand retour du « brillant second » français. L'hégémonie allemande sur le continent européen était de nouveau incontestée. Les décisions essentielles ne se prenaient plus sans l'aval de Berlin ; et nos présidents ne manquaient jamais de se rendre dans la capitale allemande, aussitôt après leur élection ; comme si le véritable sacre avait désormais lieu à Berlin.

La Ve République renouait avec les réflexes acquis sous la IIIe. On trouva naturel qu'un homme politique français hostile à la construction européenne ne pût jamais être élu président de la République. On trouva naturel que le président Jacques Chirac refusât de désigner Philippe Séguin comme Premier ministre, parce qu'il s'était opposé au traité de Maastricht, et était soumis de ce fait au « veto » d'Helmut Kohl. Séguin connaissait ainsi le sort de Gambetta sans que personne ne s'en offusquât. Séguin tenta, comme son illustre modèle, de donner des apaisements au chancelier allemand, en apostasiant sa foi patriotique et en faisant allégeance à l'Union européenne, lors d'un célèbre discours d'Aix-la-Chapelle, en 1997. Rien n'y fit. Comme Gambetta, Séguin passa à côté de son destin et mourut précocement. À son décès, la presse ne tarit pas d'éloges sur ses talents innombrables. Comme elle n'avait pas tari d'éloges sur Gambetta défunt. Comme elle n'avait pas tari d'éloges sur le comte de Chambord, lorsqu'il s'éteignit, en 1883.

Ces hommes n'étaient grands que morts. Vivants, ils avaient été trop faibles, trop maladroits, trop pusillanimes, face à cet obscur objet du désir allemand de nos élites républicaines.

Renan

La madeleine de Renan

C'est la conférence la plus célèbre de l'Histoire de France. Un texte sacré de notre imaginaire politique, dont tout le monde ressasse les mots devenus slogan : « La nation est un plébiscite de tous les jours. » Quelques mots qui ont offert l'immortalité à son auteur, Ernest Renan.

Quand celui-ci se présente à la Sorbonne, en ce 11 mars 1882, il a tout à fait conscience de délivrer un message important : « J'en ai pesé chaque mot avec le plus grand soin ; c'est ma profession de foi en ce qui touche les choses humaines et, quand la civilisation moderne aura sombré par suite de l'équivoque funeste de ces mots : nation, nationalité, race, je désire qu'on se souvienne de ces vingt pages-là. »

Il sera entendu au-delà de ses espérances. Au-delà de ses volontés aussi. Un de ces grands textes que l'on cite après l'avoir habilement découpé pour nos usages anachroniques. Ce n'est jamais Renan qui parle, mais celui qui le cite. Ce texte de Renan est devenu l'étendard d'une conception moderne de la nation, de tous ceux qui rejettent avec horreur l'essentialisme, le racialisme, l'ethnocentrisme, qu'ils assimilent au nazisme ; tous ceux qui défendent une vision démocratique, contractualiste et individualiste d'une nation qui se fait elle-même, au jour le jour, de la volonté de ses habitants, ici et maintenant ; tous ceux qui ont arraché de ses vingt pages denses une seule expression fétiche, qu'ils arborent comme un signe de reconnaissance, la quintessence de leur projet philosophico-politique, à savoir un verbe dégradé en substantif, un objectif simplifié en incantation, un mot psalmodié pour mieux remplacer la chose disparue : le « vivre-ensemble ».

Renan a été enrôlé dans une guerre manichéenne, lui qui fut un modèle de subtilité et de complexité. Il a été embrigadé dans un camp progressiste qu'il a passé toute une partie de son existence à combattre.

Il est vrai qu'à l'époque de sa conférence à la Sorbonne, Ernest Renan n'est plus le jeune auteur sulfureux d'une *Vie de Jésus* qui scandalisa l'Église et les bien-pensants, parce qu'il faisait du « fils de Dieu » un personnage historique replacé dans son contexte. Il n'est plus tout à fait non plus le philologue passionné et érudit qui entretenait une correspondance amicale avec Joseph Arthur de Gobineau, l'auteur aujourd'hui maudit d'un livre paru en 1853 : *Essai sur l'inégalité des races humaines*. C'est pourtant Renan, et non Gobineau, qui écrivait alors : « Je suis donc le premier à reconnaître que la race sémitique, comparée à la race indo-européenne, représente réellement une combinaison inférieure de la nature humaine. Elle n'a ni cette hauteur de spiritualisme que l'Inde et la Germanie seules ont connue, ni ce sentiment de la mesure et de la parfaite beauté que la Grèce a légué aux nations néolatines, ni cette sensibilité délicate et profonde qui est le trait dominant des peuples celtiques[1]. »

Ernest Renan a eu depuis cette date le double malheur de voir ses concepts raciaux sortir de son laboratoire pour faire irruption dans l'agora politique, avant qu'ils ne soient exploités, avec une arrogance vengeresse, par une Allemagne prussianisée contre la France vaincue et humiliée de 1870. La France est la patrie de Renan, mais l'Allemagne est sa

1. Ernest Renan, *Histoire générale et système comparé des langues sémitiques*, 1855.

« religion ». On comprend que les mois qui suivirent cette « année terrible » furent pour lui l'occasion d'une remise en question intense et cruelle.

En 1882, il est sorti de ce que nos contemporains appelleraient une « dépression » ; il est prêt à répondre aux Allemands, à l'arrogance de leurs généraux, de leurs diplomates, de leurs ministres, mais aussi de leurs philosophes.

Renan n'est pas le premier à répliquer aux intellectuels allemands. Dès 1870, Fustel de Coulanges avait lancé à l'historien Theodor Mommsen, qui justifiait l'annexion de l'Alsace-Lorraine : « Ce n'est ni la race ni la langue qui fait la nationalité. »

Renan n'éprouve pas pour le nationalisme une passion illimitée. Il plaide pour une alliance entre les trois grandes nations européennes, France, Angleterre, Allemagne. Comme Victor Hugo, il rêve des États-Unis d'Europe. Lui est plus réaliste : « Les nations ne sont pas quelque chose d'éternel. Elles ont commencé, elles finiront. La confédération européenne, probablement, la remplacera. Mais elle n'est pas la loi du siècle où nous vivons. »

La nation est à ses yeux une restriction, un retranchement, qui contredit l'universel. Les grandes nations sont celles qui s'arrachent à cette médiocrité bornée pour créer de l'universel : le monothéisme de la Judée, la raison de la Grèce antique, la Renaissance artistique dans l'Italie du XVe siècle, la spiritualité allemande avec Luther ou les droits de l'homme avec la Révolution française. Renan ajoute aussitôt que ces nations qui créent de l'universel paient leur entrée dans l'extraordinaire par de « longues souffrances et souvent de leur existence nationale ».

Contre la vindicte teutonne

Il admet cependant que l'Allemagne exagère. Qu'elle abuse de sa force. Qu'elle commet la même erreur funeste que celle dont se rendit coupable la France de Louis XIV et de Napoléon. Renan aimait l'Allemagne, terre féconde du protestantisme, de la philosophie et des arts ; pas celle des casques à pointe. Il l'adorait en civilisation pacifique et non en nation bottée. Il défendait la faible Germanie contre les abus de force français.

Renan veut désormais protéger la France vaincue contre la vindicte teutonne. Il proclame : « Le beau, le vrai, là est ma patrie. La France est nécessaire comme protestation contre le pédantisme, le dogmatisme, le rigorisme étroit. » Il ne lui déplaît pas de jouer le rôle d'intermédiaire intellectuel entre les deux nations. Sa germanophilie est paradoxalement un gage de lucidité aux yeux des dirigeants français qui l'écoutent, béats d'admiration, leur expliquer que c'est l'université allemande qui a gagné la guerre.

Les mêmes comptent sur lui pour assurer la résistance philosophique contre les foudres du vainqueur. Cet échange de bons procédés va faire de Renan l'intellectuel organique du régime. Il devient administrateur du Collège de France. Il multiplie les conférences, aussitôt publiées sous forme d'essais tirés à part. Plus encore que Victor Hugo, il incarne, dans les quinze dernières années de sa vie, la référence ultime, le penseur des penseurs, l'idole de la République : saint Renan, pensez pour nous ! Son anticatholicisme militant et son admiration pour le protestantisme le rapprochent de l'anticléricalisme des républicains. Léon Daudet, le critique de l'Action française, qui ne l'aimait guère, écrit avec humour : « La génération de Clemenceau se représentait le monde surnaturel comme une partie de cartes entre Renan et le bon Dieu où Renan avait raflé la mise. »

Voilà donc cet homme, consacré porte-parole officiel de la doxa française, qui écrit à un ami allemand : « Notre politique, c'est la politique du droit des nations ; la vôtre, c'est la politique des races : nous croyons que la nôtre vaut mieux. »

Renan ne remet nullement en cause ses travaux de jeunesse sur les races. Il explique seulement aux Allemands que le temps des races pures est révolu, qu'on n'est plus à l'époque des tribus ou des cités, que l'Empire romain et le christianisme ont mélangé toutes les races ; que c'est une erreur de confondre « la race avec la nation, et d'attribuer à des groupes ethnographiques ou plutôt linguistiques une souveraineté analogue à celle des peuples réellement existants ».

Sa démonstration est implacable : « Qu'est-ce qui caractérise les grands États européens ? C'est la fusion des populations qui les composent... La France est celtique, ibérique, germanique... L'Allemagne elle-même est-ce un pays germanique pur ? Quelle illusion ! Le sud de l'Allemagne a été gaulois. Tout l'Est, à partir de l'Elbe, est slave... Les plus nobles pays sont ceux où le sang est le plus mêlé. »

Les Allemands veulent aussi rassembler toutes les populations qui parlent allemand. D'où l'annexion de l'Alsace-Lorraine. C'est bien sûr cette bataille autour des provinces perdues qui fonde à court terme la conférence de Renan. Celui-ci refuse de considérer la langue comme seul ciment d'une nation : après tout, la Suisse n'est-elle pas une nation unie alors que sa population ne parle pas la même langue ? Même la religion, depuis qu'elle est devenue une affaire individuelle de conscience, et non plus une affaire d'État, ne peut plus servir de vecteur d'unité nationale.

Le texte sacré de notre nation républicaine

Alors ? Vient le cœur de cette conférence, dont Renan a peaufiné chaque mot, chaque virgule, et qui va devenir le texte sacré de notre nation républicaine :

« Une nation est une âme, un principe spirituel. Deux choses qui, à vrai dire, n'en font qu'une, constituent cette âme, ce principe spirituel. L'une est dans le passé, l'autre dans le présent. L'une est la possession d'un riche legs de souvenirs ; l'autre est le consentement actuel, le désir de vivre ensemble, la volonté de continuer à faire valoir l'héritage qu'on a reçu indivis... La nation, comme l'individu, est l'aboutissant d'un long passé d'efforts, de sacrifices et de dévouements. Le culte des ancêtres est de tous le plus légitime ; les ancêtres nous ont faits ce que nous sommes. Un passé héroïque, des grands hommes, de la gloire, voilà le capital social sur lequel on assied une idée nationale. Avoir des gloires communes dans le passé, une volonté commune dans le présent ; avoir fait de grandes choses ensemble, vouloir en faire encore, voilà les conditions essentielles pour être un peuple. [...] Le chant spartiate “nous sommes ce que vous fûtes ; nous serons ce que vous êtes” est dans sa simplicité l’hymne abrégé de toute patrie. [...] »

Mais il ajoute aussi : « L’existence d’une nation est un plébiscite de tous les jours. » Chaque élément de son raisonnement s’emboîte l’un dans l’autre ; et chacun est dépendant du suivant comme une chaîne soudée.

Les chaînons sont au nombre de trois : une unité, un héritage, une volonté.

L’unité est contenue dans un principe spirituel unique : une âme.

L’héritage repose sur la « possession d’un riche legs de souvenirs », l’« aboutissant d’un long passé ».

La volonté est exprimée par le « consentement actuel, le désir de vivre ensemble », le « plébiscite de tous les jours ».

L’héritage est son chaînon central. La nation puise son âme dans son passé ; le consentement actuel doit s’inscrire dans sa lignée, pour le glorifier, le prolonger.

Dans la querelle politique entre passé et présent, entre héritage et consentement, entre conservateurs et démocrates, entre la pensée allemande d’un droit historique qui s’impose de l’extérieur à la nation et la pensée française d’une nation élective d’elle-même, entre la « terre et les morts » de Barrès et le « contrat » de Sieyès, Renan est plus proche des premiers mais tend la main aux seconds. À la même époque, son compère Taine n’écrivait pas autre chose dans *Les Origines de la France contemporaine* : « Chaque génération n’est que la gérante temporaire et la dépositaire responsable d’un patrimoine précieux et glorieux qu’elle a reçu de la précédente à charge de le transmettre à la suivante... Chaque individu naît endetté envers l’État, et jusqu’à l’âge adulte, sa dette ne cesse de croître... Il le sait, il le sent ; l'idée de la patrie s'est déposée en lui à de grandes profondeurs, et jaillira à l'occasion en passions ardentes, en sacrifices partagés, en volontés héroïques ; voilà les vrais Français... Si on peut ici parler d'un contrat, leur quasi-contrat est fait, conclu d'avance. »

Taine parle net et dru quand Renan négocie. Taine reste sur son Aventin conservateur et antirévolutionnaire, quand le libéral-conservateur Renan pactise avec la logique démocratique de la République. Il le fait avec moult précautions, mais il le fait. Il ne se renie point pourtant. Il entoure sa concession à la volonté et au consentement individuels d'une triple barrière qu'il croit infranchissable. Il use de sa grande science historique pour rappeler que la nation française ne doit sa naissance miraculeuse qu'au renoncement, par les envahisseurs francs, à leur religion et à leur langue, au profit de celles de leurs vaincus. Il poursuit en notant que « les Burgondes, les Goths, les Lombards, les Normands avaient très peu de femmes de leur race avec eux ». En clair, qu'ils firent souche avec des Gallo-Romaines, et qu'à l'instar de Clovis épousant la religion de Clotilde, ces unions « mixtes » favorisèrent grandement l'assimilation des « envahisseurs » au peuple envahi.

Renan va au bout de sa logique. Si la nation repose sur le mélange des races et des peuples, ceux-ci doivent jeter dans le passé commun leurs propres histoires, leurs propres mémoires, leurs propres souvenirs, leurs propres ressentiments, leurs propres souffrances même : « L'essence d'une nation est que tous les individus aient beaucoup de choses en commun, et aussi que tous aient oublié bien des choses. Aucun citoyen français ne sait s'il est burgonde, alain, taïfale, visigoth ; tout citoyen français doit avoir oublié la Saint-Barthélemy, les massacres du Midi au XIIIe siècle... L'oubli, et je dirais même l'erreur historique, est un facteur essentiel de la création d'une nation, et c'est ainsi que le progrès des études historiques est souvent pour la nationalité un danger. »

Le « modèle » turc

Mais la réalité est irrévérencieuse. À peine le maître disparu, elle n'aura de cesse que de le démentir. Race, religion, langue : la trilogie rejetée avec un mépris condescendant par Renan va s'imposer comme la matrice des innombrables nations qui, au XXe siècle, s'érigent sur les ruines encore fumantes des quatre empires effondrés à l'issue de la Première Guerre mondiale : russe, allemand, austro-hongrois, ottoman. Chaque ethnie exige sa nation, chaque nation défend sa race, chaque race parle sa langue, chaque langue prie son dieu, chaque dieu chasse celui du voisin. Catholiques, protestants, orthodoxes, juifs, musulmans, bouddhistes, la mêlée est générale et meurtrière. Tout le monde se bat contre tout le monde. Tout le monde massacre tout le monde sans la moindre pitié. Chacun cherche à imposer son « espace vital » au détriment de « l'Autre » qui ne prie pas le même dieu, qui n'est pas de la même race, qui ne parle pas la même langue.

Contrairement à une idée répandue, Hitler ne fut pas le seul ni le premier à réclamer le rassemblement dans le Reich des populations de race et de langue allemande, éparpillées en Europe centrale. Dès avant la fin de la Première Guerre mondiale, les « jeunes Turcs » au pouvoir exterminaient les Arméniens parce qu'ils étaient catholiques et massacraient les Grecs parce qu'ils étaient orthodoxes. Ces derniers n'étaient pas en reste et tuaient les musulmans qu'ils trouvaient sur leur chemin. Pour arrêter l'hécatombe, le traité de Lausanne, signé en 1923, négocié sous le parrainage de la Société des Nations, imposa un échange de populations massif : plus d'un million d'Anatoliens orthodoxes quittèrent la Turquie pour la Grèce, tandis que quatre cent mille musulmans abandonnèrent leur résidence « grecque » pour une terre islamique.

Ce transfert inouï était une première dans l'histoire des accords de paix ; il fit école. L'homogénéité religieuse et ethnique apparaissait bien, ainsi que l'avaient théorisé les penseurs allemands, adversaires de Renan, seule garante de l'unité et de la pérennité des États-nations. Hitler avoua ouvertement s'être inspiré de la politique suivie par les ottomans : « En 1923, la petite Grèce a pu réinstaller un million de personnes. Pensez aux déportations bibliques et aux massacres du Moyen Âge et souvenez-vous de l'extermination des Arméniens[1]. » Mais quand l'heure de la débâcle allemande fut venue en 1945, plus de dix millions d'Allemands furent à leur tour chassés de terres où certains vivaient depuis le XVIIIe siècle, sous la pression implacable des nations qui prenaient leur revanche sur l'aigle germanique : Pologne, Russie, Tchécoslovaquie, Roumanie. Les mêmes causes produisaient les mêmes effets en Orient : les juifs obtenaient en 1948 l'érection d'un État-nation défini par la religion et l'ethnie, séparé des populations arabes qui les environnaient depuis des siècles, tandis que la naissance du Pakistan, en 1947, arraché au forceps de sa mère indienne, provoquait là encore un hallucinant croisement de millions de musulmans et d'hindous. Les grandes villes cosmopolites du passé, Vienne, Smyrne, Salonique ou Alexandrie, étaient vidées de leurs habitants et de leur gloire.

Il n'y a finalement qu'en France que Renan sera entendu et écouté. Obéi. De son temps. Les dirigeants de la IIIe République élaboreront, sous la houlette de Lavisse, un roman national qui noiera les conflits passés dans l'exaltation des figures héroïques de la patrie, s'efforçant même de combler le fossé entre les deux France, la monarchiste et la républicaine, la catholique et la révolutionnaire, par l'éloge des ministres, ou des soldats, ou des savants ou des écrivains ayant servi nos rois. Et alors même que la France était à l'époque le seul pays d'immigration d'Europe, les dirigeants républicains prirent soin de ne pas institutionnaliser la venue des femmes, et encore moins des enfants, pour pousser les

1. Interview datant de 1931 réalisée par Richard Breiting, citée dans Edouard Calic, *Unmasked: Two Confidential Interviews with Hitler in 1931*, 1971.

immigrés belges, italiens, puis polonais, vers des épouses françaises, meilleur moyen d'activer l'assimilation culturelle.

L'équilibre voulu par Renan entre les trois principes d'unité, d'héritage et de volonté fut ainsi, vaille que vaille, respecté dans notre pays. Pendant près d'un siècle.

SERVIR NOTRE « VIVRE ENSEMBLE »

La leçon de 1882 fut pourtant jetée par-dessus bord à l'orée des années 1970. C'est au moment même où cette conférence devint l'alpha et l'oméga des discours politiques que son contenu en fut altéré et dénaturé. On cita Renan à foison pour mieux lui faire dire le contraire de ce qu'il avait pensé. On l'ensevelit sous les fleurs. On l'embrassa pour mieux le tuer.

Des trois principes de Renan, notre époque n'en privilégia plus qu'un seul, ne mettant en lumière que le « plébiscite de tous les jours », pour mieux enfoncer dans l'obscurité, le « principe spirituel » et l'« héritage ».

C'est paradoxalement la leçon qu'a tirée notre intelligentsia progressiste de l'histoire sanglante du XXe siècle. On est alors obsédé par le repoussoir nazi. Puisque Adolf Hitler a fait la guerre au nom de la « race pure » et de l'homogénéité ethnique des Allemands, on diabolisera toute nation fondée sur la race, la langue et la religion. La terre et les morts seront « nazifiés ». On ne voulait pas voir que c'était au contraire l'hétérogénéité ethnique et religieuse, héritée des anciens empires, qui avait provoqué l'affrontement de peuples partageant un même territoire sans partager le même imaginaire culturel. La Pologne, la Tchécoslovaquie, la Yougoslavie, etc. se voulaient des États nationaux alors qu'ils étaient des empires multiethniques miniatures, où seule la hiérarchie entre ethnies avait été bouleversée.

On ne voulait pas admettre que la séparation des ethnies et des religions avait fini par apporter la paix – une paix toujours précaire, mais qui valait mieux qu'une guerre permanente – entre Grecs et Turcs, entre Germains et Slaves, entre musulmans et hindous, et même entre Juifs et Arabes.

Nos vieilles nations occidentales furent sommées de s'ouvrir à l'Autre, quel qu'il soit, sans lui imposer le moindre renoncement à ce qu'il était, contrainte aussitôt jugée persécution « nazie ».

C'était la revanche éclatante du contrat sur l'héritage, de l'individu sur le peuple. Du présent sur l'avenir. Des vivants sur les morts. Chateaubriand avait écrit : « Les morts n'apprennent rien des vivants ; les vivants ont tout à apprendre des morts. » Notre époque pense exactement le contraire. Les vivants s'émancipent des défunts. Les hommes balancent leurs ancêtres par-dessus les moulins comme les féministes jetaient leurs soutiens-gorge à la face du patriarcat. On s'allège, on se libère, sans comprendre qu'on se dépouille. On détourne le chant des spartiates que Renan avait érigé en principe cardinal des nations : nous ne voulons pas être ce que vous fûtes et nous ne serons pas ce que vous êtes ! Nous sommes et serons ce que nous voulons être. Nous sommes et nous voulons être auto-engendrés. Chacun se penche sur ses soucis, ses espoirs, ses ressentiments, ses souffrances passées, sa mémoire ; chacun veut être une victime ; chacun se mue en machine revendicative, machine à reproches, machine à vindicte qui, tel un enfant capricieux, se rebelle contre la mère patrie désormais appelée « marâtre ». Chacun somme la France de célébrer les crimes commis par elle contre les siens. Chacun réclame de la France qu'elle fasse repentance. Commémorer est devenu synonyme de dénoncer. On dénonce et on commémore à la fois la rafle du Vél'd'Hiv, l'esclavage, les massacres de la guerre d'Algérie, la colonisation. Chacun a une dent contre la France, chacun a une créance contre la France. Chacun estime que la France a une dette envers lui et compte bien se la faire régler « intérêts et principal ».

Comme l'a écrit pertinemment Régis Debray, « on ne célèbre plus les morts pour la France, mais les morts par la France ». À partir du président Chirac, les gouvernements successifs, de droite comme de gauche, au lieu de résister à cette tendance destructrice, se portent à la tête du mouvement. Paul Thibault notera, sévère : « Les hommes de pouvoir, éprouvant la difficulté, voire l'impossibilité, de gouverner sont entrés par un moralisme d'accusation visant le passé. À défaut de faire mieux, ils croient s'élever en dénonçant ce dont ils procèdent, à propos de la Seconde Guerre mondiale comme de la colonisation. »

Exalter la diversité pour mieux dénoncer l'unité

L'ancienne nation une et indivisible retourne sa fureur révolutionnaire contre elle-même. Elle exalte au détriment de son unité les différences singulières et irréductibles de chacun ; elle exalte la diversité des mémoires et la diversité des histoires. Elle fait du passé table rase, sauf du passé qui ne passe pas. Renan est retourné comme un gant pour mieux désagréger la nation qu'il a voulu rassembler. Le « plébiscite de tous les jours » sert la démolition de « la volonté de continuer à faire valoir l'héritage qu'on a reçu indivis ». L'exaltation obsessionnelle du « vivre-ensemble » est le paravent à l'abri duquel on enterre le « principe spirituel unique de la nation ». Renan avait pourtant prévenu ses fils prodigues : « Le principe qui fait une nation est un principe de fierté, de haute affirmation de soi-même, d'orgueil si l'on veut. Une nation humble est vite punie. »

C'est de la belle et funeste ouvrage. Pour mieux accueillir une immigration musulmane, inédite par son importance démographique et son éloignement culturel de la matrice française, on abandonne et on fustige tous les enseignements tirés des leçons de Renan et de notre expérience : on passe de l'assimilation à l'intégration, de l'intégration à l'insertion, de l'insertion à l'inclusion, de l'inclusion à la communautarisation. Comme le remarque avec ironie Jacques Julliard : « Pour que le nouvel arrivant conserve son identité, il faut que les anciens occupants renoncent à la leur, ou n'en conservent que ce qui peut être partagé avec d'autres. »

Ultime paradoxe : on délaisse et on trahit Renan pour favoriser l'installation sur le territoire français d'une civilisation islamique qu'il avait, de son vivant, couverte d'opprobre. N'est-ce pas lui qui disait en connaisseur exceptionnel des civilisations sémitiques : « L'Islam, c'est l'union indiscernable du spirituel et du temporel, c'est le règne d'un dogme, c'est la chaîne la plus lourde que l'humanité ait jamais portée... Ce n'est pas seulement une religion d'État [...]. C'est la religion excluant l'État. L'Islam est la plus complète négation de l'Europe : l'Islam est le fanatisme ; l'Islam est le déclin de la science, la suppression de la société civile ; l'épouvantable simplicité de l'esprit sémitique, rétrécissant le cerveau humain [...] pour le mettre en face d'une éternelle tautologie : Dieu est Dieu. » Avant d'ajouter cette formule, qui lui vaudrait aujourd'hui les foudres de la XVIIe chambre du tribunal de Paris : « Émanciper le musulman de sa religion est le meilleur service qu'on puisse lui rendre. » Des formules qui provoqueront d'ailleurs la fureur vindicative d'un Edward Saïd, qui le frappe de « déshonneur » dans son célèbre livre *L'Orientalisme. L'Orient créé par l'Occident.*

Rien n'aura été épargné à notre illustre conférencier. Plus d'un siècle après sa mort, le roi Renan est nu. Ridiculisé par l'histoire sanglante du XXe siècle qui a donné raison à ses contradicteurs allemands ; et trahi par ses prétendus thuriféraires postmodernes et postrépublicains.

Sa leçon est à la fois dénaturée et instrumentalisée pour mieux permettre à un islam qu'il méprisait de ne pas faire sien l'héritage français, pour la simple raison que celui-ci n'est aux yeux des musulmans que l'enfant du catholicisme, cette religion honnie des « roumis » et des « associateurs ». Un catholicisme dont Renan n'a pas été le dernier à déchirer la robe sans coutures, afin d'éloigner les Français de la foi de leurs pères. « L'homme pense et Dieu rit », se moque le Talmud.

Les catholiques y verront sans doute la malédiction du Christ sur l'homme qui ne voulut voir en lui que Jésus de Nazareth.

Eiffel

La tour infernale

Au commencement était le calcul. Un calcul savant, rigoureux. Un calcul d'ingénieur. Pour une tour à la fois légère et solide, dont la pression serait répartie sur les quatre piliers d'une superficie de deux cent vingt-cinq mètres carrés chacun. Un calcul qui avait découragé les ingénieurs anglais et américains. Une tour de mille pieds ! Ils en avaient rêvé. Les Français l'avaient fait. Une tour de trois cents mètres.

Un soir de mai 1884, le jeune ingénieur Maurice Koechlin, collaborateur de Gustave Eiffel, dessine un pylône de fer qui, s'affinant peu à peu, prend la forme d'une flèche de cathédrale gothique. Koechlin exécute les premiers dessins en dehors du temps de travail, la nuit, et parfois chez lui, à l'insu du « patron ». Koechlin représente son pylône colossal aux côtés de quelques monuments parisiens : Notre-Dame, Bastille, Vendôme, pour mieux convaincre les esprits. Il demande à son collègue Émile Nouguie de l'aider dans ses calculs. Leur création est présentée au « patron », qui dissimule mal son manque d'enthousiasme et ses réserves techniques…

La légende de la tour née dans les cartons à dessins des ateliers Eiffel est connue. Elle a été contée cent fois, mille fois, sans fin. Sans vergogne. Elle a été comme souvent préférée à l'histoire. Beaucoup de monde y avait intérêt ; des importants, des mirobolants, des huiles à médailles, à chapeau haut de forme et redingote ; on cria par habitude la patrie en danger ; ces morceaux de fer pesaient bien plus lourd que leur poids de métal ; il fallut donc enjoliver, idéaliser, sublimer le destin d'un monument qui faillit emporter la République elle-même dans le sol fangeux d'où elle avait été tirée.

Exposition universelle

La réalité est, comme souvent, moins innocente. Les ateliers Eiffel dépendent de commandes d'État pour les travaux publics. Des ouvrages d'art comme le viaduc de Garabit ont fait la gloire et la fortune de son propriétaire. Celui-ci s'ouvre aisément les bureaux des administrations, les couloirs des assemblées et des ministères. Ses liens avec la loge maçonnique Alsace-Lorraine – dont il est un des dignitaires éminents – sont un sésame pour forcer les portes des cénacles républicains. Gustave Eiffel n'est pas seulement un scientifique rigoureux et un meneur d'hommes hors pair – aujourd'hui, on dirait un « manager » –, c'est aussi un affairiste sans scrupule, pour qui rationalité et rentabilité ne font qu'un. Il est prêt à tout pour conquérir les marchés et s'enrichir, jusqu'à influencer, trafiquer, soudoyer, corrompre. Sa petite taille ne l'empêche pas d'impressionner ses interlocuteurs ; il a la cinquantaine fière et séductrice ; la démarche ferme et droite, la voix assurée, voire impérieuse, les cheveux et la barbe poivre et sel.

En cette année 1884, le président de la République, Jules Grévy, a décidé de commémorer le centenaire de la révolution de 1789. Il s'agit pour lui de célébrer avec éclat la victoire inespérée des institutions républicaines. Il songe à ces Expositions universelles qui depuis celles de Londres, en 1851, sont à la mode. Grévy se souvient de l'admiration stupéfaite des visiteurs étrangers découvrant lors de l'exposition française de 1867 le Paris transfiguré par le baron Haussmann. Il ne déplaît pas à l'anticlérical qui sommeille en tout républicain d'édifier une tour qui serait plus haute que la flèche de Notre-Dame de Paris ou que le Sacré-Cœur de Montmartre !

Peu de gens sont alors dans la confidence. Gustave Eiffel est au nombre de ces rares privilégiés. Le décret instituant une Exposition universelle est signé le 8 novembre 1884. Une semaine plus tard, Eiffel fait remettre au secrétariat du conseil des prud'hommes de Paris le modèle de sa tour. Le brevet d'invention avait été déposé deux mois avant. Le 12 décembre de la même année, le « patron » offre à chacun de ses deux ingénieurs, en échange de la propriété de la tour, la somme de cent mille francs-or.

Eiffel a eu vent d'un projet concurrent ; une sorte de phare qui éclairerait la Ville lumière. Mais ce rival n'a pas de chance : la réglementation officielle, prise pour l'occasion par l'Administration en 1886, interdit tout édifice qui ne serait pas en fer, n'aurait pas quatre pieds à base carrée, chacun de cent vingt-cinq mètres de côté. Hasard et nécessité, Gustave Eiffel est un grand ami du nouveau ministre de l'Industrie et du Commerce, Édouard Lockroy. Le concours pour une tour Eiffel sera donc remporté à la surprise générale… par la tour Eiffel !

On se met au travail. On s'affaire. On assainit un sol découvert inondé jusqu'à une profondeur de onze mètres. On s'inquiète du surcoût démesuré. On se gausse dans les journaux de cette tour qui va flotter et dérivera lentement sur la Seine avant de rejoindre l'Atlantique et les côtes américaines, où les autorités la marieront avec la statue de la Liberté, un cadeau de la France déjà. On raconte qu'elle s'envolera au premier coup de vent, ou qu'elle sera rongée par la rouille en hiver, qu'elle s'écrasera sur les maisons avoisinantes, tuant des milliers de riverains. On cancane, on médit, on lacère.

Dès septembre 1888, les ouvriers se mettent en grève : ils protestent contre leurs conditions de travail rendues intolérables par la canicule. Pendant des mois encore, près de deux cents hommes grimperont chaque jour, à cent cinquante, puis à trois cents mètres de hauteur. Par miracle, on ne relève aucun accident mortel, à l'exception d'un ouvrier italien revenu sur le chantier en dehors de ses heures de travail. À la fin de l'année, on pose les ascenseurs dans chacun des quatre piliers, ceux du Français Roux-Combaluzier et ceux de l'Américain Otis. On ouvre aussi quatre restaurants, dont L'Alsace-Lorraine est vite le plus couru. Le 25 mars 1889, Gustave Eiffel déploie un immense drapeau tricolore qu'il fixe au paratonnerre. Huit jours plus tard, on le change ; le vent l'a déchiqueté. Ce rituel sera maintenu chaque semaine jusqu'à ce que l'occupant allemand l'interrompe, en 1940. Une nuit, la foudre fait voler en éclats le paratonnerre au sommet de l'édifice.

Revanche de l'esprit français

Le 31 mars 1889, la tour Eiffel est inaugurée par le président de la République, Sadi Carnot. Discours, flonflons, République, progrès, savoir, science, liberté, industrie française, grandeur de la France, génie des ingénieurs français, de la science française, de la technique française, de l'audace française, de la persévérance française, qui a réussi là où les grandes nations anglo-saxonnes ont renoncé. Revanche sur les défaites passées, les malheurs passés, les humiliations passées. Revanche de l'esprit français !

Et vingt-et-un coups de canon. Il est prévu que dans vingt-ans la tour sera détruite ; alors, le terrain prêté par le ministère de la Guerre sera rendu à l'État. L'Exposition universelle ouvre ses portes comme prévu le 6 mai. Elle s'achèvera en octobre.

Deux mois plus tard, le prince de Galles débarque en famille et sans protocole. Arrivé en haut des mille huit cents marches, il fait mine de s'étonner que Monsieur Eiffel se soit déplacé pour « si peu ».

« Voit-on Londres ? » demande le prince.

On explique fièrement à Sa Majesté que, depuis la liaison par TSF réalisée entre la tour et le Panthéon par Eugène Ducretet, la tour Eiffel est devenue l'un des émetteurs-récepteurs d'ondes hertziennes les plus puissants du monde. Le prince de Galles sourit : « Mais cela ne vaut pas un mouchoir de dentelle qu'on agiterait de part et d'autre de la mer avec grâce et, pourquoi pas, avec émotion. »

Il ne s'éternise pas. Il file admirer au Cancan la Goulue et ses amies, Grande Féline, Fleur de pavé, et Nini Patte en l'air ; on lui a dit le plus grand bien de la toute jeune Flammèche...

Alors, tout est bien qui finit bien ? Non. Tout est bien qui commence mal. Le triomphe de Gustave Eiffel n'est pas sans taches. Les combines de l'homme d'affaires s'apprêtent à salir le prestige de l'ingénieur. Avant l'inauguration de sa tour, à la fin de l'année 1888, Eiffel a pris l'engagement d'achever le percement de l'isthme de Panama. Une mission qui avait pour lui un délicieux goût de revanche. Dix ans plus tôt, les actionnaires avaient refusé son projet ambitieux de canal à écluses, sous prétexte qu'il était trop complexe et trop cher. Ferdinand de Lesseps lui-même, du haut de sa gloire acquise avec le canal de Suez, avait gourmandé l'insolent. Et voilà que ces messieurs, et le grand Lesseps lui-même, viennent à Canossa le supplier de sauver leur chantier obstrué ! Notre petit homme ne se sent plus d'aise. Après la tour Eiffel, le canal Eiffel ! Un canal Eiffel plus profond, plus gigantesque que le canal de Suez.

Eiffel en chute libre

Personne n'ose rappeler au fat triomphateur que la roche Tarpéienne est proche du Capitole. Le spectre de Panama, et l'énorme scandale qui s'annonce, ne va plus jamais cesser de hanter la gloire d'Eiffel. Pour achever le percement de l'isthme de Panama, il a réclamé cent trente millions de francs. La somme sera finalement multipliée par six. Les actionnaires se retournent vers l'État ; la Chambre vote l'émission d'un emprunt national à lots, pour renflouer l'opération ; mais l'emprunt ne rencontre pas le succès escompté ; la compagnie de Panama dépose le bilan le 16 décembre 1888.

Des milliers de modestes épargnants sont ruinés. On accuse Eiffel d'avoir touché des commissions énormes et des bénéfices scandaleux ; on le soupçonne d'avoir puisé dans la trésorerie de Panama pour achever la construction de la tour. On découvre que certains députés ont touché des pots-de-vin pour voter l'émission de l'emprunt. Des noms sont donnés : Rouvier, Clemenceau, Floquet, Ribot, etc. Tous de gauche. Tous républicains. On désigne Joseph Reinach et Cornélius Herz comme corrupteurs. Tous deux juifs. Comme Gustave Eiffel, dit-on ! On rappelle que Gustave est né Eiffel-Bönickhausen, avant de faire supprimer en 1876 le second élément de son patronyme, qui sonnait par trop prussien : ce qui prouve bien qu'il est juif ! Peu importe que sa famille fût de confession catholique depuis le XVIIe siècle au moins ; et que sa mère soit une demoiselle Catherine Moneuse, fille de Jean-Baptiste Moneuse et Jeanne Peuriot. L'aigrefin ne peut être que juif ! Robert Brasillach écrira encore dans *Notre avant-guerre*, publié au cours des années 1940 : « La tour Eiffel inscrivait dans la nuit les armoiries d'une grande maison juive. »

Le dépôt de bilan est devenu une affaire ; l'affaire, scandale ; le scandale, crise de la République. À l'époque, le souvenir du trafic de décorations par le gendre du président Grévy est encore dans toutes les mémoires. Les monarchistes plastronnent : on vous l'avait bien dit que la République était un régime de voleurs, une association de prévaricateurs et d'aigrefins !

Quelques années après, Maurice Barrès publie *Leurs figures*, l'ultime épisode de sa trilogie consacrée au « roman de l'énergie nationale ». Il dédie son livre à Édouard Drumont, le pamphlétaire antisémite. Le scandale de Panama est au cœur de l'ouvrage. On assiste au procès devant la chambre de la cour d'appel de Paris, où comparurent, en janvier 1893, Charles de Lesseps, Marius Fontane et Gustave Eiffel : « Prévenus d'avoir conjointement, en employant des manœuvres frauduleuses pour faire croire à l'existence d'un événement chimérique et d'un crédit imaginaire, dissipé des sommes provenant d'émissions, qui leur avaient été remises pour un usage et un emploi déterminés, et escroqué tout ou partie de la fortune d'autrui. »

L'auteur ne peut s'empêcher d'exprimer une certaine compassion pour le vieillard désespéré et glorieux, Ferdinand de Lesseps. En revanche, il n'a aucune pitié pour « les figures de Messieurs Eiffel et Marius Fontane [qui] ne tranchaient point dans ce milieu de chicane et de procédure ». C'est le futur président du Conseil radical, Waldeck-Rousseau, qui défend notre homme. Il exalte la figure d'Eiffel, qui avec sa tour « avait donné à la pauvre humiliée de 1870 l'aumône d'un peu de gloire ».

Le 9 février 1893, la première chambre de la cour d'appel de Paris déclare Eiffel coupable d'abus de confiance et de détournement de biens, et le condamne à deux ans de prison. Qu'il ne purgera pas. La Cour de cassation annulera sa condamnation. Eiffel sera tout de même incarcéré quelques heures.

Maurice Barrès ne s'arrête pas au scandale de Panama. Il frappe plus haut, plus grand, plus loin. C'est la république qu'il tient dans son viseur. Il raconte comment Cavour puis Bismarck ont acheté les journaux français pour favoriser l'unification de leurs nations ; et montre déjà à la manœuvre corruptrice les Reinach et les Herz. Il sonne la charge contre Clemenceau : « C'est à détruire que vous avez consacré vos efforts. » Il relate l'homérique débat parlementaire qui oppose ce dernier au chantre nationaliste, Déroulède, qui n'hésite pas à lancer : « Oui, Cornélius Herz est un agent de l'étranger ! Quel deuil et quelle tristesse ! Un étranger, un cosmopolite de race hostile, d'origine germanique, dont une naissance accidentelle en France ne saurait faire un Français… »

Sous la plume élégante et acerbe de Barrès, la rébellion boulangiste se pare des atours chatoyants d'une révolte populaire et patriotique contre les coupables faiblesses de la République. Un sursaut vitaliste qui va bien au-delà de la personnalité falote du « général Revanche », que son ancien compagnon d'armes décrit sans aménité ni tendresse. C'est le combat entre l'abstraction et le concret, entre l'universel et le terroir, entre l'intelligence et l'émotion : « L'intelligence, peuh ! Nous sommes profondément des êtres affectifs. L'émotivité, c'est la grande qualité humaine. »

Combat très « fin de siècle », disaient nos professeurs d'autrefois ; mais de toutes les fins de siècle. Tout a recommencé depuis la fin du XXe siècle : mondialisation économique, tyrannie financière, grandes migrations, destructions massives d'emplois, bouleversement de la hiérarchie des puissances, déclin de la France et incapacité du régime républicain à l'enrayer.

Gustave Eiffel était lui-même ce mélange d'ingénieur et d'affairiste, de grand calculateur et de grand margoulin, que l'on retrouve, un siècle plus tard, parmi les rois de l'Internet californiens, les oligarques russes, ou les tycoons indiens ou chinois.

Un symbole d'orgueil national

La tour Eiffel avait été édifiée pour battre un record, magnifier l'industrie française. Elle devait être unique et précaire. Elle a gagné son permis d'éternité. Elle a été copiée et imitée. Des tours de plus en plus hautes, de plus en plus démesurées, de plus en plus orgueilleuses ont été érigées sur les cinq continents. De plus en plus laides. Avec tous les matériaux modernes disponibles, le fer, mais aussi l'acier et le verre. Partout, l'édification d'une tour est le symbole de l'orgueil national, l'emblème d'une croyance irrationnelle dans le progrès.

À Paris même, la tour a eu une progéniture turbulente et criarde. Eiffel est la grand-mère du centre Beaubourg et de toutes ces verrues d'acier et de verre qui, au nom de la modernité et de la technologie triomphante, ont enlaidi la capitale : arche de La Défense, pyramide du Louvre,

Opéra-Bastille, Porte Maillot, front de Seine... Toutes ces constructions sont le produit d'une architecture froide, internationale et uniformisatrice, qui impose ses théories niveleuses quel que soit le lieu : Paris, Londres, New York, New Delhi, Shanghai, Riyad...

À l'époque, une cohorte d'écrivains et d'artistes avait vu le danger et tiré aussitôt la sonnette d'alarme : « Nous venons, écrivains, peintres, sculpteurs, architectes, amateurs passionnés de la beauté jusqu'ici intacte de Paris, protester de toutes nos forces, de toute notre indignation, au nom du goût français méconnu, au nom de l'art et de l'histoire français menacés, contre l'érection, en plein cœur de la capitale, de l'inutile et monstrueuse tour Eiffel, que la malignité publique, souvent empreinte de bon sens et d'esprit de justice a déjà baptisée du nom de "tour de Babel". » Cette tribune parut dans le journal *Le Temps*, le 14 février 1887.

Les signatures étaient prestigieuses. On y retrouvait les noms d'Alexandre Dumas fils, Leconte de Lisle, le compositeur Charles Gounod, l'architecte Garnier et même Guy de Maupassant. D'immenses créateurs qui n'avaient pas coutume de se laisser confiner dans un conservatisme poussiéreux ou une idéologie réactionnaire. Chaque mot avait été pesé et frappait juste. Il suffit de contempler encore aujourd'hui l'« inutile et monstrueuse tour Eiffel » pour saisir la pertinence esthétique de ce jugement sans concessions. Et pourtant, plus d'un siècle après, nous ne pouvons plus lire cette prose vengeresse sans un sourire goguenard, voire méprisant, pour les grands esprits qui se sont ainsi fourvoyés.

Ce décalage entre notre instinct et notre habitude, entre notre goût profond et notre jugement social, est le véritable mystère de la tour Eiffel.

Mystère qui a fait d'une attraction foraine, qui aurait dû disparaître avec ses congénères – qui se souvient encore de la galerie des Machines ou de la grande roue, autres réalisations fameuses des Expositions de 1889 ou de 1900 ? –, un monument de Paris. LE monument de Paris pour des millions de touristes asiatiques qui se pressent à ses pieds de fer. Celui qu'on éclaire de tricolore pour fêter les victoires sportives françaises ; et aux couleurs des nations à qui on veut manifester notre solidarité. Celui qu'on étreint pour exprimer notre compassion aux victimes de telle ou telle catastrophe. La tour Eiffel en son ultime transfiguration est devenue message politique universel de paix et d'amour ; on la charge de remplacer par le langage sommaire de la fée électricité et du fer le néant de la pensée politique de nos dirigeants.

Mystère qui s'éclaire à la lumière de l'histoire mouvementée de la tour et de son protagoniste, Gustave Eiffel.

Histoire qui impose sa loi inique et impérieuse : on n'a plus le droit d'être contre la tour Eiffel.

Méline

Rien à déclarer

On ne choisit pas son moyen d'entrer dans l'Histoire. Tout le monde n'a pas la chance de trouver un pont d'Arcole sur son chemin. Les uns font irruption l'épée à la main, les autres préfèrent une plume ou une éprouvette. Les uns ont le talent des mots glorieux : « Nous avons perdu une bataille mais nous n'avons pas perdu la guerre » ; les autres, des sentences ridicules : « Que d'eau, que d'eau, que d'eau ! » Le physique compte aussi pour marquer les esprits et les mémoires : une barbe fleurie, un pied bot, une balafre. On meurt comme on peut, sur un bûcher ou un champ de bataille, dans sa baignoire ou dans les bras d'une « créature ». On reste souvent affublé à jamais d'un objet fétiche, un vase de Soissons, un cor à Roncevaux, un cheval blanc, une perruque, un chapeau. Méline, lui, n'a pas de chance. Son nom est un tarif. Un tarif douanier. Le « tarif Méline ». Éternel objet de ressentiment et de honte.

Jules Méline a un triple handicap : c'est un conservateur dans un pays qui ne célèbre que les « amis du Progrès » ; il a vanté le « retour à la terre », aussitôt associé dans les esprits conditionnés de nos contemporains, à la formule pétainiste « la terre, elle, ne ment pas » ; il a laissé son nom à une politique économique protectionniste, alors que nos élites se sont données corps et âme au libre-échange. C'est ce dernier aspect qui est, aux yeux de celles-ci, le plus infamant. Même son antidreyfusisme obstiné et son fameux cri « Il n'y a pas d'affaire Dreyfus ! » sont désormais passés par pertes et profits. Négligés, oubliés. Le protectionnisme, non. Le protectionnisme, voilà l'ennemi.

Méline, et son fameux tarif, est le nom de cette « identité économique de la France », dont parle l'historien David Todd dans un livre récent[1], celle d'un peuple de paysans attaché à sa terre, et d'industriels routiniers et pusillanimes, fermés aux innovations techniques et au grand large, protégés qu'ils sont par leurs liens consanguins avec l'État et la protection des frontières. Une identité économique française que nos élites, économistes, mais aussi politiques, grands patrons, hauts fonctionnaires ou encore éditorialistes, ont juré d'arracher comme du chiendent, une mauvaise herbe, qui repousse sans cesse sur ce satané sol de France.

LIBRE-ÉCHANGE CONTRE PROTECTION CITOYENNE

La querelle est économique, mais aussi politique, idéologique. C'est une vision de notre pays et du monde. Le libre-échange n'est pas seulement un ensemble de règles commerciales et économiques, mais une conception philosophique de l'homme et de la société. L'homme du libre-échange est l'individu souverain, rationnel et universel des Lumières, plus consommateur que citoyen, et plus citoyen du monde que patriote ; il repousse les frontières comme des objets du diable, et se méfie des États et des masses. Le désaccord fondamental entre le grand théoricien du protectionnisme, l'Allemand Friedrich List, et ses adversaires libéraux, Adam Smith, David Ricardo ou Jean-Baptiste Say, est moins économique que politique. Pour List, l'individu vient au monde par la nation ; c'est un émule d'Aristote et de son célèbre « L'homme est par nature un animal politique » ; il reproche à ses adversaires libéraux leur dédain pour l'histoire économique des nations.

En se ralliant au protectionnisme, les républicains avec Méline s'éloignaient de leurs origines politiques et philoso-

1. David Todd, *L'identité économique de la France*, Grasset, 2008.

phiques. Ils adoptaient une conception plus traditionnelle de la nation, où l'individu ne détruisait pas le collectif. Bien qu'ils aient reçu le soutien remarqué de Jean Jaurès, ils passaient à droite. Ils choisissaient la petite et moyenne paysannerie contre les grands viticulteurs du Bordelais, les industriels du Nord-Est contre les financiers parisiens. Ils trahissaient leur milieu.

Jules Méline avait pourtant débuté sous les meilleurs auspices. Jeune avocat républicain sous le Second Empire, il se retrouve élu par la Commune de Paris en 1870, mais en démissionne assez vite pour ne pas être associé aux exactions et massacres des communards. Avec son visage efflanqué, mangé par de longues rouflaquettes, il est un représentant typique de la République des Jules. C'est un ami de Ferry, membre de cette « Gauche républicaine » qui penche lentement mais inexorablement vers la droite, sous l'effet du fameux mouvement de « sinistrisme » politique, qui oriente le champ politique toujours plus vers la gauche. Il est un élu des Vosges, proche des filateurs de sa région, fondateur du Syndicat général de l'industrie cotonnière française. Il incarne à lui seul cette coalition des intérêts agrariens et industriels qui, partout en Europe, fera basculer le continent vers le protectionnisme.

La situation commerciale est alors confuse. Officiellement, notre pays vit toujours sous le régime du traité de libre-échange signé par Napoléon III avec les Britanniques en 1860. À l'époque, une petite équipe de saint-simoniens résolus, groupés autour de Michel Chevalier, avait négocié en grand secret avec les Anglais. Ils poursuivaient alors un projet autoritaire de modernisation économique, par la contrainte extérieure. Les acteurs économiques français seraient forcés de s'adapter ou de mourir. Le dieu du libre-échange choisirait les heureux élus. Ceux qui survivraient seraient plus forts, pour le plus grand bénéfice de la position industrielle, commerciale et financière de la France. Dans *Mythes et paradoxes de l'histoire économique*, Paul Bairoch écrit : « Un groupe de théoriciens avait donc réussi à introduire le libre-échange en France et indirectement, sur le reste du continent, contre la volonté de la plupart des dirigeants des divers secteurs de l'économie. »

Les députés qualifièrent ce traité de « nouveau coup d'État ». L'appareil industriel français pâtit rudement de la concurrence anglaise. Les paysans souffrirent eux aussi, à partir de 1865 et la fin de la guerre de Sécession, de l'afflux en Europe de céréales américaines. La victoire du Nord, abolitionniste, sur le Sud, esclavagiste, signifiait pourtant qu'une Amérique industrielle et protectionniste prenait définitivement le pas sur une autre Amérique, agricole et libre-échangiste.

Pendant que l'industrie américaine se développait à une vitesse folle, bien à l'abri derrière ses protections douanières, l'Europe entière s'enfonçait dans un marasme économique qui culmina avec la crise de 1873. Pour Paul Bairoch, la responsabilité du libre-échangisme sur la récession de cette période ne fait aucun doute : « La politique libérale de l'Europe ne dura que vingt ans (1860-1880) et coïncida – en fait provoqua – la période économique la plus négative du XIXe siècle. »

Le protectionnisme au service des ouvriers et des paysans

À l'époque, Bismarck réagit le premier et rompit avec le libre-échange européen. Il fait publiquement l'éloge de Friedrich List. Dès 1879, il établit un nouveau tarif douanier qui atteint autant les produits agricoles qu'industriels. Il scelle l'alliance indestructible entre l'aristocratie des grands propriétaires agrariens et la bourgeoisie industrielle. Il apaise également la lutte des classes naissante : à l'abri derrière ses barrières douanières, il instaure un système de protection sociale des ouvriers inédit en Europe.

Les dirigeants républicains français s'avèrent plus timorés. Ils prennent eux aussi des mesures douanières pour les matières premières ou les produits agricoles, mais toujours insuffisantes et toujours trop tard. Déjà... La situation des paysans devient tragique. On l'a oublié aujourd'hui, mais la dépression des années 1869-1873 fut plus grave, plus douloureuse que celle des années 1930. L'impopularité du libre-échange est à son comble dans toutes les couches de la société. Dans son *Dictionnaire des idées reçues*, Flaubert, toujours sarcastique, note à l'article « Libre-échange » : « cause de tous nos maux ».

Enfin Méline vint. Rapporteur général et président de la commission générale des douanes, il rassemble à la Chambre une majorité hétéroclite de républicains et de monarchistes. Il consacre l'adhésion de la IIIe République au protectionnisme. Elle lui restera attachée jusqu'en 1939. En 1931, après la crise de 1929, elle n'hésitera pas à contingenter les importations agricoles et industrielles. Le protectionnisme est marqué à droite, mais, comme souvent, cette politique de droite va sauver et consolider la gauche. Le tarif Méline de 1892 consacre le ralliement définitif des paysans, jusque-là encore méfiants, au régime républicain.

Méline est un général qui a de la chance. Sa hausse massive des droits de douane en 1892 soulage une agriculture française qui, à partir de 1896, va profiter à plein de la remontée des prix mondiaux. Le protectionnisme de Méline demeure raisonnable ; rien à voir avec les hausses démesurées des droits de douane que le monde connaîtra durant les années 1930. C'est un négociateur habile : en menaçant d'augmenter ses taux, la France obtient des concessions de ses partenaires, ce qui favorise le commerce et la croissance.

C'est en 1892 – année de l'instauration officielle du fameux tarif – que s'achève réellement la période libérale. Le tarif Méline met aussi fin aux traités de commerce qui expiraient cette année-là. Or, comme le constate Paul Bairoch, la crise économique de 1873 a démarré au plus fort du libéralisme et se termine vers 1892-1894 au moment où le retour du protectionnisme devient effectif en Europe. Une simple coïncidence ?

L'adoption de mesures protectionnistes n'a empêché ni le retour de la croissance, ni même l'accélération des échanges commerciaux. Le seul pays resté obstinément fidèle au libre-échange, le Royaume-Uni, est le seul qui connaisse une stagnation ! Contrairement à ce que prétendront les économistes marxistes, la Première Guerre mondiale n'a nullement été déclenchée par un capitalisme en crise, avec de grandes puissances impérialistes en quête de débouchés. Jamais le capitalisme ne s'était aussi bien porté que dans ces premières années du XXe siècle. Le protectionnisme l'avait sauvé !

Vin portugais et draps anglais

C'est ce que ne pardonne pas la théorie économique. Il y a une foi religieuse sécularisée au cœur de sa passion pour le libre-échange. Ses partisans sont persuadés qu'il entraîne le développement des échanges commerciaux, qui non seulement accélère la croissance, mais aussi améliore les relations entre les peuples. Et tant pis si Paul Bairoch a démontré que toute l'histoire du XIXe siècle prouve au contraire que c'est la croissance économique qui a entraîné le développement du commerce extérieur et non l'inverse, tandis que pendant la période de libre-échange le ralentissement de la croissance entraîne celui du commerce.

La force de l'argument libre-échangiste (la fameuse loi des avantages comparatifs) est d'être anhistorique et théorique. C'est aussi sa faiblesse. Avec son fameux exemple sur le vin portugais et le drap anglais, Ricardo ignore tout simplement que c'est le rapport de force militaire qui permet à l'Angleterre d'imposer des termes de l'échange favorables. Certains économistes américains d'aujourd'hui vont même jusqu'à considérer que Ricardo a falsifié ses chiffres pour faire croire à un échange équilibré entre les deux pays. Mais rien n'ébranle la foi de nos fervents croyants.

Ces idéologues de la paix par le libre-échange se gargarisent du « doux commerce » cher à Montesquieu, même si leur grand homme, bien plus prudent que ses épigones, n'a jamais lié mécaniquement le commerce à la paix civile. Ils expliquent la Seconde Guerre mondiale par la montée du protectionnisme économique pendant les années 1930 et le chômage de masse qui s'ensuivit ; ils oublient seulement que la croissance de cette décennie 1930 approche ou même dépasse celle qui sévit entre 1830 et 1890. Ils mettent l'accent sur la terrible crise de 1929, qui brisa net l'euphorie des années 1920 en oubliant qu'en 1927 et 1928 les droits de douane furent abaissés dans presque tous les pays occidentaux. Et que la crise de 1929 a pour cause principale ce libéralisme échevelé et cette finance cupide et écervelée.

La conversion française a pris du temps

Dès le XIXe siècle, comme le note David Todd, les libre-échangistes couvraient déjà d'un mépris de fer les défenseurs du protectionnisme : « Ils ne voyagent pas, ne connaissent pas les langues étrangères, ils seraient plus libéraux s'ils étaient plus instruits. »

Les mêmes arguments sont ressassés aujourd'hui. La différence est que le libre-échange tient désormais le haut du pavé. La conversion française a pris du temps. La IVe République, qui reconstruit le pays après-guerre, est aussi protectionniste que sa devancière. Le traité de Rome de 1957 est le point de basculement ; mais qui n'entraîne guère de conséquences à court terme. On connaît la célèbre réflexion du général de Gaulle aux requêtes des patrons craignant la concurrence allemande ou italienne qui le pressent d'abolir le traité dès son retour aux affaires en 1958 : « Ils sont forts et ne le savent pas. »

Le libre-échange du Marché commun est en réalité un faux-semblant. Le traité de Rome prévoit la réduction des barrières douanières à l'intérieur de l'Europe des six, favorisant l'entrée des automobiles allemandes en France et des produits agricoles français en Allemagne ; mais le tarif extérieur commun, la préférence communautaire et la politique agricole commune permettent en vérité le maintien de la tradition protectionniste française.

Les six pays fondateurs du Marché commun sont d'ailleurs la superposition quasi parfaite de l'Empire napoléonien de 1811. Une résurrection qui n'a échappé ni au général de Gaulle – « L'Europe est le levier d'Archimède de la France pour lui permettre de retrouver son rang qu'elle a perdu en 1815 » – ni aux Anglais, qui, par la bouche de leur Premier ministre de l'époque, Macmillan, tempêtent et menacent le général lui-même : « Ce marché commun c'est le blocus continental ! Vous aurez la guerre[1] ! »
À l'abri de ce marché élargi mais protégé, de Gaulle et Pompidou vont à la fois moderniser l'agriculture et édifier une puissance industrielle unique dans l'Histoire de France.

Le choix européen et libre-échangiste

Les Anglais prendront leur revanche. Dès que le Général aura quitté la scène, ils entreront dans le Marché commun pour mieux abattre les murs du « blocus continental » rebaptisé pour l'occasion avec un humour tout britannique la « forteresse Europe ». Alliés aux Allemands à l'intérieur, et aux Américains à l'extérieur, les Britanniques convertiront la Commission de Bruxelles à leurs vues libre-échangistes, que cette dernière mettra en pratique lors des innombrables et interminables négociations commerciales au sein des instances internationales du Gatt, puis de l'OMC. Ce sera le grand retour de Michel Chevalier. Comme Napoléon III jadis avec les Anglais, Georges Pompidou avait souhaité lui aussi montrer aux États-Unis que le temps de l'hostilité gaullienne était révolu.

Les logiques électorales et politiques de la Ve République empêcheront les récriminations protectionnistes venues d'en bas de franchir l'enceinte du Parlement. De grands élus indépendants, à la manière de Méline, ne pouvaient plus, dans le nouveau cadre institutionnel, mener une politique autonome. Le pouvoir était dans la main de l'exécutif et des grandes baronnies administratives. Les députés

1. Alain Peyreffite, *C'était de Gaulle,* Fayard/de Fallois, 1994.

du Second Empire qui avaient reproché à l'Empereur son « nouveau coup d'État » commercial n'en seraient pas revenus : la Ve République était bien sur ce plan-là un « coup d'État permanent ».

Nos élites économiques et technocratiques mirent leurs certitudes libre-échangistes à l'abri de toute contestation populaire en confiant à la Commission de Bruxelles le monopole des négociations commerciales. Le libéralisme économique montrait, comme au XIXe siècle, ses profondes tendances autoritaires et même autocratiques (à l'époque des physiocrates, on parlait plus ouvertement de « despotisme légal »). La gauche européenne fit mine de ne rien voir. Piégée par son universalisme, elle ne pouvait que se soumettre. La gauche compensait seulement les effets ravageurs de la concurrence internationale – désindustrialisation et chômage de masse – par la réduction du temps de travail et les emplois subventionnés, sur le modèle des « ateliers nationaux » de 1848. On revenait décidément au milieu du XIXe siècle.

De rares économistes, dans la foulée du prix Nobel d'économie Maurice Allais, ont tenté de faire le lien entre l'instauration du libre-échange mondialisé et le ralentissement de la croissance économique en Europe à partir du milieu des années 1970. Mais ces débats théoriques restaient vains, car la France n'avait plus aucune influence sur les décisions commerciales européennes.

Nos « champions nationaux », grandis sous le colbertisme gaullo-pompidolien dans la France du Marché commun des années 1960-1970, s'effondrent les uns après les autres, avalés par des rivaux étrangers ou bridés par une Commission européenne au nom du principe sacré de la « concurrence libre » et « non faussée », qui interdit désormais toute politique industrielle nationale.

Jeté à partir des années 1980 dans le grand bain mondial, le capitalisme français change de visage et de régime.

L'industrie est marginalisée ; la banque et les services dominent ; une dette exponentielle et un système de redistribution social colossal nourrissent une croissance poussive autant qu'artificielle. Banquiers, énarques et traders ont remplacé ingénieurs et ouvriers. La grande distribution, le Comité des forges. Le capitalisme financier, rentier, improductif s'est substitué au capitalisme industriel.

Retour protectionniste interdit

Cette hécatombe industrielle et sociale – sans oublier la ruine de nombreux paysans – est expliquée et justifiée par les insuffisances structurelles de l'appareil productif français : montée en gamme insuffisante, sous-qualification, manque de fonds propres. C'étaient déjà les arguments produits par la théorie économique après le fiasco consécutif au traité de libre-échange franco-anglais de 1860. Le retour protectionniste est interdit – au-delà des règles européennes – par la peur fallacieuse de la guerre et par une empathie – aussi nouvelle qu'affectée – pour les plus pauvres, qui, privés d'emplois par la mort de l'industrie et dépendant largement des revenus distribués par l'État providence, souffriraient le plus de l'augmentation du prix des produits de grande consommation importés qu'ils acquièrent sans compter dans les grandes surfaces.

Léon Tolstoï disait, narquois : « L'histoire économique est un sourd qui répond à des questions que nul économiste ne lui a jamais posées. » On refuse d'admettre que les grandes périodes de protectionnisme mesuré s'avèrent aussi celles où l'industrie française fut la plus inventive et dynamique. On laisse mourir sans regret les gloires des années 1960 ; et on oublie qu'entre 1880 et 1930, l'industrie et la science françaises inventaient l'automobile, le cinéma, l'avion, le téléphone, tandis que l'épargne française finançait partout les grands travaux dans le monde. C'était alors le temps de la deuxième révolution industrielle : chimique, électrique, mécanique. La France du Nord et de l'Est tenait la dragée haute à l'Allemagne. Alors que les théoriciens libéraux se demandent encore comment le protectionnisme a été compatible avec ces innovations, ils ne peuvent que rejeter obstinément l'idée qu'il en serait à l'origine !

Voilà pourquoi Jules Méline est réduit par eux à un tarif honni. On ne lui reproche pas d'avoir été protectionniste, mais d'avoir réussi.

La Grande Illusion

Guerre et paix

C'est un film de guerre sans bataille. Un film d'évasion sans action. Un film d'hommes qui ne cessent de bavarder dans un univers confiné. Un film français où l'officier allemand n'est ni cruel ni grotesque. *La Grande Illusion* est un chef-d'œuvre incontesté qui fut longtemps contesté. Les Français n'apprécièrent guère l'idylle nouée à la fin du récit entre Jean Gabin et la veuve allemande, et censurèrent certaines scènes. Les dirigeants nazis interdirent le film, et Goebbels le désigna comme « ennemi cinématographique numéro un ».

Le titre demeure un mystère. Quelle est donc cette « grande illusion » ? Illusion de croire que la Grande Guerre sera la dernière ? Qu'elle débouchera sur la paix universelle ? La paix pour toujours, la paix entre les classes en France, et la paix entre les nations dans le monde ?

Le film se déroule au cours de la Première Guerre mondiale, mais est diffusé sur les écrans en 1937, à la veille de la Seconde. Dans les salles, tout le monde a compris qu'on « allait à la guerre ». Qu'on « allait remettre ça ». Le film est une ode au pacifisme et à la fraternité humaine ; c'est une ode désespérée. Non le chant d'espoir que les optimistes ont voulu y voir, mais le chant d'un échec. À rebours des petites et grandes illusions, ce n'est pas la paix qui est sortie de la Grande Guerre, mais la guerre. Toujours plus féroce, toujours plus meurtrière, toujours plus inexpiable.

De la politique à la morale

Tandis que les Français célébraient l'armistice du 11 Novembre au cri d'« On les a eus ! », les armes ne cessaient de crépiter partout sur le continent européen, dans les ruines des quatre grands Empires qui s'effondraient, l'allemand, le russe, l'autrichien et l'ottoman. La guerre de 1914-1918 s'est révélée le catalyseur de révolutions sociales et nationales qui vont dessiner le XXe siècle. Un conflit traditionnel entre États, quoique particulièrement meurtrier, avait ouvert la voie à d'autres affrontements bien plus dangereux, bien plus sauvages, bien plus impitoyables, où l'ennemi de classe ou de race ne devait pas seulement être vaincu, mais exterminé.

Ernst Jünger avait écrit, dès 1928, dans son superbe ouvrage intitulé *La Guerre comme expérience intérieure* : « Cette guerre ne marque pas la fin mais le début de la violence. Elle est la forge dans laquelle le monde sera martelé afin de créer de nouvelles frontières et de nouvelles communautés. Ces nouveaux moules ont soif de sang, et le pouvoir sera exercé d'une main de fer. »

Les Français et les Anglais avaient commencé la guerre pour défendre leur patrie et leur terre et l'achevaient pour défendre le droit et la liberté des peuples. L'Allemagne avait débuté adversaire et finissait criminel. La guerre avait été pendant des lustres un élément normal de la politique des États : *Ultima ratio regum* (l'« ultime argument des rois »), écrivait Louis XIV sur ses canons ; après quatre années de massacres, elle devenait l'horreur interdite. La paix n'était plus l'intermède négocié entre deux guerres, mais un absolu qu'on devait imposer, y compris par la force. On sortait de la politique pour entrer dans la morale. On abandonnait le réalisme des rapports de force pour l'idéalisme des bons sentiments. On quittait l'Europe pour se soumettre à l'Amérique. On sortait de la guerre pour entrer dans la croisade.

Ces pacifistes à tous crins ne comprenaient pas qu'en rejetant la guerre par principe, en refusant les accommodements et les règles du passé qui l'avaient encadrée, circonscrite, régulée, ils ne feraient qu'engendrer un nouveau type de conflit, plus terrible encore, celui du bien contre le mal, qui rappelait les guerres de Religion d'antan. En tentant d'interdire les affrontements traditionnels entre États, ils allaient ressusciter ceux où l'ennemi devenait pirate et criminel, où on ne devait pas vaincre l'adversaire, mais anéantir celui qui incarnait le mal.

L'aristocrate, l'ouvrier et le bourgeois

La Grande Illusion, c'est cela, l'échec cruel du pacifisme ; la victoire du réel sur les illusions, des passions sur la raison ; le XXe siècle qui s'annonce dans toute son horreur. La trame du scénario est pourtant d'une rare banalité. Des officiers français, prisonniers d'un camp allemand, passent tout leur temps, et jettent toute leur énergie, dans d'innombrables et vaines tentatives d'évasion. Les trois personnages principaux, Boeldieu, Maréchal et Rosenthal, sont incarnés par Fresnay, Gabin et Dalio. L'aristocrate, l'ouvrier et le bourgeois. L'aristocrate vouvoie sa femme et sa mère ; l'ouvrier préfère le vélo au théâtre ; le bourgeois gâte les prisonniers français de colis qui font pâlir d'envie leurs geôliers allemands, soumis au blocus de la marine anglaise. L'aristocrate a un cousin allemand, l'ouvrier est breton, le bourgeois, fils de banquier juif. Les corps et les voix, jusqu'aux intonations et à la syntaxe, tout respire leurs différences sociales. L'officier allemand von Rauffenstein, joué avec une raide distinction par Erich von Stroheim, ne cesse de chercher une complicité de classe avec le Français Boeldieu ; et Rosenthal exaspère ses compagnons par une ostentation vaniteuse de nouveau riche.

Renoir sublime les valeurs traditionnelles d'altruisme et d'oubli de soi, si utiles en temps de crise : Boeldieu se sacrifie pour ses deux compères ; Maréchal secourt Rosenthal blessé, qui retarde pourtant leur fuite. La leçon politique est limpide : la société libérale puise à pleines mains dans les valeurs communes aux sociétés chrétiennes, aristocratiques et ouvrières ; mais elle les dilapide et ne les renouvelle pas. La République laïcise les valeurs chrétiennes en les détruisant au nom de la liberté de l'individu et du progrès de la raison. La crise du capitalisme est aussi celle de la République parlementaire, toutes deux empêtrées dans l'injustice, la corruption, et la perversion de l'idéal dans la vulgarité du divertissement de masse.

L'homme n'est plus un homme

Même les rapports entre les hommes et les femmes sont altérés par cette révolution individualiste. Il n'y a bien sûr pas de présence féminine dans le camp de prisonniers, mais les hommes ne peuvent s'empêcher d'évoquer avec amertume les plaisirs de l'arrière : Maxim's complet tous les soirs, les femmes en jupes, sans corset et cheveux courts. « Quand on n'est pas là pour les surveiller, les femmes ne font que des bêtises », lâche, désabusé, l'un d'entre eux.

La guerre avait depuis la nuit des temps légitimé le pouvoir des hommes : pouvoir du protecteur, de celui qui risque sa vie pour défendre la mère de ses enfants. Mais la guerre de 1914 va changer la donne et renverser sa fonction séculaire : elle laisse pour la première fois les femmes seules, sans leur homme, sans protection contre les besoins élémentaires ni contre les tentations. Pendant qu'à l'arrière les femmes se déguisent en garçons, les hommes, dans leur prison, se déguisent en filles, enrobées dans de douces guipures venues de Paris, qu'ils touchent, caressent, honteux du trouble qu'ils ne peuvent dissimuler lorsqu'un de leurs camarades apparaît affublé en danseuse aguicheuse.

La guerre des classes et des sexes à l'intérieur du camp semble supplanter celle des nations à l'extérieur. « Chacun mourrait de sa maladie de classe s'il n'y avait la guerre pour réunir tous les microbes », plaisante cyniquement un personnage. Mais Renoir est trop fin pour se soumettre entièrement à la vulgate marxiste. L'amour de la patrie ne demande qu'à frémir, pour emporter toutes les divisions. Lorsqu'on annonce la prise de Douaumont par les Français, tous les prisonniers en jupons de dentelles se figent dans un garde-à-vous impeccable et entonnent une *Marseillaise* frémissante.

La guerre n'est plus la guerre

Face à l'irruption démocratique dans l'univers de la guerre, les deux nations n'ont pas réagi de la même façon : la France s'efforce d'inculquer les valeurs guerrières de la noblesse au meilleur des classes populaires, sur le modèle des maréchaux d'Empire, tandis que les Allemands ont privilégié l'entre-soi des féodaux prussiens. Mais dans les deux cas, la caste se sait condamnée à mort par l'époque. Leur monde disparaît.

La guerre n'est plus la guerre. Elle n'est plus cet affrontement féroce mais exaltant où des hommes jeunes éprouvaient leur force et rencontraient la gloire. Elle n'est plus le creuset des valeurs viriles et aristocratiques de courage, d'honneur, de sacrifice.

Anatole France, dans sa préface à une traduction du *Faust* de Goethe, avait prophétisé : « Supprimez les vertus militaires et toute la société civile s'écroule… » Il ne se doutait pas que la guerre elle-même abolirait la guerre. L'industrialisation et la massification des mobilisations ont transformé les soldats en un troupeau démesuré d'hommes de tous âges, rampant au sol dans les tranchées comme des rats, se précipitant sous le feu ennemi comme des moutons à l'abattoir. Foch l'avait pressenti lorsqu'il confia quelques mois avant le début des hostilités que « les armées étaient devenues trop grandes pour les cerveaux de ceux qui les commandaient. Aucun homme ne serait assez puissant pour contrôler ces millions de soldats. Les chefs hésiteraient puis resteraient assis, obnubilés par leurs lignes de communication, et la nécessité de ravitailler ces vastes hordes, qu'il faudrait bien nourrir... »

La Première Guerre mondiale a mis fin au modèle archétypal de la bataille rangée. On dit « bataille de l'Aisne », ou « bataille du chemin des Dames », parce qu'on n'arrive plus à désigner le lieu de la bataille, mais qu'on veut bénéficier de l'aura symbolique et émotionnelle, politique et mythologique, que le mot charrie avec lui. Plus tard, les Français, mais aussi leurs adversaires, parleront de la « bataille d'Alger », pour désigner l'âpre lutte dans la casbah d'Alger entre les parachutistes français et les poseurs de bombes du FLN.

En Allemagne comme en France, la pensée militaire perçut cette évolution comme un changement d'échelle, qui ne remettait pas en cause l'idée même de la bataille décisive. On cherchait la rupture, la « décision par les armes » selon le mot de Foch, on prônait l'« offensive à outrance », on se nourrissait des modèles indépassables des campagnes glorieuses de Bonaparte, pour les Français, ou du grand Frédéric, pour les Prussiens.

Les Français ont fini par l'emporter à l'automne 1918, après avoir failli perdre au printemps de la même année. Mais sa défaite sur le champ de bataille n'a pas suffi à convaincre l'état-major allemand que la guerre était perdue. Puisqu'il n'y avait plus de batailles, il n'y avait plus de victoire définitive ; il n'y avait plus non plus de défaite définitive.

Dans le cas d'un affrontement total, les belligérants disposent de ressources quasi illimitées qui permettent de prolonger la lutte et surtout de surmonter les conséquences d'un échec tactique. Le général en chef des armées allemandes, Ludendorff, en déduisit les fondements de sa théorie de *La Guerre totale*, ouvrage publié en 1935. Il y explique que seule la stratégie de l'usure a fonctionné, par l'utilisation de moyens économiques. C'est sur ce front que les stratèges des empires centraux ont perdu la guerre. C'est donc sur ce front qu'ils pourront prendre leur revanche. En 1940, replié à Londres, de Gaulle ne dira pas autre chose après la déroute française. La France, vaincue par un déploiement inédit de chars, d'avions, de bombes, pourra prendre sa revanche grâce à son allié américain, qui lui fournira encore plus de chars, d'avions, de bombes.

Le progrès a changé la face de la guerre. Selon les philosophes des Lumières, le progrès devait apporter la science, la fin de l'ignorance, la tolérance, la liberté, la paix. Le progrès apportera une nouvelle ignorance, un fanatisme accru, une oppression totalitaire : la guerre totale. Verdun est le progrès même !

Chaque camp incarne la vérité

La Grande Illusion est la réponse française à l'horreur de la guerre ; l'ouvrage de Ludendorff est la réponse allemande. Pour les premiers, le pire est la guerre ; pour les seconds, le pire est la défaite. Pour les premiers, la meilleure réponse à la guerre est la paix. Pour les seconds, la meilleure réponse à la défaite est la revanche.

Chaque camp se croit le bon camp. Chaque camp fait une guerre pour la justice, pour le peuple, pour l'humanité. Les nazis vengent les Allemands humiliés par le diktat de Versailles et sonnent l'avènement de la « Grande Europe » aryenne. Les alliés défendent la liberté et la démocratie. Chaque camp incarne le bien, et son adversaire le mal. Chaque camp incarne la Vérité. On est revenu au Moyen Âge, lorsque l'Église bénissait les seules « guerres justes », faites pour le Christ au nom de la foi.

Tout se passait comme si le développement inouï de la technologie moderne, avec ses capacités inédites de destruction, obligeait au retour de la guerre juste. Pour justifier de tels moyens de destruction, capables de raser une ville, exterminer un peuple, atomiser un pays, il fallait que la guerre fût moralement juste.

Incroyable et mystérieuse liaison entre les évolutions idéologiques des temps et les découvertes scientifiques des hommes. Hegel, dans ses *Leçons sur la philosophie de l'histoire*, avait déjà noté : « L'humanité avait besoin alors, en passant de la féodalité à l'absolutisme, de la poudre à canon, et aussitôt elle fut là. »

Incroyable carambolage des générations et des aspirations. La génération sacrifiée de 1914 qui criait « Plus jamais la guerre ! » tendait la main à la génération suivante, qui, née pendant les hostilités, avait conservé au fond d'elle-même la frustration de n'avoir pu participer au carnage, à la manière de la jeunesse romantique de Musset qui dans *La Confession d'un enfant du siècle*, confiait combien elle avait souffert de n'avoir pu poursuivre la geste héroïque de ses pères dans la Grande Armée de Napoléon.

La France ne sait plus qui elle est ni qui elle veut être. Entre ceux qui rêvaient encore au retour de la « grande nation » et ceux qui craignaient par-dessus tout les horreurs de la Grande Guerre, il n'y a plus rien de commun. Le temps revenu de la guerre juste est aussi celui de la guerre civile ; celui où les Français ne s'aimeront plus. Celui où les Boeldieu, Maréchal, Rosenthal se déchireront, s'étriperont, sous l'œil narquois et méprisant des von Rauffenstein qui auront gagné la guerre.

Le temps des grandes désillusions.

Clemenceau

Crime et châtiment

Il est le dernier. Le dernier géant. Le dernier des fils de la Révolution. Le dernier des Jacobins. Le dernier à avoir chaussé les bottes de 1793. Le dernier à avoir sauvé la « patrie en danger ». Même les monarchistes admiraient ce républicain intraitable ; même les catholiques finirent par louer ce bouffeur de curés. Il fut « le Père la victoire ». « Le Tigre ».

Cette guerre avait été sa guerre ; cette victoire sa victoire. Il aura vaincu ses ennemis mais sera vaincu par ses alliés. Il gagnera la guerre mais perdra la paix. Il n'avait pas cédé aux Allemands mais céderait aux Américains et aux Anglais. Le Tigre sortirait domestiqué du Congrès de Versailles. Sa victoire de 1918 sonna paradoxalement le glas de la « grande nation ». Clemenceau fut l'artisan de l'une et de l'autre. Les qualités qui lui avaient permis de gagner la Grande Guerre devinrent les défauts qui l'empêchèrent de gagner la paix. Il conduisit seul, entouré de ses quelques conseillers, comme Mandel ou Tardieu, les négociations de paix, comme il avait conduit en solitaire les opérations de guerre. Alors président de la République, Poincaré notait dans son journal : « Aucune nouvelle de Clemenceau, qui décide seul du sort de la France, en dehors des Chambres, en dehors du gouvernement, en dehors de moi. »

Il avait pourtant soigné son entrée, ouvrant solennellement la conférence de la Paix le 18 janvier 1919, date anniversaire de la fondation du Reich, en 1871, dans ce même palais de Versailles où Bismarck avait proclamé Guillaume II empereur de l'Allemagne unie. Et en ce 28 juin 1919, il lançait, de sa voix sèche et coupante, qui résonnait dans la galerie des Glaces, aux deux délégués allemands, Muller et Bell, engoncés dans leurs habits noirs : « Il est bien entendu, messieurs les délégués allemands, que tous les engagements que vous allez signer devront être tenus intégralement et loyalement. »

Il était Clemenceau l'implacable. Clemenceau le bras vengeur de la France. Clemenceau qui ferait rendre gorge aux Allemands. La haine qu'il leur portait était légendaire ; il en était fier. Il exposait à tous ses interlocuteurs les « gains » qu'il avait tirés de la négociation : l'Alsace-Lorraine, les mines de la Sarre, le Maroc. Il savait au fond de lui que c'était peu de chose par rapport au million quatre cent mille de morts (sur huit millions d'hommes valides entre 20 et 50 ans) et aux dix départements du Nord-Est ravagés par l'occupation germanique. Ces résultats obtenus n'avaient rien de mirifique comparés à ceux des Anglais, qui avaient enfermé la marine allemande dans les rades britanniques. On avait donné à la France une mauvaise frontière, dessinée en 1815 pour punir la France napoléonienne, une frontière d'invasion qui avait été regardée comme une humiliation nationale pendant un siècle. L'Alsace-Lorraine ne mettait qu'un peu de baume sur nos plaies à vif. La défaite de Sedan en 1870 avait été effacée, pas Waterloo.

Clemenceau devinait les railleries dans son dos : l'Angleterre a été payée comptant, la France à terme. Il entendait tous ceux, Foch, Poincaré, Lyautey, Mangin, qui dénonçaient ses renoncements, alertaient sur les failles du traité ; lui reprochaient de ne pas avoir signé un traité de paix, mais un « armistice de vingt ans ». Au fond de lui, le Tigre savait qu'ils n'avaient pas tort, mais son orgueil démesuré ne le reconnaîtrait jamais. Il était désemparé, accablé, dépité. La paix avait changé ses amis en adversaires. Les Anglais avaient retrouvé leur hostilité millénaire à l'hégémonie française ;

ils protégeaient l'Allemagne contre l'impérialisme gaulois. L'historien irlandais Robert Gerwarth, dans son livre, *Les Vaincus* (2017), explique que pour les Britanniques « la perspective d'une hégémonie française était une menace aussi grave que l'avait été la domination allemande avant-guerre ».

Le prophète Wilson dompte le tigre

La France retrouvait ses deux ennemis séculaires : l'Angleterre et l'Allemagne. L'Empire britannique se moquait comme d'une guigne des angoisses terriennes de la France, qui tentait d'établir des frontières sécurisées la mettant à l'abri de toute invasion venue de l'Est. Quant aux Américains, c'était sans doute pire. Jacques Bainville avait parfaitement résumé la situation : « L'Amérique arriverait à la fin de la guerre dans une Europe fatiguée, et le président Wilson serait maître de la paix comme la France l'avait été sous Richelieu en n'intervenant que dans la dernière période de la guerre de Trente Ans. » Le président Wilson paradait à Paris en vainqueur. Les gauches françaises et britanniques l'adulaient. Les Allemands l'attendaient comme un messie qui les sauverait de la férocité française. À Paris, les troupes américaines distribuaient nourriture, boîtes de conserve, chewing-gums. On jouait du jazz et les jolies Françaises dansaient avec les soldats noirs, étonnés de pouvoir côtoyer des femmes blanches dans des bars sans ségrégation. 1918 avait un air de 1945 avant l'heure.

Les presses américaine et française louaient les troupes venues d'outre-Atlantique pour sauver La Fayette en grand danger. La machine de propagande marchait à plein régime. Bientôt, Hollywood prendrait le relais. Clemenceau savait, lui, qu'au comble de l'offensive alliée de l'été 1918, il n'y avait jamais eu davantage que six divisions américaines opérationnelles, tandis que les Français n'en alignaient jamais moins d'une vingtaine. Il avait découvert que les Américains étaient de piètres soldats, à qui leurs formateurs français s'efforçaient souvent en vain d'enseigner l'art de ne pas se jeter sous la mitraille allemande. Les Américains avaient acheté leurs avions, canons, obus, chars d'assaut, jusqu'aux pièces de rechange, aux Français. Le vrai vainqueur de la guerre avait été le char Renault FT-17, et sa tourelle pivotante, qui avait dérouté et désagrégé l'adversaire allemand, tandis que l'armée française, remodelée après Verdun par Pétain et Foch, était redevenue la meilleure du monde, retrouvant son lustre d'Austerlitz et Iéna.

Les alliés décisifs n'avaient pas été les Américains, mais les Italiens, qui, vengeant leur humiliation de Caporetto à la bataille de Vittorio Veneto, avaient contraint l'armée autrichienne à demander l'armistice le 3 novembre 1918, laissant l'ami allemand seul, désemparé, face à son destin funeste. Au même moment, sur le front oriental, les troupes françaises, avec leurs alliés serbes, conduites par Franchet d'Espèrey, enfonçaient la résistance bulgare, rompaient le front de Macédoine et parvenaient sur le Danube. À la surprise générale, l'armée d'Orient s'était ainsi ouvert la route du sud de Berlin, par la Bohême, en passant par Budapest-Vienne-Prague : deux cents kilomètres, sans même avoir à combattre, puisque l'armistice avec l'Autriche-Hongrie permettait de se servir de tous les moyens de communication de cet État. Les Allemands n'y pouvaient rien. Mais l'indécrottable anticlérical Clemenceau n'avait nulle envie que ce royaliste catholique de Franchet d'Espèrey s'emparât des capitales du très catholique empereur Habsbourg, et y prît d'éventuelles initiatives politiques.

Le républicain Clemenceau, qui vouait une détestation historique à la figure de Bonaparte, se méfiait de tout militaire qui eût amoindri par son prestige de vainqueur son rôle de chef civil de la guerre. Le 7 novembre, il donnait l'ordre à Franchet d'arrêter ses vingt-deux divisions à la frontière serbe. Le Tigre était aussi sous pression de ses alliés, l'Anglais Lloyd George et l'Américain Woodrow Wilson, qui refusaient de voir la France emporter la guerre avec trop d'éclat, et les troupes françaises entrer dans Berlin. Lloyd George ne faisait qu'appliquer la stratégie traditionnelle du balancier de l'Angleterre, soutenant l'Allemagne quand la

France était trop forte, soutenant la France quand l'Allemagne était trop forte.

Quant à Wilson, c'était un drôle de zigue. Idéaliste et cynique à la fois. Pétri de principes universalistes et de préjugés racistes de son Sud natal, il était d'abord un défenseur de la race blanche, et reprochait vertement aux Anglais leur alliance avec les Japonais. Wilson était un professeur d'université qui faisait des sermons de prédicateur. Un pacifiste qui avait doté son pays de la plus puissante marine du monde. Clemenceau songeait, aigre, que ce Congrès de Versailles tournait au concile et que le traité diplomatique était devenu une leçon de morale pour lecteurs de la Bible.

Tout le monde avait retenu la fameuse allocution du président Wilson, de janvier 1918, et ses « quatorze points » qui avaient servi de base à l'établissement de la paix future ; mais nul n'avait retenu son discours du 22 janvier 1917 devant le Sénat, dans lequel il avait annoncé l'avènement de l'hégémonie américaine sur le monde pour le siècle qui s'ouvrait : un nouvel ordre géopolitique structuré autour de l'astre américain était en gestation. Wilson revendiquait au nom de l'Amérique une supériorité qui serait économique, mais aussi politique et morale. Son ambition était sans limites. Il ne voulait rien de moins que décentrer l'Occident, l'arracher à l'Angleterre et à la France, pour en devenir l'inspirateur et le maître. Devenir le nouvel Ouest, le nouvel Occident, la Nouvelle Europe. Le nouveau centre de la Terre.

Il prétendait rassembler derrière l'Amérique tutélaire toutes les « démocraties libérales », en fusionnant les traditions politiques pourtant hétéroclites de la France, de la Grande-Bretagne et des États-Unis. Dès le 1er décembre 1918, un mémorandum Wilson avait déjà proposé à ses alliés de mettre sur pied une direction générale du ravitaillement, dont le patron aurait été un Américain, qui aurait réorganisé l'économie des régions alliées ou ennemies dévastées par la guerre. Les institutions qui naîtraient après la Seconde

Guerre mondiale, pour assurer l'hégémonie américaine sur le « monde libre », en particulier le FMI et la BIRD, étaient déjà dans les cartons du président américain.

Le projet wilsonien était prophétique et serait mis en œuvre par ses successeurs durant tout le XXe siècle. La France et l'Angleterre s'abandonneraient au joug américain dès 1919 ; l'Allemagne, brisée à son tour par la Seconde Guerre mondiale, rentrerait dans le giron des « démocraties libérales » en 1945. La chute de l'Union soviétique remplirait l'escarcelle occidentale des pays de l'Europe centrale. Et l'Amérique, insatiable, tenterait encore d'arracher à l'ours russe, après la dislocation de l'Union soviétique, en 1991, des lambeaux de son ancien empire, ukrainien ou géorgien, toujours au nom de la « démocratie libérale ».

Soutenir les Français pour sauver les Allemands

Le retors Wilson n'avait jamais déclaré son pays « allié » de l'Entente, mais « associé » ; jamais renoncé à son rôle de « médiateur », d'« arbitre ». Il avait pris soin, même après son entrée en guerre, de préserver sa position de « neutralité ». Wilson avait forgé la posture inédite du neutre belliqueux. Les Américains avaient supplié pendant des mois les Allemands de cesser leur guerre sous-marine ; mais les généraux Ludendorff et Hindenburg n'avaient rien voulu entendre ; ils avaient pris délibérément la résolution de « mondialiser » cette guerre comme, en 1914, ils avaient déjà décidé d'ouvrir les hostilités en soutenant l'Autriche-Hongrie après l'attentat de Sarajevo.

L'entrée en guerre de l'Amérique, en avril 1917, avait été un échec personnel ; mais Wilson le fit payer à ses alliés français davantage qu'à ses adversaires. L'Allemagne était reconnue coupable du « plus grand crime commis contre le monde », mais pour notre moraliste d'outre-Atlantique, c'était toute l'Europe, et son archaïque système diplomatique, qui était coupable. Wilson avait tout tenté pour obtenir une « paix blanche » sans vainqueurs ni vaincus pour mieux humilier les belligérants et délégitimer l'ordre européen. Faisant contre mauvaise fortune bon cœur, l'Américain était venu soutenir les Français pour sauver les Allemands.

Il soldait ainsi des comptes anciens. Quelques décennies plus tôt, alors que l'Amérique était ravagée par une terrible « guerre de Sécession », la France et l'Angleterre avaient reconnu les États confédérés du Sud, en mai-juin 1861. L'objectif était bien sûr de briser les ailes de ce géant d'outre-Atlantique avant qu'il ne prenne un envol irrésistible. Napoléon III avait même envoyé en 1863 un corps expéditionnaire de trente mille hommes au Mexique, avec l'intention de constituer une union entre le Mexique et le sud des États-Unis, dans un ensemble catholique, latin et francophile, en contrepoids d'un Nord protestant et anglophile. Un rêve français qui était moins stupide que ne l'assénèrent alors les innombrables opposants à l'Empereur, mais que celui-ci eut le tort de ne pas poursuivre avec assez de détermination. Il n'osa envoyer une escadre française, à La Nouvelle-Orléans, au secours des armées sudistes du général Lee, pour briser le blocus organisé par le Nord. Les dirigeants américains n'oublièrent jamais l'affront. Dès la fin de la guerre de Sécession, le corps expéditionnaire français au Mexique dut plier bagage. En 1870, le président Ulysse Grant envoya un télégramme de félicitations à l'empereur Guillaume II, qui venait d'écraser les armées françaises de Napoléon III…

L'historien italien Guglielmo Ferrero a vu dans la Première Guerre mondiale l'opposition de la « logique de perfection » à la « logique de puissance ». La première, portée par les pays latins (la France et son allié italien), la seconde, par les Allemands et leurs successeurs américains. L'efficacité industrielle et technique de l'Amérique était le modèle absolu de l'Allemagne. Le ministre Rathenau surnommait Berlin « Chicago-sur-la-Spree ». Les Allemands adoraient les histoires de cow-boy de Karl May. Leur conquête de l'Ouest à eux, ce serait celle de l'Est, avec ses terres eurasiatiques.

Hitler, lui-même grand admirateur de l'Amérique, sera convaincu jusqu'au bout qu'en exterminant Slaves et Juifs, Polonais ou Russes, il ne faisait que réitérer le grand nettoyage réalisé par les « pionniers » américains au détriment des tribus indiennes.

Cette complicité germano-américaine était le secret le moins bien gardé des négociations de paix. Dans *Grandeurs et misères d'une victoire*, Clemenceau écrira que le président des États-Unis « avait traité tout seul, séparément, avec l'Allemagne, en prenant soin ô ironie, de s'assurer des avantages des batailles qu'il n'avait pas livrées ».

Les Allemands avaient compris le message subliminal qui leur était envoyé. Avec son ode à la démocratie, à la liberté et au principe des nationalités, Wilson décidait quel régime était acceptable et lequel ne l'était pas. Les Américains exigeaient des Allemands qu'ils sacrifient l'empereur Guillaume II, et leur autocratie féodale, sur l'autel de l'intégrité de leur État. Après quelques hésitations, au milieu des tourments révolutionnaires des communistes « spartakistes », les dirigeants sociaux-démocrates allemands firent alliance avec l'armée sur un double compromis : l'exil de l'empereur et la répression des « spartakistes ». Les plus idéalistes d'entre eux y voyaient l'occasion inespérée de reprendre le fil de l'histoire d'une autre Allemagne, démocratique, libérale, rhénane, loin des rugosités aristocratiques et militaristes prussiennes, qui avait été brisée lors de l'échec de la révolution de 1848. Le président social-démocrate Ebert promit que l'Allemagne deviendrait la « plus grande République du monde après celle des États-Unis ».

Un ensemble catholique et francophile

Ce « deal » entre les Américains et les Allemands était un piège mortel pour la France. Une Europe divisée en petites nations, au nom du principe des nationalités, était une proie trop tentante pour une Allemagne condamnée, mais préservée. Toute l'Europe avait été balkanisée, sauf l'Allemagne.

Celle-ci avait tout perdu, mais sauvé l'essentiel : son État et son unité. Le pacte diabolique entre les Américains et les Allemands avait fonctionné : les Allemands avaient sauvegardé leur trésor le plus précieux, le fruit des victoires de la Prusse de Bismarck, au nom de la démocratie.

Clemenceau était lui-même un enfant de la Révolution française, qui avait répandu les idéaux de liberté et de nationalités. Il avait grandi dans la France du Second Empire, qui avait bouleversé l'Europe en leur nom. Wilson nous rapportait les principes de Napoléon III et de Michelet. Les Français ne pouvaient s'y opposer. On ne revient pas sur cinquante ans d'histoire ! répétaient les négociateurs français. L'économie de l'Allemagne, son industrie, ses canaux, ses chemins de fer, il faudrait tout démanteler !

Clemenceau n'avait jamais inscrit dans ses buts de guerre le démantèlement de l'unité allemande ; mais il n'avait pas non plus envisagé la dislocation de l'Empire austro-hongrois ; or tout se passait comme si cette désagrégation du vieil Empire des Habsbourg eût été le seul objectif politique de cette Grande Guerre. Clemenceau ne pleurait pas la disparition de la puissance réactionnaire et catholique. Il y a longtemps, en 1881, il avait écrit à Gambetta, qui cherchait déjà un rapprochement avec l'Allemagne et l'Autriche : « Tous les empereurs, rois, archiducs et princes sont grands, sublimes, généreux, superbes, leurs princesses sont ce qu'il vous plaira, mais je les hais comme on les haïssait en 1793. »

Il avait cependant compris l'intérêt pour la France de détacher de l'Allemagne la Bavière, pour la lier à l'Autriche, afin de constituer un ensemble catholique et francophile qui aurait fait contrepoids, au centre de l'Europe, aux protestants du Nord, proches des Anglo-Saxons. Le projet aurait eu fière allure. Ce royaume allemand du Danube avait, par le passé, célébré les noces de l'art et de la musique. Il aurait été protégé par l'armée française et aurait servi de marche pour protéger notre frontière de toute offensive prussienne. La France occupait déjà la Rhénanie (mais pour quinze ans seulement) ; si Vienne restait en dehors de l'ensemble allemand, si les Sudètes (de population allemande) passaient sous la coupe de la nouvelle Tchécoslovaquie, rien n'empêchait que d'autres morceaux germaniques, la Bavière, la Rhénanie ou le Wurtemberg, fussent détachés eux aussi. Si les négociateurs allemands avaient sacrifié leur monarchie à la paix, ils auraient pu également sacrifier l'unité acquise cinquante ans plus tôt. On en serait revenu au principe fondamental qui avait guidé la politique française pendant des siècles, et qu'avait encore rappelé Adolphe Thiers, en 1866 : « Le plus grand principe de la politique européenne est que l'Allemagne soit composée d'États indépendants, liés entre eux par un simple lien fédératif. »

L'offensive du 13 novembre 1918

Sans jamais le reconnaître, Clemenceau devait bien regretter désormais d'avoir bloqué l'avancée fulgurante des troupes de Franchet d'Espèrey sur le Danube…

Dès le 4 décembre 1918, le Hanovre, le Schleswig, la Rhénanie avaient réclamé le droit de disposer de leur sort. La Bavière avait fait sécession. Un manifeste fédéraliste proclamait alors : « Le peuple allemand n'est pas une masse populaire informe et d'un seul tenant. C'est un peuple de peuples. » Le 1er février 1919, le bourgmestre de Cologne, une personnalité catholique du nom de Konrad Adenauer, convoquait les députés de la rive gauche du Rhin pour rédiger la Constitution d'un Land rhénan autonome. D'autres personnalités catholiques, comme le Dr Dorten, désiraient carrément proclamer un État indépendant. Ils rencontrèrent le général Mangin pour lui demander la protection de l'armée française. Celui-ci la leur accorda.

Mais quand les négociateurs français réclamèrent l'adhésion de la Bavière aux négociations de paix, les Anglo-Saxons refusèrent. Quand les services français des armées proposèrent de ravitailler en priorité les populations bavaroises, les alliés se scandalisèrent. Lorsque le socialiste Kurt Eisner renversa la monarchie bavaroise en 1918, et se tourna vers la France, il fut assassiné par un officier allemand. Plus tard, en 1923, ce furent encore les indépendantistes bavarois qui empêchèrent le fameux putsch de Hitler à la brasserie de Munich, le 9 novembre 1923. Ce n'était que partie remise.

Clemenceau n'insista pas. Il n'avait pas réfléchi à la paix autant qu'à la guerre. Le 6 novembre 1919, Lyautey le jugera sévèrement dans une lettre écrite à son ami Wladimir d'Ormesson : « Et une fois au pouvoir, alors que les circonstances mettront tous les atouts dans son jeu, n'a-t-il pas [eu] l'effroyable responsabilité, lourde entre toutes, de l'écroulement autrichien, et de cette anarchie de l'Europe centrale dont nous ne sortirons pas et dont nous crèverons. Il n'a aucune vue d'extérieur, aucune portée d'homme d'État, au sens des Richelieu, des Talleyrand et des Cavour. Il est incapable de concevoir des lendemains et de les préparer. Il nous mène au jour le jour, à l'heure, en frappant du poing, faisant des mots, et injuriant ses adversaires pour tout argument. C'est à pleurer. »

Sa haine des Allemands, sans limites ni nuances, affaiblissait désormais la France, qui aurait eu intérêt à distinguer entre les bons et les mauvais Allemands, les alliés potentiels et les ennemis irréductibles. Par un paradoxe inouï, la germanophobie sans nuances de Clemenceau et son héritage révolutionnaire sauvaient la grande œuvre du réactionnaire Bismarck. Dégoûté, Poincaré écrivait dans son journal : « Eh bien, nous faisons nous-mêmes l'unité allemande. »

L'ingénuité française s'avéra fort imprudente : si les Allemands avaient gagné en 1918, ils avaient, eux, un plan de démembrement du vaincu français, que Blücher n'avait pu mettre en œuvre en 1815, et que Hitler mit à exécution en 1940. La destruction de l'ouvrage de Bismarck et la séparation de corps entre les Prussiens et les Rhénans, rêvée par les nationalistes français, furent réalisées plus tard, mais par les Américains et les Russes, après la Seconde Guerre mondiale, au profit des deux grands, et garantirent à l'Europe une paix d'un demi-siècle, jusqu'à la réunification allemande, en 1990. Les leçons de l'ancienne monarchie française n'avaient pas été perdues pour tout le monde...

En revanche, les principes révolutionnaires de la France, comme sous le règne de Napoléon III, lorsqu'ils forgèrent à nos portes deux grandes nations rivales, l'Italie et surtout l'Allemagne, se retournaient encore contre notre pays. La France serait bien ce « Christ des nations » qu'avait annoncé Renan, qui se sacrifie sur l'autel de ses propres principes qu'elle donnait au monde. « La France, jadis soldat de Dieu, puis soldat des droits de l'homme, sera toujours soldat de l'idéal », avait proclamé Clemenceau. Cet idéal la tuerait.

Clemenceau manquait, il est vrai, de moyens de pression. Les troupes françaises n'occupaient pas un pouce de sol allemand. D'août à novembre 1918, les soldats alliés avaient progressé de deux cents kilomètres, mais la population allemande n'avait pas vu son territoire envahi. L'armistice intervint au moment où le général de Castelnau, sous les ordres de Pétain, s'apprêtait à lancer une vigoureuse offensive en Lorraine avec les 10e et 8e armées françaises, vingt divisions et six cents chars. L'invasion de l'Allemagne n'aurait pas lieu. Cette offensive était prévue pour... le 13 novembre 1918.

Les réparations

Mais Foch refusa. Il craignait des pertes inutiles, ne disposant pas de beaucoup d'informations sur la décomposition pourtant avancée du Reich. Il ne voulait pas donner à l'« attentiste Pétain » une auréole de vainqueur sur le Rhin, qui serait venue s'ajouter à celle de sauveur de Verdun : « Je regrette pour vous, mais il faut faire votre deuil de votre offensive », lui dit Foch. Pétain racontera des années plus tard : « Il m'est arrivé une chose unique dans ma vie de soldat, j'ai pleuré devant mon chef. »

Montrant une carte de France au printemps 1919, après l'échec des mouvements séparatistes rhénans qu'il avait patronnés, le général Mangin s'écria devant ses officiers : « Mes enfants reverront cela dans vingt ans ! » Il avait longuement parlé à Clemenceau. Mangin était un des rares généraux en qui le Tigre avait confiance. Alors qu'il s'apprêtait à devenir président du Conseil, en novembre 1917, Clemenceau avait supplié son ami de reprendre un corps d'armée. Il faut imaginer Clemenceau à genoux, des larmes dans la voix, implorant le général Mangin de revenir. Après avoir demandé à réfléchir jusqu'au matin et marché de long en large toute la nuit, le général lui dit qu'il acceptait. Et Clemenceau d'exulter, comme le racontera plus tard Madame Mangin : « Tu es le plus chic ! On se tutoie ! »

Mais les troupes françaises n'étaient pas rentrées dans Berlin, n'avaient pas défilé sous la porte de Brandebourg, à la manière de Napoléon et de Davout, après Iéna, en 1806. C'est bien en souvenir de ce triomphe napoléonien que les Anglais, et leurs alliés américains, avaient fait pression sur Foch pour qu'il fît renoncer Pétain après avoir arrêté Franchet d'Espèrey. Bismarck, lui, avait fait marcher les troupes allemandes sur les Champs-Élysées, sous l'Arc de triomphe, après sa victoire de 1870.

Alors, Clemenceau entreprit de se payer sur la bête ; et ouvrit la boîte de Pandore des « réparations ». Cette exigence française n'était pourtant ni illégitime ni inique. Le nord-est du pays avait été occupé, ravagé, pillé par les troupes allemandes pendant quatre ans, qui avaient en outre saboté de nombreuses usines à leur départ. La France n'avait plus d'industrie (concentrée dans cette région), tandis que le trésor industriel de l'Allemagne, dans la Ruhr, était intact.

Le montant de la somme réclamée – cent trente-deux milliards de marks-or ! – apparut colossal. L'opinion française en fut rassérénée, et crut désormais non sans naïveté que toutes les folies étaient possibles : « L'Allemagne paiera ! » Les Allemands en furent d'abord abasourdis, puis révoltés ; cela s'ajoutait aux pertes importantes de territoires du Reich, un cinquième de sa superficie, mais surtout à l'Est du pays, dans un ensemble à leurs yeux inique, qu'ils prirent l'habitude de qualifier de « diktat » de Versailles. Comme si les traités de Vienne n'avaient pas été dictés à la France de Napoléon, même si les Anglais, habiles et complices, avaient permis à Talleyrand de faire croire qu'il manipulait tout le monde ! Comme si le traité de Francfort n'avait pas été dicté par Bismarck à un Adolphe Thiers en larmes !

Un grand économiste anglais, John Maynard Keynes prit leur défense dans un vigoureux essai polémique intitulé *Les Conséquences économiques de la paix*, dans lequel il ciblait les Français en général et Clemenceau en particulier, dont la haine indistincte des Allemands lui servait de repoussoir, évoquant la « paix carthaginoise » (autrement dit la destruction de Carthage par son vainqueur romain) imposée par l'infâme coq gaulois. Les révolutions spartakistes à Berlin, la menace de l'Union soviétique, donnaient un crédit alarmiste à la thèse de Keynes. Si on ruinait l'Allemagne par des exigences excessives, le communisme s'installerait partout, et gagnerait bientôt même les vainqueurs français et anglais.

Cette association, très anglo-saxonne, de morale et d'économie, était redoutable, bien relayée par les médias anglais et américains, qui ne lâcheraient plus désormais leur proie : l'odieux bellicisme français. Clemenceau, puis, après lui, Poincaré, fit ainsi son entrée dans le bestiaire des horreurs gauloises, des « monstres » Napoléon et Louis XIV.

Une histoire enseignée sans nuances

Sur le moment, seul l'historien de l'Action française, Jacques Bainville, osa dénoncer un « pamphlet d'apparence économique ». Depuis lors, des générations d'historiens et d'essayistes français ont relayé la pensée du maître britannique, noircissant des milliers de pages qui dénoncent ces « réparations » intolérables, ce diktat odieux, produit de l'ire vengeresse de Clemenceau, ce nationaliste revanchard, coupable de tout, de la misère et de la fureur allemandes, du nazisme et de Hitler, de la guerre et de la défaite. Cette version de l'histoire est enseignée sans nuances dans les programmes scolaires de la République française depuis des décennies.

Seuls quelques rares historiens, anglo-saxons pour la plupart, ont depuis lors remis les pendules à l'heure. Les Français avaient, dans le passé, payé rubis sur l'ongle les indemnités de guerre exigées par leurs vainqueurs en 1815 et en 1870. Aucun économiste britannique n'avait alors parlé de « paix carthaginoise ».

Robert Gerwarth précise que les cent trente-deux milliards de marks-or étaient répartis en trois catégories, A, B, C. « Il était prévu que les obligations C, quatre-vingt-deux milliards, ne seraient jamais payées. Les Allemands ne devaient payer que les obligations A et B, soit cinquante milliards de marks-or sur trente-six ans, ce qui était tout à fait raisonnable aux yeux des experts allemands eux-mêmes. »

On était loin de la paix carthaginoise. D'autant plus que les Allemands, soutenus par leurs parrains anglo-saxons, rechignèrent à régler ce qu'ils devaient. Devant la mauvaise volonté de Berlin, Poincaré, successeur de son « ennemi » Clemenceau, décida d'envoyer l'armée française occuper la Ruhr, le 11 janvier 1923. Le gouvernement allemand appela à la grève générale, payée sur deniers publics ; ce qui provoqua l'hyperinflation (les fameuses brouettes de billets pour acheter son pain) qui obsède encore l'inconscient allemand.

Wall Street et la City de Londres attaquèrent en rétorsion la monnaie française sur le marché des changes. La France avait hérité de la guerre une dette colossale à l'égard des Américains, et une inflation qui rongeait l'ancien franc-or, jadis si stable. Cette guerre financière fit capituler Poincaré, comme son prédécesseur Clemenceau. Les plans Dawes (1924) et Young (1929), établis sous la houlette des experts anglais et américains « keynésiens », allégèrent encore le fardeau allemand. Celui-ci fut suspendu après la crise de 1929. Entre 1919 et 1932, l'Allemagne n'avait payé que vingt milliards sur les cent trente-deux exigés. En 1931, le moratoire Hoover (1931), suivi par la conférence de Lausanne (1932), mit un point final aux exigences françaises.

Dans un livre qui fit sensation à l'époque de sa parution, en 1931, *Le Cancer américain*, Robert Aron et Arnaud Dandieu revisitaient la Grande Guerre comme le produit glacial et terrible d'un déterminisme économique et financier : « Il faut se dire que les dates importantes du conflit entre les nations ne sont ni Verdun ni Versailles, mais sont en delà ou en deçà des limites de la guerre, dans les entreprises financières qui la précédèrent ou voulurent la liquider (1913, création de la banque centrale américaine et 1929, plan Young) – que la guerre n'a fait que répandre le vin qui était tiré –, que la guerre n'est pas toute l'histoire, mais surtout une anecdote gigantesque que les historiens auront raison de négliger… »

Quelques mois plus tard, le 10 juin 1932, un parlementaire issu du Parti républicain, Louis T. McFadden, prononçait devant la Chambre des représentants un discours qui resterait dans les annales du Congrès américain : « Sur les consignes du Federal Reserve Board, plus de trente milliards de dollars d'argent américain ont été transférés en Allemagne… leurs habitations modernes, leurs grands planétariums, leurs gymnases, leurs piscines, leurs autoroutes modernes de si grande qualité, leurs usines impeccables. Tout cela a été fabriqué avec notre argent. Tout cela a été donné à l'Allemagne grâce au Federal Reserve Board. Celui-ci a transféré tant d'argent en Allemagne qu'ils n'osent pas dire le total. »

Les fonds transitaient par les banques Thyssen, dont les agents à New York se nommaient Harriman et Bush ! Ces fonds continuèrent d'affluer même après l'accession des nazis au pouvoir et pendant la guerre, encore, à travers les réseaux de nombreux groupes industriels et banques : Standard Oil, ITT, Ford, Chase Manhattan Bank.

En finir une fois pour toutes avec l'hégémonie française en Europe

Tout l'entre-deux-guerres était inscrit dans la défaite de Clemenceau face à ses deux alliés, l'Américain Wilson et l'Anglais Lloyd George. Que le Français soit intransigeant ou conciliant, belliqueux ou pacifique, qu'il use de l'arme militaire ou financière, qu'il plaide pour une « Société des Nations avec des dents » ou pour la « paix européenne », qu'il occupe la Ruhr (1923) ou renonce, sous injonction britannique, à entrer en Rhénanie (1936), le Français serait abattu comme un chien, car ses maîtres anglo-saxons en avaient décidé ainsi. Il fallait solder définitivement les comptes ouverts avec Louis XIV, Louis XV et Napoléon. En finir une fois pour toutes avec l'hégémonie française en Europe. Ce fut fait et bien fait. Peu importent les événements. « Le destin, pour suivre son plan inéluctable, avait trouvé plus simple de réaliser page à page *Les Conséquences politiques de la paix* de Jacques Bainville[1]. » L'ouvrage de Bainville avait été publié en 1920...

Comme le conte l'historien américain Caroll Quigley, dans *L'Histoire secrète de l'oligarchie anglo-américaine*, les élites anglaises sacrifièrent sans vergogne l'Autriche, la Tchécoslovaquie et la Pologne. Lorsque la France de Laval se rebella en 1935 en se rapprochant et de l'Italie et de l'URSS, ressuscitant les bonnes vieilles alliances de revers, les Anglais poignardèrent leur cher allié en signant avec l'Allemagne nazie un accord naval qui transgressait les règles du traité de Versailles en autorisant l'Allemagne à se doter d'une marine qui pouvait menacer les colonies françaises. En 1939, les Anglais Chamberlain et Halifax préparaient une nouvelle conférence de Munich sur la Pologne...

Vingt ans après la fin de la Grande Guerre, la « meilleure armée du monde » de 1918 n'était plus qu'un lointain souvenir.

---

1. Robert Brasillach, *Notre avant-guerre*, 1941.

On l'avait dépecée par les mesures juridiques du désarmement et les illusions pacifistes de la réconciliation franco-allemande.
« À cet admirable peuple, on a donné l'âme du vaincu. Il était vainqueur pourtant », écrira André Suarès dans *Vues sur l'Europe* en 1938.

La France avait été le jouet docile de ses alliés anglo-saxons. En 1914, elle avait servi de garde prétorienne à la puissance impériale anglaise, qui était bousculée sur les marchés mondiaux par le dynamisme industriel, scientifique et commercial de l'Allemagne. L'important, pour les Britanniques, n'était pas que les Français gagnent, mais qu'ils enraient la machine allemande. L'Angleterre avait besoin de notre armée, mais pas de notre victoire. De même avaient-ils naguère jeté les Autrichiens (mais aussi les Prussiens, voire les Russes), dans les pattes de Napoléon pour empêcher ce dernier de menacer les côtes anglaises, sans que les dirigeants britanniques se soucient en vérité de l'issue sur les champs de bataille d'Ulm ou d'Austerlitz. C'est ce rôle autrichien que nous donnait l'Angleterre au XXe siècle. Et, lorsque, par miracle, en 1918, la puissance militaire française retrouvait, pour la dernière fois de son histoire millénaire, son lustre d'antan, c'était pour mieux paver l'avènement de l'hégémonie américaine sur l'Europe et le monde.

Clemenceau avait tout misé sur l'alliance avec l'Angleterre et les États-Unis. Il y avait tout sacrifié. Il y avait tout perdu. En avril 1919, il avait encore joué le tout pour le tout. Il avait présenté un plan d'union douanière, proposé par le maréchal Foch, qui aurait regroupé les États rhénans, détachés de la Prusse, avec la Belgique, la France et même l'Angleterre. Les deux Anglo-Saxons, Woodrow Wilson et Lloyd George, avaient refusé de concert. En échange, ils avaient promis l'« assistance » de leurs deux pays en cas de nouvelle agression allemande. Cette « garantie » devait, selon nos deux alliés, « calmer les légitimes inquiétudes de la France ».

Cette condescendance méprisante ulcéra Clemenceau, qui redevint le Tigre pour la dernière fois. Il refusa. Wilson ordonna alors au bateau le *George-Washington* d'appareiller pour le ramener aux États-Unis. Clemenceau céda. Dans ses Mémoires, Clemenceau écrira : « On me blâme amèrement de n'avoir pas voulu donner une frontière stratégique à notre pays. Je ne pouvais le faire sans rompre l'alliance. » À un ami, il glissera, désespéré : « L'Angleterre est la désillusion de ma vie ! »

« La grande nation a rendez-vous avec la mort »

Notre défaite de 1940 n'eut rien d'étrange. Elle était prévisible, inéluctable. Elle avait été programmée, préméditée. Dès 1919, tout était écrit. On avait mis la France en première ligne pour subir, seule, l'assaut de la machine de guerre allemande qu'on avait complaisamment laissée se reconstituer. Comme l'écrit l'historien américain Philip Nord, dans son livre sur 1940 : « Aucun pays n'était mieux préparé que la France. Ils s'étaient tous déchargés du gros œuvre sur la France, espérant s'épargner ce genre d'efforts, et ils furent pris de court quand la situation ne tourna pas comme ils l'avaient espéré. S'il fallait porter un jugement, ce n'est pas tant la France qu'il faudrait accuser, mais tous ces autres pays qui voyaient en elle leur première ligne de défense[1]. »

Alan Seeger, poète américain venu se battre en 1917 aux côtés des poilus, avait écrit prophétiquement : « La grande nation a rendez-vous avec la mort. »

La France ne cesserait plus dès lors de rejouer la même scène. Après Clemenceau, ce serait Poincaré, et puis Pétain, et enfin de Gaulle. Tout au long du XXe siècle, la France irait chercher dans la génération née avant la guerre de 1914 les derniers géants qu'il lui restait, les derniers à avoir connu la France avant cette étreinte mortelle ; ces fameux hommes providentiels qui, arrachant sans vergogne le corset de la légalité républicaine, lui redonneraient l'illusion de ses ambitions et de sa gloire immortelles.

---

1. Philip Nord, *France 1940 – Défendre la République*, Perrin, 2017.

Simone de Beauvoir

Madame Jean-Paul Sartre

Toute sa vie, Simone de Beauvoir fut Madame Jean-Paul Sartre ; mais depuis leur disparition, Sartre est devenu Monsieur Simone de Beauvoir. En 1980, c'est lui encore qui reçoit du peuple de Paris des obsèques dignes de celles de Victor Hugo. C'est elle désormais dont on évoque sans cesse le magistère, sa pensée dont on se réclame, son culte qu'on célèbre.

De son vivant, on écoutait parler Sartre ; depuis sa mort, c'est Beauvoir qu'on fait parler. Jean-Paul Sartre avait dit que « le marxisme était l'horizon indépassable de notre temps » ; le féminisme l'a depuis lors remplacé comme religion de notre époque. Le prolétaire fut le Christ du XXe siècle, à la fois victime et Dieu, Dieu parce que victime ; la femme est le Christ d'aujourd'hui, à la fois victime et Dieu, Dieu parce que victime. Sartre était un bourgeois qui ne voulait pas « désespérer Billancourt » ; Beauvoir est une bourgeoise que les femmes ont toujours désespérée.

Simone voit le jour dans une famille aisée qui habite un confortable appartement du boulevard Montparnasse, face à la Coupole, au milieu des rideaux de velours et d'une moquette rouge. Papa arbore canotier et panama, maman, robe longue ; la salle à manger est de facture Henri II ; l'enfant joue au jardin du Luxembourg sous la surveillance débonnaire de Louise, la charmante bonne. Les ouvriers ne sont pour l'enfant que des personnages des romans de Dickens ou de *Sans famille*, d'Hector Malot. La petite est une jolie brune aux yeux bleus, à l'intelligence vive et au caractère obstiné. Sans le vouloir, dans ses *Mémoires d'une jeune fille rangée*, avec ce style appliqué et scolaire de bonne élève qu'elle met dans tout, l'auteur fait un éloge touchant et paradoxal de la douceur de vivre d'avant la guerre de 1914, ce fameux « monde d'hier » cher à Stefan Zweig, univers tranquille et sûr, cossu et stable, qu'avait forgé le patriarcat de l'homme blanc européen.

Le père est le héros de l'enfant. La seule personne qu'elle veut à toute force séduire, intéresser, charmer. Ce personnage proustien, qui aurait tant aimé être aristocrate, admire Charles Maurras et Léon Daudet ; ce comédien amateur et avocat, cultivé et drôle, juge qu'il n'est rien puisqu'il n'est pas Victor Hugo, et lit à sa fille des textes de Taine ou de Gobineau. Simone se plonge dans les livres pour lui plaire ; est bonne élève pour lui plaire ; regarde avec commisération les autres femmes de la maison, sa mère en premier lieu, pour l'imiter ; perdra sa foi en Dieu pour quitter les jupes des femmes et des curés et être acceptée dans le clan des hommes. Simone n'est pourtant pas un garçon manqué ; mais elle se rêve en pur esprit désincarné pour intégrer le saint des saints viril. Elle ne supporte pas longtemps d'être confinée dans la « nursery ». Par le savoir, le talent, elle veut se tailler une place dans cet univers sacré ; y être reconnue, respectée, adoubée. Les hommes, ce Graal. Elle est fière quand son père dit : « Simone a un cerveau d'homme. Simone est un homme. » Une consécration. Sa destinée est tracée : elle sera un écrivain, ces demi-dieux que son père révère.

La Grande Guerre va bouleverser son univers. Son père est ruiné, comme des millions d'épargnants français, par les emprunts russes. L'inflation ronge le peu qui lui reste. Sa mère congédie la bonne et s'affaire au ménage : on se croirait dans *La Parure*, la célèbre nouvelle de Maupassant. Les deux filles de la famille n'auront pas de dot pour se marier.

Elles devront travailler pour vivre. Son père en est accablé ; il voit dans le sort contrarié de sa progéniture le reflet de son propre déclassement ; et la fille est elle aussi abaissée aux yeux de son géniteur au rang subalterne de femelle, auquel elle croyait s'être arrachée. « Quel dommage que Simone ne soit pas un garçon : elle aurait fait Polytechnique ! » Entre le père et la fille, c'est le temps des désillusions réciproques.

On apprend aux écoliers que le XXe siècle a commencé avec la Première Guerre mondiale ; et que les relations entre les sexes ont été transformées à jamais par l'obligation faite aux femmes de prendre la place de leurs hommes mobilisés dans les usines, les champs, les bureaux. Le destin de Simone montre que c'est encore plus profond. L'ébranlement provoqué par la guerre a détruit toutes les certitudes, toutes les hiérarchies. Les vainqueurs sont ruinés, les héros sont cocus, les tire-au-flanc sont riches. L'inflation de l'entre-deux-guerres et la défaite de 1940 aggraveront encore ce chamboulement des repères et des modèles. Les jeunes ne respectent plus les anciens, car ils les ont conduits à l'abattoir en 1914 ; bientôt, les anciens mépriseront les jeunes, parce qu'ils seront écrasés en 1940. Les vainqueurs de 1918 seront les vaincus de 1940. Les vaincus de 1918 seront les vainqueurs de 1940, mais seront les vaincus de 1945. Le triomphe final de l'Amérique est celui du neuf sur le vieux, de la machine sur la terre, de l'argent sur l'épée, de la consommation sur l'épargne, de l'hédonisme sur l'héroïsme. Notre vieille civilisation, du Moyen Âge au XIXe siècle, avait reposé sur le droit romain et la religion chrétienne, sur le pater familias et Dieu le père. Ces deux piliers s'écroulent en même temps dans un fracas d'irrévérences intellectuelles et de bombes à destruction massive.

Le vrai big bang du XXe siècle

Ce tohu-bohu historique et symbolique vient percuter de plein fouet la trame anthropologique millénaire des relations entre hommes et femmes, qui voit depuis la nuit des temps la femme chercher dans l'homme le protecteur pour élever sa progéniture. Jamais nos repères symboliques et culturels et nos conditions matérielles d'existence n'auront été transformés aussi profondément qu'au cours de ce XXe siècle ; mais nos gènes, eux, sont restés les mêmes depuis trente mille ans ! Ce choc entre le temps de l'Histoire et le temps de l'Évolution, entre la raison et les instincts, entre la culture et la nature, entre la tête et les tripes, entre les discours et les hormones, est le vrai big bang du XXe siècle qui va déchirer les relations entre les hommes et les femmes. Celles-ci poursuivent leur quête inlassable du protecteur, mais dans la confusion de critères bouleversés. Simone de Beauvoir, comme toutes les femmes de son temps, et comme toutes les femmes de tous les temps, aspire à la même chose : « J'aimerais le jour où un homme me subjuguerait par son intelligence, sa culture, son autorité... Pour le reconnaître comme mon égal, il fallait qu'il me dépassât... Ni inférieur, ni différent, ni outrageusement supérieur, l'homme prédestiné me garantirait mon existence sans lui ôter sa souveraineté[1]. »

Mais son souverain originel, son père, a vu sa couronne tomber et sa tête choir comme un vulgaire Louis XVI ; d'où son dédain pour son ancien seigneur renversé et sa quête effrénée et brouillonne d'un nouveau vainqueur. Ce ne sera plus le père tant vénéré, plus le mari choisi par le père, même plus l'amant désigné par son milieu social. Ce ne sera même plus le Français s'il est vaincu, mais l'Allemand, et puis l'Américain. Et pourquoi pas un jour le Soviétique ? Et demain Fidel Castro ? Le Viêt-cong ? Le fellagha ?

En cet été 1940, Simone de Beauvoir admire sans se lasser pendant des heures un détachement de la Wehrmacht à travers les persiennes de la maison de La Pouëze (Maine-et-Loire) où elle s'est réfugiée, après la débâcle ; cette contemplation admirative lui inspire de longues descriptions dans son autobiographie, *La Force de l'âge*, de ces hommes qui donnent une « impression de jeunesse et de bonheur »

1. Simone de Beauvoir, *Mémoires d'une jeune fille rangée*, Gallimard, 1958.

contrastant avec celle qui émane « des centaines de réfugiés craintifs et misérables qui ne pouvaient attendre que de ces beaux soldats la nourriture, l'essence et le transport, un remède à leur malheur immédiat ». Rapatriée plus tard dans un camion de l'armée allemande, elle confiera avoir été sensible à la « gentillesse toute spontanée et amicale et ronde » des vainqueurs.

Elle n'est pas la seule. Un autre écrivain, une autre féministe, Benoîte Groult, aime aussi contempler les soldats allemands : « Ils sont beaux et ils n'ont pas l'air pressés, puisqu'ils sont arrivés au bout du continent. » Mais celle-ci a des limites morales que d'autres n'ont pas : « Des jeunes filles montaient sur les marchepieds et souriaient à nos ennemis comme s'ils venaient d'un pays allié, elles regardaient en se haussant sur la pointe des pieds l'intérieur des voitures, du regard qu'elles ont pour les roulottes du cirque Pinder. Honteuse impudeur de ces grues. Elles leur offraient des oranges et moi j'aurais voulu les larder de coups de fourchette, ces chiennes en chaleur. Comment ne pas avoir plus de patriotisme ? France adorée, tu es trahie[1]. »

Mais les Françaises de la plus haute naissance s'étaient de même jetées au cou des cosaques qui défilaient sur les Champs-Élysées en 1814, comme, quelques années plus tôt, les Italiennes et les Allemandes avaient jeté leur dévolu sur les beaux officiers de la Grande Armée de Napoléon. Les deux sœurs Groult elles-mêmes se rattraperont avec les Américains, à l'instar de nombreuses jeunes Françaises pour qui la « chasse aux Américains » deviendrait l'amusement principal, à la Libération ; il est vrai que les soldats de l'Oncle Sam n'étaient pas ennemis mais alliés.

« Les villes sont femmes et ne sont tendres qu'au vainqueur », écrira, en connaisseur, l'Allemand Ernst Jünger, dans son *Journal parisien.* Et un officier de l'armée israé-

1. Benoîte et Flora Groult, *Journal à quatre mains,* Denoël, 1962.

lienne, Van Creveld, dans son livre *Les Femmes et la guerre*, s'amusera plus tard du bon mot désabusé mais profond de sa mère : « Il n'y aura plus de guerre quand les femmes cesseront d'aimer les vainqueurs. »

Comment faire quand le vainqueur change tout le temps ? Comment faire quand on ne comprend pas ce qui se passe ? « Les problèmes qui les agitaient – le redressement du franc, l'évacuation de la Rhénanie, les utopies de la SDN – me paraissaient du même ordre que les affaires de famille et les ennuis d'argent ; ils ne me concernaient pas. » L'histoire ne l'intéresse pas plus que la politique : « Je n'avais pas envie de mettre le nez dans cette noire confusion. »

« Ma chère épouse morganatique »

Enfin, Sartre vint. Pour l'éclairer, l'édifier, l'éduquer. Pour prendre la suite de son père et la conduire encore plus haut sur les cimes de l'esprit. À Taine et Gobineau, à Voltaire et Victor Hugo, Sartre ajoute Hegel, Husserl, Heidegger, le fonds commun de la philosophie allemande de ces années-là ; mais aussi Gide, Breton, les surréalistes, la littérature française subversive de cet entre-deux-guerres. La petite prude mal dégrossie apprend à penser et à vivre. À philosopher et à transgresser : « J'avais des principes : vivre dangereusement. Ne rien refuser. » Elle fait tout avec la bonne volonté et l'application de la bonne élève qu'elle ne cessera jamais d'être. Avec elle, même la débauche prend des allures de dissertation en trois parties : « Théoriquement rompue à toutes les dépravations, je demeurais en fait d'une pruderie extrême. »

Un soir, dans un bar, elle prend des poses de dévergondée, de fille « mauvais genre ». Un boiteux, pas dupe, lui jette : « Vous n'avez pas la touche qu'il faut. Vous êtes une petite-bourgeoise qui veut jouer à la bohème. » Il lui met sous les yeux un dessin obscène ; puis, ouvre sa braguette pour lui montrer que c'est ressemblant. Choquée, elle détourne les yeux. L'homme s'esclaffe : « Une vraie pute aurait regardé et dit : “Il n'y a pas de quoi se vanter !” »

L'École normale supérieure lui tend les bras. Avec Nizan, Herbaud, Aron, elle découvre que les garçons sont des camarades formidables, qui la dominent intellectuellement, reconnaît-elle humblement, mais qui, bons princes, lui font profiter de leur savoir et de leur aisance intellectuelle. À ce jeu, Sartre est à la fois le plus fort et le plus généreux. Il démolit, au nom du matérialisme dialectique, ce qui lui reste d'idéalisme de sa jeunesse chrétienne. « Je ne suis plus sûre de ce que je pense, ni même de penser. » Simone est séduite, fascinée. Sartre n'arrête jamais de penser : « Si je me comparais à lui quelle tiédeur dans mes fièvres ! Je m'étais crue exceptionnelle parce que je ne concevais pas de vivre sans écrire ; il ne vivait que pour écrire. »

Elle a trouvé son maître, son roi. Elle a trouvé son homme : « C'était la première fois de ma vie que je me sentais intellectuellement dominée par quelqu'un… Tous les jours, toute la journée, je me mesurais à lui et je ne faisais pas le poids. J'essayais parfois de discuter ; je m'ingéniais, je m'obstinais… Mais Sartre avait toujours le dessus. Impossible de lui en vouloir : il se mettait en quatre pour nous faire profiter de sa science. »

Dans leur correspondance, Sartre l'appelle « ma chère épouse morganatique », comme s'il voulait marquer sa supériorité de suzerain. Il se révèle un charmant compagnon ; il chante, danse même parfois ; a un réel don comique. On finit par oublier sa laideur. Mais pas qu'il est un piètre amant. L'historien Gilbert Joseph, dans *Une si douce Occupation*, parle de Sartre comme davantage « porté aux indolentes et caressantes amours qu'à la virilité affirmée ». Simone de Beauvoir s'en accommode.

Sa relation avec Sartre est au-delà d'une traditionnelle fusion sexuelle ; elle est une amitié intellectuelle qui se double de liaisons dangereuses : un brin de Voltaire et Madame du Châtelet, un zeste de Valmont et la marquise de Merteuil. Leur fameux pacte des amours essentielles et secondaires, qui sera plus tard célébré naïvement par des générations de féministes dévotes comme le comble de la liberté et de l'égalité, repose avant tout sur cet atypisme sexuel : d'une part, Sartre est un mauvais amant qui ne satisfait pas sa maîtresse ; d'autre part, celle-ci se découvre un goût prononcé pour les jeunes personnes du sexe féminin, qu'elle prend l'habitude de dénicher parmi ses collègues de l'école normale de Sèvres, puis parmi les élèves de sa classe de philosophie. Elle recrute, sélectionne, consomme, offre, planifie. « J'ai découvert que Simone de Beauvoir puisait dans ses classes de jeunes filles une chair fraîche à laquelle elle goûtait avant de la refiler, ou faut-il dire encore plus grossièrement encore, de la rabattre sur Sartre[1]. »

Simone est la patronne de ce phalanstère fouriériste qu'elle appelle la « famille ». Chacun a ses heures, ses jours, ses soirées. Dans ses Mémoires, *Le Lièvre de Patagonie*, Claude Lanzmann racontera que, devenu bien plus tard l'amant de Simone, il partagera sa maîtresse un soir sur deux avec Sartre. C'est le libertinage dans le cadre du Gosplan. « Vous êtes une horloge dans un Frigidaire », lui lancera une de ses conquêtes. Une autre, d'origine russe, Olga, surnomme Sartre « le Génie impuissant » et refuse avec rudesse ses avances. On est dans une cour de récréation avec ses douceurs et sa brutalité. Les deux amants ont en commun de ne pas vouloir sortir de l'enfance. Simone a trouvé en Sartre un double surdimensionné de son père qui lui permet d'accéder à l'empyrée du monde de l'esprit. Jean-Paul a trouvé en Beauvoir une maman qui le surprotège, en lui faisant oublier la cruauté du monde des adultes : « J'aurais fait n'importe quoi pour lui éviter de se heurter à une réalité pénible, confie Simone à un de ses amis ; à l'idée qu'il se faisait de sa laideur. Peut-être ne lui avons-nous pas rendu

1. Bianca Bienenfeld, *Mémoires d'une jeune fille dérangée*, Balland, 1993.

service en le laissant vivre dans une perpétuelle enfance, en cédant à ses désirs. »

Ils ne font plus l'amour depuis 1935. On ne couche ni avec son papa ni avec sa maman. Mais au sein de la « famille » on s'amuse bien. On passe ses nuits dans un grand appartement, quai des Grands-Augustins, à faire la « fiesta » chez Michel Leiris. On jette un œil distrait aux toiles de Picasso et de Miró qui habillent les murs, en vidant de grands crus. On lit et joue des pièces, on se déguise ; Sartre esquisse une parodie de tango en solitaire ; Camus roule des hanches avec un « professionnalisme de danseur mondain », Queneau déclame ses phantasmes. « Il m'était arrivé de beaucoup m'amuser : mais c'est seulement au cours de ces nuits que j'ai connu le vrai sens du mot "fête" », confiera Simone de Beauvoir. Sartre avouera, toute honte bue : « Jamais, nous n'avons été plus libres que sous l'occupation allemande. » Mouloudji reconnaîtra, plus gêné ou moins obscène : « Nous étions plus près de Feydeau que de Hegel. »

Pourtant, à l'extérieur, il y a la guerre, l'Occupation, Vichy. Il y a la Résistance, Ici Londres, Radio Paris ment, Radio Paris est allemand. Il y a les privations, les massacres, les génocides. Sartre et Beauvoir semblent ne rien voir, ne rien comprendre. Ils sont en dehors de l'Histoire, en dehors de la vie, en dehors de la mort.

« L'ABSURDE FÉCONDITÉ DES FEMMES »

Après-guerre, Simone de Beauvoir se justifiera : « Nous ne nous leurrions pas ; nous voulions seulement arracher à cette confusion quelques pépites de joie et nous saouler de leur éclat au défi des lendemains qui déchantent. » Leurs amis tenteront, la paix revenue, de sublimer l'hédonisme du couple en un défi lancé à l'ordre moral de Vichy. Ils s'appuieront sur le rapport du recteur de l'université, Gilbert Gidel : « Le maintien de Mademoiselle de Beauvoir et de Monsieur Sartre dans les chaires de philosophie de l'enseignement secondaire me paraît inadmissible à l'heure où la France aspire à la restauration des valeurs morales et familiales. Notre jeunesse ne saurait être livrée à des maîtres si manifestement incapables de se conduire eux-mêmes. »

L'anecdote est piquante mais guère flatteuse. La mère d'une des élèves de Beauvoir a porté plainte contre elle pour « incitation de mineure à la débauche ». Une enquête administrative a été lancée par le rectorat de Paris auprès de la directrice du lycée Camille-Sée et du proviseur du lycée Pasteur, où enseignent Beauvoir et Sartre. Le 17 juin 1943, Beauvoir est relevée de ses fonctions, tandis que Sartre ne fait l'objet d'aucune sanction.

Mais la contre-offensive « résistantialiste » tourna court. Il y avait des limites à l'indécence, même dans ces années d'après-guerre où tout était permis à la gauche. Trop difficile d'expliquer et justifier l'emploi que Simone de Beauvoir trouva au studio parisien de la radiodiffusion nationale, où sévirait bientôt le célèbre collaborateur Philippe Henriot, tandis que Sartre écrivait sa pièce de théâtre *Les Mouches.* On préféra ranger la poussière sous le tapis. La Résistance et la Révolution, Sartre et Beauvoir ne les découvrirent qu'une fois la paix revenue. Sartre devint un compagnon de route du Parti communiste, qui dominait le monde des lettres et de la culture, tandis que Simone de Beauvoir rédigeait son fameux *Deuxième Sexe,* qui ferait d'elle une icône mondiale du féminisme.

Personne n'ignore aujourd'hui que ce livre fut très mal reçu. De la droite jusqu'au Parti communiste, de François Mauriac à Albert Camus, ce ne furent qu'insultes, sarcasmes, railleries contre la « pauvre fille névrosée, mal baisée, glacée ». On a retourné aujourd'hui ces brocards en titres de gloire. La révolutionnaire ne pouvait être qu'insultée par les conservateurs ; la femme libre ne pouvait être que vomie par les mâles arc-boutés sur leurs privilèges.

Mais la France de 1949 est d'abord et avant tout outrée par la critique acerbe de la maternité. Simone n'a pas et ne veut pas d'enfants. Elle n'a pas de mots assez durs dans son essai pour flétrir « l'absurde fécondité des femmes… Engendrer, allaiter ne sont pas des activités, ce sont des fonctions naturelles ; aucun projet n'y est engagé… Avec la ménopause, la femme se trouve enfin délivrée des servitudes de la femme ». Ce rejet violent de la maternité fait scandale parce que la France commence à peine à se remettre du long hiver démographique de plus d'un siècle qui l'a affaiblie, déclassée, offerte aux invasions d'une Allemagne vigoureuse et prolifique. La politique familiale énergique, poursuivie successivement par la IIIe République (au cours des années 1930), Vichy et la IVe République, porte des fruits inespérés. En mars 1941, Vichy a créé l'allocation de salaire unique. En 1947, cette allocation de salaire unique (s'ajoutant aux allocations familiales) représente 90 % d'un salaire d'ouvrière pour une famille de deux enfants et 150 % pour une famille de trois enfants. La natalité française est redevenue exubérante. Les démographes sont sidérés et les politiques exultent.

« Les eaux glacées du calcul égoïste »

Si on poursuivait quelques décennies le rythme démographique du baby-boom, s'enthousiasment certains comme Michel Debré, on pourrait arriver par nos propres forces à la France de cent millions d'habitants ; et reconquérir ainsi notre hégémonie démographique sur l'Europe, d'autant plus que l'Allemagne, brisée par la défaite de 1945, entre à son tour dans son hiver démographique. L'enjeu est géostratégique : recouvrer notre position dominante du XVIIIe siècle, sans avoir besoin d'une immigration venue du sud. Mais Simone ne comprend rien à ces questions politiques qui l'ennuient !

Dans un de ces derniers livres, paru peu de temps avant sa mort, la féministe Évelyne Sullerot, fondatrice du Planning familial, rappellera que le plein-emploi de cette période dite des « Trente Glorieuses » reposait avant tout sur le retrait massif des femmes du marché du travail. À partir du moment où elles y reviendront, à la fin des années 1960, le chômage progressera, donnant ainsi un moyen de pression formidable aux employeurs sur les ouvriers.

Les communistes n'avaient pas tort de dénoncer, à la sortie du *Deuxième Sexe*, le « bourgeoisisme » de l'auteur et « cette diversion du capitalisme pour diviser la classe ouvrière ». Les communistes ont compris d'instinct que le féminisme serait l'idiot utile du capitalisme.

Ils ne savent pas alors à quel point ils ont visé juste. Depuis les années 1920, le capitalisme américain a entamé sa mue, troquant une économie de production et d'épargne pour un système reposant sur la consommation et le crédit. Si l'on en croit les remarquables travaux du sociologue Christopher Lasch, les patrons américains utilisèrent la propagande marchande de la publicité pour créer de nouveaux besoins, et les discours des experts, psychologues, psychanalystes, pour imposer une nouvelle philosophie du bonheur, individualiste et hédoniste, sapant ainsi les fondements traditionnels du patriarcat protestant de la classe ouvrière américaine, qui reposait jusque-là sur le puritanisme et l'austérité des mœurs. Ils établirent ainsi une alliance très subtile avec les femmes contre les hommes, et les enfants contre les parents.

Des années 1920 datent les premiers signes de ce qu'on appellera l'« émancipation de la femme », les coupes à la garçonne et les revendications de libération des mœurs. Le législateur et le prêtre sont peu à peu remplacés par le publicitaire et le psy. L'intérêt, ces « eaux glacées du calcul égoïste » (Marx), entre alors dans la famille, dernier repaire des mentalités précapitalistes.

« On ne naît pas femme, on le devient »

Il appartenait toutefois à un esprit français de concevoir par une formule claire et tranchante, génie reconnu de notre langue, l'habillage idéologique de cette nouvelle organisation de la société : « On ne naît pas femme, on le devient. » La formule claque comme un slogan. Elle incarne une fois de plus la dilection irrépressible des intellectuels français, depuis Descartes au moins, pour une abstraction déconnectée du réel, déjà dénoncée par Burke ou Taine.

Les règles de l'évolution darwinienne et de la biologie démontrent pourtant à l'envi qu'on ne devient femme que parce qu'on est née femme. Le naturel et le culturel, le biologique et le social, les instincts et les constructions culturelles, qui au fil des siècles sont devenus les fameux préjugés et stéréotypes tant dénigrés, ne se contredisent pas, mais se complètent ; ne s'affrontent pas mais se renforcent, comme l'avait noté, dans un exercice de rare lucidité, Pascal dans ses *Pensées* : « Je crains que ce qu'on appelle nature soit déjà une coutume, comme la coutume est une seconde nature. »

Il n'y a pas de complot de l'homme pour imposer son hégémonie à la femme ; seulement des besoins fondamentaux dans des situations de grand danger, guerre, famine, menace de prédateurs, qui ne peuvent être satisfaits que par des inégalités protectrices et salvatrices, autant pour les hommes que pour les femmes. Simone de Beauvoir a donc tout faux, mais c'est pour cette raison, dans ce siècle de bouleversement qu'est le XXe siècle, que sa formule fera mouche et s'imposera comme une vérité révolutionnaire. Il fallait un Français – une Française – pour concevoir et imposer cette chimère.

On songe à la fameuse phrase de Joseph de Maistre sur la France dans ses *Soirées de Saint-Pétersbourg* : « Jamais sans doute, il n'exista de nation plus aisée à tromper ni plus difficile à détromper, ni plus puissante pour tromper les autres. »

Jean-Paul Sartre

Monsieur Simone de Beauvoir

Elle a hésité avant de se mettre à l'ouvrage. L'idée ne vient pas d'elle, mais de lui. Les concepts utilisés ne sont pas non plus d'elle, mais de lui. Simone de Beauvoir applique laborieusement à la femme les catégories philosophiques de l'existentialisme chères à son compagnon.

Le Deuxième Sexe est aujourd'hui lu comme le manifeste de la femme émancipée. Mais est-il lu ? L'ouvrage donne comme seul objectif aux femmes de devenir un homme comme les autres ; de s'assimiler aux hommes, à leur manière de penser, de vivre, d'aimer, de travailler, d'écrire. Simone de Beauvoir méprise et déteste les femmes. Elle rédige un livre misogyne qui exhorte les femmes à sortir d'elles-mêmes, pour mieux abandonner les rivages honnis de la féminité. Tout à son entreprise de démolition du « mythe de la féminité », elle a préservé et glorifié la « virilité ».

Simone a lu et intériorisé Hegel, qui écrivait : « Les femmes peuvent être cultivées, mais elles ne sont pas faites pour les sciences supérieures, pour la philosophie et pour certaines productions de l'art qui réclament un élément universel… Si des femmes se trouvent à la tête du gouvernement, l'État est en danger, car elles n'agissent pas seulement d'après ce qui requiert l'universalité, mais selon l'inclination contingente et l'opinion. »

Elle considère que le génie appartient aux hommes : « Une femme n'aurait jamais peint les tournesols de Van Gogh ; une femme n'aurait jamais pu devenir Kafka... Il y a des femmes qui sont folles et il y a des femmes qui ont du talent, aucune n'a cette folie dans le talent qu'on appelle le génie. » La lucidité et l'honnêteté intellectuelle de Simone de Beauvoir sont à louer, mais ce n'est pas en général pour ces raisons-là que l'encense la postérité. Sartre est à l'origine et à la conclusion de l'ouvrage ; il en est non seulement l'inspirateur, mais le destinataire.

La « petite grenouille » et le « doux crocodile »

À l'époque, l'« époux morganatique » a pris la poudre d'escampette. Il s'est entiché d'une Dolorès Vanetti Ehrenreich, une Française mariée à un médecin américain, une belle femme, pleine de vivacité et de charme, dont il est fou amoureux, et qui le présente à la colonie française de New York. Simone chancelle, paniquée. Avec *Le Deuxième Sexe*, elle joue son va-tout sentimental, en renouant le contact intellectuel, le seul lien fondateur et fondamental qui lui reste avec son homme. Sacrifiant toutes les femmes à son seul profit, elle s'efforce de sauvegarder sa position privilégiée de femelle reconnue par son mâle. Le beauvoirisme est d'abord un bovarysme.

Le retentissement de son essai change sa vie. Elle ne dépend plus de l'argent que Sartre lui prodiguait sans compter ; et elle voyage à travers le monde entier, avec, mais aussi sans lui. Aux États-Unis, elle devient la maîtresse d'un écrivain, un juif américain de Chicago, Nelson Algren. C'est une passion qui les emporte, faite de complicité littéraire et de jouissance sexuelle. Avec son « doux crocodile », amant accompli, Simone « la petite grenouille » est transformée. Ses lettres à Algren, publiées en 1997, montrent une femme soumise et heureuse de l'être, une sentimentale qui ne rêve que de servir son homme, transie d'amour, soucieuse de satisfaire son nouveau maître. Jean-Paul devient le « pauvre

Sartre », comme Emma Bovary disait de son mari en se mordant les lèvres : « Quel pauvre homme. »

L'intellectuelle qui se souciait si peu de son apparence qu'elle n'avait glissé que deux pauvres robes dans sa valise pour son périple américain soigne désormais ses tenues et ses colifichets. La chrysalide devient papillon. L'« hétérosexuelle virile » devient femme. La séductrice secrète de jeunes filles, qui les partageait avec Sartre, se mue en une épouse jalouse qui prie son homme de ne pas introduire d'amie dans « leur nid » où « elle boirait mon whisky, mangerait mon gâteau au rhum, dormirait dans mon lit, peut-être avec mon mari ». La femme qui intimait l'ordre à ses congénères de devenir des hommes comme les autres, a soumis « son cerveau d'homme » à « son cœur de femme ». Faites ce que j'écris, pas ce que je fais !

Simone de Beauvoir avait ouvert la boîte de Pandore. C'est même ce dont ses héritières reconnaissantes, comme Élisabeth Badinter, lui sauront gré éternellement. Elle aurait déniché la clé miraculeuse qui a ouvert la prison dorée de la nature, dans laquelle croupissaient les femmes depuis des millions d'années, afin d'échapper à la surveillance de leur infâme geôlier, leur père, leur mari, leur amant. L'homme. La nature, voilà l'ennemi. Et plus particulièrement la nature hétérosexuelle, cette machine « sadomasochiste » qui faisait de la femme une proie et l'homme, un chasseur.

La « femme subit passivement son destin biologique », avait écrit Simone de Beauvoir dans *Le Deuxième Sexe.* Ses jeunes élèves des années 1960 avaient hâte de lui démontrer qu'elles avaient bien retenu sa leçon.

Comme l'atteste avec une grande honnêteté, et une finesse d'analyse indéniable, l'historienne et militante Marie-Jo Bonnet, dans son livre de souvenirs intitulé *Mon MLF,* ce groupuscule féministe fut d'abord et avant tout un lieu de rencontre entre femmes. L'homosexualité dissimulée et honteuse de Simone de Beauvoir avait muté, avec ces jeunes militantes, en un lesbianisme décomplexé et ostentatoire.

L'Histoire accomplissait la formule sarcastique des « chauvinistes mâles » américains : « Le féminisme est la théorie, le lesbianisme, la pratique. »

Le MLF retournait le beauvoirisme comme un gant. Il ne fallait plus imiter les hommes pour être libres, mais s'en éloigner pour mieux s'en libérer. Le MLF donnait au féminisme initial sa puissance d'indifférenciation et de séparation des sexes qu'il portait comme la nuée porte l'orage. Les féministes s'en prirent d'abord à leurs compagnons de route, les militants de l'extrême gauche qui, en bons soldats de la révolution marxiste-léniniste qu'ils croyaient être, affichaient un militarisme puritain et misogyne pur et dur. Dans le ressac de l'échec politique de ces gauchistes de Mai 68, le dernier mouvement politique qui osait clamer « Le pouvoir est au bout du phallus », le féminisme du MLF imposait une vision « sororale » de la société qui rassemblait les femmes, toutes les femmes, quelle que soit leur sexualité, pour mieux les opposer aux mâles. Elles inventaient les réunions interdites aux hommes, reprochant (à juste titre) à ces derniers de ne pas leur laisser la parole. Dans un premier temps, elles épargnaient de leur vindicte les seuls homosexuels, dans une alliance des « victimes » de l'oppression hétérosexuelle. Puis, très vite, les dissensions entre les deux groupes se firent jour. Comme le conte avec verve Marie-Jo Bonnet, les garçons ne pensaient qu'à « jouir sans entraves » et couvraient de sarcasmes le besoin d'attachement sentimental des lesbiennes. Comme une parodie des comportements hétérosexuels que les deux groupes conspuaient...

Autre différence notable : les gays s'organisaient peu à peu en contre-société avec leurs journaux, leurs réseaux, leur culture, leurs boutiques, et s'isolaient du monde hétérosexuel, masculin comme féminin, pour mieux subvertir la loi majoritaire par l'activisme minoritaire. Le pouvoir gay était en gestation, et il devait prendre son envol à l'occasion de l'épidémie du sida, pendant les années 1980, et connaître son apothéose avec le mariage pour tous, en 2013. « Le pouvoir est au bout du phallus »...

Simone de Beauvoir était à la fois agacée et séduite par ses héritières iconoclastes. N'avouant jamais ses anciens penchants homosexuels, tardant à se parer de l'appellation « féministe », elle avait perdu l'initiative dans le même temps où elle devenait une icône vivante. Elle suivait Sartre dans son combat anti-occidental et anticapitaliste, qui la conduisait d'Alger à Cuba, en passant par Moscou à Pékin. Elle faisait semblant de ne pas voir que le si progressiste FLN algérien, dès sa brutale prise de pouvoir, avait mis les droits des femmes sous le boisseau d'une stricte soumission islamique. Elle proclamait que les régimes communistes soviétiques, cubains, chinois, qui enfermaient les femmes à l'usine et les enrégimentaient avec les hommes dans un régime de fer, étaient l'avenir radieux de liberté dont elle avait rêvé. Il est vrai que le communisme avait, selon une inspiration digne du *Deuxième Sexe*, fait de toutes les femmes des hommes comme les autres dans un égalitarisme asexué et puritain...

Sortir du « phallogocentrisme »

C'est après sa mort, survenue en 1986, que la machine qu'elle avait enclenchée s'emballa. Depuis les années 1960, les campus américains avaient pris l'habitude de se repaître des grands théoriciens français, les Deleuze, Guattari, Foucault, Lacan, qu'ils rassemblaient sous l'appellation de *French Theory*. Appuyée sur ces penseurs hexagonaux, la gauche universitaire américaine entreprit la déconstruction méthodique et radicale de toutes les notions traditionnelles qui avaient fondé l'Occident : raison, personne, famille, nation. Tout fut mis en miettes.

Jacques Derrida avait expliqué qu'il fallait sortir du « phallogocentrisme » (contraction de « logos » et de « phallus »), définissant ainsi ce mélange d'ethnocentrisme occidental et de domination masculine qu'il se proposait d'abattre. On engloba donc les travaux de Simone de Beauvoir dans ce caravansérail nihiliste. Dès les années 1970, certaines universités américaines n'intégraient dans leurs programmes que des auteurs venant de minorités, femmes, Noirs, homosexuels, et éliminaient les *white dead men*, dont ils traquaient les « dérapages » misogynes.

La pêche s'avérait fructueuse : Montaigne, Molière, La Bruyère, La Fontaine, Perrault, Voltaire, Diderot, Rousseau, Proudhon, Balzac, Baudelaire, Huysmans, Flaubert, Nietzsche, Apollinaire, Montherlant. Tous ces auteurs pouvaient être placardisés dans le nouvel enfer des bibliothèques universitaires bien-pensantes. Les plus indulgents les jugeaient « victimes des préjugés de leur époque ». Ces auteurs, souvent iconoclastes et anticonformistes, n'en auraient donc pas été victimes pour tous les autres sujets, Dieu, religion, État, politique, guerre et paix, organisation de la société, sauf pour les femmes. Quand Spinoza achève son chef-d'œuvre sur la politique, il conclut par une incompatibilité entre les femmes et la politique au nom des passions que les femmes ne savent pas évacuer. Les admirateurs du grand Hollandais sont gênés par cette conclusion qui fait tache, jugent-ils, dans l'œuvre de leur génie. Ainsi, Spinoza aurait eu raison sur tout, aurait eu des siècles d'avance sur tous les sujets, sauf sur les femmes ? Et cette bizarrerie n'étonne personne. Et nul ne se demande si ce n'est pas notre époque qui serait victime de ses préjugés. Quand ceux-ci ne sont pas hostiles mais favorables aux femmes, cessent-ils pour autant d'être des préjugés ?

En réalité, ces « mâles blancs » si décriés ont forgé la civilisation occidentale. Ils ont façonné les concepts d'humanisme, de liberté, de progrès, d'émancipation des individus. Ils étaient universels, parce qu'ils étaient les pointes de diamant d'une civilisation patriarcale. Dans les universités américaines d'aujourd'hui, il est impossible d'entamer un dialogue avec un étudiant, car il commence chacune de ces phrases par « En tant que [Noir, femme, homosexuel, Latino…], j'estime que… », invalidant ainsi le point de vue de quiconque ne partage pas son identité.

La théorie du genre fut au *Deuxième Sexe* ce qu'Internet fut au Minitel

Certaines théoriciennes américaines ont conduit la formule célèbre de Simone de Beauvoir jusqu'à sa logique extrême. Puisqu'on ne naît pas femme, mais qu'on le devient, alors la réalité biologique n'existe pas ; être femme n'est qu'une invention culturelle et une injonction linguistique. Pour Judith Butler et sa fameuse *queer theory*, le seul acte de qualifier une petite enfant « du nom de fille » en fait une personne de sexe féminin. Les Américains ont l'habitude de donner une ampleur industrielle et commerciale aux inventions des artisans français. La théorie du genre fut au *Deuxième Sexe* ce qu'Internet fut au Minitel. On raffine à l'infini : il y a le sexe (biologique), le genre (culturel), l'orientation (sexuelle). On peut être une personne de sexe masculin, mais de genre féminin, et d'orientation homosexuelle. On peut être de sexe féminin, de genre masculin et d'orientation homosexuelle. On peut aussi être de sexe masculin, de genre masculin et d'orientation hétérosexuelle, mais c'est plutôt mal vu. On peut enfin être de sexe féminin, de genre féminin et d'orientation hétérosexuelle, mais cela paraît démodé !

Toutes les combinaisons à partir de ce canevas ternaire sont possibles. La liberté, l'égalité et le respect sont à ce prix. Ce salmigondis théorique et lexical digne des *Précieuses ridicules* n'a en vérité qu'un seul objectif idéologique : ruiner l'hégémonie conceptuelle et normative du mâle hétérosexuel. Peu importe que pour la plupart des êtres humains le sexe, le genre et l'orientation se confondent sans question existentielle majeure, la seule présence des marges, fût-elle ultra-minoritaire, permet de contester la norme majoritaire. Ainsi oppose-t-on dans un équilibre linguistique égalitaire le transgenre et le cisgenre, en faisant mine de ne pas voir que ce cisgenre (l'homme ou la femme dont le genre correspondait au sexe) constitue l'énorme majorité, tandis que les transsexuels ne sont qu'une poignée d'individus.

Puisque le langage a fabriqué la réalité (qui avait créé les hommes et les femmes), le langage doit se soumettre à la nouvelle idéologie égalitariste. La langue française doit supprimer ces scandaleuses généralisations masculinistes (« droits de l'homme » remplacé par « droits humains ») et ses règles grammaticales misogynes (le masculin l'emporte sur le féminin), quitte à transformer de manière grotesque, au nom d'une prétendue « écriture inclusive », les mots et les phrases de notre langue en trains qui transportent les touristes avec leurs petits wagons à la queue leu leu. On revient ainsi dans le monde de Molière et de ses femmes savantes, si soucieuses de maîtriser le langage et de l'épurer de ses mots malséants...

Sous le discours d'apparence égalitaire, une hiérarchie secrète se révèle : la personne de sexe féminin, de genre féminin et d'orientation homosexuelle est en haut de l'échelle ; celle de sexe masculin, de genre masculin et d'orientation hétérosexuelle est la lie de la nouvelle société. Les nouveaux *Untermensch*. Une sous-humanité. Les « déplorables », dirait la candidate démocrate à la présidentielle américaine de 2016, Hillary Clinton, à propos des électeurs de son adversaire, Donald Trump.

Le mépris de classe rencontre le mépris de sexe et le mépris d'orientation. Mépris qui repose sur la nouvelle organisation économique et sociale des métropoles occidentales, lieu où se créent les richesses d'où ont été exclus les ouvriers (privés de travail par la délocalisation de leurs anciennes usines), tandis qu'un salariat féminin occupe en masse les postes du secteur tertiaire. Les ouvriers blancs, incapables d'entretenir leur foyer par leurs seuls revenus, sont humiliés et furieux. Ils ont le sentiment justifié que leurs compagnes les méprisent. D'ailleurs, elles les quittent.

« Le destin, c'est l'anatomie »

Pour la première fois dans l'histoire, les jeunes femmes sont davantage diplômées que les jeunes hommes. Cet aspect quantitatif doit être cependant nuancé par une baisse généralisée du niveau culturel des diplômes, et surtout par la supériorité des garçons dans les études scientifiques de plus haut niveau, qui, en France, demeurent les filières de l'excellence et du pouvoir. Dans ces mêmes grandes villes, le divorce de masse, souvent demandé par les femmes, et les aides sociales liées à la présence d'enfants, favorisent l'émergence de nombreuses familles monoparentales. Peu importe que ces mères de famille soient hétérosexuelles (la majorité) ou homosexuelles (les lois favorisant les mariages homosexuels et tolérant la vente de sperme pour féconder celles qui refusent tout contact sexuel avec les hommes).

Ce matriarcat de fait, soutenu par l'État, fabrique de nouvelles générations de garçons qui, privés de père, absent physiquement ou symboliquement (n'osant plus imposer son autorité à la mère et à l'enfant), ne peuvent plus tirer parti de ces oppositions formatrices avec leur géniteur qui ont permis aux générations précédentes de devenir des adultes émancipés et responsables.

La société est désormais composée d'enfants éternels et de mères qui dirigent toute la famille d'une main de fer dans un gant de velours, tout en se plaignant amèrement des « doubles journées » et de la « charge mentale ». On peut ainsi observer nos présidents de la République, jadis incarnation du père de la nation, tenir la main de leur femme comme des enfants qui craignent d'être abandonnés.

Alors que Simone de Beauvoir n'imaginait de libération pour les femmes que dans l'assimilation aux hommes, ses héritières ne voient d'issue pour les hommes que dans l'assimilation aux femmes. Certains y décèlent une opposition entre les deux générations, entre un féminisme universaliste et un féminisme différentialiste. Cette opposition est factice. Le féminisme dit « universaliste » contraint les femmes à devenir des hommes ; le féminisme dit « différentialiste » contraint les femmes à se séparer des hommes. Dans les deux cas, les femmes sont flouées et perdantes.

Cette distinction artificielle est du même ordre que celle que les communistes avaient jadis instaurée entre Staline et Lénine, pour préserver celui-ci des crimes de celui-là. Il y a une ligne directe entre Simone de Beauvoir et Judith Butler, le culturalisme : le refus de nous voir aussi et d'abord comme des animaux avec des besoins et des désirs d'animaux ; le refus d'admettre que la différence des sexes n'est pas une invention de mâles revanchards et misogynes, mais la création de l'Évolution pour pérenniser l'espèce humaine ; et que la reproduction est la preuve éclatante et fondatrice de cette différence des sexes.

Les études les plus savantes, dans les pays scandinaves, les contrées les plus égalitaires du monde, démontrent à satiété que l'arrivée de l'enfant au sein des couples impose aussitôt le retour des rôles traditionnels[1]. La femme considère qu'elle perd son temps dès qu'elle ne s'occupe plus de bébé ; le père considère qu'il perd son temps quand il s'occupe de bébé. Cette différenciation n'est pas due à une idéologie quelconque, ni au poids des stéréotypes, mais à la programmation différentielle d'hormones. L'homme a des millions de spermatozoïdes, qu'il produit aisément ; la femme dispose d'un ovule par mois et d'un nombre réduit d'ovocytes ; cette différence induit une inégalité fondatrice, des comportements dissemblables, « genrés » comme on dit aujourd'hui – un surinvestissement sentimental pour les femmes, contraintes de choisir le bon géniteur, un comportement de chasseur pour les hommes, qui sont poussés à conquérir le plus de proies possible – qui relèvent de la biologie et non de la sociologie.

Les stéréotypes, traqués aujourd'hui comme des criminels, ne sont eux-mêmes que des projections culturelles simplifiées, leçons que nos ancêtres, non sans finesse, ont tirées au fil des siècles de l'observation du réel. Ils avaient par ailleurs comme grand avantage d'adoucir les relations entre les sexes, en limitant les exigences réciproques : « Un mépris

1. Voir Peggy Sastre, *Comment l'amour empoisonne la vie des femmes*, Anne Carrière, 2018.

quotidien et tolérant à l'égard des faiblesses de l'autre sexe – incompétence sur le plan affectif chez l'homme et manque de rationalité chez la femme – passait pour de la sagesse populaire ; ces stéréotypes fixaient des limites à l'antagonisme des sexes qui, dès lors ne pouvait plus tourner à l'obsession[1]. »

« Le destin, c'est l'anatomie », avait prévenu Freud. Simone de Beauvoir avait raison quand elle refusait de procréer pour devenir un homme comme les autres. Les féministes contemporaines ont raison de militer pour l'utérus artificiel, qui éviterait la grossesse aux femmes. Le féminisme est bel et bien une idéologie de mort puisqu'il nie la vie pour imposer son obsession de l'indifférenciation égalitaire.

« Les femmes confondent leur cœur avec leur cul »

Puisque les femmes n'ont pas réussi à devenir des hommes comme les autres, il faut que les hommes deviennent des femmes comme les autres. Il faut faire croire que le désir des hommes est symétrique à celui des femmes. Il faut arracher des siècles de réflexion autour du désir et de sa dissymétrie profonde. « Les hommes aiment ce qu'ils désirent, et les femmes désirent ce qu'elles aiment », disait Sacha Guitry, ou encore, plus sarcastique, Flaubert qui écrit à sa maîtresse Louise Collet : « Les femmes confondent leur cœur avec leur cul, et croient que le rayon de lune a été inventé pour éclairer leur boudoir. » De telles phrases – comme tant d'autres exhibées telles des traces d'un passé honni et odieux – n'ont pas de fondement historique, mais anthropologique. Elles ne sont pas liées au contexte culturel du XIXe siècle mais sont la conséquence des lois de l'évolution qui président aux destinées humaines depuis l'aube de l'humanité. Il est amusant de voir que les progressistes qui exaltent Darwin auprès des « demeurés créationnistes » – ces chrétiens, juifs ou musulmans qui croient au récit de la création du monde par la Genèse – dédaignent les mêmes leçons du scientifique

1. Christopher Lasch, *La Culture du narcissisme*, Flammarion, 2018.

britannique lorsqu'il s'agit des rapports entre hommes et femmes. Mais le féminisme se moque du principe de non-contradiction, se moque de la raison ; le féminisme est de l'ordre du dogme, il est sacré, il est dans l'ordre divin de la foi. Derrida peut se réjouir : nous sommes passés du logos au pathos.

Au temps de Simone de Beauvoir, les jeunes filles étaient ignorantes des choses du sexe. Un siècle plus tard, les jeunes filles regardent des films pornographiques et n'ignorent rien de la fellation, voire de la double pénétration, mais ne savent rien du désir masculin.

Les mâles de toutes les espèces sont programmés pour désirer par le regard et jauger ainsi de la fécondité d'une partenaire possible. Comme l'a montré l'écrivain américain, Nancy Huston, dans son beau livre *Reflets dans un œil d'homme* (2012), « notre biologie impose l'asymétrie et l'inégalité dans la sexualité. L'homme regarde, la femme est regardée, mais se regarde aussi être regardée. » Il n'y a rien de symétrique là-dedans. Cette illusion de la réciprocité est la nouvelle ignorance sexuelle de notre temps. Elle cause des ravages. Il est très difficile, voire impossible, de réconcilier la part d'animalité en nous et nos désirs d'égalité juridique.

La sexualité est l'ombre de notre mort, et nous refusons cette part-là. Les procès à grand spectacle des mâles dominants sont devenus la loi de l'époque. Ils sont une cible privilégiée. À la question qui taraude la femme moderne, « Faut-il coucher pour réussir ? », ceux-ci savent depuis la nuit des temps qu'ils ont dû réussir pour coucher. De Dominique Strauss-Kahn à Harvey Weinstein, ils sont les nouveaux Don Juans, les « grands seigneurs méchants hommes » qui ont tiré un parti extrême de la « libération sexuelle » des années 1960.

La revanche du féminisme se doit d'être éclatante afin d'édifier et d'intimider les générations suivantes. Le pilori médiatique précède la question judiciaire. « Le désir de pénal a remplacé le désir de pénis », selon la formule si pertinente de Philippe Muray. Tout est mélangé volontairement, de la main sur la cuisse au viol et au crime. Il faut impérativement criminaliser le désir masculin pour mieux le « dénaturaliser ». Le « contractualiser » pour le tuer dans l'œuf. En Suède, est condamné comme viol tout acte sexuel sans preuve d'un « consentement explicite ». Les crimes de viol occupent actuellement la moitié des sessions d'assises en France. Tout coït doit devenir dans l'esprit public un viol. C'est ainsi que se font face dans notre société la « culture du viol », dénoncée par les militantes féministes, et la « culture du lesbianisme », qu'elles propagent sans cesse. Simone de Beauvoir promettait dans *Le Deuxième Sexe* que l'émancipation féminine nous conduirait « vers des relations charnelles et affectives dont nous n'avons pas idée ».

Alfred de Vigny avait été plus précis et plus lucide :
« Bientôt, se retirant dans un hideux royaume,
La Femme aura Gomorrhe et l'Homme aura Sodome,
Et, se jetant, de loin, un regard irrité,
Les deux sexes mourront chacun de son côté. »

Le corps des femmes redevient un sanctuaire identitaire, une arche sainte qu'il faut préserver de tout sacrilège malgré elle s'il le faut. Il n'est plus menacé par la perte de la virginité, mais par le viol. Nous revenons au temps des duègnes : il faut protéger le corps féminin de l'expression du désir sexuel masculin. Ce néopuritanisme féministe est pire que celui qu'avait connu Simone de Beauvoir dans sa jeunesse : il n'y a jamais eu, contrairement à l'Espagne, de duègne en France ! Le corps de la femme moderne est sacralisé au nom de sa liberté et de sa dignité de femme libre, comme le corps de la femme catholique était sacralisé au nom de sa pureté de jeune fille.

« J'APPARTIENS À MA FAMILLE, À MA RACE, À L'ISLAM »

Deux catégories de mâles échappent pourtant à cette criminalisation du désir : les « gays » et les immigrés venus des pays musulmans. La vieille alliance entre les féministes et les homosexuels masculins s'est étendue aux mouvements antiracistes. Là aussi, l'Amérique nous a montré la voie, au sein à la fois des campus universitaires et du Parti démocrate.

L'écrivain américain Chester Himes disait déjà, il y a cinquante ans, que les deux personnages centraux de l'imaginaire sexuel américain étaient la femme blanche et l'homme noir. Hier dominés, ils dominent aujourd'hui. Au grand dam de leurs aînées, les jeunes féministes les plus en vue font passer le combat antiraciste avant la bataille pour l'émancipation féminine. Elles sont rejointes par les militantes noires, arabes, musulmanes, qui les soutiennent dans leur combat contre le mâle blanc occidental, avec d'autant plus de vigueur qu'elles protègent et préservent la souveraineté de leurs hommes. Comme l'écrit sans fard Houria Bouteldja, égérie des Indigènes de la République : « Mon corps ne m'appartient pas, j'appartiens à ma famille, à mon clan, à mon quartier, à ma race, à l'Algérie, à l'Islam. J'appartiens à mon histoire et si Dieu le veut, j'appartiendrai à ma descendance. »

Le mâle indigène incarne la virilité triomphante et redoutée. D'où l'admiration de Houria Bouteldja et de tant d'autres, y compris au sein des féministes françaises : « Le démocrate blanc est tétanisé par la redoutable et insolente virilité islamique. » Les militantes noires, arabes, musulmanes ne veulent pas tuer leurs mâles qui n'ont pas failli à leurs yeux ; ils sont des victimes de l'Histoire ; ils ne sont pas des vaincus.

Elles veulent seulement achever le *dead white european male.* On voit la lourde responsabilité des féministes blanches qui commencent à peine à comprendre qu'elles sont les jouets d'une guerre des races et des civilisations qui les dépasse. Quand elles en prendront conscience pleinement, le combat féministe s'effacera tant il est secondaire par essence. Il ne s'impose que chez des peuples décadents qui croient naïvement être sortis de l'Histoire comme les nôtres ; il est le produit des périodes de paix, où les dangers immémoriaux, la famine, la guerre ont été conjurés. Il retournera à sa place naturelle, subalterne, quand reviendra le temps des combats essentiels et vitaux entre peuples, nations, races, religions, civilisations.

Le féminisme est un narcissisme poussé à l'extrême au prétexte de la liberté, jusqu'au caprice. Le féminisme désagrège les sociétés et les désarme face à leurs ennemis. C'est la quintessence de l'individualisme devenu totalitaire, qui exige tous les droits, tous les pouvoirs. « Je rêvais d'être ma propre cause et ma propre fin », écrivait Simone de Beauvoir dans ses *Mémoires d'une jeune fille rangée* : une volonté de toute-puissance quasi divine.

Les féministes encensent dans leurs discours les hommes doux et faibles ; l'inconscient des femmes les pousse pourtant à préférer un homme dur et fort. Dans *Le Père Goriot*, de Balzac, Vautrin enseignait déjà à Rastignac : « Demandez aux femmes quels hommes elles recherchent, les ambitieux. Les ambitieux ont les reins plus forts, le sang plus riche en fer, le cœur plus chaud que ceux des autres hommes. Et la femme se trouve si heureuse et si belle aux heures où elle est forte, qu'elle préfère à tous les hommes celui dont la force est énorme, fût-elle en danger d'être brisée par lui. »

Les hommes, intimidés par le discours féministe, qui a désormais valeur d'idéologie dominante, prennent eux aussi des poses égalitaires et tiennent des discours progressistes. C'est la « virilité vrillée » dont parle Nancy Huston. Mais ceux-ci sont impitoyablement chassés par leurs femmes. Le sociologue américain William Waller[1] le note : « La femme moderne ne peut résister à la tentation de vouloir dominer son mari ; et si elle y parvient, elle ne peut s'empêcher de le haïr. »

On somme les hommes d'être doux et dociles à la maison, avec leurs femmes et leurs enfants, mais forts et puissants

---

1. Cité par Christopher Lasch, dans *Un refuge dans ce monde impitoyable. La famille assiégée,* François Bourin éditeur, 2012.

au travail, dans la *struggle for life*, la lutte professionnelle de tous contre tous. Or les deux sont intimement liés. L'homme dominant dans sa vie professionnelle attirera les femmes jeunes et belles. Comme dit Waller, « la tendance qui consiste à utiliser la femme comme un symbole de son succès est à la base du système social ». C'est vers ces « mâles alpha » que les femmes les plus jeunes et les plus jolies sont irrésistiblement attirées. Au contraire, les femmes en haut de l'échelle sociale inquiètent et font fuir nombre de mâles.

La mort du patriarcat du petit mâle blanc hétérosexuel occidental signe la mort de l'Occident. Derrière les grands mots de « liberté » et d'« égalité », de nouveaux patriarcats se sont érigés sur ses ruines. Des patriarcats constitués en archipels, nouveaux féodaux de notre temps, qui méprisent et marginalisent les femmes bien plus brutalement que leurs prédécesseurs.

Le patriarcat des derniers mâles dominants traditionnels s'adapte : patrons du CAC 40, financiers, médiacrates, artistes, qui utilisent les facilités du divorce de masse pour exaucer le phantasme masculin de polygamie, les jeunes maîtresses des romans de Balzac et de Zola devenant les deuxièmes ou troisièmes épouses.

Le patriarcat gay se fonde sur la puissance financière des grands patrons et des hauts fonctionnaires, qui utilisent les progrès technologiques et la force des réseaux d'influence LGBT pour accomplir le rêve millénaire des hommes d'avoir des enfants en se passant des femmes, dont ils louent les ventres comme on louait la force de travail des ouvriers dans les usines de leurs aïeuls.

Le patriarcat des caïds de banlieue, et autres grands frères, s'appuie, lui, sur le trafic de drogue et les préceptes coraniques, suivant l'exemple de leurs ancêtres barbaresques, pour séduire ou violer les jeunes femmes des classes populaires blanches, fascinées par leur train de vie de grands seigneurs de la pègre ou terrorisées par leur brutalité ou leurs menaces.

Ces patriarcats ont en commun d'être révérés par des groupuscules féministes qui les épargnent et les craignent, les épargnent parce qu'ils les craignent, les craignent parce qu'ils les fascinent, dans ce rapport « sadomasochiste » que les féministes dénonçaient naguère dans l'hétérosexualité, tandis qu'elles concentrent leurs coups sur le pauvre mâle blanc hétérosexuel, âne de la fable, éternelle proie de leur vindicte, non parce qu'il est puissant et abuse de sa puissance, mais parce qu'il est devenu faible, et qu'on peut ainsi l'achever.

Simone de Beauvoir n'aurait jamais imaginé à son livre un tel destin. Elle voulait devenir immortelle par son œuvre littéraire ; elle a réussi au-delà de tous ses espoirs. Le prix à payer a été élevé. À la fin de sa vie, elle vitupérait contre ce jeune homme brillant et hautain, Benny Lévy, ce « jeune juif d'élite, sûr de lui et dominateur », comme avait dit le général de Gaulle, qui, devenu le secrétaire d'un Sartre aveugle, l'avait rapproché de Dieu et éloigné d'elle. Sartre avait par ailleurs adopté une fille, Arlette Elkaïm, qui avait pris toute la place dans le cœur du vieil homme. Simone se retrouvait entourée de femmes qui l'admiraient bruyamment et qu'elle méprisait secrètement. Elle pestait contre la vieillesse qui vous isole et craignait plus que jamais cette mort qu'elle avait combattue toute sa vie. Elle se demandait parfois si elle avait choisi les bonnes armes. Pour paraphraser la célèbre formule de Sartre dans *Les Mots,* Simone de Beauvoir découvrait sur le tard qu'elle n'avait été qu'une femme faite de toutes les femmes et qui les vaut toutes, et que vaut n'importe laquelle.

Simone de Beauvoir, ou l'éternel féminin.

Pétain

L'homme qu'il faut détester

Ils se sont tant aimés. Tant ressemblés. Tant admirés. Tant soutenus. Tant compris. Ils étaient le général et son aide de camp, l'auteur et son « nègre », le maître et son disciple. Ils se contemplaient l'un l'autre comme dans un miroir. Aussi conscients de leur valeur, aussi orgueilleux, aussi indépendants, aussi détestés de leurs supérieurs et de leurs pairs, aussi ironiques, aussi insolents, aussi arrogants. La même superbe, le même mépris, le même cynisme. La même insensibilité.

Pétain demeura colonel pendant de longues années, parce qu'il était seul partisan de la stratégie défensive, tandis que la doxa de l'état-major était favorable à l'offensive. De Gaulle demeura colonel pendant de longues années parce qu'il était seul partisan de l'offensive tandis que la doxa de l'état-major était favorable à la stratégie défensive. C'est la guerre de 1914 qui donnera raison à Pétain et le couvrira de gloire. C'est la guerre de 1940 qui donnera raison à de Gaulle et le couvrira de gloire.

Ils déjeunaient ensemble, ils travaillaient ensemble, ils devisaient ensemble. Le vieux regardait le jeune avec la tendresse infinie qu'on a pour un fils qu'on n'a pas eu. Le jeune regardait le vieux avec le respect attendri qu'on a pour un père, ce héros. Philippe emmenait Charles visiter le champ de bataille de Verdun où il avait acquis une gloire immortelle. Charles ne rêvait que de rendre à son tour un service aussi signalé à la patrie. Contrairement à la légende, Philippe n'était pas le parrain du fils de Charles, mais celui-ci s'appelait quand même Philippe et possédait une photo dédicacée du grand homme. Charles écrivait, Philippe corrigeait ; raturait, annotait, supprimait adjectifs et adverbes superflus. Charles ne supportait pas qu'on touchât sa prose talentueuse, imitée de Chateaubriand ; il discutait, protestait, négociait, pied à pied. Philippe disait de Charles qu'il était l'« officier le plus intelligent de l'armée française ». Philippe était pour Charles l'incarnation du chef idéal, dont il avait tracé les contours dans ses premiers livres. On raconte que Philippe serait intervenu pour que le jury de l'école de guerre relève la note de son jeune protégé. Il l'impose dans cette même école, comme conférencier. Le jeune de Gaulle rappelait souvent qu'il était de l'« entourage de Pétain ».

Lorsque de Gaulle fut condamné à mort par contumace le 2 août 1940, Pétain écrira à la main en marge de l'arrêt du tribunal : « Il est évident que ce jugement par contumace ne peut être que de principe. Il n'a jamais été dans ma pensée de lui donner une suite. » De Gaulle commuera la peine de mort du maréchal Pétain à la Libération en détention à perpétuité au fort du Portalet, puis dans une cellule de l'île d'Yeu. Dans ses Mémoires, il reprochera aux hommes de la IVe République d'avoir prolongé cruellement la détention du vieux soldat.

Leur brouille initiale est un classique de la République des lettres. Un maître d'œuvre qui utilise plusieurs « nègres » ; le « nègre » délaissé qui se rebiffe ; querelle de paternité : qui est propriétaire de l'œuvre ? Le ton monte, les mots s'effilent comme des rapières. De Gaulle par Pétain : « Un ambitieux et un homme dépourvu d'éducation » ; « un orgueilleux, un ingrat, un aigri ». Pétain par de Gaulle : « La vieillesse est un naufrage » ; « le maréchal Pétain a été un très grand homme qui est mort en 1925 à l'insu de ceux qui ne faisaient pas partie de son entourage ».

Les deux hommes se croisent pour la dernière fois en 1940. Le 11 juin, au château de Briare, de Gaulle vient d'être promu général : « Vous êtes général ! lui lance Pétain. Je ne vous félicite pas. À quoi bon les grades dans la défaite ? » Le 14 juin, à Bordeaux, à l'hôtel Splendid, Pétain déjeune à une table, un peu plus loin. De Gaulle se lève pour le saluer en silence : « Il me serra la main, sans un mot. Je ne devais plus le revoir, jamais. »

Le 16 juin, de Gaulle revient de Londres à Bordeaux. Dès son débarquement à l'aéroport de Mérignac, il apprend que Paul Reynaud est démissionnaire et va être remplacé par le maréchal Pétain. Il arrive juste au moment où Paul Baudouin, sortant du bureau de Pétain, tient dans la main la liste du gouvernement. Baudouin a confié à Pierre Ordioni : « Le général de Gaulle a surgi de l'ombre et m'a demandé s'il figurait au gouvernement... Je savais pertinemment que non, mais pour gagner du temps, j'ai fait mine de consulter mon papier qu'il vint lire par-dessus mon épaule... À peine a-t-il eu comme moi fini de le parcourir, qu'il murmura, toujours par-dessus mon épaule : "Je sais ce qu'il me reste à faire." Et sans même prendre congé de moi, il est parti[1]. »

Quand il devient chef de l'État, Pétain est le dernier des géants vivants de 1914 : Clemenceau, Foch, Joffre, Ludendorff et Hindenburg sont morts. Lorsqu'en 1942, le maréchal Franchet d'Espèrey décède, Pétain dira : « À présent, on ne m'appellera plus le maréchal Pétain, mais le Maréchal. » De Gaulle sera au cours des années 1960 le dernier des géants de 1940, après la disparition de Churchill, de Staline, de Roosevelt. Pétain atteint le pouvoir suprême à 84 ans, et il lui reste alors onze ans à vivre jusqu'à sa mort, le 23 juillet 1951. De Gaulle reviendra au pouvoir à 68 ans, et il n'aura alors guère plus de onze années à vivre. Leurs deux destins tardifs prouvent s'il en était besoin que la vieillesse augmente l'ambition plutôt qu'elle ne l'apaise.

---

1. Pierre Ordioni, *Tout commence à Alger, 40-44,* Stock, 1972.

Les deux hommes contemplent leurs contemporains avec un mélange de morgue et d'ironie, d'orgueil et de courtoisie. « C'est le plus grand acteur du monde, son goût des termes justes, sa clairvoyance méprisante envers les personnes, son orgueil assez fort pour le prévenir le plus souvent contre les tentations de la vanité, son étonnante capacité de silence, de patience et de dissimulation. Et l'âge avait encore accru son appétit de pouvoir… » Ce portrait de Pétain par Emmanuel Berl aurait pu être celui du général de Gaulle.

Pétain et de Gaulle sont de la même famille, les plus français des Français

Pétain pense sincèrement qu'il a « fait don de sa personne à la France ». De Gaulle « s'identifie à la France dans la mesure où il se considère comme étant, de la France, l'ultime et seule chance[1] ». Les historiens d'aujourd'hui n'aiment pas qu'on évoque leur proximité, encore moins la complicité entre les deux hommes. Ils ont raison, il faut aller plus loin : ils sont de la même famille. Dans son roman *Chronique du règne de Charles IX*, Mérimée imaginait deux frères issus d'une famille protestante, dont l'un se convertit au catholicisme, pendant les guerres de Religion. Ils se déchireront, et s'affronteront, jusqu'à la mort. De Gaulle et Pétain sont ces frères ennemis, pris dans une querelle inexpiable, qui les dépasse.

Pétain est un paysan de l'Artois ; de Gaulle, un hobereau du Nord. Ils sont tous deux enracinés dans la terre de France. Ils sont les plus français des Français. Ils sont tous deux catholiques, même si Pétain a une foi moins profonde. Ils ne sont pas de la même génération, mais tous deux sont marqués au fer rouge par la défaite de 1870 et assoiffés de revanche. Ils ne sont ni germanophobes ni anglophobes ; mais ni germanophiles ni anglophiles. Pétain dira toujours les « boches », jamais les « Allemands » ; de Gaulle dira les « Anglo-Saxons », pas les « Anglais » ou les « Américains ».

1. Claude Mauriac, *Un autre de Gaulle*, Hachette, 1970.

La doctrine militaire de Pétain est de n'en avoir aucune ; de Gaulle théorise le refus de toute théorie ; ils imitent tous deux Napoléon et « son art de la guerre tout d'exécution ». Pétain est un adepte de la stratégie défensive, mais qui vante, dès la fin de la Première Guerre mondiale, le rôle majeur des avions et de leurs bombardements, pour « démoraliser les troupes ennemies au sol et empêcher toute concentration des forces chez l'ennemi ». De Gaulle prône l'offensive de blindés, mais signe des articles pendant les années 1920 sur l'importance des fortifications et le front continu.

Pétain est la figure de la génération héroïque de Verdun qui méprise les vaincus grotesques de la « débâcle », fuyant en désordre devant l'avancée allemande. Quelques années après la fin de la guerre, de Gaulle s'exclamera devant Claude Guy : « En 1940, c'est la première fois que nous avons été battus dans la honte ! Vous entendez bien, battus dans la honte ! Il nous était certes arrivé d'être battus, mais pas dans la honte ! En 1940, et pour la première fois, nous avons agi comme si nous n'étions plus une grande puissance. Voilà l'origine du drame moral et mental que nous traversons aujourd'hui. Bien plus : battus dans la honte, nous avons conscience, tous autant que nous sommes, de nous être accommodés de cette honte. C'est cela qui est grave. C'est pourquoi l'espoir ne renaîtra pas si facilement en nous[1]. »

Pétain comme de Gaulle inscrivent leur action dans une logique providentialiste. Les deux hommes culpabilisent les Français, Pétain pour l'hédonisme du Front populaire et les « mensonges qui nous ont fait tant de mal » ; de Gaulle pour ne pas l'avoir rejoint en masse à Londres ou dans la Résistance. François Mauriac écrira en 1946 : « Les Français dont la faute essentielle, dont l'unique faute fut de désespérer de la France à l'heure de son plus grand abaissement, et par des propos partout répandus, d'accabler leur mère

1. Claude Guy, *En écoutant de Gaulle*, Grasset, 1996.

humiliée, sont jugés, qu'ils le veuillent ou non, par ce chef solitaire assis à l'écart et qui n'est plus rien dans l'État... ces quatre années continuent de nous juger. Nous nous débattons en vain : nous avons tous au front désormais une marque, un signe, que le destin nous a donné, qu'aucune complaisance n'effacera et que nous emporterons dans la mort. »

UNE NOUVELLE GUERRE DE TRENTE ANS

Pétain avait confié en 1938 : « Les Français n'ont pas encore assez souffert. » De Gaulle dira en 1956 : « Les Français ne savent pas ce que c'est que le malheur. Ils doivent faire l'expérience du désastre et de la souffrance personnelle. » Pétain et de Gaulle sont des hommes du XIXe siècle, des patriotes, des anti-modernes : ils croient à la primauté des États et des nations sur les idéologies. On reproche toujours au maréchal Pétain de n'avoir pas d'abord vu dans l'uniforme brun de Hitler l'idéologie nazie derrière le nationalisme allemand. Mais que voit le général de Gaulle sous la vareuse rouge de Joseph Staline, si ce n'est la nation russe « qui absorbera le communisme comme le buvard boit l'encre » ?

Pétain et de Gaulle sont des réalistes machiavéliens qui ne connaissent que la raison d'État, ce qui leur évite d'être séduits par ces mythes idéologiques qui séviront pendant la guerre, toutes ces Internationales, qu'elles soient fascistes, communistes ou libérales, qui ne sont en réalité que les atours d'une hégémonie nationale, celles de l'Allemagne, de la Russie ou des États-Unis. On loue avec raison la perspicacité du Général, qui a vite compris que 1940 n'était que la suite de 1914 dans le cadre d'une nouvelle guerre de Trente Ans. Mais c'est pour le même motif que le Maréchal demande un armistice aux Allemands. Un armistice est une trêve, qui ne met pas fin à l'état de guerre. L'armistice n'est pas une capitulation. Il ne livre pas le vaincu au vainqueur. Il lui donne un répit. Le 12 décembre 1941, de Gaulle confia au général Odic : « N'avouez jamais que l'armistice ne pouvait être évité. »

Un souvenir hante alors la mémoire de Pétain : l'Allemagne de 1918 et l'armistice du 11 Novembre. Défaite, amputée d'une partie de son territoire, l'Allemagne a su se reconstruire et préparer la revanche. Pétain prend exemple sur Stresemann, le chancelier allemand des années 1920, dont la devise était de « finasser » avec ses vainqueurs. Aux yeux de Pétain, la France a sauvé l'essentiel, comme l'Allemagne d'alors : son État, son territoire (en tout cas, une partie), une armée, même si elle est limitée à cent mille hommes (le même chiffre que l'armée allemande en 1919 !).

Le pire a été évité : la France n'a pas été rayée de la carte. Pétain a, sur sa table de chevet, un livre sur la Prusse de 1806, après l'éclatante victoire de Napoléon à Iéna, qui ressemble tant à celle des Allemands en 1940. Alors, Napoléon avait ôté à son vaincu la moitié de son territoire, mais commis l'erreur de ne pas décapiter la dynastie des Hohenzollern. Des ministres remarquables, Stein et Hardenberg, avaient reconstruit la puissance prussienne en imitant en tout point – l'armée, l'Administration, le Code civil – la France napoléonienne. Sept ans après la déroute d'Iéna, les Prussiens prenaient leur revanche à Leipzig, avec leurs alliés russes et autrichiens. À Vichy, on lit et relit l'histoire de la Prusse après Iéna.

Pour les vaincus français, la question n'est pas : faut-il imiter son vainqueur ? Mais : jusqu'où l'imiter ? Forger un parti unique ? Un régime totalitaire ? Un statut discriminant les juifs ? Qu'est-ce qui a donné la victoire aux Allemands ? Que doit reprendre la France à son compte pour préparer sa revanche et retourner ses propres armes contre son vainqueur ?

Déjà, en 1870, Ernest Renan avait expliqué que la « réforme intellectuelle et morale » de la France devait se mettre à l'école prussienne. Dans quelques années, après la victoire américaine de 1945, le raisonnement sera le même : il faut imiter encore et toujours le vainqueur, mais cette fois, faire siens les points forts de la puissance américaine : l'industrie, l'entreprise, la consommation, la culture, le droit, la liberté…

RENVOYER ANGLAIS ET ALLEMANDS DOS À DOS

Pétain est né en 1856. Pour lui, toute cette histoire n'est pas un passé lointain, mais un présent toujours d'actualité, comme des souvenirs d'enfance. Avec sa faconde de bougnat, convaincu qu'il « posséderait n'importe qui », c'est Laval qui exprime avec le plus de présomption cette stratégie, lorsqu'il dit à Pétain : « En 1918, Monsieur le maréchal, vous avez gagné la guerre, la France, autour du tapis vert, a perdu la paix. En 1940, nous venons de perdre la guerre, mais cette fois nous gagnerons la paix. » Pétain et, plus encore, Laval ne mesurent pas la différence des situations. L'Allemagne vaincue de 1919 était protégée par les alliés anglais et américains. La Prusse de 1806 n'est pas dépecée par un tyran totalitaire du XXe siècle. Paul Reynaud avait prévenu le maréchal Pétain : « Vous croyez qu'Hitler est comme Guillaume II. Vous vous trompez. Hitler, c'est Gengis Khan. »

Mais l'armistice français est un élément dans une partie de poker stratégique où tous les joueurs bluffent. Après la conférence de Munich, en 1938, les puissances occidentales avaient voulu détourner l'agressivité germanique vers l'ours russe ; en signant par surprise le pacte de Non-agression germano-soviétique, en août 1939, Staline a réussi un coup de maître : envoyer l'Allemagne dans les pattes des puissances « impérialistes ». C'est donc la France qui a subi le premier choc. Sa ligne Maginot était moins étanche que la Manche des Anglais, les steppes russes ou l'Atlantique américain. Tout est dans la géographie !

En sortant de la guerre, la France renvoie le boomerang allemand vers les Anglais et les Russes. Pour tous ceux, et ils sont nombreux à droite, mais aussi à gauche, qui n'ont pas oublié ce que l'allégeance de la France à la « gouvernante anglaise » pendant l'entre-deux-guerres a coûté à notre pays, c'est une explosion de joie : « J'exultais. C'était splendide.

Je voyais la rage des Anglais, à qui l'esclave docile faussait enfin compagnie, refusant de se laisser saigner à mort pour prolonger un peu l'agonie du tyran. J'étais ému jusqu'aux larmes d'enthousiasme et d'attendrissement pour le vieux chef qui venait de réussir ce "décrochage". Par sa voix de grand-père, la France, pour la première fois, depuis tant d'années, faisait acte de souveraineté nationale. Ce qui nous avait été interdit durant des lustres de prospérité, la défaite nous le permettait. Tout n'était pas perdu. Après de telles paroles, l'atroce *Marseillaise* des discours de Reynaud redevenait malgré tout l'hymne de la France[1]. »

Pour Pétain, comme pour beaucoup de Français, l'Angleterre traitera avec Hitler puisqu'elle n'a pas cessé depuis 1919 de négocier avec l'Allemagne sur notre dos. Hitler ne pense pas autrement. Il propose à plusieurs reprises, le 22 juin 1940, puis le 21 juillet, l'ouverture de négociations avec l'Angleterre. L'Empire français pourrait même être un objet d'échanges que Hitler est tout à fait prêt à livrer à l'Angleterre. C'est d'ailleurs une des raisons majeures pour lesquelles Hitler a accepté l'armistice demandé par les Français. C'est le rêve d'un *Ausgleich* (un « arrangement ») entre la « race germaine » et la « race anglaise » qui va hanter Hitler tout l'été 1940 ; et qui est peut-être à l'origine de sa défaite finale : « Contrairement aux mois ayant précédé l'invasion de la France, les militaires sentent cette fois-ci en face d'eux un homme indécis, hésitant, qui croit encore à un arrangement avec l'Angleterre et ne veut rien gâcher[2]. »

Un an plus tard, quand Hitler aura saisi que Churchill n'est décidément pas de la même trempe que le reste de l'aristocratie britannique, il foncera en Afrique à la poursuite des indispensables champs de pétrole. Trop tard. Il aura, par ses tergiversations de l'été 1940, dilapidé le bénéfice de sa victoire sur la France. Pétain, dès mai 1941, a compris : « Hitler court de victoires en victoires après la victoire. »

---

1. Lucien Rebatet, *Les Décombres*, Denoël, 1942.
2. August von Kageneck, *La France occupée*, Perrin, 2012.

Lorsque Hitler se lance, en juin 1941, dans sa campagne de Russie, le vieux maréchal retrouve ses fondamentaux de la Première Guerre mondiale, cette guerre sur un double front, à l'ouest et à l'est, qui a alors perdu l'Allemagne, et qui s'avérera de nouveau son tombeau. Ce qu'avait pressenti génialement de Gaulle un an plus tôt.

Pétain renoue avec son analyse de Verdun : le feu tue. Il faut économiser le sang français. En 1789, la France était aussi peuplée que l'Angleterre, l'Allemagne et l'Italie réunies. En 1940, les quarante millions de Français ne représentent que la moitié des quatre-vingts millions d'Allemands. En six semaines, la campagne de mai-juin a tué quatre-vingt-dix mille Français. L'hécatombe est digne des pires heures de la Première Guerre mondiale. La France ne peut plus supporter semblable saignée, sous peine de disparaître. C'est ce qui donne aux querelles autour de l'armistice leur caractère tragique. Le « réduit breton », où certains pensaient continuer le combat, aurait été balayé par la formidable machine allemande, sans rivale dans le monde à ce moment-là. La poursuite de la guerre à partir de l'Empire aurait été envisageable, mais elle aurait livré toute la population française au joug allemand.

La France, soumise à un gauleiter et aux SS, aurait été « polonisée », selon l'expression utilisée alors par Pétain lui-même. Le sort de la Pologne, ou de l'Irlande, ces nations martyres qui ont disparu pendant des siècles de la carte de l'Europe, hante alors les esprits des élites françaises qui ont vu la « meilleure armée du monde » se déliter en quelques semaines. Voilà pourquoi Pétain refusera de déclarer la guerre à l'Angleterre, même après Mers el-Kébir, comme en novembre 1942 il refusera de déclarer la guerre à l'Allemagne. Cet « attentisme » que lui reprochaient déjà Foch et Mangin en 1916 !

VICHYSSO-RÉSISTANTS

Dès la signature de l'armistice, des armes sont camouflées. Le Maréchal encourage et finance sur sa cassette personnelle le réseau Hector, le premier réseau de renseignements militaires, fondé par le colonel Heurtaux. Lorsque de Gaulle envoie en France ses trois premiers émissaires, en 1940, Rémy, Fourcaud et Duclos, ils sont hébergés par des proches du Maréchal comme Gabriel Jeantet. De Gaulle a admis dans ses *Mémoires de guerre* que les premiers actes de résistance, dès l'été 1940, ont été le fait des services secrets et de l'armée de Vichy. Mais il s'est gardé de préciser que c'était avec l'approbation de Pétain. On le comprend : les hommes de Vichy pourchassent aussi les gaullistes. Il n'empêche : de juillet 1940 à novembre 1942, mille trois cents agents de l'Axe seront arrêtés par les services de Vichy en zone libre et en Afrique du Nord. Quarante-deux seront fusillés, et quatre cent quatre-vingt-trois condamnés aux travaux forcés en Algérie.

De son côté, Weygand reconstitue l'armée d'Afrique clandestinement en accord avec Pétain. Cette armée d'Afrique reprendra la guerre en Tunisie contre l'Axe dès le 20 novembre 1942, sous le commandement des généraux Giraud, Juin et Barré. Le 8 novembre 1942, les forces anglo-américaines débarquaient en Afrique du Nord. Le maréchal Pétain donna aux forces françaises l'ordre de résister ; quarante-huit heures après, l'amiral Darlan ordonna le cessez-le-feu et l'on apprit après la guerre qu'un télégramme secret du Maréchal l'avait autorisé à prendre les décisions qu'il jugerait nécessaires.

Lors du 90e anniversaire du général Weygand, le 19 janvier 1957, le maréchal Juin prononça un discours solennel : « En prenant ce poste, j'héritai des consignes que vous aviez données. Ces consignes étaient admirables, il n'y avait rien à y reprendre, et je n'eus garde d'y rien changer pendant tout le temps de mon commandement. J'héritai également de l'outil que vous aviez forgé en un an, cet outil admirable que vous m'avez légué et qu'ensuite j'ai conduit en Tunisie, puis en Italie, à la victoire ! Il était incomparable. » Paradoxalement, les troupes de la France libre ne seront jamais aussi imposantes et décisives que celles de l'armée de

Weygand. Il y a quatre-cents hommes à Koufra, trois mille trois cents à Bir Hakeim…

C'est que le rapport de force entre de Gaulle et Pétain est au départ déséquilibré. Pétain applique les règles traditionnelles du droit des gens européen : un État, un territoire, une armée. Tout le reste est illusion. Tout le reste est chimère. Tout le reste est romantisme. Paul Reynaud, dont de Gaulle est alors le conseiller écouté, ne pense pas autrement ; le 15 juin 1940, il déclare : « Le départ du gouvernement [hors de France] serait considéré par le peuple comme une désertion. »

L'honneur civique et l'honneur militaire

De Gaulle a eu la prescience qu'un autre rôle était possible, et même indispensable : le héros qui ne renonce pas au combat et ne dépose pas l'épée de la France ; le gouvernement en exil qui maintient les contacts avec nos alliés : « Il faut qu'il y ait un idéal. Il faut qu'il y ait une espérance. Il faut que, quelque part, brille et brûle la flamme de la résistance française. » C'est, comme le dit très justement Robert Aron dans sa fondatrice *Histoire de Vichy* – ouvrage tout à fait remarquable publié en 1954 et dénigré bien à tort aujourd'hui par la doxa universitaire entièrement convertie aux travaux de Robert Paxton : « L'affrontement de deux conceptions de l'honneur, qui étaient toutes deux nécessaires à la France. L'honneur civique de Pétain, qui protège les populations, et l'honneur militaire de De Gaulle qui refuse de s'avouer vaincu. »

François Mauriac écrira plus tard dans son bloc-notes : « Je songeais cette nuit qu'on pourrait expliquer deux destins : celui du maréchal Pétain et celui du général de Gaulle, en disant que l'un a préféré les Français à la France et l'autre la France aux Français. » Les vichystes plaident les services rendus à la population et les réformes engagées pour le bien du pays. Les gaullistes répliquent qu'on ne réforme pas le pays sous l'œil de l'occupant. Mais en 1814, en 1870, en 1914-1918, la France était également occupée.

Même en 1944, il y a des troupes étrangères sur son sol, l'administration militaire américaine, l'AMGOT, est prête à gérer la France ; et personne n'ignore que la fiction superbement littéraire du « Paris libéré par lui-même » du général de Gaulle n'est qu'un mythe historique, qui permet de repousser les prétentions américaines. Pétain était dépendant des Allemands, de leurs exigences, toujours hautaines, souvent criminelles. Quand Pétain évoque à la radio sa « demi-liberté », son ministre de la Justice, Joseph Barthélemy, commente, narquois : « Il s'est vanté. » Mais de Gaulle aussi est dépendant des Anglais et des Américains, et ceux-ci tiennent parfois le licol bien serré quand ils coupent les livraisons d'essence pour arrêter l'avancée de ses troupes. De même, pendant l'entre-deux-guerres, les gouvernements républicains avaient été étroitement soumis à la « gouvernante anglaise », à l'encontre des intérêts de la France. Sans oublier les communistes, résistants et patriotes, mais seulement quand Moscou le décide.

On connaît les homériques querelles entre Churchill et de Gaulle, que l'Anglais relate dans ses Mémoires : « Mon général, si vous m'obstaclerez, je vous liquiderai ! »

On connaît moins les heurts tout aussi rudes entre Pétain et les Allemands, comme lors de cette entrevue avec le maréchal Goering, à Saint-Florentin, le 1er décembre 1941 : « J'ai compris que la collaboration impliquait de traiter d'égal à égal. S'il y a un vainqueur et en bas un vaincu, il n'y a plus de collaboration, il y a ce que vous appelez un diktat et ce que nous appelons la loi du plus fort.

– Enfin, monsieur le maréchal, quels sont les vainqueurs, vous ou nous ? »

Des militaires allemands notent dans un rapport daté du 20 juin 1941 : « La phraséologie collaborationniste n'est utilisée que pour camoufler l'attentisme pratiqué par les autorités de Vichy. »

Comme si on avait été en 1815

Pétain comme de Gaulle jouent double jeu. Ce n'est pas tant la conséquence de leur choix ou de leur tempérament que de leur faiblesse. Le jour même de l'entrevue de Montoire, le 24 octobre 1940, entre Hitler et Pétain, le Professeur Rougier, ami du Maréchal, discute en son nom avec Churchill, apportant à celui-ci « l'assurance que la France n'entreprendrait jamais rien d'incompatible avec l'honneur contre son ancienne alliée ». Le 4 décembre 1940, Jacques Chevalier, secrétaire d'État à l'Instruction publique, reçoit la visite de Pierre Dupuy, ministre du Canada, porteur d'un message de lord Halifax, secrétaire d'État anglais aux Affaires étrangères : « Dites bien à nos amis français que nous sommes dans une situation extrêmement délicate. Nous ne pouvons pas nous sauter au cou. Il faut maintenir entre eux et nous un état de tension artificielle... Mais derrière une façade de mésentente, il faut nous entendre. » Pétain fera remplacer les mots « tension artificielle » par « froideur artificielle ». Et le 1er février 1941, il confie au même Chevalier : « Je suis loyal et amical avec les Anglais parce que dans la limite du champ qui m'est laissé libre – il n'est pas très grand – je fais tout ce qui est en mon pouvoir pour préparer leur victoire qui sera la nôtre. »

Pétain conservera dans son coffre-fort deux uniques papiers : l'un est le compte rendu de Montoire, l'autre est le protocole Rougier. Et Robert Aron de préciser : « Pour Pétain, les engagements pris envers les Anglais sont plus substantiels que ceux formulés à Montoire. » Mais c'est Montoire, et la poignée de main avec Hitler, qui restera. Dans les mémoires, dans les esprits et dans l'Histoire. Pétain va connaître le drame de ce que Blaise Pascal appelait la « maladresse des demi-habiles ». L'opinion française n'a connaissance que des images et des déclarations favorables à la collaboration avec l'Allemagne. Elle ne sait rien des négociations, des atermoiements, des rebuffades, des dissimulations, des doubles, triples, quadruples jeux. Elle prend pour argent comptant ce qu'elle voit et ce qu'elle entend. Et même les plus favorables au Maréchal vont finir par rejeter ce régime qui semble trahir la patrie alors qu'il était censé la défendre.

Paul Marion, secrétaire général à l'Information à ce moment-là, fera plus tard son *mea culpa* : « Nous avons agi devant les Allemands comme si on avait été en 1870 ou en 1815, à l'époque où les grandes masses humaines, où les hommes n'étaient pas encore des citoyens. Nous avons cru qu'on pouvait faire une politique dans le secret des chambres politiques et des états-majors, alors qu'il y avait la radio, alors qu'il y avait la propagande, alors que les peuples entiers étaient passionnés par la politique. Nous avons cru que nous pouvions résister aux Allemands, les tromper et protéger notre pays dans des conditions qui n'étaient pas les conditions du monde moderne. »

De Gaulle, lui, est à la fois l'allié et l'obligé des Anglo-Saxons. Il fera tout pour se défaire de leur emprise en se rapprochant des Soviétiques. En mai 1942, à Londres, lors d'une altercation violente avec les envoyés américains que de Gaulle traite de « cons et de ganache », il leur dit le fond de sa pensée : « Les Soviets sont les seuls à comprendre ! C'est avec eux que je rebâtirai la France et l'Europe. » Il rebâtira la France, mais avec le plan Marshall des Américains.

Les contempteurs les plus acérés de la politique d'« attentisme » du Maréchal se trouvent à Paris dans les rangs des collaborateurs français, qui lui reprochent « de prendre ses ordres auprès des Américains », lors de ses entrevues fréquentes avec l'ambassadeur des États-Unis à Vichy, l'amiral Leahy. Dans son livre écrit à la fin de la guerre, *Aimer de Gaulle*, Claude Mauriac raconte cette scène édifiante : « Une des premières phrases de Bidault avant de nous mettre à table, me revenait à l'esprit, qui achevait de m'éclairer : "Il y a deux choses qui exaspèrent de Gaulle, deux choses qu'il ne peut souffrir : les Alliés et la Résistance..." » Des alliés et des résistants qui se méfient de De Gaulle, voient en lui un dictateur en puissance. Un nouveau Pétain. Un nouveau Bonaparte. Un de ces militaires assoiffés de pouvoir personnel et qui n'ont que mépris pour la République. Ils ne se trompent pas tout à fait. Une fois encore, si Pétain et de Gaulle sont républicains, c'est avec de nombreuses arrière-pensées et restrictions mentales.

Pétain, à l'instar de ses collègues de la Grande Guerre, Foch, Joffre, Lyautey, n'a jamais aimé la république même s'il l'a servie loyalement. Dans ses carnets de captivité, l'ancien président du Conseil Édouard Herriot, emprisonné en Allemagne avec Blum et Daladier, raconte la conversation qu'il a eue avec la sœur du général, Marie-Agnès Caillau, le 24 avril 1945, elle aussi emprisonnée : « Très franche, intelligente et bonne [elle] nous raconte que Charles était monarchiste, qu'il défendait Maurras contre son frère Pierre jusqu'à en avoir les larmes aux yeux dans une discussion… »

Pétain comme de Gaulle sont avant tout des soldats ; et l'armée, depuis l'avènement de la IIIe République, a été le refuge des catholiques et des monarchistes qui veulent servir la France, mais se sentent comme un corps étranger dans la république laïque ; se vivent comme dans une citadelle assiégée. En 1940, les royalistes sont persuadés que le Maréchal prépare la restauration monarchique. En 1958, le comte de Paris sera convaincu d'avoir reçu des assurances en ce sens du général de Gaulle.

Les historiens prétendent aujourd'hui unanimement que Pétain a tué la république, tandis que de Gaulle l'a rétablie. Mais ce sont les parlementaires d'une majorité de « front populaire » qui ont aboli la IIIe République, comme ceux du « front républicain », élus en 1956, mettront à bas la IVe. Quand le général de Gaulle obtient les pleins pouvoirs constituants le 3 juin 1958, l'analogie avec le 10 juillet 1940 est évidente pour tout le monde. « Dans le Parlement, ce qui frappe, note le socialiste Félix Gouin, c'est un état d'esprit comparable à celui surgi dans les heures vécues à Vichy en 1940. La peur s'insinue dans l'esprit de certains collègues. »

Un coup d'État psychologique

L'inquiétude et l'angoisse sont même pires qu'à Vichy, car l'arrivée au pouvoir de Pétain avait été le produit d'une situation extérieure, la défaite militaire, tandis que derrière de Gaulle, les soldats de l'opération *Résurrection* menacent de débarquer. La menace de putsch militaire, c'est de Gaulle, pas Pétain. « Un 6 février [1934] qui a réussi » : c'est ainsi que le grand politologue républicain André Siegfried définissait le passage de la IVe à la Ve République. Il aurait pu dire plus justement un 18 Brumaire qui n'a pas eu besoin du 19, lorsque Murat cria à ses hussards devant des députés apeurés : « Foutez-moi tout ça dehors ! » Un coup d'État qui reçoit *in extremis* un adoubement républicain. Un coup d'État psychologique. Ou comment contraindre le président René Coty à appeler de Gaulle sans tirer un coup de feu.

De Gaulle ne veut pas de *pronunciamento.* Il confiera plus tard à Jean-Raymond Tournoux[1] : « Évidemment en 1945, j'aurais pu appeler Leclerc et mettre l'Assemblée à la porte ! Cela ne peut mener à rien ! On ne peut pas servir et épouser un mouvement populaire ! » Mais tout doit être fait pour le ramener au pouvoir. En ces quelques jours de mai 1958, on voit apparaître, comme crocus au printemps, anciens des services secrets, anciens résistants et anciens combattants qui quadrillent la capitale et les grandes villes, là où les armées de la métropole sont déjà prêtes à rallier le panache blanc des gaullistes. Le plan militaire est précis, concis, efficace. De Gaulle est informé heure par heure de ce qui se trame. Un des principaux meneurs, Jacques Soustelle, ancien patron des services secrets gaullistes pendant la guerre, dira : « De Gaulle était au courant de tout. Nous ne lui demandions pas d'instruction, puisque le but de toute l'opération était de le faire désigner par le président de la République[2]. »

---

1. Jean-Raymond Tournoux, *Secrets d'État. De Gaulle au pouvoir*, Plon, 1960.
2. Jacques Soustelle, *Vingt-huit ans de gaullisme*, La Table ronde, 1968.

Debré, Foccart, Guichard, Chaban-Delmas, Soustelle, Delbecque, Neuwirth, la chaîne des comploteurs s'active aux yeux de tous. Dans son livre sur *Le Retour du général de Gaulle*, Georges Ayache, sidéré par tant de cynisme ostentatoire, écrit : « Jamais coup d'État contre un régime légal n'aura été fomenté dans une aussi totale transparence. » Il se trompe, et c'est encore un point commun avec le 18 brumaire 1799 : tout le monde, à Paris, savait alors que Bonaparte préparait un coup d'État !

Lors de sa fameuse conférence de presse du 19 mai, de Gaulle bénira tous ces manœuvres et complots : « L'armée a jugé de son devoir d'empêcher que le désordre s'établisse. Elle l'a fait et elle a bien fait. » François Mitterrand, alors seul opposant avec Pierre Mendès France, criera mais dans le désert : « De Gaulle avait naguère autour de lui deux compagnons : l'Honneur et la Patrie. Aujourd'hui ces compagnons se nomment coup de force et sédition. »

De Gaulle peut jubiler : « Bravo Delbecque, vous avez bien joué... mais avouez que j'ai bien joué aussi ! » Du grand art. Et de la chance. Beaucoup de chance.

La constitution de 1944 est la sœur aînée de celle de 1958

De Gaulle a la chance de venir après Pétain. La chance d'avoir en Guy Mollet un homme de gauche qui, contrairement à Laval, sait lui aussi manipuler ses collègues parlementaires, mais sans les mépriser ou les haïr. De Gaulle fera habilement les gestes que Pétain n'a pas accomplis en son temps, pour bien marquer sa différence. Il s'engage à respecter les « principes républicains » fondamentaux : le suffrage universel, la séparation des pouvoirs, l'indépendance de l'autorité judiciaire. Enfin, et surtout, il soumettra sa Constitution au référendum, ce que Pétain avait promis mais jamais fait. Il a eu grand tort.

Non seulement la Constitution de 1944 – que le Maréchal voulait léguer à la France mais qui ne verra jamais le jour – aurait été plébiscitée, mais elle ressemblait comme une sœur aînée à celle de 1958 : élection du président de la République par un collège élargi, pouvoir renforcé de l'exécutif, droit de dissolution entre les mains du président, qui nomme le Premier ministre, suffrage universel étendu aux femmes, création d'une véritable cour suprême de justice. Si la transformation du Sénat en une chambre économique et sociale et la régionalisation n'avaient pas été refusées par les électeurs en 1969, de Gaulle aurait alors célébré – à sa manière – un retour partiel des corporations et des provinces chères au Maréchal.

Cela n'était pas aussi étonnant qu'on peut le penser aujourd'hui. Pétain comme de Gaulle incarnaient l'entrée tardive dans la République de ces classes sociales, catholiques, officiers, mais aussi technocrates, qui avaient longtemps campé aux portes du régime, et qui avaient fini par y pénétrer en apportant leur culture et leurs valeurs. Leur entrée en force avait été favorisée par le retour de l'Alsace et de la Lorraine dans le giron national. La France amputée de Strasbourg et de Metz, après 1871, était déséquilibrée. Ce fut grâce à cette amputation que le radicalisme maçonnique avait prospéré de Toulouse et imposé la IIIe République à toute la France. L'arrivée des provinces de l'Est, conservatrices et catholiques, à partir de 1919, changerait le visage politique de la France, saperait les bases de la République traditionnelle, minerait son assise géographique, contesterait ses fondements idéologiques, et rendrait *in fine* le gaullisme possible.

Ce fut de la belle ouvrage. À la manière de promoteurs immobiliers brutaux et cyniques, ils ont conservé la façade mais ont complètement réaménagé l'intérieur. Les travaux ont duré longtemps – vingt ans ! – mais l'opération sera très rentable, puisqu'elle a permis d'adapter la France aux temps nouveaux.

De Gaulle et Michel Debré, bien aidés par le socialiste Guy Mollet, ont vidé de sa substance la démocratie parlementaire, la seule qui méritait, aux yeux des « républicains » traditionnels, le titre de « démocratie ». Cette République parlementaire, qui avait tourné au « parlementarisme absolu », que les monarchistes surnommaient « la Gueuse », cette « démocrassouille » qu'ils rêvaient de détruire, a bien été achevée par le général de Gaulle, qui a ôté l'essentiel du pouvoir législatif au Parlement et l'a transmis à l'exécutif, marginalisant l'autorité judiciaire, établissant ce « pouvoir personnel » qui hantait les républicains depuis 1789 et la chute de la monarchie. Le référendum triomphal d'octobre 1958 fut bien sûr un oui franc et massif à de Gaulle, mais surtout un non franc et massif à cette démocratie parlementaire que les Français avaient fini par haïr. Mais de Gaulle, au contraire de Pétain, a réalisé l'euthanasie sous anesthésie, avec soins palliatifs, sans douleur excessive, avant de débrancher prestement.

Il passera donc pour le restaurateur de la république.

De Gaulle

L'homme qu'il faut aimer

Les comptes furent enfin soldés. Tardivement, mais complètement. Les comptes des années 1930. Les comptes de la guerre et de la débâcle. Pour le Maréchal comme pour le Général, c'est la République qui a perdu la guerre. Il faut qu'elle paie ! Quand les Bonaparte furent défaits militairement, leurs régimes impériaux s'écroulèrent aussitôt. Il est juste, il est légitime, que la République perdant à son tour la guerre – et de quelle manière ! – disparaisse corps et biens.

« Je pensais que nous, les héritiers de cent cinquante années d'erreur, nous n'étions guère responsables », écrivait un jeune homme de 26 ans, dans un article publié en décembre 1942, dans *France, revue de l'État nouveau.* Il s'appelait François Mitterrand. Et de Gaulle lui-même, durant les années 1950, vitupérait encore devant Claude Guy : « À les entendre [les républicains] la France a commencé à retentir en 1789 ! Incroyable dérision : c'est au contraire depuis 1789 que nous n'avons pas cessé de décliner. »

La République a été incapable de définir une politique étrangère indépendante et une stratégie militaire cohérente. La République et son petit personnel d'élus locaux et nationaux, d'arrondissementiers à courte vue qu'ils méprisent tous deux. Comme Pétain, de Gaulle s'entourera au pouvoir de techniciens non élus, même si – comme Pétain – il a dû tolérer la présence du vieux personnel parlementaire.

De Gaulle ne s'y trompe pas lorsqu'il évoque les motivations de ses adversaires. Il confie à Claude Mauriac : « C'est l'État qu'ils avaient reconnu en moi et c'est l'État qu'en ma personne ils combattaient. Et remarquez bien qu'ils n'ont combattu le maréchal Pétain que pour ce qu'il leur proposait précisément de bon. Ceux qui s'opposèrent à Pétain lui reprochèrent seulement d'attenter à leurs prérogatives parlementaires[1] ! »

Personne n'est dupe à l'époque. Claude Mauriac poursuit : « De Gaulle expliqua à mon père [François Mauriac] qu'il y avait eu deux sortes de Résistance – entre lesquelles nulle entente, après la Libération n'était possible : "La mienne – la vôtre – qui était résistance à l'ennemi – et puis la résistance politicienne – qui était antinazie, antifasciste, mais en aucune sorte nationale..." »

Après le retour « aux affaires » du général de Gaulle, François Mauriac écrira dans son bloc-notes : « Si j'ai rendu les armes si aisément aux nouvelles institutions de la Ve République, c'est que durant quarante ans de ma vie, j'ai suivi chaque matin, comme sans doute de Gaulle lui-même, dans *L'Action française*, l'analyse implacable de la vie parlementaire française et sa lente corruption [...] ce qu'il faut dire, c'est que de Gaulle a poursuivi en quelque sorte, non plus au tableau noir, mais sur ce corps crucifié de la patrie, descendu enfin de la croix, la démonstration commencée par Maurras[2]. » Maurras, qui avait vu en l'avènement de Pétain une « divine surprise ». Maurras, dont Raymond Aron écrira, dans *Le Figaro* du 17 décembre 1964 : « Charles de Gaulle aurait accompli, dans le cadre républicain, nombre des transformations que Charles Maurras aurait eu le tort de croire impossibles sans Restauration. »

1. Claude Mauriac, *Un autre de Gaulle*, Hachette, 1970.

Le compromis entre la monarchie et la République

De Gaulle, après Pétain, a fini par trouver, après l'avoir cherché sans se lasser, un compromis entre la monarchie et la république ; et a instauré un régime personnel et autoritaire qui ne se voulait ni une tyrannie ni un totalitarisme. Pétain avait refusé l'instauration d'un parti unique, mais n'avait pu s'empêcher de s'emparer de tous les pouvoirs, exécutif, législatif et judiciaire, dans une confusion coupable. De Gaulle sera plus habile, conservera mieux les apparences, même si la réalité est bien une concentration des pouvoirs inédite en République. Une République consulaire.

Ni Rome, ni Berlin, ni Moscou. L'enjeu court tout le XXe siècle : comment s'imprégner de la force des régimes autoritaires et totalitaires, nés après la Première Guerre mondiale, pour régénérer la France, tout en lui conservant son « âme » ? Dès le 10 juillet 1940, les termes de l'équation avaient été posés dans un remarquable discours de Pierre-Étienne Flandin qui suscita l'approbation générale, jusques et y compris celle de « son ami » Pierre Laval lui-même : « Rien ne serait pire… qu'une copie servile d'institutions dont on ne prendrait peut-être que ce qu'elles ont de médiocre ou de mauvais, dont on n'assimilerait pas au contraire, ce qu'elles ont de fort. Il faut prendre leur force, mais éliminer nettement leurs faiblesses, et, si le terme n'est pas trop gros, cette sorte de mépris de la personnalité humaine… Il y a dans la liberté de nos villages et de nos villes quelque chose qui enchante celui qui met le pied sur la terre de France. Il faut que la terre de France reste la terre de France[1]… »

Ni Rome, ni Berlin, ni Moscou. Ni Londres ni Washington non plus. Plutôt Rome et Berlin et Moscou et Londres et Washington. Une synthèse « française » des régimes autori-

1. Robert Aron, *Histoire de Vichy*, Fayard, 1954.

taires qui épargnerait les libertés essentielles. Même les collaborateurs les plus déterminés, ceux qui n'hésitaient pas à se réclamer du « fascisme », sentiront à la fin de la guerre qu'ils n'ont pas réussi à sauvegarder l'« âme de la France ». En janvier 1944, Robert Brasillach expliquait ainsi à un groupe d'étudiants « que le régime idéal serait celui qui concilierait les idées de grandeur, de socialisme national, d'exaltation de la jeunesse, d'autorité de l'État, qui [lui] paraissent incluses dans le fascisme, avec ce respect de la liberté individuelle qui est l'apanage incontesté de la Constitution anglaise ».

Comment abattre la IIIe République, et son incapacité chronique à gouverner la nation, tout en respectant ces libertés que cette IIIe République, pour sa gloire, avait inscrites dans le marbre de ses grandes lois ? Emporté par sa vindicte, et le souvenir encore cuisant de la défaite militaire, le régime de Vichy va détruire l'un sans sauvegarder les autres. Mieux instruit par l'expérience, le pouvoir gaulliste réussira à faire la part des choses, bien qu'à l'époque ses opposants passent leur temps à dénoncer la « dictature » gaulliste et son mépris des libertés.

Pétain comme de Gaulle ont tous deux cherché une synthèse entre l'ordre libéral et l'ordre socialiste, entre valeurs de droite et valeurs de gauche, entre réalité nationale et réalité sociale. Entre maurrassisme nationaliste et personnalisme chrétien.

Le général de Gaulle lui-même le reconnaîtra à demi-mot dans ses *Mémoires de guerre* : « Si, dans le domaine financier et économique, ces technocrates [de Vichy] s'étaient conduits, malgré toutes les traverses, avec une incontestable habileté, d'autre part, les doctrines sociales de la révolution nationale, organisation corporative, charte du Travail, privilèges de la famille, comportaient des idées qui n'étaient pas sans attraits. »

Depuis le début des années 1930, les élites du pays, polytechniciens ou diplômés de Sciences Po, fulminaient contre l'incapacité de la IIIe République à répondre aux défis de la modernité. Elles estiment que le libéralisme et le parlementarisme du XIXe siècle ne sont plus adaptés à l'époque ; et maudissent un régime paralysé par l'individualisme égoïste et les combines des partis.

À Vichy, comme à Paris, ils dénonceront la « décadence » d'une société de petits commerçants et de petits paysans, et promettront de relancer une croissance anémiée par une « économie concertée ». Ils exigeront – et obtiendront – une reprise en main de l'économie par l'État, de l'État par l'exécutif, et de l'exécutif par la technocratie. Patriotes, ces esprits iconoclastes cherchent une voie française qui rejette tout à la fois le communisme, le fascisme, le nazisme, mais aussi le consumérisme de masse américain. Ils repoussent et le totalitarisme et l'individualisme, forgeant une synthèse qui marie à la fois l'efficacité et le spiritualisme, l'intégration dans de grands ensembles économiques et le patriotisme, le libre marché et la planification.

Ces synthèses ne seront pas trouvées en un jour ; il y aura des évolutions, des tâtonnements, des erreurs, parfois tragiques. Ils s'appelleront « non-conformistes », « vichystes », « résistants », « gaullistes », « socialistes ». Leurs patrons se nommeront successivement Daladier, Reynaud, Pétain, de Gaulle. Les mêmes hommes passeront par Paris, Vichy, Londres, Alger. Il y a un « Vichy avant Vichy » dans le tournant autoritaire que prend la IIIe République à la fin des années 1930, et il y aura un Vichy après Vichy, à la Libération, et en 1958, lors du retour du général de Gaulle.

Transguerre

Au moment du procès Papon, en 1997, Olivier Guichard fit remarquer que trois des quatre Premiers ministres du général de Gaulle et de Georges Pompidou avaient été des fonctionnaires de l'« État français » (Debré, Chaban-Delmas, Couve de Murville). Jusqu'en novembre 1942, les fonctionnaires obéissaient tous au maréchal Pétain, dont le pouvoir n'était contesté ni par le président de la Chambre des députés, Édouard Herriot, ni par le président du Sénat, Jules Jeanneney, ni par les représentants des puissances étrangères.

Les historiens japonais utilisent le néologisme « trans-guerre » pour désigner la période 1930-1950. On pourrait aisément accoler cette notion à la situation française. Ce sont les mêmes hommes, les mêmes idées, les mêmes politiques qui se retrouvent. La planification économique élaborée à partir de 1941 deviendra commissariat au plan en 1945. François Perroux et André Vincent fondent l'ancêtre de l'Insee, l'outil statistique de la comptabilité nationale, et introduisent les idées keynésiennes en France. Les lois de 1940 sur le conseil d'administration des sociétés anonymes et de 1943 sur la responsabilité des présidents des sociétés anonymes préparent la réforme du droit des sociétés de 1966. La création en 1945 du comité d'entreprise, grande conquête sociale de la Libération, est un décalque du comité social d'entreprise, prévu par la charte du Travail du 26 octobre 1941. La Fondation Carrel préfigure l'Ined d'Alfred Sauvy. Le patron de la fondation, Adolphe Landry, est le maître d'Alfred Sauvy. Il est aussi un ami de Robert Debré, le père de Michel, qu'il initiera aux questions démographiques.

La politique familiale instaurée en 1938 par la IIIe République ne sera modifiée en rien par Vichy et confortée à la Libération. Le fameux « baby-boom » des naissances, ce surprenant printemps démographique français après le long hiver du XIXe siècle, commence en dépit de son surnom américain, en 1941. Comme si la France, qui avait failli mourir de sa victoire de 1918, ressuscitait de sa défaite de 1940. Le fondateur de la Sécurité sociale à la Libération, Pierre Laroque, a travaillé pour Vichy avant que ses origines juives ne l'obligent à s'éloigner. Raoul Dautry et Jean Lacoste, passés par Vichy, deviendront ministres sous la IVe. Michel Debré sous la Ve. Paul Baudoin, Jean Bichelonne, Yves Bouteillier, Henri Dhavernas, Robert Garric, Georges Lamirand, François Lehideux travailleront pour Vichy. Paul Delouvrier, qui aménagera le quartier de La Défense sous les ordres du général de Gaulle, pendant les années 1960, avait été formé par l'école des cadres d'Uriage, créée par Vichy. Cette même école où Hubert Beuve-Méry, fondateur du journal *Le Monde*, avait fait ses premières armes. Les corporations paysannes et les ordres professionnels de médecins et d'architectes seront maintenus à la Libération, ainsi que toute la politique sociale de Vichy[1] : carte d'identité obligatoire, protection de l'enfance délinquante, création du salaire minimum vital, mise en place de la retraite par répartition, développement des allocations familiales, émancipation des femmes mariées, mise en place du Code de la route et du Code de l'urbanisme, médecine du travail, visite médicale obligatoire à l'école, etc.

Les technocrates de Vichy, ces pères inconnus des « Trente Glorieuses »

Contrairement à la doxa entretenue avec soin, il n'y a pas eu de rupture à la Libération, mais continuité. Les technocrates de Vichy sont bien les pères inconnus des « Trente Glorieuses ». Et les pères honnis de la culture française d'après-guerre. Les maîtres du grand théâtre populaire, qui prit son essor à la Libération, Jean Vilar, Jean Dasté, André Clavé, ont tous commencé leur carrière à Jeune France, le groupe artistique parrainé par Vichy.

À la Libération, les vétérans du Front populaire et les communistes passeront un compromis avec les anciens venus du vichysme autour d'une idéologie qui les rassemble, mélange de pacifisme et d'antiaméricanisme. Au théâtre, au cinéma ou à la radio, et plus tard à la télévision, pendant les années 1960, c'est la même esthétique, le même souci de « qualité française », enracinée sous Vichy, qui voue aux gémonies la « scène » des années 1930, dominée par les productions hollywoodiennes et le théâtre de boulevard. L'idéologie porte désormais à gauche, mais les cadres sont issus de l'Occupation. Les organismes publics, tels que le CNC (pour le cinéma) ou la Sofirad (pour les radios), ont connu une première mouture à Vichy. La radio d'État prend une place décisive sur les ondes, quel que soit le régime.

Institutions, économie, social, culture, médias : tout passe par Vichy, subit l'empreinte de Vichy, empreinte indélébile

1. Cécile Desprairies, *L'Héritage de Vichy*, Armand Colin, 2012.

bien que cachée. Comme l'explique avec finesse l'historien américain Philip Nord : « Vichy remplit une fonction de station relais, sélectionnant un certain nombre de causes et de principes apparus dans les dernières années de la IIIe République et les transmettant à la IVe République[1]. »

Bien sûr, la condition des juifs isole radicalement Vichy. Bien sûr, les deux statuts des juifs et les interdits professionnels ont été abolis dès la Libération. Bien sûr, on sait par le témoignage d'un ministre de Vichy, Paul Baudoin, que le maréchal Pétain a insisté, au cours du Conseil des ministres du 1er octobre 1940, pour qu'il n'y ait plus de juifs dans l'Éducation et la Justice. Mais le même maréchal Pétain refusera que les juifs portent l'étoile jaune en zone libre et que les mariages mixtes soient, à la manière germanique, prohibés. Une politique discriminatoire à l'égard des juifs satisfaisait les milieux autour de l'Action française, qui estimaient que le pouvoir et la réussite sociale des juifs avaient été excessifs avant-guerre. Qu'ils se comportaient à l'égard de la population française comme une « race gouvernante installée au milieu d'une population autochtone et inférieure », selon l'expression du ministre de la Justice de Pétain, Joseph Barthélemy.

Nos historiens contemporains estiment que Vichy a pris ces mesures antijuives de son propre chef, sans aucune pression de l'occupant. Mais personne ne relève que le même Paul Baudoin, dont le témoignage est si utile pour attester la rigueur du maréchal à l'égard des juifs, évoque ainsi le Conseil des ministres du 10 septembre 1940 : « Il devient de plus en plus évident que, malgré la répugnance de la presque unanimité du conseil – et Laval est un des plus opposés à des mesures antijuives – si nous continuons de nous abstenir de toute intervention dans cette question, les Allemands vont prendre en zone occupée des décisions brutales, peut-être même étendre purement et simplement à la France occupée l'application de leurs lois raciales. »

1. Philip Nord, *Le New Deal français*, Perrin, 2016.

Plus personne n'ignore que la police française a arrêté les juifs étrangers lors de la rafle du Vél'd'Hiv de juillet 1942. Mais tout le monde ignore ou veut ignorer que la première rafle du Vél'd'Hiv fut exécutée par le gouvernement de Paul Reynaud, à partir du 15 mai 1940 : cinq mille femmes allemandes, juives, qui seront conduites au camp de Gurs. Auparavant, les décrets-lois du 12 novembre 1938 et du 18 novembre 1939, pris par le gouvernement Daladier, avaient provoqué l'internement dans des camps de juifs étrangers, surtout des Allemands et des Autrichiens, que Serge Klarsfeld évalue à dix-sept mille.

Israélites français et juifs étrangers

Pour bien comprendre la situation, il faut savoir que la population juive en France s'élève à trois cent mille personnes en 1939, alors qu'elle n'était que de quatre-vingt-dix mille au début du XXe siècle. La plupart résident en région parisienne. Cette immigration venue d'Allemagne, de Pologne, de Russie inquiète et exaspère jusqu'aux Français de confession juive. Le président du Consistoire israélite lui-même, Jacques Helbronner, issu d'une vieille famille d'Alsace, haut fonctionnaire et patriote, distingue lui aussi avec soin entre Juifs étrangers et Français israélites. Fin 1941, devant l'abbé Glosberg et le père Chaillet qui organisent la protection et le sauvetage des Juifs étrangers réfugiés, il dissuade le cardinal Gerbier d'intervenir en faveur de ces derniers internés dans des camps de transit : « Vous ne comprenez pas que si nous soulevons cette question, demain on pourra prendre des mesures analogues à l'encontre des Israélites français. Il ne faut pas que le cardinal intervienne en faveur d'étrangers. Cela ne peut qu'aggraver notre situation. » Helbronner sera déporté et assassiné à Auschwitz en novembre 1943.

Fils d'un juif italien venu de Livourne, André Suarès écrit sans ambages en 1938 dans son pamphlet pourtant antinazi intitulé *Sur l'Europe* : « Je suis contre les juifs s'ils font bande à part et s'ils ne sont pas incorporés, âme et chair, honneur et intérêt, à la nation où ils prétendent vivre : en sont-ils ou n'en sont-ils pas ? Qu'ils y pensent et qu'ils choisissent. Il dépend d'eux, autant et plus parfois que de ceux qui les insultent, les vantent ou les haïssent. Quand le choix sera fait, s'ils veulent être un peuple dans le peuple, un État dans l'État, ils n'auront pas à se plaindre qu'on les traite en étrangers, et qu'on les rejette. Pour être aimé, il faut être aimable ; il faut se rendre tolérable pour être toléré. »

À l'automne 1940, alors que le statut des juifs vient d'être rendu public, Jacques Helbronner adresse au maréchal Pétain une « Note sur la question juive », qu'il n'est pas inutile de citer longuement : « Dès la fin du XIXe siècle, un danger apparaissait aux yeux des Français israélites qui ne voyaient pas sans inquiétude les gouvernements qui se succédaient ouvrir aux étrangers persécutés dans leur pays les frontières de la France et leur donner des facilités de plus en plus grandes pour accéder à la nationalité française. Or, dans ces réfugiés chassés de leur pays par un nationalisme ombrageux, les juifs constituaient la majeure partie de ceux qui se réfugiaient en France [...]. L'invasion a pris des proportions de plus en plus inquiétantes au fur et à mesure du développement et des conquêtes du nazisme en Europe. Malgré les avertissements du judaïsme français, les gouvernements de la France n'ont rien fait (au contraire) pour parer au danger. La réaction contre l'invasion des étrangers s'est traduite par un normal antisémitisme dont les victimes sont aujourd'hui les vieilles familles françaises de religion israélite. »

L'échec de la conférence d'Évian (6-14 juillet 1938) avait montré qu'aucun pays européen, pas plus que les États-Unis, ne souhaitait accueillir ces immigrants juifs, suscitant les sarcasmes haineux des dignitaires nazis. Lorsque, à la veille de la rafle du Vél'd'Hiv, le 17 juillet 1942, l'ambassadeur américain à Vichy téléphona à Laval pour le dissuader de livrer ces juifs aux Allemands, celui-ci lui proposa de les envoyer aux États-Unis, ce que l'Américain refusa poliment.

Le statut des juifs d'octobre 1940, les discriminations, les interdits professionnels qui frappent ces derniers, passe inaperçu. Ceux qui, dans la population, s'y intéressent, malgré la débâcle, l'angoisse des prisonniers qui ne reviennent pas et de l'approvisionnement alimentaire, l'approuvent. À Londres même, les rares ralliés au panache gaulliste, venus pour l'essentiel des rangs de l'Action française, ne pensent pas différemment sur ce sujet du reste de la population française, et les juifs qui partagent leurs tablées doivent subir leurs brocards, qui se transforment parfois en injures.

C'est pour cette raison que Radio Londres n'attaque guère Vichy sur ce thème. À Londres comme à Vichy, la distinction entre israélites français et juifs étrangers est une vérité d'évidence. Il n'y a guère que les Allemands et les collaborateurs antisémites les plus farouches pour mettre tous les juifs dans le même panier d'opprobre. De Gaulle n'évoquera pas le sort des juifs dans ses *Mémoires de guerre*, pas plus que Churchill d'ailleurs. Au procès Pétain, personne ne lui reprocha, ni la Haute Cour ni le général de Gaulle, la livraison des juifs étrangers.

« UNE BERGERIE, MONSIEUR LE MARÉCHAL »

Pour les Allemands, cette distinction n'est qu'une première étape. Après les juifs étrangers viendrait le tour des juifs français. Ils pressent donc le gouvernement de Vichy de transformer les Français en étrangers. Une loi de dénaturalisation des juifs français naturalisés depuis le 1er janvier 1927 est préparée par René Bousquet, signée par Pierre Laval ; mais Pétain, après une intervention discrète mais efficace de l'Église, refuse de la ratifier, le 14 août 1943. Dans la foulée, il interdit désormais que la police française participe aux arrestations. Tenant les promesses faites à Helbronner et à d'autres notables israélites, Pétain avait prévenu qu'il s'opposerait à un traitement analogue entre juifs « enracinés », « décorés de guerre » et juifs immigrés. Les Allemands ne voulaient pas y croire. Commence alors une chasse aux juifs, par les SS et la Milice, furieuse autant que désordonnée, qui ne distingue plus entre Français et étrangers. C'est la « polonisation » tant redoutée par Pétain, qui prouve bien *a contrario* le rôle protecteur joué par un État, quel qu'il soit d'ailleurs, comme le confirment les exemples toujours cités – à juste titre – du Danemark ou même de l'Italie.

À la Libération, le représentant des SS à Paris qui négociait avec Bousquet, Karl Albrecht Oberg, est arrêté par les Américains. Extradé en France en juin 1954 et condamné à mort. Sa peine est commuée en détention à perpétuité. Interné à Mulhouse, il sera discrètement libéré sur décision du général de Gaulle, le 28 novembre 1962. La mesure s'inscrivait dans le cadre de la réconciliation franco-allemande. Oberg mourra en homme libre le 3 juin 1965 à Flensbourg…

Ni Pétain ni de Gaulle ne comprendront tout de suite que cette vieille « question juive » du XIXe siècle est en train de changer de nature. Les vitupérations maurrassiennes contre « l'État dans l'État », les dénonciations de l'influence excessive des juifs, mais aussi des protestants ou des francs-maçons, qui passaient depuis des siècles pour une défense farouche, à la manière de Richelieu contre les huguenots, de l'intégrité de l'État contre les « lobbys » et les minorités, toute cette violence verbale et largement rhétorique n'est plus de mise à l'heure où l'exterminateur nazi met en œuvre sa « solution finale », à partir de janvier 1942. À Vichy, mais aussi à Londres, comme à Washington ou à Moscou, peu de gens saisissent ce qui se passe réellement. En 1914 aussi, rappellent les anciens, la propagande affirmait que les Allemands tuaient les enfants ! Mais une des plumes de Pétain, René Gillouin, particulièrement perspicace, sans doute en raison de ses origines protestantes, avertit pourtant Pétain dès août 1941 : « La révocation de l'édit de Nantes, qui est restée comme une tache sur la gloire de Louis XIV, apparaîtra comme une bergerie à côté de vos lois juives, monsieur le maréchal. »

Le Cassandre du Maréchal finira par avoir raison, mais des années, voire des décennies, après la guerre. Là aussi, là encore, là surtout, la finesse équivoque des jeux en eaux troubles et des doubles discours, que privilégiait le régime de Vichy, sera emportée par le manichéisme des passions. Comme le notera, avec une intuition puissante l'historienne Annie Kriegel, le 25 mars 1991 : « Il y a une jeune école historique qui veut mener une sorte de guerre civile privée et qualifiée d'héroïque contre le gouvernement de Vichy. Il me paraît absurde de renverser les choses au point de dire que non seulement le gouvernement a été complice mais qu'il a pris l'initiative d'une entreprise de répression des juifs. Je me demande parfois si, contrairement à l'idée commune, la part de sacrifice dans la politique et la conduite du maréchal Pétain n'ont pas eu des effets plus certains et positifs sur le salut des juifs que sur le destin de la France[1]. »

À la Libération, le Haut Comité consultatif de la population et de la famille (HCPF), dirigé par un ancien membre du Parti populaire français (PPF) de Doriot, Georges Mauco (siègent à ses côtés Robert Debré et Alfred Sauvy), recommande encore aux services de l'immigration de tenir compte de « considérations ethniques, sanitaires, démographiques et géographiques ». Le comité plaide alors en faveur d'une immigration familiale d'origine européenne, proche de ce qu'il appelle l'« ethnie française ». Le ministre de la Santé publique et de la Population, Pierre Pflimlin, l'approuve. De Gaulle, devenu président du gouvernement provisoire, dans une lettre à René Pleven, trouve qu'il y a déjà beaucoup trop de Méditerranéens dans la composition du peuple français, et souhaite qu'on favorise une immigration venue du nord de l'Europe. C'est le Conseil d'État, présidé alors par René Cassin lui-même, qui rejette l'avis du Haut Comité. L'auteur de la future Déclaration universelle des droits de l'homme ne pouvait tolérer que la France veuille choisir, parmi les étrangers qu'elle accueillait, ceux qui étaient le plus facilement assimilables. C'est ainsi que débutera l'immigration de travailleurs venus d'Algérie, du Maroc, de Tunisie...

1. Interview dans *Valeurs Actuelles,* le 25 mars 1991.

Cet affrontement feutré, mais virulent, annonce l'évolution de cette haute autorité administrative qui, au nom d'un humanisme de principe et d'un antiracisme militant puisant sa source dans le traumatisme nazi, va devenir le bastion d'un immigrationnisme à tous crins, d'un universalisme extrémiste qui ne veut plus rien connaître des spécificités ethniques, voire culturelles, du peuple français. C'est le Conseil d'État qui interdira au gouvernement Barre, en 1976, de suspendre le regroupement familial des immigrés. Le même Conseil autorisera la polygamie des Africains, le voile islamique à l'école, et finira, dans un rapport de 2013, par une ode à un multiculturalisme débridé qui méprise tout principe d'assimilation des populations étrangères à la nation française.

Besoin d'alliés

Ce détour par le Conseil d'État est utile pour mesurer ce qui sera le drame inavoué et inavouable de la geste gaullienne. Afin de s'opposer au maréchal Pétain, duquel il partageait la plupart des idées, afin de délégitimer le régime de Vichy et de le combattre victorieusement, pour se substituer à lui comme pouvoir légitime puis légal, le général de Gaulle avait besoin d'alliés, même s'ils étaient les plus éloignés de ce qu'il était et pensait. Même s'ils étaient ses adversaires, voire ses ennemis politiques. Il ne pouvait rien refuser à ce grand juriste qu'était René Cassin, qui avait trouvé l'astuce juridique pour rendre « nuls et non avenus, les actes du gouvernement de fait dit gouvernement de Vichy ». Il dut aussi accepter le retour des partis politiques honnis de la IIIe République, au sein du Conseil de la Résistance, au grand dam de ses premiers soutiens. Il fallait montrer à ses suspicieux parrains américains qu'il n'était pas le dictateur fasciste qu'ils le soupçonnaient d'être. Dès 1941, il accepta d'ajouter à la fière devise de la France libre des origines, *Honneur et Patrie*, la trilogie républicaine qu'il avait initialement dédaignée : *Liberté, Égalité, Fraternité.*

Le pire était à venir. Il dut s'allier aux communistes qui ne rentrèrent dans la résistance active qu'après que le grand frère soviétique eut été agressé par l'armée allemande, à partir de juin 1941. L'entrée du « Parti » fut fracassante, le 21 août 1941 : un de ses militants, resté dans l'histoire sous le nom de « colonel Fabien », assassinait, d'une balle dans le dos, au métro Barbès, l'officier allemand Moser. Ce crime était non seulement contraire aux règles de l'armistice, mais surtout au code d'honneur de la guerre. Pétain comme de Gaulle, mais aussi les chefs de la Résistance, Henri Fresnay, Emmanuel d'Astier ou Jean-Pierre Lévy, condamnèrent tous l'acte du colonel Fabien. Les Allemands, fous de rage, assassinèrent cent otages en représailles. Alors même que l'amiral Darlan était sur le point d'obtenir la grâce du grand résistant Honoré d'Estienne d'Orves, arrêté peu avant, celui-ci fut exécuté.

« Un homme à la dérive »

Les communistes s'engageaient dans l'engrenage de la guerre civile. Ils assassinaient des soldats allemands, mais aussi et surtout des Français, magistrats, syndicalistes, policiers, tous ceux qu'ils jugeaient « collabos », « ennemis du prolétaire ». Rien qu'en 1942, les communistes commirent cinquante attentats. Cet activisme communiste provoquerait et la création de la Milice par le gouvernement Laval, en janvier 1943, et l'arrivée des SS, envoyés par Hitler pour assurer la sécurité des troupes allemandes, dont les officiers supérieurs ne voulaient pas altérer les relations « correctes » qu'ils avaient jusque-là entretenues avec la population française.

1944 serait donc l'année de la guerre civile. Entre résistants et collabos, entre gaullistes et pétainistes, entre communistes et fascistes. Les communistes avaient réussi. Pétain comme de Gaulle étaient dépassés, ne maîtrisaient plus rien. Depuis novembre 1942, et l'invasion de la zone libre par l'armée allemande, Pétain incarnait un pouvoir fantoche. Le 20 avril 1942 déjà, recevant quelques ministres démissionnaires du gouvernement Darlan, alors même qu'il est contraint par les Allemands de reprendre ce Laval qu'il vomit, Pétain leur confie : « Plaignez-moi, car vous savez, maintenant, je ne suis plus qu'un homme à la dérive. »

Sa dérive vient de loin. De son manque d'audace, de son attentisme, de son opportunisme érigé en principe de survie politique. Le 13 décembre 1940, à la surprise générale, il s'est débarrassé de Pierre Laval et a mis à sa place de chef du gouvernement Pierre-Étienne Flandin. Laval incarnait l'intégration sans arrière-pensées – jusqu'à une alliance militaire en bonne et due forme – de la France dans un nouvel ordre européen dominé par l'Allemagne. Flandin veut résister aux Allemands et garantir l'indépendance française prévue par l'armistice. Les deux lignes ont leur cohérence et une ampleur de vues indéniable ; mais Pétain refuse de choisir entre les deux et finit le 9 février 1941, sous la pression des Allemands, par se débarrasser de Flandin.

Mais c'est le 11 novembre 1942 qu'il signe lui-même la fin de son régime, sa mort politique, et son destin tragique dans l'Histoire. Les Allemands s'apprêtent à envahir la zone libre, afin de répondre au débarquement américain en Afrique du Nord. Pétain n'aura plus de territoire souverain. Bientôt, il n'aura plus ni flotte qui se sabordera, ni empire qui se soumettra de bonne grâce à l'Oncle Sam. Ses proches pressent Pétain de partir pour l'Afrique du Nord. Un avion est prêt. Pétain hésite, puis refuse. On ne saura jamais ce qui fut décisif : son grand âge, sa peur panique de l'avion (Staline prendra l'avion pour la première fois afin de se rendre à la conférence de Téhéran en 1943 ; et ne le reprendra plus jamais), sa volonté de protéger les Français jusqu'au bout, sa jouissance des ors du pouvoir, même factice. « Un pilote doit rester à la barre pendant la tempête, se justifiera-t-il plus tard, si j'étais parti, c'eût été pour la France le régime de la Pologne… Vous ne savez pas ce que c'est que le régime de la Pologne. La France en serait morte[1]. »

---

1. Robert Aron, *Histoire de Vichy*, op. cit.

C'est lui qui en est mort. Il ne protégera plus les Français ni les juifs, français comme étrangers, qui sont harcelés par les SS et les miliciens, aux ordres exclusifs de Laval, revenu avec tous les pouvoirs. Il n'évite pas la guerre civile qu'il prétendait conjurer. Il associe son nom, son aura de vainqueur de Verdun et son régime à la politique de franche collaboration de Laval. Il en est effaré, effrayé, révulsé. Un jour, il interpelle Darquier de Pellepoix, le commissaire aux Questions juives, que les Allemands et Laval lui ont imposé, en remplacement de Xavier Vallat, sur un ton triste : « Monsieur le tortionnaire... »

Il l'avait pourtant pressenti. Il avait confié à l'amiral Auphan, son secrétaire d'État à la Marine d'avril à novembre 1942 : « Ça ira si la guerre ne dure que trois mois, mais si elle dure encore trois ans, nous serons polonisés. » L'entrée en guerre de l'Afrique française, aux côtés des alliés, sous les ordres de Darlan, le dauphin de Pétain, avait définitivement dessillé les yeux allemands sur le double jeu de Vichy ; mais Darlan serait assassiné par un jeune militant gaulliste. La dernière carte de Pétain était tombée.

Le pacte de sang

De Gaulle triomphe. À partir de novembre 1942, pour beaucoup de Français, pétainistes en juillet 1940, de Gaulle devient ce qu'était le Maréchal : le symbole de la renaissance française. Mais pour assurer son pouvoir fragile sur la Résistance, qui garantit sa légitimité auprès des alliés, de Gaulle est obligé de donner des gages aux communistes. C'est la raison pour laquelle il refusa la grâce de Pucheu, type même du technocrate devenu ministre sous Vichy, et de Darnand (le fondateur de la Milice). Chaque fois, de Gaulle transmet ses respects et sa considération personnelle aux condamnés qu'il ne pouvait sauver.

Ces deux exécutions annoncent l'« épuration », sa justice d'exception, ses règlements de comptes sordides, ses condamnés à mort non parce qu'ils sont coupables mais parce qu'ils sont vaincus, ou parce qu'ils portent un nom aristocratique, ou possèdent une fortune forcément mal acquise, ces femmes tondues et molestées, violées et assassinées. L'épuration est le pacte de sang que de Gaulle est contraint de conclure avec les communistes, comme Napoléon fut obligé d'exécuter le duc d'Enghien pour s'assurer le soutien des Jacobins régicides à la veille de son sacre impérial.

De Gaulle conte dans ses *Mémoires de guerre* comment il arrête l'engrenage de la guerre civile, en désarmant les milices communistes, à Toulouse en particulier. Mais c'est à Moscou, auprès de Staline, qu'il va chercher l'arrêt des hostilités. Le prix à payer est élevé. C'est le retour de Maurice Thorez, le secrétaire général du Parti communiste, déserteur en 1940, ministre en 1945. De Gaulle est contraint d'offrir à ceux qu'il qualifiera dans quelques années de « séparatistes » d'inépuisables cornes d'abondance comme EDF et, plus grave encore, la direction des esprits juvéniles à travers la mainmise syndicale sur l'Éducation nationale. En tenant l'école, l'université et la culture, les communistes vont pouvoir formater les cerveaux de la génération qui, deux décennies plus tard, traitera de Gaulle de « fasciste » et de « pétainiste ».

C'est le paradoxe de De Gaulle, mais aussi de Pétain : deux hommes d'ordre qui prennent la tête de révolutions, même s'ils les veulent nationales. Si les deux hommes ne sont pas dupes des mots, les mots ont bien été prononcés. Comme le note Emmanuel Berl, « les mots accompliraient leur œuvre ».

La gauche de Pétain, autour de Laval, enfant de Briand et de Caillaux, l'a conduit malgré le maréchal dans « une collaboration qui souhaitait la victoire de l'Allemagne », au nom de la paix et de l'Europe. La gauche de De Gaulle l'a ramené au régime des partis dans une IVe République qui ne s'avéra guère mieux que la IIIe, et qui éjecta son tuteur au bout de quelques mois.

La gauche avait longtemps eu un faible pour Pétain. Au procès du Maréchal, Reynaud dira : « Pétain avait l'audience de la gauche parce qu'il était l'homme de la défensive et que la défensive était de gauche. » À l'époque, la gauche se méfiait en revanche de ce de Gaulle qui prônait à la fois l'offensive et l'armée de métier. Lorsque Pétain devient ambassadeur à Madrid, Léon Blum déclare : « Le plus noble, le plus humain de nos chefs militaires n'est pas à sa place auprès du général Franco. » C'est la gauche, ainsi que l'a démontré l'historien Simon Epstein dans son maître-livre, *Un paradoxe français*, qui rejoindra en masse Vichy, pour forger une Europe enfin pacifiée et unie sous la houlette de l'Allemagne. Cette gauche qui, alliée aux technocrates, férus d'efficacité avant tout, va donner une réalité économique à la politique de collaboration.

En février 1941, le cabinet Darlan fait entrer au gouvernement Jacques Benoist-Méchin, François Lehideux, Paul Marion, Pierre Pucheu, tous membres de la banque Worms. Ils transmettent un rapport à Berlin d'organisation économique européenne. Pour nos fringants technocrates, la modernisation de l'économie française passe par son intégration dans un ensemble dirigé par l'Allemagne. Pucheu déclare alors : « Nous sommes convaincus qu'il est de notre devoir de faire découler de la défaite de la France la victoire de l'Europe. »

Le fauteuil de Talleyrand et de Chateaubriand

Volontairement ou non, la révolution dite « nationale » contribuait à intégrer la France dans le nouvel ordre européen, instauré par l'Allemagne. Mais de Gaulle ne perd rien pour attendre. Volontairement ou non, l'entrée dans le Marché commun en 1957, entérinée par la France gaullienne en 1958, contribuerait elle aussi à intégrer la France dans l'ordre européen instauré par les États-Unis. La victoire alliée sur l'Allemagne arrachait la France à son destin de grande région de l'Empire allemand ; mais c'était pour lui assurer un destin de dominion de langue française dans le nouvel empire occidental qui se met en place en 1945, sous l'hégémonie américaine. Une Amérique qui parraine aussitôt une Europe intégrée où la puissance économique allemande ne tarderait pas à s'affirmer. Un soir de 1969, lors d'une réception à l'Élysée, Henry Kissinger, ministre du président Nixon, taquinant son vieil hôte, lui demande de quelle manière il compte contenir l'irrésistible domination de la puissance économique allemande sur l'Europe. De Gaulle lui répond du tac au tac : « Par la guerre ! » Un autre jour, il lâchera à l'amiral Flohic : « Il faudra leur rentrer dans la gueule ! »

Pétain n'a plus compté auprès de Hitler à partir du moment où la guerre est devenue mondiale. De Gaulle n'a plus compté auprès des Américains à partir du moment où la compétition avec l'Union soviétique tournait à la guerre froide. Tous les historiens expliquent que l'audace iconoclaste du général de Gaulle de juin 1940 a assuré la présence de la France à la table des vainqueurs, et son siège permanent au Conseil de sécurité de l'ONU. Mais de Gaulle ne fut pas convié à la conférence de Yalta, en février 1945 par les trois grands, Roosevelt, Staline et Churchill.

Mauriac écrivit d'une plume mélancolique que, pour la première fois dans l'Histoire, y compris après nos pires défaites, le fauteuil de Talleyrand et de Chateaubriand était resté vide. « Quand on n'est pas à table, disent les Polonais, habitués à subir les caprices cruels des Empires dont ils sont les voisins, c'est qu'on est au menu. » Le général de Gaulle, à Yalta, n'était pas à la table des grands. Il ne fut pas non plus prévenu du débarquement des troupes alliées du 6 juin 1944 sur les côtes normandes. Et dut se battre comme un beau diable pour écarter la monnaie américaine que l'administration militaire américaine, l'AMGOT, s'apprêtait à déverser sur la France occupée.

De Gaulle comme Pétain ont fait ce qu'ils ont pu pour sauver la place de la France dans le concert des grandes puissances. Chacun à sa manière, ils ont refusé de faire leur deuil de la France de 1918. Chacun à sa manière, chacun à sa place. En sachant très bien ce que l'autre faisait. En toute conscience, même s'ils disaient le contraire. Ils ont échoué tous deux. Ils ont poursuivi tous deux une illusion : l'illusion du pouvoir pour Pétain, l'illusion de la grandeur pour de Gaulle. « La vraie tragédie de 1940, explique Guy Dupré dans son chef-d'œuvre, *Le Grand Coucher,* c'est qu'elle a été jouée comme un opéra-bouffe, où l'on a vu un général providentiel relayer un maréchal providentiel pour empêcher un cinquième set vraiment sanglant. Le maréchal bouclier (percé) a permis aux Français de supporter l'Occupation de façon plutôt douce et le général tronçon (du glaive) les a persuadés qu'ils avaient participé à la victoire des armes[1]. »

Le glaive et le bouclier

Avant d'être transféré de force par les Allemands, à Sigmaringen, Pétain délivre son ultime message aux Français, le 11 août 1944, qui sonne comme son testament : « L'intraitable patriotisme des uns m'a privé des seules armes que l'armistice m'avait laissées. Le fanatisme collaborationniste des autres n'a cessé de stimuler les exigences et d'alerter les méfiances des Allemands. D'un côté, quand je négociais pour la France, j'étais dénoncé comme un auxiliaire de l'Allemagne. De l'autre, des hommes qui ne voyaient le salut de la France que dans la victoire allemande dénonçaient mon attentisme comme une trahison... S'il est vrai que de Gaulle a levé hardiment l'épée de la France, l'histoire n'oubliera pas que j'ai tenu patiemment le bouclier des Français[2]... »

En 1947, de Gaulle confie au colonel Rémy : « Il faut toujours que la France ait deux cordes à son arc. En juin 40, il lui fallait la corde Pétain aussi bien que la corde de Gaulle[3]. »

Le glaive et le bouclier, de fait. Dans les faits. Le glaive et le bouclier dans les têtes. Dans leurs têtes.

1. Guy Dupré, *Le Grand Coucher,* La Table ronde, 2013.
2. Robert Aron, *Histoire de Vichy,* op. cit.
3. Colonel Rémy, *Dans l'ombre du Maréchal,* Presses de la cité, 1971.

La querelle entre Pétain et de Gaulle est d'ordre philosophique : qu'est-ce qu'une nation ? Un territoire, un peuple, une administration, ou un esprit, des valeurs, une idée ? La France de 1940, dans son immense majorité, répondait « un territoire, un peuple, une administration » ; la France d'aujourd'hui, dans son immense majorité, et en tout cas par la voix de ses élites politiques et intellectuelles, répond « un esprit, des valeurs, une certaine idée ».

Raymond Cartier écrit dans son livre sur *La Seconde Guerre mondiale* : « Deux patriotismes sont face à face. L'un pense qu'il est possible de transporter la flamme de la patrie hors de la patrie. L'autre croit qu'il n'y a de force et de vérité que dans le sol natal... Les faits ne donnent raison ni aux uns ni aux autres. Ceux qui partirent sont revenus avec l'auréole de la victoire – mais qu'eussent-ils trouvé sans le travail de conservation de ceux qui sont restés ? Les accusations farouches dont ils se poursuivent depuis un quart de siècle perdront leur signification pour les générations postérieures. Elles ne verront pas des traîtres et des héros, des capitulards et des aventuriers, mais uniquement des Français déchirés par un tragique conflit. »

Il se trompait pour le jugement de la postérité. La France moderne forgée de concert, au-delà des haines et des oppositions idéologiques, par Pétain et de Gaulle, serait abattue par cette nouvelle génération dont ils avaient été les pères tutélaires, cette fameuse génération dite du « baby-boom », qui deviendrait bientôt l'ingrate génération 68. Celle-ci commença par mettre ses deux mentors dans le même sac d'injures. Pour jeter à bas de Gaulle, alors au pouvoir, la jeunesse de gauche l'assimila à Pétain. Pour mieux le diaboliser, le fasciser et le renverser. Ce fut de Gaulle = Pétain, comme CRS = SS. Puis vint au contraire ce temps où les intellectuels de gauche redécouvrirent le Général. Après son départ du pouvoir et sa mort, en 1970.

Avec sa biographie de 1984, Jean Lacouture est une borne. De Gaulle n'est plus le général putschiste, aux idées réactionnaires, aux tendances autoritaires, agent des « trusts » et de la bourgeoisie. Il est l'homme de toutes les audaces, de toutes les rébellions, l'homme qui dit non. Il devient, avec Régis Debray, le porte-drapeau de la révolte des nations contre les empires, une sorte de Richelieu combattant le dernier Saint Empire germano-américain. Avec Bernard-Henri Lévy, il incarne l'homme aux semelles de vent qui emmène sa patrie avec lui en exil, sorte de juif errant sublime, tandis que Pétain est le nom de l'odieuse patrie de la terre et des morts, fasciste parce que enracinée. Cette dernière analyse est la plus éloignée de la volonté du général de Gaulle ; celle qui dévoie le plus son message, ce qu'il était et ce qu'il disait. C'est sans doute pour cette raison qu'elle s'est imposée. L'homme enraciné, l'émigré malgré lui, a mué en parangon du déracinement. Le catholique fervent et républicain tiède en républicain laïc et cosmopolite. L'homme qui disait à Claude Guy « Voyez-vous, Blum est un homme qui n'a jamais pu poursuivre aucune fin nationale, s'appliquant en tout à demeurer étranger à la France » est désigné comme le porte-drapeau d'un antiracisme universaliste.

DISCOURS DE JACQUES CHIRAC AU VEL' D'HIV

La France forgée entre les décennies 1930 et 1950 a été abattue culturellement en 1968, et économiquement en 1983, avec le grand virage européen et libéral de la gauche. Alors sont revenus tout ce qu'avaient dénoncé et combattu ces élites « non conformistes » qui avaient fini par bâtir la France moderne : le libéralisme économique, le régime des partis, l'individualisme, l'internationalisme, le pacifisme, la soumission de la France à l'allié anglo-saxon (l'Amérique ayant remplacé l'Angleterre), la fascination pour les succès de l'Allemagne, la sanctification de l'Europe au nom de la paix, la domination de la finance et le dédain de l'industrie, jusqu'à la mort de la « qualité française », vaincue au théâtre, au cinéma et à la télévision par le boulevard, les productions hollywoodiennes et l'abrutissement d'une vulgarité de masse.

Depuis le discours de Jacques Chirac au Vél'd'Hiv, en 1995, reconnaissant la responsabilité de l'État français dans la rafle du 17 juillet 1942, la fiction gaullienne d'un Vichy illégitime et illégal a vécu. Pétain est redevenu pour l'éternité le chef de l'État français, mais c'est pour mieux les diaboliser, Pétain et l'État français, l'État et la France. De Gaulle est pour l'éternité le général rebelle en exil, mais c'est pour mieux vider de son sens, et même pour mieux détruire tout ce qu'il a voulu accomplir.

C'est la grande inversion. Nous sommes en 1940, mais à l'envers. Pétain est l'homme qu'il faut détester, de Gaulle, l'homme qu'il faut aimer. « La France a enfin un homme à aimer », lisait-on dans un journal de 1940… « Pétain, c'est la France », proclamait-on en 1940. « De Gaulle, c'est la France », dit-on aujourd'hui. « Les paroles du maréchal Pétain, écrivait François Mauriac, le soir du 25 juin 1940, rendaient un son presque intemporel. » Quelques années plus tard, le même Mauriac écrivait : « Le général de Gaulle reste aujourd'hui ce qu'il fut, de notre effondrement à notre libération, une voix intemporelle… »

Pétain est enseveli sous les pierres, de Gaulle sous les fleurs. Pétain est le soldat maudit, de Gaulle, le père de la nation. Pétain est le nom qu'il faut détester dans les dîners en ville ; de Gaulle est le nom qu'il faut glorifier si on veut être invité dans les dîners en ville.

C'est la grande inversion. Nous sommes en 1940, mais à l'envers. Pétain est de gaullisé, de Gaulle est pétainisé.

De Gaulle et Soustelle

La France en terre d'Islam

Ce fut la dernière. La der des der. L'ultime guerre franco-française. Celle qui les résumait toutes, les contenait toutes, les répétait toutes, les parodiait toutes. Tragédie et farce à la fois. Celle qui mettait aux prises le Général et l'intellectuel, le saint-cyrien et le normalien, le premier des Français et le premier à l'agrégation de philosophie, le catholique et le huguenot, le monarchiste et le républicain, le maurrassien et le socialiste, l'échalas et le gros matou, la grande Zohra et la cervelle de colibri, le vent du Nord et le vent du Sud, le Lillois et le Lyonnais, la terre et la mer, l'histoire et la géographie, le politique et l'ethnologue, l'exilé des années 1940 et l'exilé des années 1960, le cynique et le romantique, le machiavélien et l'utopiste.

Ils ont pour nom Charles de Gaulle et Jacques Soustelle. On a l'impression de les avoir déjà vus, de les avoir déjà connus, sous d'autres noms, d'autres traits, dans d'autres situations, jamais les mêmes, pourtant toujours pareils : Bonaparte et Chateaubriand, Napoléon III et Victor Hugo, l'état-major de l'armée et Zola, Richelieu au siège de La Rochelle, Louis XV et Voltaire, Louis XIV et Fénelon, les guerres de Religion et Montaigne…

« La guerre franco-française, déclarée par la jeune France à la vieille France depuis la Révolution, la Restauration et l'Empire, a resurgi comiquement au moment de l'affaire Dreyfus, pour couver et pourrir sous la chair des "morts pour la" de 14-18, et reparaître en 40-45 dans la lutte entre maréchalistes et généralistes, rappelle Guy Dupré. Elle brille d'un dernier éclat dans les années 60 entre le putsch d'Alger et le Petit Clamart. Guerre franco-française de soixante ans qui commence avec la dégradation du capitaine Dreyfus dans la cour de l'école militaire, le 5 janvier 1895 et se termine avec l'exécution du colonel Bastien-Thiry au fort de Montrouge, le 11 mars 1963[1]. »

De Gaulle comme Soustelle, comme tous les acteurs de cette ultime lutte autour de l'Algérie française, sont imprégnés par cette histoire qui les hante. Quand Soustelle « enterre » prématurément de Gaulle, « il est mort à Colombey-les-Deux-Églises entre 1951 et 1958 sans qu'on s'en soit aperçu », c'est à la manière acerbe et sarcastique du Général signant la fameuse épitaphe du Maréchal déjà évoquée : « Pétain est mort en 1925, à l'insu de ceux qui ne faisaient pas partie de son entourage. » Quand tous les partisans de l'indépendance algérienne, ses anciens amis de gauche comme ses compagnons de la Résistance, le traitent de « fasciste » parce qu'il soutient les méthodes violentes de l'OAS, Soustelle répond avec une certaine noblesse : « Si tous les gens qui agissent avec violence sont des fascistes, alors nous étions des fascistes pendant la guerre. »

« L'intégration est une bouffonnerie tragique »

C'est la guerre qui a réuni ces deux hommes que rien ne devait rapprocher. Soustelle a rejoint le général de Gaulle à Londres dès décembre 1940. Il y devient une pièce essentielle du dispositif, jusqu'à prendre la tête des services secrets de la France libre. Le philosophe a mis les mains dans le cambouis ; l'intellectuel a touché à la politique ; l'homme de gauche est devenu gaulliste.

Après-guerre, Soustelle continue de vivre toutes ses vies à la fois. Entre deux voyages au Mexique, et deux ouvrages d'eth-

1. Guy Dupré, *Le Grand Coucher*, op. cit.

nologie, il pourfend la IVe République de ses philippiques acérées. Mais quand François Mitterrand, alors ministre de l'Intérieur, lui propose en janvier 1955 de devenir gouverneur de l'Algérie, il ne parvient pas à refuser. Il consulte aussitôt de Gaulle, qui fait des « oh », des « ah », avant de lui lancer : « Après tout pourquoi pas ! Ce n'est pas un poste ministériel, vous pouvez peut-être faire quelque chose d'utile... Allez-y ! » Soustelle se croit encore à ce moment-là le préféré du grand homme alors que celui-ci ne lui a pas pardonné son tour de piste de janvier 1952, lorsqu'il faillit accepter le poste de président du Conseil que lui offrait Vincent Auriol, précipitant la dislocation du groupe RPF qui soutenait l'action politique du Général.

Il tombe amoureux de l'Algérie : « Pauvre Algérie ! Divisée entre le passé et l'avenir, écartelée par les désirs et les rancœurs. Comment ne pas l'aimer dans son épreuve ? » L'Algérie s'éprend de lui. Le 2 février 1956, il la quittera comme un empereur romain, sur un char. Soustelle confiera, au désespoir : « L'Algérie est perdue. » Il en veut beaucoup à cette IVe République qui a été incapable de sortir d'une politique à courte vue. La République va perdre l'Algérie comme elle a perdu la Seconde Guerre mondiale, comme elle a failli perdre en 1914, à cause de l'impéritie d'un régime parlementaire, incapable de trancher, de faire des choix et de s'y tenir. Son diagnostic rejoint alors celui du général de Gaulle. Quand Soustelle lui adresse son livre *Aimée et souffrante Algérie*, de Gaulle lui répond qu'il « écrit très bien, ce qui ajoute beaucoup aux arguments ».

Le « gros matou » se retrouve au cœur de tous les complots du 13 mai 1958. L'opération *Résurrection* poursuit trois objectifs : le retour du Général au pouvoir, la réforme des institutions et le maintien de l'Algérie dans la France. Soustelle évoquera plus tard « le contrat conclu entre lui et la nation après le 13 mai » ; mais de Gaulle estimera ne rien devoir à personne. En 1962, de Gaulle parlera du mouvement du 13 Mai comme « d'une entreprise d'usurpation venue d'Alger ». Ingratitude des grands hommes.

Soustelle, Debré, Bidault. Pour Raymond Aron, sarcastique, voilà les trois derniers responsables politiques qui croient encore sincèrement à l'Algérie française. Ce sont aussi trois gaullistes et résistants de la première heure. « L'intégration de Jacques Soustelle est une bouffonnerie tragique », écrit Raymond Aron.

« Vive l'Algérie française »

De Gaulle ne parle pas encore ainsi. En public, lors de son premier voyage en Algérie après son retour au pouvoir, il prononce les mots qui exaltent et rassurent : « Je vous ai compris. » « Tous les Français d'Algérie sont les mêmes Français. » Sans oublier : « Vive l'Algérie française ! » Les foules algériennes l'exaspèrent avec leur débraillé impérieux et leur passion pour Soustelle, dont elles scandent sans cesse le nom, mais il sait encore contenir son irritation.

En privé, il est plus ondoyant selon ses auditoires, parle d'indépendance aux progressistes, et d'Algérie française aux gaullistes. Quand il reçoit Léon Delbecque, grand partisan de l'intégration, la veille de son départ pour Alger et de son fameux « Je vous ai compris », il lui lance, goguenard : « L'intégration, Delbecque, ça n'a jamais tenu debout. »

Délicat de suivre les méandres de sa pensée. Derrière l'apparent bloc de monolithe, que de tergiversations et de revirements. Bien la peine de se gausser des zigzags d'une IVe République qui varie selon les majorités et les foucades de l'opinion en métropole, et surtout en Algérie ! De Gaulle incarnera tous les présidents du Conseil et toutes les politiques à la fois. Il défendra successivement l'Algérie française, l'Algérie dans la France, l'Algérie indépendante associée à la France, l'Algérie algérienne.

Il a d'abord cru de bonne foi que son immense prestige personnel convaincrait les musulmans de rester dans la France. À l'époque, seul le roi du Maroc ose lui dire qu'il se nourrit d'illusions. Pour l'Algérie française, il a prononcé les mots qui plaisent, et surtout vidé sa bourse. C'est le fameux « plan de Constantine », vaste entreprise de scolarisation, d'industrialisation et de construction. Cent cinquante milliards de francs par an ! Dans le même temps, il donne instruction au général Challe d'écraser l'insurrection tout en offrant aux rebelles la « paix des braves ». De Gaulle tire toutes les ficelles en même temps ; et se rend compte que l'Algérie s'apparente au tonneau des Danaïdes. Un puits sans fonds. Il confie à Peyrefitte : « La colonisation a toujours entraîné des dépenses de souveraineté. Mais aujourd'hui, en plus, elle entraîne de gigantesques dépenses de mise à niveau économique et social. C'est devenu, pour la métropole, non plus une source de richesse, mais une cause d'appauvrissement et de ralentissement… La mission civilisatrice, qui n'était au début qu'un prétexte, est devenue la seule justification de la poursuite de la colonisation. Mais puisqu'elle coûte si cher, pourquoi la maintenir, si la majorité de la population n'en veut pas ? C'est un terrible boulet. Il faut le détacher. C'est ma mission. Elle n'est pas drôle.

– Et le pétrole, et le gaz ? » l'interroge son interlocuteur.

De Gaulle balaie cet ultime argument :

« Le pétrole et le gaz ne suffiront pas à payer l'effort qu'exige de nous l'Algérie… Les empires s'écrouleront les uns après les autres. Les plus malins sont ceux qui s'y prendront le plus vite. Les Anglais, puis les Hollandais se sont retirés les premiers ; ils s'en sont bien trouvés[1]. »

« *Bye, bye,* VOUS NOUS COÛTEZ TROP CHER »

À l'époque, le pétrole et le gaz sont acquis à des prix dérisoires. De Gaulle ne pouvait pas anticiper la crise de 1973 ni le quadruplement des prix du pétrole. Son analyse est toutefois structurelle. L'histoire de la colonisation est une immense duperie, qu'elle soit écrite par ses partisans ou ses adversaires. Dès le XIXe siècle, comme le note l'historien de l'économie Paul Bairoch, les pays qui n'ont

1. Alain Peyrefitte, *C'était de Gaulle*, op. cit.

pas de colonies, États-Unis, Allemagne, Suède, Suisse, Belgique, connaissent une croissance supérieure aux pays qui en possèdent : Royaume-Uni, France, Espagne, Portugal, Pays-Bas. En devenant un pays colonial, au début du XXe siècle, la Belgique change de camp. Dès qu'ils abandonnent l'Indonésie, en 1947, les Pays-Bas bénéficient d'un développement inédit. Ce « modèle hollandais » a été analysé à l'époque par tous les économistes français qui pressent le général d'abandonner l'Algérie et le reste de l'empire.

De Gaulle n'a pas de culture économique, mais il sait compter. Devant Peyrefitte, il gouaille encore : « Alors, puisque nous ne pouvons pas leur offrir l'égalité, il vaut mieux leur donner la liberté. *Bye bye*, vous nous coûtez trop cher. » Dès janvier 1959, il a viré de bord, et s'est résolu à mettre un terme à ce qu'il appelle la « boîte à chagrin ». Il écrit au général Ély, chef d'état-major : « Il nous faut tuer mille combattants par mois. L'insurrection est intacte… L'intégration n'est actuellement qu'un vain mot, une espèce de paravent… » Le Général n'a pas d'*a priori* humaniste contre le colonialisme. Son fils a raconté dans ses Mémoires une conversation dans laquelle son père lui a lancé, excédé : « Seuls les peuples imbéciles ne reconnaissent pas la colonisation, même si elle n'a pas toujours été tendre à cause de leur propre barbarie. Ils oublient qu'ils ont été eux-mêmes colonisés parce qu'eux-mêmes en étaient incapables. » Et de s'écrier : « Vive les Romains ! »

Il juge cependant que le projet républicain en Algérie de l'assimilation des populations colonisées ne fut « pas très malin ». Il ne fait pas sienne la fameuse phrase de François Mitterrand, alors ministre de l'Intérieur de la IVe République : « L'Algérie, c'est la France… des Flandres au Congo, il y a une loi, une seule nation, un seul Parlement. » Il sait pourtant mieux que personne que ce rêve algérien est né chez les républicains pour compenser les défaites militaires de 1815 et l'affaissement démographique du pays au XIXe siècle. Dans leur esprit, l'Algérie est l'antidote à la perte de l'Empire napoléonien en Europe. Elle sera ce que l'Amérique fut à l'Angleterre. Déjà, Thiers, en 1836, évoquait pour l'Algérie le destin « d'un de ces grands et nobles asiles qu'au XVIe et XVIIe siècle on trouvait dans l'Amérique du Nord ». Prévost-Paradol, en 1869, comptait sur l'Algérie pour forger une France de cent millions d'habitants qui seule, selon lui, pourrait rivaliser avec les géants qui arrivaient : États-Unis, Russie, et ce qu'il appelait l'Allemagne unie.

Royaume arabe

Ce projet républicain est universaliste et humaniste. C'est une politique de grandeur de la France fondée sur les droits de l'homme. Point de races ni de religions, un seul homme, un seul Français. Bugeaud et ses officiers ont fait leurs classes dans la Grande Armée. Ils sont les enfants de la Révolution et du Code civil. Ils ne songent nullement à convertir au catholicisme les musulmans qu'ils soumettent. Ils sont certes des sabreurs sans pitié ; mais, dès son arrivée au pouvoir, Napoléon III a donné des consignes strictes pour que les Arabes ne « connaissent pas le sort des Indiens d'Amérique ».

Au contraire des républicains, l'Empereur songe, lui, à un royaume arabe, indépendant, régi par la « loi musulmane », mais protégé par l'armée française, où les colons n'auraient pas été privilégiés par rapport aux populations autochtones ; mais où celles-ci ne seraient devenues citoyennes françaises qu'en abandonnant leur « statut personnel », c'est-à-dire le code juridico-politique de la charia. Les décrets impériaux du 21 avril 1866 proposèrent donc aux juifs et aux musulmans, qui étaient prêts à abandonner ce « statut personnel », d'acquérir la nationalité française ; mais les autorités religieuses des deux cultes font alors pression sur leurs ouailles pour qu'elles refusent cette offre pourtant alléchante. Quatre ans plus tard, la République, à peine instaurée, généralisera cette politique impériale, mais au bénéfice des seuls juifs. Entre-temps, les responsables israélites de la métropole avaient exercé une forte pression sur les rabbins d'outre-mer pour qu'ils s'inclinent. Les imams, eux, n'avaient pas changé d'avis...

La défaite de 1870 rangea ce projet grandiose dans les poubelles de l'Histoire. À la grande désolation de De Gaulle, qui, cent ans plus tard, toujours devant Peyrefitte, lui rendait hommage : « Un seul a compris dans quelle impasse on s'enfonçait : Napoléon III. Il voulait faire un royaume arabe... Les Européens auraient été non les dominateurs, mais le levain dans la pâte... On est passé à côté de la seule formule qui aurait été viable. » Un siècle plus tard, la population musulmane est de dix millions de personnes, quand son homologue européenne totalise seulement un million. La messe est dite. Les pieds-noirs ne pourront jamais accepter que les musulmans aient les mêmes droits qu'eux, car cela signifierait se plier à la loi du nombre.

L'Islam est le nœud gordien

L'Algérie ne sera ni l'Amérique du Nord, expurgée de ses premiers habitants, ni le Mexique et l'Amérique du Sud, où les Espagnols se mélangèrent aux Indiens après qu'ils les eurent convertis au catholicisme. L'Islam est à la fois une identité, une religion, et un système juridico-politique. L'Islam est le nœud gordien de cette affaire algérienne que la France n'a jamais osé trancher.

La France humaniste et révolutionnaire est restée au milieu du gué. Jacques Soustelle veut croire encore à la « fraternisation » des deux peuples, le pied-noir et le musulman. Il y a de la naïveté sentimentale chez Soustelle, celle du savant saisi par la politique, quand il intitule son livre sur l'Algérie *L'Espérance trahie* : comme si le propre d'une espérance politique n'était pas d'être trahie ! Mais il y a aussi une grande lucidité quand il explique que les assassins du FLN s'en prennent avant tout à leurs coreligionnaires musulmans – et de la manière la plus sauvage – pour leur imposer la « domination d'un groupe d'aventuriers racistes, totalitaires et d'inspiration communiste ».

Soustelle est un ethnologue trop subtil pour croire aux mirages de l'assimilation pure et simple – et en cela il n'est pas l'héritier direct de Jules Ferry –, mais il demeure un républicain de gauche qui croit en l'Homme. Dans la querelle portée avec maestria par Joseph de Maistre dans *Considérations sur la France* (« Il n'y a point d'homme dans le monde. J'ai vu dans ma vie des Français, des Italiens, des Russes ; je sais même, grâce à Montesquieu, qu'on peut être Persan ; mais quant à l'homme je déclare ne l'avoir rencontré de ma vie ; s'il existe c'est bien à mon insu. »), de Gaulle est du côté du réactionnaire de Maistre, Soustelle est avec les révolutionnaires universalistes pour qui, comme il le dira lui-même, « il n'y a aucune différence entre un paysan cévenol et un paysan kabyle ». On notera cependant qu'il parle des Kabyles – berbères convertis de force à l'islam, des siècles plus tôt – et non des Arabes. Tout à son mirage romantique mexicain, il oublie seulement qu'en cent trente années de colonisation il n'y a pratiquement pas eu de mariages mixtes entre pieds-noirs et Arabes.

De Gaulle, lui, est d'un réalisme impitoyable : « On peut intégrer des individus ; et encore dans une certaine mesure seulement. On n'intègre pas des peuples, avec leur passé, leurs traditions, leurs souvenirs communs de batailles gagnées ou perdues, leurs héros. Vous croyez qu'entre les pieds-noirs et les Arabes, ce ne sera jamais le cas ? Vous croyez qu'ils ont le sentiment d'une patrie commune, capable de surmonter toutes les divisions de races, de classes, de religions ? Vous croyez qu'ils ont vraiment la volonté de vivre ensemble[1] ? »

De Gaulle a reçu la visite du grand démographe français Alfred Sauvy, qui lui a exposé ses implacables courbes. Le Général récite sa leçon à Peyreffite : « Avez-vous songé que les Arabes se multiplieront par cinq puis par dix, pendant que la population française restera presque stationnaire ? Il y aurait deux cents puis quatre cents députés arabes à Paris ? Vous voyez un président arabe à l'Élysée ? »

---

1. Alain Peyrefitte, *C'était de Gaulle*, op. cit.

« LES MÊMES DJEBELS, LES MÊMES CRÈVE-LA-FAIM »

Au début de 1960, tout le monde a enfin compris que de Gaulle ne sera pas celui qu'on croyait qu'il serait. L'armée a compris. L'armée surtout a compris. Massu, en janvier 1960, s'épanche dans un journal allemand : « Notre plus grande déception a été de voir le général de Gaulle devenir un homme de gauche… de Gaulle était le seul homme à notre disposition. L'armée a peut-être commis une faute. » Mal lui en prend. Massu est convoqué à l'Élysée : « Le général de Gaulle a tapé sur la table, il en a cassé sa montre, il avait chaud, il avait une main gluante[1] », dira Massu de son entrevue avec le général. Massu réplique que Napoléon au moins laissait parler ses grognards et conclut : « Vous êtes entouré d'une bande de cons. »

Pour les officiers de l'armée d'Algérie, en particulier les colonels qui ont combattu aux côtés de leurs hommes et savent, eux, qu'ils sont en train de gagner la guerre sur le terrain, en vengeant la défaite amère de Diên Biên Phu, la désillusion est immense. La fureur aussi. Pour eux, de Gaulle, c'est désormais Pétain. Le héros d'une guerre d'hier qui renonce à poursuivre la lutte d'aujourd'hui. L'homme de l'honneur qui trahit la parole donnée. L'incarnation des valeurs suprêmes de sacrifice qui se fait le héraut d'une France avachie et veule.

Pendant la semaine des barricades à Alger, en janvier 1960, l'ambiance est tendue au sein même du gouvernement. Lors du Conseil des ministres, Malraux lance : « Après tout, on a des chars, pourquoi est-ce qu'on ne les utilise pas ? », Soustelle réplique avec une ironie glaciale : « La bombe atomique est toute prête à Regane, pourquoi on ne s'en servirait pas non plus à Alger ? »

Soustelle n'a plus sa place dans le gouvernement. Il démissionne. De Gaulle le reçoit cent cinquante secondes.

---

1. Cité dans Marc Francioli, *Jacques Soustelle*, 2015.

Plus tard, à la télévision, en 1989, Soustelle racontera la scène : « En substance, il m'a dit que nos positions sont trop différentes pour que nous puissions demeurer ensemble, en effet. Je lui ai dit dommage que vous n'ayez pas attendu quelques jours de plus, ça aurait fait vingt ans que j'ai été avec vous. Il a fait le geste que l'on fait pour éloigner une mouche. »

Lors du référendum sur l'autodétermination du 8 janvier 1961, de Gaulle obtient un oui à 75,25 % en métropole. De Gaulle a gagné. Pourtant, rien ne va comme il le souhaite. Rien ne va aussi vite qu'il le souhaite. Les plénipotentiaires du FLN s'avèrent de redoutables négociateurs. Ils ne lâchent rien, et surtout pas ce Sahara, avec ses réserves de pétrole découvertes par les Français, qui y expérimentent leur bombe atomique. Exaspéré, il songe à une porte de sortie encore inédite : le partage. Regrouper les Européens, dont les trois quarts demeurent déjà près de la côte, entre Alger et Oran. Avec le Sahara en République autonome, directement reliée à l'Algérie française. Il confie à Peyrefitte : « L'important pour une minorité, c'est d'être majoritaire quelque part... Les deux millions d'Israéliens ont bien tenu face aux cent millions d'Arabes qui les entourent. » Il charge ce dernier de répandre l'idée. Articles, tribunes, rencontres, colloque.

Les partisans de l'Algérie française, comme Debré, s'accrochent à l'idée comme au dernier radeau avant la noyade. Couve de Murville et Malraux prédisent à Peyrefitte son échec. Malraux : « Il est probable que votre formule reviendrait à poursuivre la guerre sous une autre forme, qui serait pour nous à soutenir quelqu'un d'autre, mais qui serait une guerre quand même. » Couve est encore plus hostile : « Il est impossible que le Maroc et la Tunisie soient indépendants et que l'Algérie ne le soit pas. Ce sont les mêmes djebels, les mêmes crève-la-faim, la même intelligentsia formée par nous et qui nous détestent. »

Alain Peyrefitte ne saura jamais s'il a été instrumentalisé par le Général pour mettre l'épée dans les reins des négociateurs du FLN ou si de Gaulle a vraiment cru en son plan de « partage ». Sans doute les deux. Son mépris des pieds-noirs, comme de la plupart des « peuplades » méditerranéennes, l'incline à voir dans les foules d'Alger et d'Oran des braillards vociférant, incapables de prendre les armes pour défendre leur pré carré. Ce qui était idée de fond devient moyen tactique, et *vice versa*, selon les besoins.

Comme toujours avec de Gaulle, tout dépend du moment.

Soustelle et De Gaulle

L'Islam en terre de France

Jusqu'à la fin de ses jours, Jacques Soustelle s'est demandé pourquoi le général de Gaulle avait renoncé à l'Algérie. Il aurait dû poser la question à Couve de Murville. Ou lire Charles Maurras. Cette « grande politique étrangère », dont lui a parlé son ministre des Affaires étrangères, est en effet la raison fondamentale pour laquelle de Gaulle a fait les choix qu'il a faits. C'est la politique extérieure qui détermine chez lui la politique intérieure. Pas l'inverse. Or, la « grande politique étrangère » du Général est inscrite dans quelques pages d'un ouvrage de Charles Maurras, *Kiel et Tanger*, rédigé en 1895, repris et complété en 1910.

En 1972, lors d'une conférence fameuse devant les étudiants de Sciences Po, le président Pompidou exhuma, admiratif, une phrase tirée de *Kiel et Tanger*, dans laquelle, prophétique, Maurras annonçait : « Le monde aura donc la chance de se présenter pour longtemps... comme un composé de deux systèmes : plusieurs empires, avec un certain nombre de nationalités, petites ou moyennes, entre les deux. Le monde ainsi formé ne sera pas des plus tranquilles. Les faibles y seront trop faibles, les puissants trop puissants et la paix des uns et des autres ne reposera guère que sur la terreur qu'auront su inspirer réciproquement les colosses. Société d'épouvantement mutuel, compagnie d'intimidation alternante, cannibalisme organisé ! »

À l'époque, bien sûr, Maurras ne connaît pas la bombe atomique, et Albert Einstein est à peine né. Il a quand même deviné l'avenir, avec ces colosses qui terrorisent le monde et la France qui n'en est pas. Que faire ? Maurras propose une solution alternative qu'il peut résumer par un seul mot, l'influence : « ... Une France pourrait manœuvrer du seul fait qu'elle se trouverait, par sa taille et par sa structure, très heureusement établie à égale distance des empires géants et de la poussière des petites nations jalouses de leur indépendance. Les circonstances sont propices à l'interposition d'un État de grandeur moyenne, de constitution robuste et ferme comme la nôtre... Nous n'aurons peut-être pas sur la carte le volume des plus grandes puissances : nous aurons l'autorité morale fondée sur une force vive supérieure. »

De Gaulle fait du Maurras qui fait du Vergennes

Toute la « grande politique » gaullienne est annoncée. Même les coups les plus spectaculaires du Général, les plus surprenants, les plus inattendus y sont déjà dévoilés. Ainsi son discours de Phnom Penh de 1967 contre l'intervention américaine au Vietnam : « [Il faut] guetter, chez autrui, l'inévitable excès de la politique orgueilleuse à laquelle les Allemands, les Russes, les Anglais et les Américains ne peuvent désormais échapper... » Ou encore ses grands discours au Mexique (*Marchemos la mano*) et au Québec (« Vive le Québec libre ! ») : « Et, si l'on est tenté de se croire isolé, qu'on se rappelle tout ce qui parle encore français et latin dans le monde, l'immense Canada et cette carrière infinie que nous ouvrent les Amériques du centre et du Sud ! Ce n'est pas la matière qui se refusera à l'audace française. » Maurras lui-même n'a rien inventé, il le concède volontiers, mais a redécouvert les conseils que donnait Vergennes au roi Louis XVI : « Groupant autour de vous les États secondaires, leur intérêt garantira leur alliance, et elle [la France] sera à la tête d'une coalition défensive assez forte pour faire reculer tous les ambitieux. »

De Gaulle fait du Maurras qui fait du Vergennes. Il applique avec les chefs d'État africains les méthodes qu'utilisait Louis XIV avec les roitelets allemands. Il tente de reprendre pied au Moyen-Orient dans le cadre d'une « grande politique arabe ». Le « tiers-monde » s'ébroue alors dans le désordre et la confusion des « non-alignés » : ce n'est pas à l'Inde de Nehru ou à l'Égypte de Nasser de prendre la tête de cette ligue des gueux, mais à la France de De Gaulle. Le Général renoue avec l'antique politique de la France contre la « monarchie universelle », qu'il modernise en l'ajustant contre la « politique des blocs ». S'il est aussi sensible aux pressions qui s'exercent sur notre pays à l'ONU au sujet de l'Algérie, ce n'est pas par respect pour le « machin », mais parce que les États-Unis et l'URSS en profitent pour mettre en accusation la France auprès de ceux qui devraient être ses amis, ses alliés ou ses clients.

L'Algérie française est le verrou qui l'empêche de déployer sa « grande politique étrangère » ; il le fera sauter à la dynamite, quels qu'en soient les dégâts. L'exil des pieds-noirs et le massacre des harkis en seront les dégâts collatéraux qu'il fera mine de ne pas voir. Quand Alain Peyreffite l'informe au Conseil des ministres que huit cent mille Français avaient trouvé refuge en métropole, un silence glacial se fait autour de la table, que de Gaulle rompt d'un ton roide : « Je me demande si vous n'exagérez pas un peu. »

En privé, il accuse l'OAS, qui a « saboté les accords d'Évian » ; puis s'emporte devant un Peyrefitte ému par le désarroi des pieds-noirs et la fureur vindicative et sauvage du FLN contre leurs coreligionnaires harkis : « N'essayez pas de m'apitoyer. Cette page m'a été aussi douloureuse qu'à quiconque. Mais nous l'avons tournée. C'était nécessaire pour le salut du pays. »

« Sa sentimentalité s'est atrophiée »

On croit souvent trouver la cause de l'insensibilité du Général dans sa rancune contre les pieds-noirs, qu'il avait découverts pétainistes à Alger en 1943, et dans son refus de voir débarquer des « Arabes musulmans » inassimilables en métropole. Cela est vrai, mais vient de surcroît, de manière superflue. De Gaulle est dans la lignée des hommes d'État à la Richelieu : la morale publique n'a pas à se conformer à la morale privée. Il est même souvent dangereux qu'elle le fît. Leur foi chrétienne est sincère, mais elle ne s'applique pas aux règles des rapports de force de la politique.

Dès les années 1950, alors que de Gaulle n'est plus au pouvoir et croit de moins en moins y revenir, Claude Guy a fait une observation judicieuse sur son grand homme : « Je note une fois de plus à quel point il est détaché : renonciation à toute sentimentalité sur soi ou sur le compte d'autrui... Je suis arrivé à cette conclusion que, si ce qui l'entoure ne le touche pas, c'est parce qu'il ne se soucie guère de songer à ce qui l'entoure. Ce n'est que par accident que la partie vivante en lui entre tout à coup au contact d'une destinée individuelle... Tout ce qui, autour de lui, remue, respire, s'émeut, souffre, l'accable instinctivement d'ennui et relèverait volontiers à ses yeux du trivial. S'il n'existait la nécessité "d'essayer" ses thèses et d'aiguiser sa pensée sur l'interlocuteur, je crois qu'il préférerait ne voir jamais personne... Que de fois l'ai-je entendu d'une voix gourmande aspirer à la cellule du moine. Cette loi pèse sur son destin. Sa sentimentalité s'est atrophiée[1]. »

Pieds-noirs et harkis aujourd'hui ; demain Anglais, Tchèques ou Israéliens : de Gaulle écarte tout ce qui gêne à un moment donné la mise en œuvre de sa « grande politique étrangère ». Il se moque comme d'une guigne des sentiments piétinés et des passions froissées. Même ses plus fidèles soutiens ont parfois les muscles endoloris et des bleus à l'âme. Lorsque Malraux célèbre un peu trop bruyamment en Conseil des ministres la « victoire que constitue l'indépendance algérienne », le Premier ministre, Michel Debré, corrige : « Une grande victoire sur nous-mêmes. »

---

1. Claude Guy, *En écoutant de Gaulle*, op.cit.

Lorsque le général de Gaulle annonce son grand renversement d'alliances au détriment d'Israël, alors même que l'allié de la France semble en danger de mort à la veille de la guerre des Six Jours de juin 1967, François Mauriac écrit dans son bloc-notes : « C'est là peut-être où je me défends mal d'un certain malaise : on sent trop que pour de Gaulle, dans ce débat où c'est de la survie d'Israël qu'il s'agit, et du destin des Arabes, il ramène tout à une question de rang pour la France. Mais quoi ! Telle est sa vocation. Il n'est venu au monde, à en juger par l'histoire dont il est le héros, pour rien d'autre que pour ce rétablissement d'une nation vaincue à la place qu'elle occupait avant sa défaite, et en dépit des empires atomiques qui depuis ont surgi. »

Mais au moins a-t-il réussi ? Puisque le prix à payer ne comptait pas, ses choix furent-ils couronnés de succès ? La France gaullienne est-elle parvenue à se hisser à nouveau au rang des géants de la planète ? Doté de l'arme atomique et de sa clientèle tiers-mondiste, le cher et vieux pays, sans ses anciens atouts, un vaste territoire et une population nombreuse, qui avaient naguère fait sa puissance, avait-il réussi à compenser les manques, à s'imposer comme le troisième grand, et ainsi à « retrouver le rang qu'il avait perdu depuis Waterloo » ?

Poser la question, c'est y répondre. On peut bien sûr, à la manière des gaullistes énamourés, accuser le peuple français de ne plus être à la hauteur de la vision qu'avait le grand homme pour la France : « Durant ces dix années, la politique française n'aura-t-elle pas tenu dans un effort disproportionné pour rendre la France ressemblante à une certaine image qu'un homme portait en lui et qui ne correspond plus aux possibilités de ce vieux peuple à bout de souffle[1] ? »

On peut aussi accuser ses successeurs de pusillanimité et de trahison. Pourtant, aucun d'entre eux, même son vieil

1. François Mauriac, *Bloc-notes*, 4 décembre 1968.

adversaire Mitterrand, n'a osé renier ouvertement son héritage, au point qu'on a parlé de politique étrangère « gaullo-mitterrandienne » ! Tous, même les moins habiles, ont essayé comme leur précurseur glorieux de jouer sur tous les tableaux, l'intégration européenne et l'indépendance de la grande nation, l'alliance occidentale et l'amitié avec le tiers-monde.

Mais au fil des ans, la « grande politique étrangère », à laquelle de Gaulle avait sacrifié l'Algérie, s'est peu à peu réduite au maintien de liens clientélistes, de plus en plus gangrenés par l'affairisme, la fameuse « Françafrique », tandis que la « politique arabe de la France », à laquelle il avait sacrifié Israël, se limitait à un simple soutien à la cause palestinienne et à la garantie de l'approvisionnement pétrolier.

Même le Québec renonçait à l'indépendance qu'il l'avait invité à prendre avec panache, pour se noyer dans un grand ensemble canadien multiculturaliste, annonçant ainsi le destin tragique de sa mère indigne, la « grande nation » dont de Gaulle avait rêvé le retour, et qui se transformait, elle aussi, au fil des décennies en « belle province » attirant touristes venus du monde entier, une sorte de grand Québec dans une Europe sous hégémonie allemande et dans un univers américanisé.

On peut être sûr que le général de Gaulle ne se serait pas laissé enfermer, « provincialiser » dans cet étroit périmètre géographique et symbolique. Mais avait-il laissé le choix à ses successeurs ? Dès la mort du Général, Soustelle n'avait pas hésité à mettre le doigt sur la plaie : « La France s'est épuisée à combler de cadeaux les pays du tiers-monde, dans l'espoir toujours déçu de se constituer une clientèle dont elle deviendrait le chef de file[1]. »

Quand le Général s'en alla, la cervelle de colibri fit son entrée. À l'annonce de la mort de son vieil ennemi, le 10 novembre 1970, Soustelle résidait – force des symboles ! –

1. Marc Francioli, *Jacques Soustelle*, op. cit.

à Londres, où l'avait conduit son exil forcé. Les hommes de main et les barbouzes de Foccart l'avaient poursuivi, traqué, pourchassé pendant des années, partout où il trouvait refuge. On le traitait comme un paria, un criminel de haut vol, alors même que, contrairement à une légende tenace, il n'avait jamais été condamné pour ses amitiés avec l'OAS. Jamais condamné, il ne fut donc jamais amnistié. Il rentra en France après la mort du Général et fut même intronisé à l'Académie française, où Jean Dutourd, gaulliste de toujours, prononça un bel éloge réconciliateur : « Une tragédie nationale les avait réunis, une autre tragédie nationale les divisa. » Soustelle confia à des amis qu'il regrettait que la mort l'ait privé d'une explication, voire d'une réconciliation, avec son grand ennemi.

Le temps leur donnerait l'occasion de se retrouver, l'Histoire leur ferait des clins d'œil ironiques appuyés.

Prénoms coraniques

À partir des années 1970, l'arrivée de populations venues du Maghreb et d'Afrique posa de nouveau les questions brûlantes que de Gaulle croyait avoir réglées à jamais. Soustelle vécut assez longtemps (il mourra en 1990) pour voir avec plaisir sa famille politique d'origine renouer avec le concept qu'il avait forgé pour sauver l'Algérie française : l'intégration. Ce terme retrouva une nouvelle jeunesse : les élites de gauche, de concert avec les familles maghrébines, refusèrent qu'on leur imposât les préceptes rigoureux de l'assimilation républicaine. On avait du mal à définir avec précision ce qu'était l'intégration, sauf qu'elle n'était pas l'assimilation. Ces immigrés furent tacitement autorisés, contrairement à leurs prédécesseurs italiens, espagnols, russes, polonais, à donner des prénoms « coraniques » à leurs enfants, à conserver beaucoup de leurs coutumes, même quand elles contredisaient les traditions françaises. On célébrait le « mélange », le « métissage » ; tout juste si on ne ressortait pas de la naphtaline la « fraternisation » entre les Français et les Arabes. Le « gros matou » tenait sa revanche sur la « grande Zohra ».

Soustelle mourut à temps. Il ne vit pas sa grande idée d'« intégration » se liquéfier au fur et à mesure que des populations venues d'ailleurs se pressaient dans les banlieues françaises, chassant par l'affirmation ostentatoire de leur mode de vie, et parfois par la violence de la délinquance, des « Français de souche », ainsi que les descendants des immigrations européennes, qui ne se sentaient plus en France. Ces quartiers vivaient de plus en plus sous le régime d'une « charia de fait » énoncée par les imams, venus de l'étranger pour la plupart, et imposée de gré ou de force par les « grands frères » ; les mariages mixtes se réduisaient comme peau de chagrin : les jeunes allaient chercher « au bled » leur épouse chez un cousin complaisant.

Bientôt, les prénoms coraniques ne suffirent plus pour affirmer leur fierté identitaire : il y eut aussi les tenues islamiques, *hijab* pour les femmes et *djellaba* pour les hommes, les écoles coraniques où la langue arabe était enseignée au grè des récitations de versets du Coran, les boutiques et les supermarchés emplis de produits « halal », les cafés réservés aux hommes, la rue interdite aux femmes en jupe courte ou aux tenues « indécentes ». Comme l'explique le philosophe Rémi Brague, spécialiste des religions, « l'Islam, derrière toutes ses variétés, est un système juridique qui se présente comme d'origine divine et où tout, en conséquence, n'est pas négociable ».

Si le général de Gaulle revenait dans son « cher et vieux pays », à Saint-Denis ou à Saint-Étienne, à Roubaix ou à Marseille, et dans tant de villes et de banlieues de l'Hexagone, il pourrait aujourd'hui comme hier s'exclamer devant Alain Peyreffite : « Qu'on ne se raconte pas d'histoires ! Les musulmans, vous êtes allé les voir ? Vous les avez regardés, avec leurs turbans et leurs djellabas ? Vous voyez bien que ce ne sont pas des Français ! Ceux qui prônent l'intégration ont une cervelle de colibri même s'ils sont très savants. Essayez d'intégrer de l'huile et du vinaigre. Agitez la bouteille. Au bout d'un moment ils se sépareront de nouveau. Les Arabes sont des Arabes, les Français sont des Français.

Vous croyez que le corps français peut absorber dix millions de musulmans, qui demain seront vingt millions et après-demain quarante[1] ? »

Les deux combattants avaient chacun gagné une bataille, mais ils avaient l'un et l'autre perdu la guerre. L'intégration de Soustelle s'avérait chaque jour davantage le mythe que de Gaulle avait dénoncé. Mais le Général, en bradant l'Algérie « aux criminels du FLN », comme le disait justement Soustelle, avait d'abord et avant tout voulu éviter que son village ne devînt « Colombey-les-Deux-Mosquées. » Il y avait en France cent mosquées en 1970, cinq cents en 1985, deux mille trois cents en 2015 !

Cent millions d'habitants

De Gaulle avait sacrifié le Sahara et son pétrole, renoncé à faire de la Méditerranée un « lac français », abandonné les éléments de la puissance traditionnelle – un vaste territoire et une France peuplée de cent millions d'habitants – pour éviter la submersion démographique de l'Islam. Il avait fait siennes les conceptions modernes de la puissance : la bombe atomique et le développement industriel ; il avait lâché la proie pour l'ombre. Cinquante ans après sa mort, les anciennes puissances sortent de l'enfer de leur décadence passée grâce au poids du nombre et à l'ampleur de leurs territoires : l'Allemagne réunifiée en Europe n'est plus le cheval dont de Gaulle se targuait d'être le jockey ; la Chine, l'Inde, la Turquie, voire le Nigeria ou l'Afrique du Sud ou le Brésil affichent la force de leur démographie à plus de cent millions d'habitants, et de leurs métropoles à plus de dix millions !

De Gaulle avait refusé de soutenir en Algérie une guerre éternelle, à la manière israélienne. L'homme qui incarnait depuis le 18 juin 1940 l'honneur et la grandeur de la France avait troqué les valeurs ancestrales et viriles de l'armée française pour le prosaïsme du développement économique

1. Alain Peyrefitte, *C'était de Gaulle*, op. cit.

et du matérialisme consumériste. Il reçut, en punition, quelques années plus tard, la révolte hédoniste et spiritualiste à la fois d'une génération choyée et dorlotée à qui il avait épargné les affres de la guerre, mais qui refusait de « tomber amoureuse d'un taux de croissance ».

Les rapports privilégiés qu'il avait entretenus avec ses « clients africains » au nom de sa « grande politique étrangère » favorisèrent la pénétration d'une population africaine, qui connaissait tardivement, et grâce aux soins de l'ancienne puissance coloniale, une explosion démographique inouïe. De même, les accords d'Évian avaient prévu d'ouvrir prioritairement les portes de l'Hexagone aux immigrés venus d'Algérie, à qui le Général avait pourtant voulu interdire l'entrée, en les séparant de la mère patrie !

On ne savait plus, entre les dirigeants français et africains, qui était le client et qui était le patron ; qui tenait qui. Le pétrole et l'affairisme, voire la corruption, rendaient les liens troubles. Les Africains demandaient l'aide de l'armée française quand ils étaient en danger, mais refusaient de reprendre leurs ressortissants entrés clandestinement sur notre sol, sans que les responsables français ne protestent.

La boîte à chagrin se rouvre

Depuis le début du XXIe siècle, la France se charge de lutter contre l'offensive islamique en Afrique. Elle retrouve ainsi son rôle colonial de protectrice des populations noires du sud de l'Afrique contre les descentes venues du Nord arabo-islamique ; rôle dont de Gaulle croyait s'être débarrassé en quittant l'Algérie ; mais en abandonnant alors son rôle de vigie avancée de la chrétienté, c'est son propre territoire qu'il a ouvert à l'invasion arabo-musulmane.

Les attentats djihadistes ont ensanglanté le pays comme les prodromes d'une nouvelle guerre d'Algérie. L'historien Pierre Vermeren a montré que la plupart des djihadistes qui frappaient notre sol étaient originaires du Rif, cette région marocaine qui la première, en 1925, s'était révoltée contre le colonisateur ; rébellion que seul le maréchal Pétain avait réussi à mater. L'Histoire de France repasse toujours les mêmes plats. La « boîte à chagrin » se rouvre. Le président François Hollande avoua en privé à des journalistes qu'il était convaincu « que tout cela finirait en partition ». L'huile et le vinaigre, avait prédit le Général. Les cervelles de colibri n'ont rien voulu entendre.

Dans l'« Algérie de papa », on l'a vu, les musulmans n'avaient pu obtenir la citoyenneté française parce qu'ils avaient refusé d'abandonner leur « statut personnel », c'est-à-dire leur mode de vie régi par les lois religieuses. L'intégration dans l'Hexagone avait renversé les priorités et tourné au marché de dupes : les musulmans, devenus français, avaient légalement obtenu les droits de tout citoyen ; mais personne n'avait prévu que nombre d'entre eux retourneraient à leur « statut personnel » immémorial.

À la fin des fins, ils l'emportent sur Soustelle et sur de Gaulle. Une contre-société forge peu à peu un contre-peuple dans le cadre d'une contre-colonisation. De nouveau, la République se retrouve face à l'Islam, et ne sait toujours pas comment trancher le nœud gordien. De nouveau, la nation renoue avec ses éternels démons de la division, de la haine entre Français, de la guerre civile. Au nom de l'intégration et de l'Algérie française, Soustelle nous aurait maintenus dans une guerre permanente, cruelle et avilissante. Avec l'indépendance de l'Algérie, de Gaulle nous a donné un répit d'un demi-siècle, dont on a eu le grand tort de croire qu'il durerait toujours. Cinquante ans de paix, c'est beaucoup pour un pays toujours en guerre contre ses voisins ou contre lui-même ; mais ce n'est rien à l'échelle de l'Histoire.

La France semble condamnée à revivre sans cesse la même histoire, à revivre sans cesse les mêmes passions délétères. À propos de la période de l'Occupation, Emmanuel Berl avait écrit : « La France, j'en ai peur, est ainsi faite que les

Français ne savent pas l'aimer sans haïr une partie, souvent même la majorité de leurs concitoyens ; quand ils n'en ont pas injurié, disqualifié, proscrit, incarcéré, déporté, massacré suffisamment pour satisfaire aux exigences de leur zèle, ils s'accusent eux-mêmes de modérantisme, de tiédeur. Un bon Français ne se regarde comme tel que s'il a causé dans les périodes dures la mort, dans les périodes calmes la honte, la ruine, la perte d'un nombre de ses compatriotes suffisant pour calmer sa crainte de ne pas donner à sa patrie tout l'amour qu'il lui doit. S'il n'a pas livré à l'inquisition, à la police, aux bourreaux, aux fossoyeurs, d'autres Français, son manque de ferveur le dégoûte de lui-même... »

Lorsque enfin les passions sont apaisées, lorsque l'histoire des guerres franco-françaises a été close à grand-peine, la France invente son propre malheur. Au nom de son rêve humaniste, de son rêve d'amour universel hérité de Rome et du christianisme qui la pousse à introduire la politique dans l'ordre du sentiment, elle forge elle-même, par sa folle ingénuité et sa folle impétuosité et sa folle arrogance, les jalons de ce qui sera sa prochaine guerre civile.

Implacable et tragique destin français.

Remerciements

Je remercie Lise Boëll, mon éditrice, pour ses idées et conseils judicieux, Jacques et Barbara, pour leur lecture à la fois exigeante et bienveillante. Je remercie également Francis Esménard et Richard Ducousset pour leur soutien constant et inaltérable.

Table

Troisième partie

LE TEMPS DE LA VENGEANCE

DU MÊME AUTEUR

ESSAIS

Balladur, immobile à grands pas, Grasset, 1995.
Le Livre noir de la droite, Grasset et Fasquelle, 1998.
Le Coup d'État des juges, Grasset et Fasquelle, 1998.
Une certaine idée de la France, Collectif, France-Empire, 1998.
Les Rats de garde, en collaboration avec Patrick Poivre d'Arvor, Stock, 2000.
L'Homme qui ne s'aimait pas, Balland, 2002.
Le Premier Sexe, Denoël, 2006.
Mélancolie française, Fayard/Denoël, 2010.
Z comme Zemmour, Le Cherche Midi, 2011.
Le Bûcher des Vaniteux, Albin Michel, 2012.
Le Bûcher des Vaniteux 2, Albin Michel, 2013.
Le Suicide français, Albin Michel, 2014.
Un Quinquennat pour rien, Albin Michel, 2016.

ROMANS

Le Dandy rouge, Plon, 1999.
L'Autre, Denoël, 2004.
Petit frère, Denoël, 2008.

Composition Nord Compo
Impression CPI Bussière en août 2018
Éditions Albin Michel
22, rue Huyghens, 75014 Paris
www.albin-michel.fr
ISBN : 978-2-226-32007-0
N° d'édition : 21959/01. N° d'impression : 2036730
Dépôt légal : septembre 2018
Imprimé en France